LA FILOSOFÍA Y SU HISTORIA
CUESTIONES DE HISTORIOGRAFÍA FILOSÓFICA

INSTITUTO DE INVESTIGACIONES FILOSÓFICAS

Colección: HISTORIA DE LA FILOSOFÍA
Directora: DRA. OLGA ELIZABETH HANSBERG TORRES
Secretaria: DRA. MAITE EZCURDIA OLAVARRIETA

JORGE J.E. GRACIA

LA FILOSOFÍA
Y SU HISTORIA

CUESTIONES DE
HISTORIOGRAFÍA FILOSÓFICA

Traducción de
JUAN JOSÉ SÁNCHEZ ÁLVAREZ-CASTELLANOS

UNIVERSIDAD NACIONAL AUTÓNOMA DE MÉXICO
México 1998

Título original en inglés:
Philosophy and Its History:
Issues in Philosophical Historiography

© State University of New York Press, 1992

La traducción de este libro se realizó con el permiso
de State University of New York Press,
propietaria de la edición en inglés.

Diseño de la portada: Patricia Reyes

Primera edición en español: 1998
DR © 1998, Universidad Nacional Autónoma de México

INSTITUTO DE INVESTIGACIONES FILOSÓFICAS
Circuito Maestro Mario de la Cueva
Ciudad de la Investigación en Humanidades
Ciudad Universitaria, 04510 México, D.F.
Tels: 6-22-74-29, 6-22-72-41/Fax: 6-65-49-91

Impreso y hecho en México

ISBN 968-36-6695-7

"Pues la Filosofía primitiva parece balbucir en todo, por ser nueva y hallarse en sus comienzos."

(Aristóteles, *Metafísica*, A, cap. IX, 993a15)

"El sentido histórico entraña una percepción, no sólo de la lejanía y caducidad del pasado, sino también de su presencia."

(T.S. Eliot, "La tradición y el talento individual")

"La historia de la filosofía es la lingua franca *que hace posible la comunicación entre los filósofos; por lo menos, de los diferentes puntos de vista. La filosofía, sin la historia de la filosofía, si no vacía y ciega, es, cuando menos, muda."*

(Wilfrid Sellars, *Ciencia y metafísica*, cap. I)

NOTA PRELIMINAR DEL TRADUCTOR

La versión que ofrezco es una traducción del texto original en inglés, publicado en 1992, *Philosophy and Its History: Issues in Philosophical Historiography*. Desde su aparición, he tenido la oportunidad de conversar y discutir, en diferentes ocasiones, con el autor, Jorge J.E. Gracia, sobre algunas de las cuestiones que en él se plantean. Fruto de esas conversaciones fueron algunos trabajos que publiqué sobre el libro y, ahora, la presente traducción.

Se ha hecho imprescindible la introducción de algunos términos, muy contados, que, quizás, puedan resultar neologismos, pero cuyo empleo justifico en nota al calce. También explico, en su momento, los motivos que me han llevado al empleo de ciertas palabras o expresiones, sobre todo cuando entiendo que no es posible encontrar un equivalente fiel en español.

En la versión original, todas las citas de autores (clásicos y contemporáneos) aparecen en inglés, tanto en el cuerpo como en las notas al calce. En aquellos casos de autores cuyo original no estaba escrito en esta lengua, o bien cuando se trata de autores que se expresan en inglés, pero son clásicos, he procurado, la mayoría de las veces, servirme de alguna traducción directa al español reconocida y publicada; otras veces, he buscado la versión original correspondiente y he ofrecido mi propia traducción.

El profesor Gracia ha tenido la amabilidad de leer la versión, prácticamente definitiva, que presento de su libro. Le agradezco sobremanera algunas de sus sugerencias, que me han servido, entre otras cosas, para decidirme por algunos términos o expresiones, antes que por otros, con lo cual pienso que he logrado, o por lo menos así espero, una mayor fidelidad a la letra y al espíritu del original. Asumo, no obstante, toda la responsabilidad sobre la presente traducción.

Juan José Sánchez Álvarez-Castellanos

Puerto Rico, octubre de 1997

PRÓLOGO

Mi interés, que viene de bastante tiempo atrás, por la relación que existe entre la filosofía y su historia, cristalizó como consecuencia de la conferencia, patrocinada por el *National Endowment for the Humanitites*, "Haciendo filosofía históricamente", organizada por Peter H. Hare en Buffalo, en 1987. Cuando se me pidió que escribiera un artículo apropiado para el tema de la conferencia, comencé a ordenar, sistemáticamente, mis ideas acerca de la relación entre la filosofía y su historia. Algunos de los resultados de estas reflexiones se publicaron en las actas de la conferencia, pero me sentí insatisfecho con el área que había cubierto: tantas cuestiones y problemas no resueltos demandaban una atención inmediata. Después de la conferencia, continué meditando sobre esos problemas, y encontré que, en el mejor de los casos, sólo disponía de respuestas parciales a los mismos y, en el peor de los casos, había estado trabajando con presupuestos inconsistentes. Me percaté de que, después de cerca de un cuarto de siglo escribiendo y pensando sobre la filosofía y la historia de la filosofía, me encontraba en la posición de lo que Aristóteles describe como una persona "con experiencia". Es decir, mi situación era similar a la de un cocinero que tiene éxito preparando platos exquisitos, de modo que puede decirse que posee la destreza de cocinar, pero que, al mismo tiempo, no nos puede decir cómo lo hace o por qué tiene éxito cuando lo hace. Como filósofo e historiador de la filosofía, estaba acostumbrado a tratar las cuestiones de filosofía con mayor o menor acierto, y lo mismo ocurría en los asuntos relacionados con la historia de la filosofía, pero no era capaz, ni de describir el procedimiento que había seguido, ni de dar

razón de por qué funcionaba. Y lo que es más sorprendente
todavía, no tenía una idea clara de la naturaleza exacta de la
relación entre la filosofía y su historia, ni del valor que tenía mi
trabajo histórico para el avance de la filosofía, aun cuando mezclaba constantemente la filosofía y su historia en mis escritos,
en mis reflexiones y en mi docencia. En definitiva, Aristóteles
hubiera dicho, de haber podido juzgar mi apuro, que no tenía
conocimiento ni del arte, ni de la ciencia de la materia en cuestión: como practicante de la filosofía y la historia de la filosofía,
no era mejor que un cocinero que no está instruido en el arte
culinario, y mucho menos en la ciencia culinaria.

Pero esto no era todo. También me di cuenta de que el problema no sólo me concernía a mí. La amplia mayoría de los
filósofos utilizan la historia de la filosofía no sólo para propósitos docentes, sino también como punto de partida de su propia
reflexión filosófica. De hecho, alguien podría sostener que todos los filósofos se ocupan de la historia de la filosofía desde el
momento en que reflexionan sobre algún pensamiento o idea
del pasado. Y puesto que desde el momento en el que se ha
propuesto alguna idea, o incluso se la ha considerado simplemente, traerla de nuevo a colación supone que ya forma parte
del pasado, resulta, entonces, que la reflexión filosófica está
atada, inextricablemente, a la reflexión sobre la historia de la
filosofía. De acuerdo con esto, ningún filósofo puede evadirse
de la historia de la filosofía.

Por supuesto, esta postura es, en cierto modo, extrema. No
está claro que una vez que un pensamiento o idea se han propuesto, por no decir que se los ha considerado simplemente,
se conviertan, automáticamente, en parte de lo que se considera la historia de la filosofía. Pero no es preciso mantener esta
posición extrema para percatarse de que la mayor parte de los
filósofos utilizan la historia de la filosofía en su actividad filosófica. Hacen tal cosa en dos casos, por lo menos. En primer
lugar, cuando tratan con problemas y sus soluciones, atribuyen
con frecuencia los planteamientos y soluciones de tales problemas, por lo menos en parte, a las figuras históricas. En segundo
lugar, cuando enseñan filosofía, los textos que emplean son,
por lo general, textos históricos, considerados a menudo co-

mo obras maestras de la filosofía. En ambos casos, los filósofos utilizan la historia de la filosofía cuando ejercen su profesión.

Con todo, muchos filósofos parecen no estar conscientes de los problemas filosóficos que surgen de los usos y las prácticas en los que se involucran cuando tratan con la historia de la filosofía. Su posición, en este sentido, es muy parecida a aquella en la que yo mismo me encontraba antes de comenzar a reflexionar acerca de las cuestiones historiográficas que suscita la relación entre la filosofía y su historia.

A través de estas consideraciones, llegué a la conclusión de que necesitaba, sobre todo en aras del propio beneficio y tranquilidad de conciencia, pero también por un sentido de honestidad profesional, atender las cuestiones que suscita la relación entre la filosofía y su historia. Se hacía ciertamente imposible continuar profesando ambas disciplinas y declarando que las profesaba, como yo deseaba y seguía haciéndolo, sin un examen atento de tales cuestiones. El presente libro no es sino el resultado de mi intento por abordar estas cuestiones.

Antes de pasar a dar una breve sinopsis de los contenidos del libro, me gustaría aclarar un par de cuestiones metodológicas, con el fin de permitir que sus lectores logren comprender mejor lo que me propongo hacer en él y cómo me propongo hacerlo. La primera aclaración consiste en que no he intentado escribir una historia de la historiografía filosófica. Aunque discuto en este libro diversas concepciones que pueden ser atribuidas a autores históricos, no me he ocupado de la dimensión histórica de estas concepciones. Las discusiones contenidas en el texto son filosóficas en la medida en que se ocupan de problemas y cuestiones que considero importantes desde el punto de vista filosófico, o por lo menos interesantes, y en la medida en que se ocupan de aquellas soluciones a tales problemas que considero mejor articuladas desde un punto de vista filosófico. Por consiguiente, sería un error tratar de aplicar a este libro, o a la metodología que utiliza, el tipo de criterios que debería aplicarse a los estudios históricos.

Con esto no quiero decir, en modo alguno, que una historia de la historiografía filosófica carezca de utilidad o que no tenga nada que ver con la materia aquí tratada. De hecho, creo que

la historia de la historiografía filosófica es tan útil para la historiografía filosófica como la historia de la filosofía lo es para la
filosofía, y, por tal razón, en este libro hago continua referencia
a la historia de la filosofía y a la historia de la historiografía filosófica. Pero mi principal interés no ha sido histórico, hecho que
me ha permitido tomar ciertas libertades con las fuentes que
utilizo; libertades que, de lo contrario, no me hubiera tomado.

La segunda cuestión que me gustaría aclarar desde este mismo momento es que el propósito de este libro es, a su vez,
descriptivo y normativo. Es descriptivo en la medida en que el
punto de partida del libro lo constituyen las prácticas historiográficas en las que me he involucrado durante muchos años. El
libro hunde sus raíces, por tanto, en mi experiencia como historiador, en aquellos hábitos, procedimientos y usos en los que he
estado inmerso por más de un cuarto de siglo. Ésta es la razón
por la cual el libro utiliza ejemplos que se refieren a dicha experiencia. He procedido de este modo porque me parecía que
la historiografía, como la ciencia, es, sobre todo, una cuestión
de procedimiento, y, por tanto, del mismo modo que el filósofo
de la ciencia debería estar en contacto estrecho con la práctica de la ciencia, de la misma manera el historiógrafo filosófico
debería mantenerse en contacto estrecho con las prácticas presentes al hacer historia de la filosofía.

Pero el libro no se detiene en la descripción. Se aleja de ella
con el fin de establecer lo que creo que son las normas que
deberían guiar la historiografía filosófica. Soy perfectamente
consciente de que los programas normativos están bastante pasados de moda en estos días. El descriptivismo, antes que el
prescriptivismo, ha estado en el ambiente durante muchos años
y por múltiples razones, válidas e importantes. Existe una tendencia general y saludable hacia la tolerancia, y una sospecha,
sobre todo entre los intelectuales, frente a todo aquello que se-
pa a ideología, absolutismo, dogmatismo e intransigencia. Esta
tendencia a rechazar absolutos de cualquier índole es manifiesta tanto en la filosofía angloamericana como en la continental.
Sin embargo, he encontrado que, para ocuparse de los diversos
problemas que surgen en la historiografía filosófica, debe co-
menzarse por plantear los puntos de vista, examinar su valor,
y dirigirse a aquellos que parecen más aceptables. Como con-

secuencia, yo mismo me he hallado adoptando y defendiendo principios normativos que conciernen no sólo al modo como se entiende la historia de la filosofía, sino también a su práctica. No sostengo, sin embargo, que posea pruebas irrefutables de los mismos; ni tampoco estoy aferrado dogmáticamente a ellos, a pesar de la firmeza del lenguaje que utilizo, a menudo, para defenderlos. Por el contrario, considero los puntos de vista que aquí defiendo como propuestas tentativas, y los capítulos de este libro deberían considerarse como ensayos exploratorios, antes que como informes científicos de los resultados de investigaciones exhaustivas.

El libro contiene dos tesis principales: una pertenece a la historiografía filosófica, ya que concierne al método de la historia de la filosofía; la otra se relaciona, de forma más estrecha, con la filosofía de la historia, y conlleva, a la vez, una interpretación de las razones que se hallan detrás del presente estado de la filosofía y una sugerencia acerca de cómo influir en el desarrollo histórico futuro de la disciplina. La primera tesis, y la principal, consiste en que la historia de la filosofía ha de hacerse filosóficamente. La segunda tesis es secundaria. Afirma, primero, que la influencia de Kant es la responsable, en gran medida, del inicio del proceso que, a la larga, dio como resultado el actual extrañamiento entre las tradiciones angloamericana y continental; y, en segundo lugar, sostiene que una manera de lograr un acercamiento entre estas tradiciones se consigue a través del estudio de la historia de la filosofía y de su historiografía. La primera tesis se presenta y defiende en los capítulos I al VI. La segunda funciona como un marco en el que se encierran las investigaciones historiográficas contenidas en aquellos capítulos, proporcionándoles un lugar y una justificación filosóficos. Esta segunda tesis se presenta en la Introducción; los capítulos I al VI constituyen un argumento indirecto de ella; y en la conclusión intento llamar la atención sobre su importancia.

En la Introducción presento mi tesis de que nos encontramos en una coyuntura muy importante en la historia de la filosofía occidental, en la que el estudio de la historia de la filosofía y de los temas historiográficos que se relacionan con la filosofía pueden ayudar a superar el estancamiento que ha surgido entre las tradiciones filosóficas angloamericana y continental. Ésta es la parte más personal y menos documentada del libro. Supone una visión muy individual e intuitiva del desarrollo histórico global de la filosofía y del actual estado de la disciplina, así como una prescripción sobre lo que debe hacerse con el fin de lograr que la filosofía avance. No estoy diciendo que en la Introducción ofrezco algún argumento definitivo de esta posición. Como ya se ha advertido, los capítulos historiográficos del libro ofrecen dicha justificación, aunque indirecta, de la misma. Aquellos lectores que encuentren la Introducción demasiado vaga y personal para su gusto, deberían pasar enseguida al primer capítulo, en el que comienza un estilo más cuidadoso y argumentativo, característico del resto del texto.

Los seis capítulos que siguen a la Introducción constituyen el cuerpo del libro, propiamente dicho. Se ocupan de seis cuestiones de la historiografía de la filosofía que destacan de un modo más acuciante cuando comienza a pensarse en la relación entre la filosofía y su historia: (1) la naturaleza de la historia de la filosofía; (2) la relación de la filosofía con su historia; (3) la justificación y el valor de la historia de la filosofía; (4) la naturaleza de los textos y de su interpretación; (5) el método de hacer historia de la filosofía; y (6), el modo en el que la filosofía se desarrolla y progresa. La función de estos capítulos consiste en presentar y defender la tesis historiográfica fundamental, a saber: que la historia de la filosofía ha de hacerse filosóficamente. Por "ha de" entiendo no sólo que es inevitable, sino también que es deseable. La defensa de esta tesis entraña lo siguiente: (1) explicar en detalle qué es lo que significa; (2) mostrar que las opiniones en contra son inaceptables; (3) presentar argumentos en su favor; y (4), ofrecer un esquema detallado de cómo ha de hacerse historia de la filosofía. Las tres primeras tareas las llevo a cabo, directamente, en los capítulos I y II, e indirectamente en los capítulos III, IV y VI. El capítulo V se ocupa de otra tarea diferente: muestra cómo la historia de la filosofía, a pesar de su carácter filosófico, puede ser objetiva.

El primer capítulo explora la naturaleza de la historia, de la filosofía y de la historia de la filosofía. Discute también las cuestiones espinosas que tienen que ver con la traducción del pasado al presente; discute, asimismo, el tema de su interpretación y el de la legitimidad de hacer juicios valorativos, particularmente juicios de valor de verdad, en la historia de la filosofía. En él trato de mostrar cómo la interpretación y la valoración son esenciales para la historia de la filosofía y, por tanto, que la historia de la filosofía ha de hacerse filosóficamente.

El segundo capítulo completa el argumento, comenzado en el primero, en favor de una noción filosófica de la historia de la filosofía. En contraste con opiniones mantenidas por un número importante de historiógrafos, propone que, aun cuando la filosofía no requiere del estudio de su historia, aquélla, es decir, la filosofía, es indispensable para hacer historia de la filosofía.

Una vez que se ha establecido que la filosofía es esencial para la historia de la filosofía, aunque la historia de la filosofía no sea esencial para la filosofía, es preciso atender la cuestión de la utilidad de la historia de la filosofía para la filosofía. Esta cuestión se desarrolla en el tercer capítulo, en el que examino las diversas justificaciones que se ofrecen para utilizar la historia de la filosofía en filosofía, es decir, para "hacer filosofía históricamente". La tesis que ahí propongo no consiste sólo en que existen razones pragmáticas, pedagógicas y terapéuticas para hacer filosofía históricamente, sino que también existen razones teóricas importantes, relacionadas con la realidad cultural de la disciplina y de sus objetivos. El capítulo ofrece un apoyo indirecto a la naturaleza filosófica de la historia de la filosofía, al mostrar que el valor de la historia de la filosofía recae, precisamente, en su carácter filosófico.

El cuarto capítulo vuelve a una cuestión difícil, surgida en el primer capítulo, pero que se dejó en aquel momento sin resolver. Dicha cuestión atañe al objeto de estudio inmediato del historiador de la filosofía: los textos filosóficos y su interpretación, y el papel que el autor y la audiencia desempeñan en dicha interpretación. Esta área ha recibido una atención considerable en la bibliografía filosófica continental, y plantea importantes temas historiográficos. La tesis fundamental del capítulo sostiene que los textos son colecciones de signos, dispuestos de diversas maneras, con el fin de transmitir ciertos significados a una audiencia; la tesis afirma, además, que las interpretaciones textuales son textos que pretenden producir actos de comprensión semejantes a aquellos que se supone tuvieran tanto el autor como la audiencia coetánea del texto. La necesidad de una interpretación que permita recuperar de nuevo el significado de los textos históricos añade un apoyo, aunque indirecto, a la tesis general del libro de que la historia de la filosofía debe hacerse filosóficamente.

Una vez que se han examinado las dificultades relacionadas con la interpretación de los textos y con otros factores que realizan su papel en la producción de la relación* histórica del pasado filosófico, necesito volver a la pregunta de cómo hacer la historia de la filosofía filosóficamente, es decir, a la cuestión de la metodología que ha de emplearse en la investigación de la historia de la filosofía. Esto se lleva a cabo en el quinto capítulo, en donde se examinan y evalúan diversos enfoques historiográficos, con el fin de llegar a la formulación del que, según sostengo, es el enfoque más eficaz, y que llamo el *enfoque desde el marco conceptual*.** Este extenso capítulo, de carácter taxonómico, pretende servir, en especial, a aquellos que tienen un marcado interés por la metodología.

El sexto capítulo se ocupa de lo que, según entiendo, es una fuente importante de error en las relaciones históricas, a saber: la falta de una comprensión adecuada de las diversas etapas históricas de desarrollo de las ideas filosóficas. El capítulo pretende ilustrar, de una manera concreta, el papel que la filosofía cumple y debería cumplir en el estudio de la historia de la filosofía. Al presentar una filosofía del desarrollo de las ideas filosóficas y una filosofía del progreso, y en tanto que muestra cómo es esencial comprender dicho desarrollo y progreso para la producción de relaciones históricas precisas del pasado filosófico, este capítulo ofrece otro apoyo más a la tesis de que la historia de la filosofía debe hacerse filosóficamente. La razón de esto último estriba en que, si para dar cuenta del desarrollo

---

* Utilizo el término "relación" en el sentido de acción y efecto de dar cuenta de un hecho o acontecimiento. Justifico el empleo de este término para traducir el inglés *account* en el capítulo I, en nota al calce después de la n. 4. [N. del t.]

** Traduzco por "enfoque desde el marco conceptual" la expresión inglesa *framework approach*. Creo que es la traducción que mejor refleja lo que el autor nos quiere dar a entender, como se mostrará en el capítulo correspondiente. [N. del t.]

de las ideas filosóficas, es indispensable una filosofía del mismo, entonces es obvio que la filosofía debe cumplir un papel en dicha relación. Debo añadir que, al igual que la Introducción, este capítulo se mantiene en un nivel especulativo bastante elevado, y no debería considerarse como una pieza indispensable del principal argumento desarrollado en el libro.

Por último, en las observaciones con las que concluyo vuelvo a la tesis presentada en la Introducción, reuniendo las conclusiones a las que he llegado en el curso de los capítulos precedentes e indicando cómo los análisis que he ofrecido deberían servir de bases para el establecimiento del diálogo entre filósofos angloamericanos y continentales. Si éstos en verdad lo hacen, es algo que habrá que ver. Tal como se observó anteriormente, no me he propuesto demostrar explícitamente cómo el estudio de la historia de la filosofía y el de la historiografía filosófica son instrumentos que tienden un puente entre continentales y analíticos. Ello requeriría mucho más de lo que puedo hacer en un libro cuyo foco principal es algo distinto, a saber: la defensa de una concepción filosófica de cómo hacer historia de la filosofía. Pero si los temas historiográficos que presento y discuto aquí reclaman el interés de ambos, los filósofos analíticos y los continentales, habré logrado mi segundo propósito, ya que habré mostrado en términos prácticos que la historiografía filosófica puede servir, a los filósofos de ambas tradiciones, de campo común de operaciones y de base para la comunicación. Quedaría pendiente todavía la tarea de mostrar cómo el estudio mismo de la historia de la filosofía podría lograr un resultado semejante. Pero tal tarea supondría mucho más de lo que puedo o debería hacer aquí, ya que implicaría hacer, no sólo algo de historia de la filosofía, sino también algo de historia y de filosofía de lo que han hecho con ella los historiadores de la filosofía analíticos y continentales.

Para concluir, me gustaría agradecer a todos aquellos que me han ayudado en la preparación de este libro. Peter Hare es el principal responsable, por haber organizado el evento que me impulsó a comenzar a pensar sistemáticamente sobre los temas contenidos en este libro y, por tanto, se le debería considerar, por lo menos indirectamente, la causa de su existencia. Es más, una vez que hice el borrador del manuscrito y lo vio, me animó

encarecidamente a que continuara con el proyecto, advirtién-
dome sobre varios aspectos del manuscrito, advertencias que
lo mejoraron sustancialmente. También debo agradecer, a él y
a *Prometheus Books*, por permitirme utilizar partes del artículo
"Phylosophy and Its History: Veatch's *Aristotle*", que apareció
originalmente en Hare (ed.), *Doing Philosophy Historically*, Nueva York, 1988, pp. 92–116. Una versión en español de una parte
del artículo fue publicada por la *Revista latinoamericana de filosofía*, no. 13, 1987, pp. 259–278, y también agradezco al editor,
Ezequiel de Olaso, por su permiso. He utilizado materiales de
ese artículo en los capítulos I y II de este libro, aunque la mayor
parte de los materiales que he tomado prestados han sido modificados sustancialmente. También estoy en deuda con Jude
Dougherty, por permitirme utilizar partes de "Texts and Their
Interpretation", *Review of Metaphysics*, no. 49, 1990, cap. IV,
pp. 495–542. También debería añadir que algunas de las ideas
contenidas en el capítulo VI se presentaron antes en "The Centrality of the Individual in the Philosophy of the Fourteenth
Century", *History of Philosophy Quarterly*, no. 8, 1991.

También le estoy agradecido a muchos otros. Kenneth Barber y George Allan leyeron el manuscrito con entusiasmo y
plantearon cuestiones fundamentales que me forzaron a repensar muchas partes del texto y a introducir en él cambios sustanciales. Ky Herreid, Derek Heyman, John Kronen, Timothy
Madigan, Jane Miller y Hyuryun Park participaron en mi seminario sobre historiografía filosófica en el semestre de primavera
de 1989, y no me dieron descanso mientras duró, convirtiendo
el seminario en una experiencia muy agradable, como no había
ocurrido, salvo raras veces, durante los más de veinte años que
llevo enseñando. En diversos lugares del libro se reflejan, de
una u otra forma, las discusiones que se llevaron a cabo en clase, así como las cuestiones que los estudiantes planteaban con
relación al borrador del libro que hice circular entre ellos. Ky
Herreid es responsable de la compilación de una buena parte de la bibliografía que aparece al final del volumen, y como
ayudante mío de investigación durante parte del periodo en el
que estuve preparando el manuscrito, resultó de un valor inestimable por colaborar en la revisión bibliográfica, por discutir
conmigo varias ideas antes de que me dispusiera a ponerlas por

escrito, y por ofrecer sugerencias y críticas de varios borradores del manuscrito. También me ayudó a poner las notas en el formato apropiado. Timothy Madigan fue bastante diligente. Leyó cuidadosamente el manuscrito completo e hizo muchas sugerencias de provecho. Le estoy especialmente agradecido en la parte de la Introducción en donde discuto varias objeciones a mi punto de vista. Derek Heyman me llamó la atención sobre el segundo sentido de "dialéctico", discutido en el capítulo V; y Kronen, Miller y Park sugirieron múltiples ejemplos útiles a lo largo del semestre. Además de esto, Michael Gorman me ayudó corrigiendo las pruebas del manuscrito e hizo varias sugerencias muy importantes.

También me beneficié de las discusiones con Carlos Bazán, Yvon Lafrance y David Raynor durante una visita a Ottawa; con R.M. Hare, Robert D'Amico y Ofelia Schutte durante una visita a Florida; con Eduardo Rabossi y Alejandro Tomasini durante una visita a México; y de los comentarios de Barry Smith a la Introducción y de Carolyn Korsmeyer y Joseph Margolis al capítulo IV. Resultaron de provecho diversas conversaciones que mantuve con John Corcoran sobre ontogenia y filogenia, y con John Kearns sobre algunas partes del capítulo IV. Además, Dominick LaCapra tuvo algunas críticas relacionadas con las tesis fundamentales del libro y con el modo de enfocarlo que me sirvieron de provecho. A Georg Iggers y Kah Kyung Cho les estoy agradecido por sus presentaciones en mi seminario, que iluminaron algunas ideas y ayudaron en la investigación. Newton Garver y Robert Bertholf me llamaron la atención sobre varios puntos bibliográficos importantes. Por último, Marie Fleischauer, con su paciencia habitual, su buen humor, su total diligencia y su experiencia sin igual, es, en última instancia, la responsable de la preparación de la mayor parte del manuscrito. A todos los que he mencionado y a muchos otros, que me han ayudado a pensar los temas discutidos en este libro, les estaré eternamente agradecido.

Jorge J.E. Gracia

INTRODUCCIÓN:
LA HISTORIA DE LA FILOSOFÍA
Y EL FUTURO DE LA FILOSOFÍA

Una ojeada a la historia de la filosofía desde Tales hasta el presente revela tres tradiciones fundamentales. Las denomino la *corriente principal*, la *poética* y la *crítica*. Estas tradiciones han dominado el desarrollo filosófico del Occidente a lo largo de su historia. Lo que las distingue no es tanto las ideas esenciales que sostienen acerca del mundo, aunque, de hecho, existen algunas diferencias entre ellas a este respecto. Antes bien, las diferencias más fundamentales que las distinguen tienen que ver con el modo en el que los filósofos que pertenecen a ellas abordan su tarea como filósofos, y con los puntos de vista y supuestos que mantienen en relación con la auténtica naturaleza de su empresa. Las diferencias, por tanto, tienen que ver, antes que con la esencia de la filosofía, con los objetivos y, hasta cierta medida, con la metodología, que constituyen los aspectos más formales de la misma. Es más, estas diferencias son tan profundas y afectan de una manera tan drástica a los filósofos, que determinan de múltiples maneras, si no los detalles, por lo menos el tipo de concepciones que sostienen.

En esta Introducción me propongo examinar brevemente estas tres tradiciones, desenmascarando sus presupuestos fundamentales acerca de la filosofía y de su metodología. Mi tesis más general es que la tradición principal dominó la filosofía hasta Kant, pero que los ataques lanzados por éste sobre sus presupuestos en la *Crítica de la razón pura* (1781) relegaron al margen dicha tradición principal, y abrieron el camino al dominio de la tradición poética en la Europa continental y a la tradición crítica en el mundo anglosajón. Es preciso advertir que no estoy proponiendo que cada país en la Europa continental sufre el dominio incuestionable de la tradición poética, ni tampoco es mi deseo mantener que no existen exponentes de tal tradición en el mundo anglosajón. Lo que afirmo es que, en general, la tradición poética ocupa el escenario principal en Europa, y que la tradición crítica lo hace igualmente en los países de habla inglesa.[1] Además, también afirmo que esta división del mundo filosófico en dos tradiciones opuestas es responsable del tipo de estancamiento en el que ha caído la filosofía hoy día. Mi segunda tesis, más específica, es, a la vez, una prescripción del remedio y una justificación de este libro: una vuelta al estudio serio de la historia de la filosofía y de los problemas historiográficos que dicho estudio acarrea. Voy a comenzar, entonces, con la tradición mencionada en primer lugar.

I. LA TRADICIÓN PRINCIPAL

La *tradición principal*, como sugiere su nombre, ha contado con el mayor número de adeptos, así como con los filósofos más influyentes de la historia de la filosofía occidental hasta Kant. Ésta es la tradición en la que se movieron Parménides, Platón, Aristóteles, Agustín, Averroes, el Aquinate, Suárez, Descartes, Leibniz y Locke, entre muchos otros. En general, estos filósofos sostenían la idea de que la función primaria de la filosofía es conocer y describir lo que hay, y pensaron que, en su mayor parte, las facultades naturales con las que cuentan los seres humanos, esto es, la razón y la percepción, eran capaces de cumplir su cometido.

Esta actitud está representada, de un modo eminente, en la *Metafísica* de Aristóteles, en donde comienza con la afirmación bien conocida: "Todos los hombres desean por naturaleza saber." A esto le sigue una descripción esquemática de cómo se desarrolla el conocimiento, comenzando con la sensación y la memoria, para terminar con la sabiduría. Entonces pasa a identificar las características del hombre sabio:

---

[1] En Austria, por ejemplo, como Barry Smith me ha señalado, la tradición poética no ha sido capaz de establecer su dominio, gracias a la fuerte influencia aristotélico-escolástica sobre Brentano, Meinong y otros.

Pensamos, en primer lugar, que el sabio lo sabe todo en la medida de lo posible [. . .]; en segundo lugar, también consideramos sabio al que puede conocer las cosas difíciles y de no fácil acceso para la inteligencia humana [. . .]; además, al que conoce con más exactitud y es más capaz de enseñar las causas, lo consideramos más sabio en cualquier ciencia; y, entre las ciencias, pensamos que es más Sabiduría la que se elige por sí misma y por saber, que la que se busca a causa de sus resultados. . .[2]

Para Aristóteles, el conocimiento científico no sólo es posible, sino que, además, constituye un deseo natural de los seres humanos, y es el conocimiento, concebido en términos rigurosos, y no utilitarios, el que ocupa la posición más elevada. Las características de rigor se ofrecen en detalle en los *Segundos analíticos*, en donde Aristóteles discute los diferentes modos de conocimiento y especifica los requisitos del conocimiento científico, es decir, demostrativo. Admitida esta posición, no resulta sorprendente que la metafísica ocupe la posición más elevada en la jerarquía de las ciencias.

Ni Aristóteles ni los otros miembros de la tradición principal consideraban su función, en tanto que filósofos, esencialmente diferente de la de aquellos que se dedicaban a la ciencia. De hecho, hasta el siglo XVIII, la palabra "ciencia" (*scientia*, de *scio*, saber) se utilizaba indistintamente para referirse tanto a la filosofía como a lo que hoy en día entendemos como *ciencias naturales*, y la palabra "filosofía" se utilizaba para referirse tanto a las ciencias naturales como a la filosofía. Los usos de "ciencia" y "filosofía", en este sentido bastante amplio si lo comparamos con el uso actual, se remontan a la Edad Media, aunque sus bases últimas hay que buscarlas en el pensamiento griego antiguo.[3] Estos usos se pueden ilustrar fácilmente en la bibliografía

---

[2] Aristóteles, *Metafísica*, cap. 2 (982a5–18). [N. del t. La versión en castellano está tomada de la edición de Valentín García Yebra, *Metafísica de Aristóteles*, edición trilingüe, 2a. ed. revisada, Gredos, Madrid, 1982, p. 11.]

[3] Estoy bastante consciente de que en idiomas europeos distintos del inglés, los términos equivalentes a "ciencia" se emplean hoy en día para hacer referencia a cualquier procedimiento riguroso, incluso en aquellos casos en los que comprenden aquello a lo que nos referimos como "las humanidades". Así, una gran parte del trabajo editorial y filológico se describe, con frecuencia, como "científico". Obsérvese, sin embargo, que, incluso en estos casos, es el

filosófica y científica de diferentes épocas antes de Kant. Newton, por ejemplo, pensó que estaba haciendo filosofía en sus
Philosophiae naturalis principia mathematica (1687), y Descartes
pensó que estaba haciendo ciencia en *Le discours de la méthode*
(1637).

Algunos prekantianos de la corriente principal también sostuvieron que hay ciertas limitaciones en la capacidad natural
humana de conocer, pero no creyeron que tales limitaciones
exigieran cambios fundamentales en el modo de investigación
filosófica o que invalidaran todas las conclusiones alcanzadas
en el discurso filosófico. Debido a su énfasis en el intento por
conocer y describir lo que hay, era la metafísica, por lo general,
la que ocupaba el núcleo central del pensamiento filosófico de
estas personas, como vimos con Aristóteles. Discutieron, por
supuesto, problemas relacionados con otras ramas de la filosofía. Y muchos de ellos, de hecho, acabaron en la metafísica como
un modo de resolver problemas éticos y de otra índole, como es
patente en el caso de Platón. La mayor parte de ellos tuvieron
también intereses metodológicos y epistémicos que los llevaron
a ocuparse de temas de lógica y de la naturaleza del lenguaje. Esto fue bastante evidente en la filosofía moderna. Descartes, en
particular, subrayó la importancia de las cuestiones metodológicas y epistémicas, y se dio explícitamente a la tarea de idear un
método que ofreciera, como resultado, verdad y certeza. Pero
en ningún momento cuestionó que la función primordial de la
filosofía fuera conocer lo que hay, ni tampoco puso en cuestión
la capacidad humana de conocer; y de conocer, precisamente,
con certeza. Su programa estaba dirigido únicamente a corregir
lo que consideraba la metodología filosófica inadecuada de la
escolástica. Su famosa "duda" era más bien instrumental, y no
definitiva, y su función primordial era asegurar que la parcela
del conocimiento que la superara se estableciera con absoluta
certeza. Ni la capacidad humana de conocer ni la eficacia de
las facultades humanas para conocer el mundo se pusieron en

procedimiento lo que se llama "científico", ya que sigue reglas estrictas, y no
la disciplina misma. Así, raras veces se le llama ciencia a la filología, mientras
que los procedimientos filológicos se describen como científicos si se adecuan
a ciertos modelos de rigor.

duda; las dudas surgieron solamente sobre el método que debíamos utilizar para lograr lo mejor de las potencialidades que tenemos. Como lo señala al comienzo del *Discurso*:

> El buen sentido es la cosa mejor repartida del mundo, pues cada cual piensa que posee tan buena provisión de él, que aun los más descontentadizos respecto a cualquier otra cosa, no suelen apetecer más del que ya tienen. En lo cual no es verosímil que todos se engañen, sino que más bien esto demuestra que la facultad de juzgar y distinguir lo verdadero de lo falso, que es propiamente lo que llamamos buen sentido o razón, es naturalmente igual en todos los hombres; y, por lo tanto, que la diversidad de nuestras opiniones no proviene de que unos sean más razonables que otros, sino tan sólo de que dirigimos nuestros pensamientos por derroteros diferentes y no consideramos las mismas cosas.[4]

Lo que se ha dicho de Descartes se puede decir también de la mayor parte de los filósofos modernos de la corriente principal, por no mencionar la filosofía griega y medieval. Aunque las cuestiones epistémicas no ocuparon un lugar central en el pensamiento griego antiguo ni en el medieval, como sí ocurrió en el periodo moderno, no se puede negar, sin embargo, que se discutían y se tomaban en serio. El *Organon*, de Aristóteles, y muchos de los diálogos de Platón, como *Teeteto* y *Menón*, estuvieron dedicados a problemas del conocimiento y de la certeza; y la Edad Media no se quedó atrás. El *De magistro* y el *Contra académicos*, de Agustín, sobresalen en el periodo cristiano temprano, y después del siglo XIII las discusiones de cuestiones epistemológicas nunca se quedaron rezagadas con respecto a otras cuestiones filosóficas comunes en aquel tiempo. Después de que Enrique de Gante comenzara sus *Summae questionum ordinariarum* con una cuestión concerniente a la posibilidad del conocimiento, plantear cuestiones epistemológicas de diversa índole se convirtió en una costumbre entre los pensadores posteriores.[5]

---

[4] René Descartes, *Discurso del método*, primera parte. [N. de t. Traducción castellana según la versión de García Morente, *Discurso del método*, 5a. ed., Espasa Calpe, México, 1982, p. 35.]

[5] Enrique de Gante, *Summae questionum ordinariarum*, I, a. 1, q. 1.

Téngase en cuenta también que no todos los prekantianos de la corriente principal pensaron que nuestras capacidades naturales eran adecuadas para conocer *todo* lo que hay: en efecto, algunos de ellos sostuvieron que hay aspectos de la realidad que no caen dentro de la esfera de nuestras facultades naturales. Un área de especial interés para la escolástica, por ejemplo, era el papel de la fe en la adquisición de conocimiento. De hecho, los intereses epistémicos predominantes de la Edad Media se centraban en la naturaleza de la fe, en su relación con la razón, y en las esferas respectivas en las que cada una de ellas actuaba con eficacia. Se entendía por fe un don sobrenatural, otorgado gratuitamente por Dios a aquellos que elegía; mientras que la razón se identificaba, generalmente, como la capacidad natural de los seres humanos de descifrar el sentido del mundo circundante y, por tanto, incluía la percepción. Hubo autores medievales que rechazaron completamente la razón, por supuesto; pero, en general, los autores de la corriente principal se esforzaron por encontrar un lugar para ambas, la fe y la razón, de manera que se complementaran entre sí y que ninguna socavara a la otra. Esto fue lo que propulsó el pensamiento de Agustín, el de Anselmo y el del Aquinate, por ejemplo. A pesar de sus intereses teológicos predominantes, estos autores consideraron de capital importancia los problemas metafísicos, y, cuando trataban cuestiones lógicas y epistemológicas, entendían que las mismas eran propedéuticas y estaban subordinadas al quehacer principal de la filosofía, que consideraban que consistía en la comprensión de la realidad, es decir, en la metafísica, aun cuando la filosofía no fuera capaz de ofrecer conocimiento de la totalidad de lo real.

La confianza que los prekantianos de la corriente principal pusieron en nuestras facultades naturales de conocimiento los llevó a adoptar un tipo de discurso filosófico en el que la argumentación realizaba una parte esencial. Consideraban que la tarea del filósofo consistía, no tanto en exponer un punto de vista, sino en ofrecer fundamentos y argumentos en favor del mismo. Las tesis no debían basarse en la autoridad, ni quedarse sin justificación; tenían que estar respaldadas por razones y argumentos. Con el paso de los años, esto llevó a algunos excesos, y tenemos ejemplos muy evidentes en la Baja Edad Media. Así, nos encontramos con escolásticos del siglo XIII y XIV ofreciendo una lista de decenas de posiciones sobre cualquier tema, independientemente de su menudencia, con los correspondientes argumentos en favor, objeciones y contraobjeciones. La *quaestio* sencilla de Tomás de Aquino, en la que se ofrecían dos o tres autoridades y argumentos en contra del punto de vista que quería demostrar, se tornó, en el caso de algunos de sus coetáneos y otros escritores posteriores, en una auténtica maraña de opiniones y contraopiniones, argumentos y contraargumentos, que a menudo parece que, en vez de aclarar, crean más confusión. De hecho, fue, en parte, este método argumentativo de los escolásticos, basado con frecuencia en la mera especulación, el que arrancó los lamentos de los humanistas del Renacimiento. Sea como fuere, lo que es importante resaltar es el carácter argumentativo de la filosofía según los escolásticos. Y, por supuesto, encontramos los mismos énfasis, quizás sin los extremos escolásticos, en los griegos y en los modernos. Es preciso considerar a Aristóteles el responsable, en gran medida, de la concepción deductiva de la ciencia, en donde se entiende que el conocimiento se adquiere por medio de la demostración, y que la demostración consiste en un argumento deductivo válido, con dos premisas verdaderas y evidentes por sí mismas o demostradas. Los ejemplos de Descartes, Spinoza y Locke deberían bastar para ilustrar la idea de que el argumento es un elemento central de la filosofía moderna que se enmarca en la corriente principal.

Por último, el énfasis puesto en la argumentación llevó a los prekantianos de la corriente principal a evitar, en ocasiones de un modo consciente, en otras no, el empleo del lenguaje metafórico y el uso de ardides retóricos encaminados a la persuasión antes que a la comprensión. Averroes, por ejemplo, destacó como una de las condiciones necesarias del discurso científico el uso del lenguaje objetivo —es decir, no simbólico ni metafórico.[6] Y del mismo modo, encontramos en el Aquinate, en Suárez y en Leibniz, por mencionar sólo tres autores de la corriente

---

[6] Averroes, *On the Harmony of Religion and Philosophy*, cap. 2, trad. G.F. Hourani, Luzac & Company, Londres, 1961.

principal, el tipo de discurso no metafórico que Averroes hubiera aprobado.

II. LA TRADICIÓN POÉTICA

La *tradición poética* tiene también una larga historia, pero, aunque consiguió el favor de muchos pensadores e influenció a muchos de los autores que clasificaría como pertenecientes a la corriente principal, nunca se convirtió en una fuerza filosófica dominante en Occidente antes de Kant. Entre sus partidarios encontramos figuras como Pitágoras, Plotino, el Pseudo-Dionisio, Tertuliano, el Maestro Eckhart, Bruno y muchos otros. La mayoría de los que se movieron dentro de esta tradición aceptaron, al igual que lo hicieron los miembros de la tradición principal, que la tarea fundamental del filósofo es lograr una comprensión de lo que hay, pero se diferenciaban de éstos en algunos aspectos importantes. En primer lugar, no pensaban que las capacidades naturales humanas de conocimiento fuesen eficaces para alcanzar y comprender la realidad, puesto que lo que percibimos por medio de los sentidos o lo que aprehendemos por medio de la razón es sólo un pobre reflejo de la realidad. La manera de alcanzar una comprensión de la realidad, que ellos identifican precisamente con aquella entidad o entidades que trascienden el mundo con el que estamos familiarizados a través de la percepción o de la razón, es por medio de una experiencia mística o cuasimística, en la que a nuestro yo más interior se le permite, de algún modo, el acceso directo a la misma. Esto quiere decir que, al igual que los miembros de la corriente principal, este grupo de pensadores enfatizó la metafísica como un área fundamental de la investigación filosófica, pero diferían de ellos en lo que respecta a los medios que debían utilizarse en filosofía, en general, y en metafísica, en particular. Pensaban que el camino para conocer la realidad no eran las categorías cognoscitivas, sino que, como los poetas, nos debíamos aproximar a ella a través de un medio no cognoscitivo. He escogido el término "poético" para referirme a esta tradición con el fin de enfatizar el enfoque estético, místico e intuitivo de aquellos que pertenecen a este grupo. También se podrían aplicar otros términos, como "romántico", por ejemplo, pero su fácil identificación con periodos o movimientos históricos concretos y su significado técnico hacen que no sean tan útiles para mi propósito.[7]

La concepción que acabamos de describir posee implicaciones importantes para la metodología filosófica. Puesto que ni la percepción ni la razón nos pueden revelar la naturaleza última de la realidad, el curso que hay que seguir en el intento por entenderla debe ser diferente. La argumentación, ya se base en la razón o en la evidencia empírica, que es el medio que empleamos normalmente para establecer verdades acerca del mundo, no tiene importancia alguna en este proceso. Lo que se necesita, de acuerdo con algunos de los que apoyan esta postura, es desarrollar un modo de vida que conduzca al logro de la intuición mística, reveladora de la realidad. De acuerdo con esto, los escritos de aquellos que pertenecen a esta tradición contienen poca o ninguna argumentación. Son, antes que nada, expositivos: describen los resultados de la experiencia que es preciso alcanzar (y que algunos de ellos afirman haber tenido) o los pasos que conducen a la misma. Puesto que esta suerte de escrito no pretende apelar a la razón o a la evidencia empírica, se encuentra henchido de metáforas, y en él abundan las connotaciones sugestivas y misteriosas. Su intención es apelar a aquellos aspectos de la mente humana que están fuera del ámbito de la razón y de la percepción. El discurso filosófico, en este contexto, se convierte principalmente en expresivo y directivo. En su mayoría, se echa de menos el carácter descriptivo del discurso filosófico prevaleciente en la tradición enmarcada dentro de la corriente principal. Se abandonan categorías y clasificaciones lógicas, como la de contradicción, ya que éstas se aplican solamente al ámbito de la razón, no a lo que se encuentra más allá de la misma, con el resultado de que los partidarios de la tradición poética piensan que no se puede traer en su contra ninguna crítica basada en categorías lógicas o en la evidencia empírica.

---

[7] Richard Rorty ha empleado el término "poético" para referirse a la tradición heideggeriana. Mi uso del término es más amplio y, a la vez, posee un carácter diferente. Sobre su planteamiento, véase "Philosophy as Science, as Metaphor, and as Politics", en A. Cohen y M. Dascal (eds.), *The Institution of Philosophy: A Discipline in Crisis*, Open Court, La Salle, Ill., 1989, pp. 13-33.

Uno de los mejores ejemplos de este modo de entender la filosofía es Plotino. En las *Eneadas* nos describe el camino que necesitamos para alcanzar el fundamento último de la realidad, El Uno:

> La mayor de las dificultades para el conocimiento del Uno estriba en que no llegamos a Él ni por la ciencia ni por una intelección como las demás, sino por una presencia que es superior a la ciencia. El alma se aleja de la unidad y no es en absoluto una cuando aprehende algo de modo científico; porque la ciencia es un discurso y el discurso encierra multiplicidad. El alma entonces excede la unidad y cae en el número y en la multiplicidad. Convendrá, pues, remontar la ciencia y no abandonar nunca ese estado de unidad; dejaremos si acaso la ciencia y sus objetos [. . .][8]

La conciencia de El Uno trasciende el conocimiento y el razonamiento discursivo. De hecho, la pretensión de un discurso acerca de El Uno no es entender, sino guiarnos por la dirección correcta, de modo que podamos experimentar una visión:

> Pero, con todo, tratamos de manifestarlo y de escribir sobre Él en el curso de nuestra ascensión y son las palabras las que nos despiertan a su contemplación; porque en cierto modo muestran el camino a aquel que quiera contemplar el Uno. Hasta aquí la enseñanza del camino y de la ruta; otra cosa será ya la contemplación, acto privadísimo del que quiere contemplar. Si, pues, no se dirige uno a la contemplación, si el alma no tiene noción del esplendor de este mundo, si no experimenta ni retiene en sí misma esa pasión propia del amante que encuentra descanso en la visión del objeto amado, si, en fin, aquel que ha recibido la luz verdadera, que ilumina toda su alma por la proximidad a que ha llegado, es detenido en su subida por un peso que le impide la contemplación [. . .], entonces es mejor que se preocupe de sí mismo y que trate de apartarse y aislarse de todas las cosas.[9]

---

[8] Plotino, *Enneads* VI, 9 [9], 4, en Elmer O'Brien (ed. y trad.), *The Essential Plotinus*, Hackett Publishing, Indianápolis, 1975, p. 78. [N. del t. La versión que ofrezco está tomada de la traducción española de José Antonio Múnguez, publicada en 6 volúmenes por Aguilar, 1963-1967. *Cfr.* Plotino, *Eneada sexta*, Aguilar, Buenos Aires, 1967, p. 393.]

[9] *Ibid.* [N. del t. *Cfr.* la versión española citada, pp. 393-394.]

La visión de la que habla Plotino en este pasaje es no-cognos-
citiva, un asunto de amor y de rapto, cuyo logro tiene que ver
más con la moralidad y con la actitud, que con la precisión
metodológica. Nos encontramos, de hecho, en un mundo bastante diferente del de Aristóteles, en el que el conocimiento era
posible y dependía del procedimiento. Para Plotino, el conocimiento es un tipo de unión mística, una fusión del cognoscente
con lo conocido en la experiencia.[10] Naturalmente, Plotino es
consciente de que el procedimiento que describe y sus resultados deben parecer extraños y excéntricos a aquellos que no
están preparados apropiadamente para él:

> Antes de intentar tratar en serio la cuestión, si nos divirtiese, cual
> niños que somos, decir que todos los seres desean contemplar y
> tienden a este fin [. . .] ¿podríamos sostener la paradoja? Aquí,
> entre nosotros, no conocemos el riesgo de bromear con nuestras
> razones.[11]

Estas palabras suenan muy parecidas a aquellas de San Pablo, cuando advierte que la sabiduría cristiana parece necedad
para aquellos que no son cristianos.[12] Lo que Plotino y otros
miembros de la tradición poética nos están diciendo es que,
para entender su posición, no la tenemos que contemplar desde fuera, sino que, más bien, nos tenemos que aproximar a
ella desde dentro. El edificio conceptual que nos presenta es
muy semejante a una basílica cristiana vista desde el exterior.
Una basílica cristiana no tiene ningún sentido arquitectónico si
se observa desde fuera, porque no vemos o entendemos cómo
se ha armado, cómo puede sostenerse, y por qué el techo no se
desmorona. Sólo cuando atravesamos la puerta, cuando se nos
permite entrar al espacio reservado para un pequeño grupo de
fieles iniciados, podemos ver cómo se sostiene la estructura: las
columnas sobre las que descansa el techo están dentro; su plano,
simbolizando una cruz, se hace evidente; el foco de atención es
el altar, y los relatos que revelan la naturaleza de Dios y su plan

[10] *Ibid.*, III, 8, [30], 6, p. 168.
[11] *Ibid.*, III, 8, [30], 1, p. 163. [N. del t. Versión española: *Eneada tercera*,
Aguilar, Buenos Aires, 1965, p. 211.]
[12] *Corintios*, 1, 20 y ss.

para con nosotros están representados en las paredes. La basílica es un buen símbolo de la tradición filosófica poética, en la que el camino para el conocimiento requiere un compromiso y se logra por medio de la experiencia interna, antes que por una consideración racional o empírica, objetivamente imparcial. El resultado de la experiencia interna es una visión privada que sólo la pueden entender aquellos que han tenido experiencias semejantes. Debemos entrar en la basílica para entender, y se nos permite entrar sólo cuando hemos aceptado un conjunto de creencias que se les exige a aquellos que son "miembros".

La basílica cristiana difiere en aspectos importantes del templo griego. En el templo griego, el plan y el soporte del edificio, y los relatos acerca de los dioses, están claros cuando lo contemplamos desde el exterior. El templo griego es una estructura pública, un testimonio público, abierto a la consideración y a la evaluación de cualquiera, y, por tanto, es un buen símbolo de la tradición principal: se trata de un edificio cuya estructura y significado deberían ser evidentes para cualquiera que se preocupe por fijarse en él. No existen exigencias escondidas para su comprensión, ni prerrequisitos o compromisos necesarios para aprehender su sentido. El templo griego es una estructura abierta a la comprensión e inspección públicas, como la tradición principal.

III. LA TRADICIÓN CRÍTICA

Llamo crítica a la tercera tradición que ha cumplido un papel importante en la filosofía occidental. A menudo, el enfoque crítico aparece como una reacción contra los excesos de la tradición poética. Entre aquellos que se podrían citar en sus filas antes de Kant se encuentran sofistas como Protágoras; escépticos como Carnéades, Montaigne y Bayle; y positivistas como Francis Bacon. Nótese que todos estos autores son influyentes en la historia de la filosofía. No estoy afirmando que las tradiciones poética y crítica no tengan adeptos de más relevancia o que no tuvieran influencia en la corriente principal; el planteamiento que me gustaría defender sostiene únicamente que los autores que más influyeron en filosofía antes de Kant no pertenecieron a ninguna de ellas. En aquel momento, el espíritu de la época no estaba dominado ni por los poetas ni por los críticos.

La tradición crítica se caracteriza por la opinión de que la filosofía no puede ofrecer conocimiento de la realidad y que, por tanto, la metafísica es imposible: esto la separa de la tradición principal prekantiana y de la poética. Se trata de una actitud fundamentalmente crítica, en comparación con las otras dos tradiciones, y excluye cualquier progreso que lleve a establecer un conocimiento metafísico. Ahora bien, cuando pasamos a las razones por las que la filosofía no puede ofrecer conocimiento de la realidad, la tradición crítica se divide en dos subgrupos: los escépticos y los positivistas. Los escépticos rechazan la posibilidad del conocimiento, no sólo en filosofía, sino también en cualquier área del conocimiento humano. Sostienen que las facultades de que disponen los seres humanos, la razón y la percepción, son igualmente defectuosas y, por tanto, no son eficaces para la consecución del conocimiento de la realidad. Aquí se puede incluir a los sofistas y a los escépticos griegos. Quizás, desde la antigüedad, sea Gorgias el más radical de estos filósofos, de quien Sexto Empírico afirma que escribió una obra titulada *Acerca del no-ser* o *Sobre la naturaleza*. Esta obra se escribió en contra de los racionalistas eleatas, que tenían una confianza ilimitada en la razón humana. Sexto describe la posición de Gorgias como sigue:

> Gorgias se propone probar tres puntos consecutivos: primero, que no existe nada; segundo, que aunque algo existiera, sería inaprehensible para el hombre; y tercero, que aun cuando algo fuera aprehensible, sería ciertamente inexpresable y no se podría comunicar a otro.[13]

Este texto es seguido por una argumentación intrincada que respalda cada una de las tesis propuestas. No necesitamos abundar en los detalles del argumento ofrecido por Gorgias; lo que interesa para nuestro propósito actual son tres aspectos. En

---

[13] Apéndice B, en John Mansley Robinson, *An Introduction to Early Greek Philosophy: The Chief Fragments and Ancient Testimony, with Connecting Commentary*, Houghton-Mifflin, Boston, 1968, p. 295.

primer lugar, el modo de probar las tesis escépticas es, fundamentalmente, argumentativo, y se apoya en la razón. En el caso de Gorgias, esto se hace especialmente necesario, además de comprensible, ya que está empleando en contra de los eleatas las mismas herramientas que ellos usan para probar sus puntos de vista. En segundo lugar, debemos notar que los dos títulos de la obra que hemos citado sugieren que trata con los auténticos objetos básicos del entendimiento: el ser, su negación, y la naturaleza. La concepción que mantiene Gorgias no sólo socava la metafísica, sino toda disciplina que pretenda ofrecernos conocimiento de la realidad. Por último, la segunda y tercera tesis atacan las bases epistemológicas de todo conocimiento al advertir que, contrario a lo que generalmente suponen aquellos que están involucrados en investigaciones de cualquier tipo, los seres humanos no son capaces ni de comprender ni de comunicarse.

Sería difícil concebir una declaración más radical del escepticismo o un mejor ejemplo de lo que he llamado aquí la *rama escéptica* de la tradición crítica. Por lo que respecta al método, a la intención y al resultado, Gorgias se sitúa entre los escépticos. Los motivos y las consecuencias de su escepticismo constituyen todavía el objeto de debate de los estudiosos, pero queda fuera de toda duda que lo que pretende es socavar los mismos cimientos de la investigación rigurosa.

El segundo grupo de filósofos críticos, los *positivistas*, sólo ponen en tela de juicio el empleo de las capacidades epistémicas humanas para el conocimiento de las entidades no físicas. Así, aunque rechazan la metafísica, están dispuestos a aceptar el conocimiento del mundo físico basado en una evidencia respaldada empíricamente. Por consiguiente, es preciso abandonar la filosofía, entendida como metafísica, pues ésta no puede, de ninguna manera, lograr su pretensión y, además, porque carece del método apropiado de investigación. En efecto, como señala Francis Bacon, el método que se ha empleado tradicionalmente en las ciencias, incluyendo la filosofía, es decir, el que ha impuesto la lógica aristotélica, es la raíz de sus errores: "El arte de la lógica [. . .] ha tenido como efecto la fijación de los

errores, antes que el descubrimiento de la verdad."[14] Para que
las ciencias sean eficaces y provean conocimiento, deben abandonar el viejo método apriorístico escolástico, característico
del pensamiento metafísico, en favor de otro de carácter in-
ductivo: "Aquello que necesitan las ciencias es una forma de
inducción que analice la experiencia y la reduzca a fragmentos, y
que mediante un proceso adecuado de exclusión y rechazo conduzca a una conclusión inevitable."[15] La clave del conocimiento
es la observación: "El hombre sólo puede hacer y entender en
la medida en que ha observado, por la experiencia o por la reflexión, el orden de la naturaleza; más allá de esto, ni conoce
nada ni puede hacer nada."[16]

Puesto que la metafísica, tal como se entendía tradicionalmente en la corriente principal, no se basa en la observación,
no podría proporcionar conocimiento: éste es asunto de las
ciencias empíricas. Ésta es la conclusión inevitable a que conduce el punto de vista de Bacon.

Nótese que aquellos que favorecen el enfoque crítico comparten con la tradición poética su desconfianza en la posibilidad
de lograr el conocimiento metafísico por medio del ejercicio
de nuestras capacidades naturales. Las facultades humanas son
eficaces en el mundo cotidiano y prosaico de la experiencia,
pero no nos ofrecen información acerca de la realidad última.

La tradición crítica posee ciertos rasgos en común con la tradición principal que distinguen a ambas de la tradición poética.
Los críticos comparten con los miembros de la corriente principal un énfasis metodológico en la argumentación, y favorecen
el uso del lenguaje claro y objetivo en el discurso filosófico,
aun cuando, en la práctica, no logren ser claros ni objetivos.
Este énfasis es bastante evidente en la obra de ambos, escépticos y positivistas poskantianos, que se extreman en el empleo
de argumentos contra la postura que afirma que la metafísica

---

[14] Francis Bacon, *The New Organon*, Prefacio, en Fulton H. Anderson (ed.),
The New Organon and Related Writings, Liberal Arts Press, Nueva York, 1960,
p. 34.

[15] Francis Bacon, *The Great Instauration*, "The Plan", en *The New Organon
and Related Writings*, p. 20.

[16] *The New Organon*, Aforismo 1, en *The New Organon and Related Writings*,
p. 39.

es posible, tal como sostienen los poetas y los miembros de la corriente principal.

Sin embargo, el énfasis en la evidencia empírica, que caracteriza a la mayor parte de los positivistas, los lleva a un empleo exagerado en su discurso de lo que consideran técnicas "científicas". Este rasgo no es tan evidente entre los prekantianos, puesto que el punto de vista positivista no se había desarrollado completamente antes de Kant, y, como se mencionó anteriormente, no se había trazado claramente la distinción entre lo que hoy en día llamamos "ciencias" y la filosofía. De hecho, el *Novum organon*, la obra más importante de Francis Bacon, que fue, sin duda, el más claro defensor del punto de vista positivista antes de Kant, contiene poco del rigor y la metodología defendidos generalmente por los positivistas poskantianos. Pero eso no le impidió hacer afirmaciones extravagantes acerca de la vacuidad de la metafísica y de la necesidad de tomar prestadas técnicas empíricas para aplicarlas a la filosofía.[17]

IV. LA REVOLUCIÓN KANTIANA

De lo que he dicho hasta el momento no debería concluirse que cada una de las figuras filosóficas occidentales entre Tales y Kant pertenezca a una y sólo una de estas tres tradiciones, y que no tenga nada en común con las otras dos. Las categorías conceptuales que he identificado como tradiciones, al igual que todas las clasificaciones históricas, no imponen márgenes rígidos sobre la historia. De hecho, no existen tales márgenes en la historia. Lo que tenemos es una realidad compleja, fluctuante, en donde los énfasis, antes que los márgenes, determinan el grupo en el que puede situarse una figura particular. De acuerdo con esto, debemos tener en cuenta que la mayor parte de las personas que practicaron la filosofía en el periodo del que hablamos, compartió, en la mayoría de los casos, ideas y puntos de vista de estas tres tradiciones. La cuestión que me gustaría señalar no es que existían exponentes puros de cada una de las tradiciones, aunque algunos autores, de hecho, escriben como si lo fueran. No se trata de eso. Lo que quiero señalar es, más

---

[17] *Ibid.*, Prefacio y *statim*.

bien, que en la mayoría de las figuras puede discernirse un énfasis que situaría al autor, ante todo, en una de esas tradiciones: la manera de filosofar de algunos estaría gobernada por los presupuestos que he identificado en la tradición principal; en otros, las actitudes y las preocupaciones poéticas o críticas pesarían más. Ninguna excluye completamente a la otra, pero la mayoría de los autores tiende a caer en una de ellas antes que en las otras. Lo que realmente sostengo, empero, es que, en general, pueden clasificarse más autores como miembros de la tradición principal que como miembros de cualquiera de las otras dos, y que, desde Tales hasta Kant, esta tradición reclama, como miembros suyos, un mayor número de figuras influyentes, desde el punto de vista histórico, que el que reclama cualquiera de las otras. Estos hechos, por supuesto, le otorgaron un carácter y una continuidad a la filosofía en el periodo mencionado, y le permitieron que funcionara como el árbitro del discurso filosófico. Es más, los elementos que tenía en común con las otras dos tradiciones le hicieron posible comunicarse con ellas y servir, también, como una fuente indirecta de comunicación entre las tradiciones poética y crítica, que se oponen abiertamente. Por supuesto, en la historia de la filosofía antes de Kant hubo desafíos continuos contra la corriente principal desde los grupos marginales, los poetas y los críticos; pero la filosofía, salvo contadas excepciones, se movió dentro de los márgenes trazados por la corriente principal.

Esta situación sufrió un cambio drástico con Kant, ya que cuestionó los mismos fundamentos en los que descansaba la tradición principal. Al dudar de la capacidad de lo que llamó la *razón pura* para establecer las verdades metafísicas que constituyen su esfera natural, tales como la existencia de Dios y la inmortalidad del alma, Kant dio lo que amplios sectores consideraron un golpe mortal histórico a los presupuestos en los que se apoyaba la tradición filosófica principal. Debería tenerse en cuenta, sin embargo, que el propósito explícito de Kant no era deshacerse de la metafísica y, de esta forma, socavar la tradición principal. Por el contrario, consideraba que lo que él hacía no era sino responder a los ataques contra la metafísica que hicieron algunos de sus predecesores. Su intención, de hecho, era rescatar la metafísica y erigirla sobre cimientos más sólidos, en donde las objeciones empiristas y escépticas no la amenazaran. Sin embargo, el modo como lo llevó a cabo, poniendo en cuestión la capacidad de la razón natural para alcanzar el conocimiento metafísico, contribuyó, más que cualquier otro desafío anterior a él, a socavar la corriente principal. De hecho, precisamente porque el intento de Kant iba dirigido a salvar el programa filosófico que había ocupado a los miembros de la corriente principal, sus ataques a las mismas bases de dicho programa resultaron tan devastadores: pues nada es más nocivo que el reconocimiento, por parte del devoto, de defectos en el objeto de devoción. De esta manera, en el caso de Kant, nos encontramos con la situación paradójica de alguien que se consideraba a sí mismo un miembro de lo que he llamado la corriente principal y que, sin embargo, resultó su crítico más eficiente.

Es importante entender, además, las diferencias entre el desafío de Kant y aquellos que se habían emprendido otras veces en la historia de la filosofía antes de él, pues no estoy afirmando, de ningún modo, que Kant fuera el primero en atacar la empresa que llevó a cabo la filosofía de la corriente principal; por el contrario, como ya se apuntó, hubo muchos desafíos en su contra por parte de los poetas y los críticos; pero, a diferencia del ataque de Kant, ninguno de ellos había logrado desplazar la corriente principal de su lugar prominente. La razón de esta falta de éxito residía en el hecho de que, a diferencia de Kant, no atacaron con eficacia los fundamentos epistemológicos de la corriente filosófica principal, pues centraron su atención, más bien, en aspectos de ésta que no eran fundamentales, lo que no bastó para demoler su edificio completo. Voy a hacer referencia a un par de ejemplos para ilustrar esta cuestión.

Uno de los pasos más importante en el argumento kantiano, como veremos más tarde, fueron sus antinomias. Ahora bien, las paradojas, a las que pertenece el género de las antinomias, no eran en modo alguno nuevas para la filosofía. Quizás las más famosas de ellas antes de Kant fueron aquellas formuladas por Zenón en el siglo v a. de C. Pero existe una diferencia fundamental entre las paradojas de Zenón y las antinomias de Kant. Las aporías lógicas que planteó Zenón no intentaban socavar la capacidad natural de conocimiento en los seres humanos, sino, en realidad, confirmarla, al mostrar cómo la razón era eficaz, frente a la capacidad sospechosa de la percepción. En efecto, su tesis era que el sentido de la percepción, de acuerdo con el cual existe el movimiento en el mundo, es inapropiado, y la razón, entendida como contrapuesta a la percepción, y de acuerdo con la cual el movimiento es imposible, nos ofrece una imagen apropiada de la realidad. Es verdad que se ha objetado que las paradojas de Zenón contribuyeron a promover la desconfianza en la capacidad humana de conocer, y al auge consiguiente de la sofística y el escepticismo en la antigua Grecia, lo cual puede ser completamente cierto. Sin embargo, ésta no parece haber sido la intención de Zenón, y no puede considerarse que sus paradojas conduzcan, necesariamente, a un punto de vista escéptico. Tampoco parece que hayan conmovido a la comunidad filosófica de tal manera, que lograran detener el ritmo de toda especulación y todo discurso filosófico posterior hasta el punto de que las facultades naturales del conocimiento se reemplazaran por otros medios de conocimiento. De hecho, después de Zenón siguieron Sócrates, Platón y Aristóteles, y parece que todos ellos estaban bastante conscientes de las paradojas de Zenón, de su fuerza y de su debilidad.

Las razones por las que las paradojas de Zenón no condujeron a un punto de vista escéptico son dos. En primer lugar, Zenón estaba, de hecho, defendiendo la posición metafísica de su maestro, Parménides, y esta posición justifica, presumiblemente, las conclusiones a las que conducían sus paradojas: que el cambio es imposible. En segundo lugar, Zenón creía fervientemente que la razón nos proporciona conocimiento de la realidad, aun cuando dicho conocimiento entrase en contradicción con la información que ofrecen los sentidos.

El propósito de las paradojas de Zenón está explicado por Platón en el *Parménides*, en donde hace que Sócrates le pregunte a Zenón: "¿Acaso consideras cada uno de tus argumentos como prueba de esto, de modo que, para ti, los argumentos propuestos en tu tratado son sólo otras tantas pruebas de que no hay una multiplicidad? ¿Es eso correcto, o te he malinterpretado?"[18] A lo que Zenón debidamente responde que Sócrates

---

[18] John Mansley Robinson, *An Introduction to Early Greek Philosophy*, p. 127.

está totalmente en lo cierto. Y más tarde, en el mismo diálogo, añade Zenón: "La verdad es que estos escritos pretendían ser una suerte de defensa de los argumentos de Parménides contra aquellos que tratan de ridiculizarlo al afirmar que si el todo es uno, se siguen muchos absurdos y contradicciones."[19] Los absurdos y las contradicciones a las que se refiere el Zenón del diálogo de Platón no son defectos en el bagaje epistemológico humano, sino más bien de la posición que mantuvieron los críticos de Parménides, a saber: que el movimiento es posible.[20] De hecho, la razón, que era para Parménides el único instrumento natural confiable de conocimiento, saca a relucir aquellos absurdos y señala el camino que dirige al punto de vista correcto. Es más, no hay nada en las mismas paradojas que indique que su propósito es socavar la capacidad humana de conocer. Tomemos, por ejemplo, la paradoja de Aquiles:

> El segundo argumento es llamado "Aquiles". Es éste: el corredor más lento no será nunca alcanzado por el más rápido, pues es necesario que el perseguidor llegue primero al lugar de donde partió el que huye, de tal modo que el más lento estará siempre nuevamente un poco más adelante.[21]

En una versión más elaborada, este argumento se presenta de la siguiente manera:

> Este argumento también se basa en la infinita divisibilidad, pero fue retomado de un modo diferente. Vendría a ser así: si el movimiento existe, lo más lento nunca será alcanzado por lo más rápido. Pero, como esto es imposible, el movimiento no existe. El argumento es llamado "Aquiles" porque en él se introduce a Aquiles, quien, según dice el argumento, no puede dar alcance a la tortuga que persigue. Pues es necesario que el perseguidor, antes de alcanzar al que es perseguido, llegue primero al lugar

[N. del t. Para la versión en castellano de éste y los siguientes textos sobre Zenón, he tenido en cuenta la traducción de Néstor Luis Cordero, en Conrado Eggers Lan *et al.*, *Los filósofos presocráticos*, vol. II, Gredos, Madrid, 1979, pp. 34 y ss.]

[19] *Ibid.*, p. 128.
[20] Estos críticos eran los pluralistas. *Cfr. ibid.*, p. 129.
[21] *Ibid.*, p. 133.

del cual éste partió. Pero durante el tiempo que le lleva al perseguidor llegar a este punto, el que es perseguido avanzó cierta distancia, si bien ésta es menor que la que recorrió el perseguidor, que es más veloz. Pero avanzó: no se estuvo quieto. Por el hecho de suponer distancias cada vez menores hasta el infinito —sobre la base del principio de la infinita divisibilidad de las magnitudes— no sólo Héctor no será alcanzado por Aquiles; tampoco lo será una tortuga.[22]

¿Qué es lo que prueba o trata de probar este argumento?: que el movimiento no es posible, porque no podemos explicar cómo ocurre sin caer en contradicción. Pero, ¿arguye en contra de la capacidad humana de conocer? Todo lo contrario. Zenón, como su maestro Parménides, a quien trataba de defender, era un racionalista convencido, y los racionalistas aceptan que podemos conocer la realidad, aunque dicho conocimiento se lleva a cabo sólo mediante la razón, y no por los sentidos. Parménides expresaba bien esta idea cuando decía: "El ser y lo pensado son lo mismo."[23] Lo que puede ser pensado, existe; lo que no puede ser pensado, no puede existir.

Creo que es posible ofrecer análisis semejantes de otros fragmentos de razonamientos que, se puede pensar, han tratado de llevar a cabo algo parecido a lo que hizo Kant, como es el caso de los argumentos bien conocidos de Hume y de otros que se han enfrentado a muchas de las doctrinas metafísicas mantenidas por filósofos anteriores. En muchos de estos casos, el propósito no es poner en duda la efectividad de las capacidades naturales utilizadas por los seres humanos para conocer el mundo, sino deshacerse de puntos de vista acerca del mundo que no parecen probados, o sustituir los que se consideran métodos de investigación anticuados y defectuosos por otros más precisos.

El caso de Hume parece constituir un buen ejemplo de esto, cuyo objetivo principal, al igual que el de otros empiristas que lo precedieron, era proprocionar nueva base al conocimiento, esto es, la experiencia, y apartarse de las especulaciones vacías y de los excesos del racionalismo. Sus críticas no estuvieron

---

[22] *Ibid.*
[23] *Ibid.*, p. 110.

dirigidas contra la capacidad humana de conocer y adquirir cierto grado de certeza; estuvieron, más bien, dirigidas contra el tipo de especulación pura cuyo efecto es, precisamente, la confusión y la incertidumbre.

> Tampoco se requiere mucha inteligencia para descubrir la actual condición imperfecta de las ciencias; [...] Se multiplican las disputas, como si todo fuera incierto; [...] En medio de todo este bullicio, no es la razón la que se lleva el premio, sino la elocuencia...[24]

La solución a este bullicio de pretensiones es "abandonar el lento y tedioso método que hasta ahora hemos seguido y [...] marchar directamente hacia la capital o centro de estas ciencias: hacia la naturaleza humana misma".[25] Esta nueva fundamentación puede servir para hacer seguro el conocimiento científico:

> Por eso, al intentar explicar los principios de la naturaleza humana proponemos, de hecho, un sistema completo de las ciencias, edificado sobre un fundamento casi enteramente nuevo, y el único sobre el que las ciencias pueden basarse con seguridad [...] Y como la ciencia del hombre es la única fundamentación sólida de todas las demás, es claro que la única fundamentación sólida que podemos dar a esa misma ciencia deberá estar en la experiencia y la observación.[26]

El propósito de Hume no era socavar la capacidad humana de conocer. Por el contrario, estaba tratando de fundar la filosofía y las ciencias sobre una base más segura que aquella sobre la que se había apoyado anteriormente. Puso límites a lo que la razón puede hacer por sí misma —no puede ir más allá de la experiencia—,[27] pero no estaba dispuesto a descartar completamente la razón o a sustituirla por una intuición poética

---

[24] David Hume, Introducción, *A Treatise of Human Nature*, L.A. Selby-Bigge (ed.), The Clarendon Press, Oxford, 1965, pp. xvii–xviii. [N. del t. Para la traducción al español de éste y los siguientes textos he tenido en cuenta la versión de Félix Duque, *Tratado de la naturaleza humana*, Tecnos, Madrid, 1988.]

[25] *Ibid.*, p. xx.

[26] *Ibid.*

[27] *Ibid.*, p. xxi.

y mística. De hecho, uno de sus propósitos declarados en el *Tratado de la naturaleza humana* era probar lo que consideraba un nuevo sistema de ética basado en la simpatía.[28] De este modo, aunque Hume pudiera haber preparado el camino para el ataque de Kant a la capacidad humana de conocer la realidad, no se le puede considerar históricamente responsable de que la filosofía de la corriente principal se desviara de sus márgenes.

Un ataque diferente, y más directo, contra nuestras capacidades epistémicas naturales se podía encontrar, con frecuencia, en la Edad Media, entre aquellos que deseaban enfatizar la confiabilidad de la fe cuando sus doctrinas entran en conflicto con las opiniones aceptadas sobre la base de la razón, que, como se mencionó anteriormente, era entendida como algo que incluye, también, la percepción. Una manifestación característica de esta actitud la encontramos en Buenaventura, en el siglo XIII:

> El reconocimiento de la verdad no es para los egipcios [esto es, los paganos], sino para los hijos de Israel [esto es, los creyentes] [. . .] Es claramente manifiesto [. . .] que no hay ningún itinerario que lleve a la sabiduría por medio de la ciencia [. . .] la fe está por encima de la razón y está garantizada solamente por la autoridad de la Escritura y el poder divino, que se manifiesta en los milagros.[29]

Obviamente, este pasaje contiene una acusación seria en contra de la capacidad humana de conocer al margen de la fe; pero se presenta tal acusación desde una perspectiva religiosa y concierne, principalmente, a las verdades religiosas. Buenaventura, como la mayor parte de los escritores cristianos que han atacado la capacidad humana de conocer, lo hizo en el contexto de las verdades teológicas, y, por lo general, no en el contexto de verdades puramente científicas o filosóficas. Por supuesto, existen excepciones. Pedro Damiano atacó incluso la gramática, y sostuvo que el Demonio fue el primer maestro de la disciplina,

---

[28] *Ibid.*, p. 618. [N. del t. Recuérdese que en inglés, a diferencia del español, la palabra *sympathy* está tomada en su sentido etimológico de "sentimiento" (*pathos*) "mutuo" (*syn*), y expresa esa especie de estado de las personas o cosas en el que todo lo que afecta a una cosa o persona, afecta a la otra, esto es, una especie de susceptibilidad o capacidad de sentirse afectado mutuamente.]

[29] Buenaventura, Introducción a la cuarta visión, en *Collationes in Hexaëmeron*, III, VII, R. Delorme (ed.), Ad Claras Aquas, Florencia, 1934.

porque fue el primero que declinó la palabra *deus* en plural.[30]
Pero la mayor parte de los pensadores religiosos sólo objetó el
uso de nuestras capacidades epistémicas naturales cuando se
emplean para ir más allá del mundo natural y decir algo acerca
del mundo sobrenatural, en donde, según ellos, el único árbitro
es la fe. Por tanto, durante la Edad Media, las críticas contra la
capacidad humana de conocer en cuanto tal no eran abundantes ni profundas mientras se mantuviese dentro del área de su
competencia. La mayoría de los escritores medievales confiaba
en las capacidades humanas naturales de conocimiento, en tanto que medios apropiados para ocuparse de la esfera natural.
Esto incluía, por supuesto, no sólo lo que hoy se consideraría la
esfera de las ciencias naturales, sino también algunas verdades
tales como la existencia de Dios y la inmortalidad del alma, que
muchos de ellos consideraban que se podían probar independientemente de la fe.

Un buen ejemplo de esta estructura epistémica se encuentra
en la *Divina comedia* de Dante, en donde Virgilio, que representa
la razón desasistida por la fe, no puede conducir a Dante al
Cielo. Sólo Beatriz, que representa la fe, puede ayudar a traer
el alma de Dante a la presencia de Dios y, así, a un conocimiento
más profundo de la realidad.

El contraste entre los modos de enfocar la cuestión que hemos examinado hasta ahora y el de Kant es drástico, porque
lo que Kant afirmaba era, precisamente, que la razón es, simplemente, incapaz de llevar a cabo una de las tareas que le
corresponde por naturaleza. El párrafo con el que abre el Prólogo de la primera edición de la *Crítica de la razón pura* hace
explícita la tesis principal de Kant en el libro:

> La razón humana tiene el destino singular, en uno de sus campos
> de conocimiento, de hallarse acosada por cuestiones que no puede
> rechazar por ser planteadas por la misma naturaleza de la razón,
> pero a las que tampoco puede responder por sobrepasar todas
> sus facultades.[31]

[30] Étienne Gilson, *History of Christian Philosophy in the Middle Ages*, Random
House, Nueva York, 1955, p. 616.
[31] Immanuel Kant, Prólogo a la primera edición, *Crítica de la razón pura*,
A VII. [N. del t. Para la traducción española de éste y los siguientes textos de

La razón humana, entonces, se encuentra en un espantoso aprieto. Por su propia naturaleza, no puede evitar plantearse ciertas interrogantes de índole metafísica; pero también es incapaz de responderlas, y cae, cuando intenta hacerlo, en confusiones y contradicciones de las que no puede liberarse. Estas confusiones y contradicciones resultan del hecho de que la razón parte de principios que se encuentran implícitos en la experiencia humana y que, por tanto, no pueden evitarse; pero que conducen a la razón más allá de la experiencia, a la esfera de la pura especulación. Una vez allí, de acuerdo con Kant, la razón no puede detectar los errores en los que cae porque no tiene medio alguno de verificarlos empíricamente.[32]

La *Crítica de la razón pura* no es otra cosa que un argumento, extenso y detallado, para probar estas tesis. En este argumento, las antinomias de la razón pura cumplan un papel importante, ya que pretenden mostrar cómo la razón no puede resolver ciertas cuestiones básicas de la metafísica, arribando a respuestas contradictorias a través de procedimientos perfectamente racionales.

No viene al caso discutir aquí en detalle las cuatro antinomias que Kant presenta, ni tampoco examinar sus posibles soluciones. Me bastará, entonces, con presentar dos de ellas a modo de ejemplos:[33]

Antinomia I

Tesis: El mundo tiene un comienzo en el tiempo y, con respecto al espacio, está igualmente encerrado entre límites.

Antítesis: El mundo no tiene comienzo, así como tampoco límites en el espacio. Es infinito tanto respecto del tiempo como del espacio.

Kant, he tenido en cuenta la versión de Pedro Ribas, *Crítica de la razón pura*, 5a. ed., Alfaguara, Madrid, 1986.]

[32] *Ibid.*

[33] *Ibid.*, A426, B54 y A434, B462 respectivamente. [N. del t. Traducción de Pedro Ribas, *op. cit.*]

Antinomia II

Tesis: Toda sustancia compuesta en el mundo consta de partes simples y no existe más que lo simple o lo compuesto de lo simple.

Antítesis: Ninguna cosa compuesta en el mundo consta de partes simples y no existe en absoluto nada simple en él.

Si la razón puede justificar, a la par, tesis contradictorias, ¿de qué sirve? ¿Cómo podremos determinar el conocimiento y la certeza? Hasta Kant, como ya se ha mencionado, habían existido ataques contra diversos usos de la razón y contra varios tipos de metodologías, pero ningún autor de la corriente principal había lanzado un ataque de la escala del que lanzó Kant contra la razón misma y su capacidad de conocer la realidad tal como es. Algunos autores habían ofrecido argumentos contra ciertos usos de la razón, como lo hicieron algunos escolásticos. Y habían existido críticas sobre la aplicación de la razón y su omisión de datos empíricos, como vemos que las hacen los primeros empiristas modernos. Incluso Hume, a quien algunos consideran que había socavado la razón más que la mayoría de los que precedieron a Kant, solamente mostró que la razón necesita de la supervisión constante de la experiencia para ocuparse adecuadamente de ciertas cuestiones, pero no afirmó que había que abandonarla. Kant comenzó donde se quedó Hume, al intentar mostrar que la razón es inadecuada en ciertas áreas. Pero fue mucho más allá, porque trató de demostrar, con las antinomias, cómo la razón misma no puede evitar conclusiones contradictorias cuando se ocupa de las cuestiones metafísicas básicas acerca del mundo, y a las que está llamada a responder. El instrumento mismo de investigación, por tanto, es intrínsecamente defectuoso. Es más, puesto que la razón es inadecuada para tratar cuestiones que no puede evitar, no se puede considerar que es ilegítimo para la razón tratar con esas cuestiones. Así, para Kant, el problema de la razón no es que se extralimite, como acusaban los escolásticos cuando la razón se infiltraba en la esfera de la revelación; tampoco se trata de que necesite de una vigilancia atenta ni del haber de la experiencia, como sostenían los empiristas. El problema con la razón es que no puede responder a las preguntas más fundamentales, aquellas que, *por naturaleza*, busca responder y que, por tanto, tiene derecho a plantear.

Esto supuso un desarrollo histórico extraordinario, una verdadera revolución copernicana. Antes de Kant, era común la idea de que las facultades y potencias eran eficaces para alcanzar los resultados para los que estaban designadas por naturaleza; pero la *Crítica* de Kant se movió en dirección contraria a esa idea. De hecho, su crítica de la razón socavó, de una forma como nunca antes se había hecho, las mismas bases y supuestos sobre los que se había apoyado siempre la tradición principal. El único camino abierto a los filósofos convencidos por la crítica de la razón que llevó a cabo Kant fue, o bien continuar creyendo que la filosofía ofrece conocimiento de la realidad, pero por otros medios que no sean nuestras capacidades naturales (poetas), o bien rechazar que la función legítima de la filosofía sea el conocimiento de la realidad (críticos), ya sea porque el mismo pertenece, exclusivamente, a la esfera de la ciencia (positivistas), o ya porque dicho conocimiento es imposible (escépticos). En resumidas cuentas, el resultado de la crítica de Kant consistió en que la tradición principal perdió su posición predominante, mantenida a lo largo de dos mil años, y su lugar lo ocuparon las otras dos tradiciones que, hasta Kant, habían cumplido solamente papeles secundarios en la historia de la filosofía occidental.

La primera reacción a la crítica kantiana fue el ascenso de la tradición poética a un lugar prominente. La filosofía alemana en el siglo XIX abunda en ejemplos de filósofos que comparten la actitud poética. Sólo se necesita mencionar a Schiller, Schopenhauer y, con algunas reservas, a Hegel, para darse cuenta del giro hacia lo expositivo, lo místico y lo literario. La ausencia del argumento y la práctica de la filosofía como una expresión del yo, del espíritu o de la cultura llegan a ser comunes, alcanzando proporciones extraordinarias durante ese siglo. Debido a su afición por la metáfora y otros medios literarios para vislumbrar verdades escondidas, esta tradición llegó a extremos inauditos en toda la historia anterior de la filosofía occidental. Al estar dispensada de la exigencia de claridad, necesaria cuando alguien se ve forzado a defender sus propias opiniones con argumentos, la tradición poética cayó en un atolladero del que, hasta el momento, no ha sido capaz de liberarse. Gran parte del trabajo de los filósofos posteriores al siglo XIX que caen bajo esta categoría se muestra incomprensible a casi todos, excepto a un pequeño grupo de devotos que afirman entenderlo, pero que, por lo general, nunca se lo explican a nadie que no sea miembro del grupo. Semejantes a los miembros de un culto, en donde la comunicación se lleva a cabo mediante signos secretos, no toman en cuenta la comunidad filosófica exterior, y mucho menos la familia humana en general. Una buena proporción de lo que han escrito los fenomenólogos, existencialistas, estructuralistas, deconstruccionistas y posmodernistas en general está expresado en una jerga abstrusa, apenas accesible a alguien, salvo a ellos mismos.

Por otro lado, los excesos de la tradición poética fueron, en parte, responsables de una contrarreacción al movimiento y en dirección a la crítica. La reacción comenzó en el mismo siglo XIX con diversas formas de positivismo. La encontramos primero en Saint-Simon y otros socialistas, pero se difundió fuera del grupo socialista inicial. Entre sus principales figuras en ese momento se encuentran Comte, Bentham, James y John Stuart Mill, Spencer, Mach, Haeckel y Wundt.[34] Es en el siglo XX, sin embargo, cuando el movimiento floreció y llegó a ser una fuerza dominante en parte del mundo germánico, de los países de habla inglesa y de Escandinavia. La actitud cientificista alcanzó su culminación con el surgimiento del positivismo lógico entre los miembros del Círculo de Viena; pero su influencia no se redujo a ese grupo, sino que se extendió también a la mayor parte de las ramas de esa tradición, bastante amorfa, conocida como *análisis filosófico*.

Los autores que dieron lugar al movimiento analítico fueron Bertrand Russell y G.E. Moore en Inglaterra, y los ya mencionados miembros del Círculo de Viena.[35] Todos ellos reaccionaban

[34] Para algunas de las razones por las que el positivismo y la filosofía cientificista se desarrolló en la Europa continental, *cfr.* Barry Smith, "Austrian Origins of Logical Positivism", en B. Gower (ed.), *Logical Positivism in Perspective*, Croom, Londres y Sydney, 1987; y Barnes y Noble, Totowa, N.J., 1988, pp. 35-68.

[35] Parece que Brentano también ha desempeñado, con anterioridad, un papel en dichos desarrollos en Austria. *Cfr.* Barry Smith, "On the Origins of Analytics Philosophy", *Grazer Philosophische Studien*, no. 35, 1989, pp. 153-173.

en contra de los excesos extraordinarios en los que la filosofía hegeliana y la de sus seguidores habían caído. Los puntos de vista de los padres fundadores del movimiento analítico, así como sus numerosos y diferentes discípulos, difieren considerablemente, pero la mayoría de ellos comparte algunos presupuestos básicos que dan cierta unidad a la tradición: la preocupación por el lenguaje y por la clarificación de su significado; un fuerte interés por la lógica y el simbolismo lógico, y su empleo excesivo en el discurso filosófico; una actitud, casi reverente, hacia la ciencia; y la creencia de que las afirmaciones no empíricas de carácter no sintáctico son sospechosas y deberían someterse a rígidas verificaciones.

El movimiento analítico llegó a tener gran éxito, especialmente en los países de habla inglesa, debido a que estos países eran herederos de una perspectiva filosófica que, desde los tiempos medievales, había abrazado una tendencia marcadamente empírica. Los presupuestos del análisis parecían amoldarse bien a la tradición iniciada por Roger Bacon y enfatizada, posteriormente, por Guillermo de Ockham, Francis Bacon y David Hume, entre otros. Como consecuencia, el análisis, bajo diversas formas (lingüístico, lenguaje ordinario y otros, así como bajo el ropaje del positivismo lógico), se convirtió en la corriente filosófica dominante en los países de habla inglesa y en Escandinavia, desplazando a la tradición poética de su posición de liderazgo en esos países y evitando que la tradición principal prekantiana volviera a alcanzar el lugar que había ocupado en la historia anterior del pensamiento occidental. En lugar de ocuparse de las cuestiones metafísicas que habían dominado la filosofía antes de Kant, los analíticos concentraron sus esfuerzos sobre temas del lenguaje y su uso. Los enunciados metafísicos se consideraron ilegítimos, puesto que la evidencia empírica no podía verificarlos. Las realidades espirituales, como el alma y Dios, tuvieron que eliminarse del campo de investigación de la filosofía, ya que ésta, en tanto que empresa rigurosa, no podía ocuparse de lo que era inverificable en términos de percepción sensible. Los temas normativos tradicionales de la ética se transformaron en temas concernientes al uso lingüístico. Cuestiones tales como ¿qué es el bien?, se transformaron en ¿cómo se emplea el término "bien" en el lenguaje ordinario? De esta manera, se erradicó la prescripción de la ética, en un afán por favorecer un procedimiento descriptivo que procuraba aclarar cómo pensamos y hablamos acerca de la moralidad, pero que no ofrecía ninguna guía con respecto a qué es lo correcto y lo incorrecto.

En ningún otro lugar podemos encontrar un mejor ejemplo del espíritu del análisis filosófico que en la conocida distinción que hace Strawson entre la metafísica descriptiva y la revisionaria. La clave de la distinción entre las dos, según él, consiste en que la metafísica descriptiva "se contenta con describir la estructura efectiva de nuestro pensamiento acerca del mundo; la metafísica revisionaria está preocupada por producir una mejor estructura".[36] Y, por supuesto, es la metafísica descriptiva la que debería profesarse. Si vamos a hacer de la filosofía una empresa rigurosa, deberíamos contentarnos con la descripción de nuestro pensamiento, y esto se logra mejor, como la mayor parte de los analíticos afirmarían, mediante un análisis del instrumento con el que pensamos, esto es, del lenguaje. En consecuencia, la filosofía se convierte en un estudio del pensamiento a través del lenguaje, y, en última instancia, en un estudio del lenguaje, puesto que se considera que el pensamiento mismo se conoce empíricamente sólo a través del lenguaje. Este estudio hay que llevarlo a cabo rigurosamente, aplicando los métodos más exactos disponibles y los últimos adelantos en lógica, y además, al igual que cualquier estudio científico abierto a debate, el valor de las conclusiones alcanzadas va a depender de la validez y verdad de las premisas de los argumentos que los sustentan. Por tanto, en el análisis filosófico no se deja espacio a la intuición ni a la aprehensión mística. El argumento y el contraargumento, la prueba y la contraprueba, forman parte de la esencia de este procedimiento y lo alejan de aquél empleado por los miembros de la tradición poética. Pero el análisis filosófico difiere de la corriente principal prekantiana por su rechazo de la filosofía como disciplina que investiga lo que hay: la filosofía sólo puede ocuparse del modo en que pensamos o hablamos acerca de la realidad, no de la realidad. Es la ciencia la que ofrece el co-

[36] P.F. Strawson, Introducción, *Individuals*, Doubleday and Company, Garden City, N.Y., 1963, p. xiii.

nocimiento de la realidad y, en resumidas cuentas, sólo de la realidad física. De este modo, aunque es posible el conocimiento de la realidad, es decir, de la realidad física, no es a través de la filosofía como podemos lograrlo.

V. LA SITUACIÓN ACTUAL

El auge de las tradiciones poética y crítica y el desplazamiento de la corriente principal prekantiana han producido una suerte de escisión esquizofrénica en el mundo filosófico del siglo XX, en el que los críticos dominan ampliamente los países de habla inglesa y los poetas la mayor parte del continente europeo. Los críticos, por lo general, reciben el nombre de *analíticos*, y los poetas han venido a llamarse filósofos *continentales*. Esta escisión, con la que hemos vivido la mayor parte de este siglo, ha impregnado todo y ha sido destructiva: lo ha impregnado todo porque ha afectado prácticamente cada núcleo de la actividad filosófica en el Occidente; y ha sido destructiva porque ha detenido la comunicación entre los analíticos y los continentales hasta el punto, de que los mismos lenguajes que hablan, por no decir los procedimientos que siguen, parecen completamente extraños el uno del otro. Esta ausencia de comunicación no sería un gran problema si fuera fácil ver que uno de los dos grupos está en lo correcto, y el otro completamente equivocado; pero el hecho es que ninguno parece estar yendo por una dirección correcta, sin ambigüedades, y ambos han producido, claramente, excesos. Por un lado, los poetas, divorciados como están de la argumentación, se han alejado cada vez más del sentido común y del rigor, construyendo estructuras conceptuales que, según parece, se erigen solamente sobre la base de los caprichos y los personalismos de aquellos que las levantan. Por otro lado, los analíticos parecen ocuparse cada vez menos de asuntos esenciales, produciendo series interminables de argumentos y contraargumentos, y críticas de críticas de críticas, que parecen inacabables y resultan irrelevantes en relación con todo lo que tiene que ver con la experiencia humana común y con las necesidades intelectuales. Éste es el punto en el que nos encontramos en el tercer cuarto de este siglo: en un mundo filosófico esquizofrénico en el que, lo que habían sido actitudes filosóficas

52 INTRODUCCIÓN:. . .

marginales antes de Kant, han pasado a ser dominantes. Walter
Kaufman, ya en 1956, se quejaba de esta escisión lamentable:

> Es uno de los rasgos más tristes de nuestra época que nos en-
> frentemos con una dicotomía completamente innecesaria: por un
> lado, están aquellos cuya devoción a la claridad y al rigor intelec-
> tual es admirable, pero que rehúsan tratar cualquier cosa que no
> sean cuestiones pequeñas y, a menudo, completamente triviales;
> por otro lado, existen hombres como Toynbee y algunos de los
> existencialistas, que tratan las grandes e interesantes cuestiones,
> pero de tal manera, que los positivistas se refieren a ellos como
> las pruebas vivientes de que cualquier esfuerzo de este tipo está
> condenado al fracaso. Conscientes de los errores de sus rivales,
> ambos bandos avanzan hacia extremos cada vez más alejados; la
> escisión se dilata, y el lego inteligente que se queda en el medio
> pronto perderá de vista a ambos.[37]

Para mediados de los años 80 estas tradiciones se habían
distanciado tanto entre sí, que cada una consideraba a la otra
inmiscuida en tareas y procedimientos ilegítimos. Cada parte
pensó que la otra había abandonado la grey filosófica, por decirlo así, y, por tanto, se la podía ignorar. No tenía ningún
sentido tratar de comunicarse entre sí, ya que había desapa-
recido todo terreno común entre ambas. De hecho, incluso la
imagen de cortesía profesional se rompió cuando la batalla entre las dos tradiciones abandonó cualquier pretensión de ser
un asunto de desacuerdo filosófico que se pudiera resolver mediante el razonamiento filosófico, y se convirtió en un asunto
"político".[38] En 1987, un grupo de poetas, cansados de lo que
consideraban su marginalización dentro de la *American Philosophical Association* como resultado de las acciones que llevaban
a cabo los "analíticos", formaron una organización política con
el fin de desplazarlos de su estrado de poder. Desde entonces,
han logrado que algunos miembros del grupo continental fueran elegidos para puestos de mando en la Asociación, y se ha

[37] Walter Kaufman, *Existentialism from Dostoevsky to Sartre*, World Publishing, Cleveland y Nueva York, 1966, p. 51.
[38] *Cfr.* A.J. Mandt, "The Inevitability of Pluralism: Philosophical Practice
and Philosophical Excellence", en Cohen y Dascal, *The Institution of Philosophy*,
pp. 77–101.

conseguido una especie de tregua endeble; pero, en verdad, la acrimonia no nos ha abandonado. La mayor parte de los analíticos todavía piensa que los miembros de la tradición poética no son, realmente, filósofos; y muchos continentales están convencidos de que los analíticos pierden su tiempo con temas triviales del lenguaje y de la lógica.[39]

Esta situación contrasta abiertamente con la que prevaleció antes de Kant. Con anterioridad a él, los filósofos de la corriente principal poseían muchas cosas en común, de manera que, aun cuando pudieran estar en desacuerdo respecto de las posiciones que adoptaban, compartían, sin embargo, suficiente terreno en común como para tener una base para la comunicación y la discusión. Este terreno suponía, como vimos, una concepción compartida del propósito de la filosofía, un objeto de investigación, y ciertos presupuestos relativos a la metodología filosófica. De este modo, aunque no estuvieran de acuerdo con la respuesta e, incluso, en la formulación de las preguntas que trataban de responder, existía un fundamento común suficiente para mantener abierto el diálogo. Los filósofos compartían un objeto común porque la mayoría de ellos daba por sentado que hay una realidad que posee cierto tipo de existencia, independientemente de cualquier reflexión sobre la misma. También daban por hecho que uno de los objetivos de la filosofía es conocer dicha realidad. En el clima filosófico poskantiano, es frecuente encontrar filósofos que ponen la realidad en suspenso —algunos, incluso, la rechazan completamente—, y nos dejan con sustitutos tales como la "conciencia" y el "lenguaje", que carecen de la objetividad y la flexibilidad de la realidad aceptada ampliamente antes de Kant. Por supuesto, el proceso de erosión de la realidad había empezado mucho antes de Kant. No

---

[39] *Cfr.* Richard Bernstein, "Philosophical Rift: A Tale of Two Approaches", *New York Times*, 29 de diciembre de 1987, p. A1. También Roy Edley, quien afirma que "la filosofía de habla inglesa [es decir, el análisis lingüístico], en particular, se ha reducido, sumisamente, a un mero especialismo académico, aislada, sobre la base de su peculiar manera de ver las cosas, de los problemas prácticos con los que se enfrenta la sociedad y también del pensamiento continental contemporáneo". *Cfr.* este breve prólogo editorial a Jonathan Rée, Michael Ayers y Adam Westoby, *Philosophy and Its Past*, Harvester Press, Hassocks, Sussex, 1978.

es Kant el único responsable de su supresión como objeto de la reflexión filosófica. Algunos empiristas ingleses y algunos racionalistas continentales habían preparado el camino; pero incluso en autores como Berkeley, quien, sin duda, puede contarse entre aquellos que prepararon el camino, encontramos un énfasis muy fuerte en la objetividad e independencia de la realidad, aun cuando se necesite de Dios para conservarlas.

Igual ocurre con ciertos supuestos concernientes a la metodología filosófica. La corriente principal prekantiana, como se señaló anteriormente, aceptó, por lo general, que las capacidades naturales humanas de la razón y de la percepción eran eficaces para el conocimiento del mundo; pero después del ataque exitoso que hiciera Kant a la razón, se socavaron los mismos cimientos epistemológicos de la filosofía, no dejándole a la disciplina otra alternativa que no fuera, o bien buscar en otro lugar para lograr su objetivo, o bien abandonar completamente dicho objetivo.

Por último, la mayoría de los prekantianos compartía una preocupación por cuestiones comunes que surgían de lo que todos ellos consideraban los objetivos de la filosofía. Puesto que no se había eliminado la confianza en la capacidad humana de conocer, pensaron, entonces, que podían ofrecer respuestas a dichas cuestiones; y puesto que las capacidades epistemológicas humanas eran confiables, era precisamente en el argumento en donde había que lograr estas respuestas y en donde había que resolver las desavenencias respecto de las mismas.

Hoy, sin embargo, nos encontramos en una situación en la que las dos tradiciones filosóficas dominantes no comparten dicho terreno común. Sus objetos de reflexión son diferentes; sus presupuestos y procedimientos metodológicos se muestran, a menudo, diametralmente opuestos; y parece que no coinciden en ninguna de las cuestiones por las que se interesan.[40] Los

---

[40] Efectivamente, se ha vuelto un lugar común sostener que no existen problemas comunes, incluso en la historia de la filosofía. *Cfr.* el Prólogo de Rorty en *Philosophy and the Mirror of Nature*, Princeton University Press, Princeton, N.J., 1979, p. xiii; y Jonathan Rée, "Philosophy and the History of Philosophy", en Rée *et. al.*, *Philosophy and Its Past*. La idea de que no existen cuestiones fundamentales y perennes en filosofía se remonta, por lo menos, hasta la concepción de Hegel de que la historia nunca es exactamente la misma, como resultado

analíticos estudian el lenguaje; mientras que los filósofos continentales hablan de "conciencia". Los primeros, al menos por mucho tiempo, canalizaron sus esfuerzos hacia la disolución de los problemas filosóficos, problemas que consideraban meras confusiones conceptuales originadas por las trampas que nos pone el lenguaje; mientras que los pensadores continentales nunca han aceptado este diagnóstico ni este remedio. Por último, los analíticos descartan, con frecuencia, el tipo de cuestiones que presentan los filósofos continentales, por considerarlas ilegítimas; y las que ellos consideran legítimas son rechazadas por los filósofos continentales, por considerarlas triviales, como vimos anteriormente. La técnica del rechazo es un asunto grave, puesto que muestra, claramente, un tipo de actitud antifilosófica, dogmática, contraria a la auténtica naturaleza de la disciplina, tal como se había concebido tradicionalmente. Téngase en cuenta que éste no es un caso de mera *hybris* filosófica, vicio filosófico común aun antes de Kant: va más allá del mero orgullo de un filósofo en particular, e impregna no sólo una de las tradiciones dominantes en la filosofía contemporánea, sino las dos. Rechazar desde el principio cualquier intento y posibilidad de comunicación con aquellos que se nos oponen es algo que siempre ha sido criticado por los filósofos y que, sin embargo, está aceptado generalmente en la profesión hoy día. La curiosidad por entender a aquellos que no piensan como nosotros se ha alejado de los círculos filosóficos, en detrimento de la disciplina. La situación, por tanto, se vuelve intolerable no sólo debido a razones de índole práctica, sino porque, y esto es lo más importante, amenaza con transformar la disciplina en una ideología más de las tantas que pululan en nuestros días, en donde las diferencias de opinión se resuelven no por medio de la argumentación, sino por medio de la acción o la fuerza políticas.

VI. EL PAPEL DE LA HISTORIA DE LA FILOSOFÍA EN EL FUTURO DE LA FILOSOFÍA

Tal como ha quedado establecido al comienzo de esta Introduc-

del proceso dialéctico. *Cfr.* su *Logic* (Enciclopedia), 2a. ed., cap. 1, §13, y cap. 7, §83, trad. William Wallace, University Press, Oxford, 1892, pp. 22 y 159–160.

ción, una de las tesis del libro es que la historia de la filosofía
nos puede ayudar a salvar la distancia que existe entre los continentales y los analíticos, y, afortunadamente, devolvernos a una
situación semejante a la que prevalecía antes de Kant, en donde
las bases comunes, si no aseguraban necesariamente el acuerdo,
por lo menos aseguraban la comunicación y el diálogo filosóficos. La pregunta que necesitamos responder, por tanto, es la
de cómo el estudio de la historia de la filosofía puede ayudar a
salir del atolladero existente en la filosofía contemporánea, en
el que han caído los continentales y los analíticos; una ayuda
que permita que estos dos grupos vuelvan a una situación que
establezca la base que fundamente y estimule una comunicación fructífera. Mi tesis es que la historia de la filosofía puede
hacerlo, al proveer el objeto, el método y las cuestiones que
salvan el abismo entre nuestros críticos contemporáneos y los
poetas. El objeto consiste en los textos históricos que tenemos:
los escritos de Platón, Aristóteles, Hegel y todos los demás filósofos de quienes nos han quedado sus obras o parte de ellas.
Los principios metodológicos son el resultado de las exigencias
que la misma naturaleza de los textos filosóficos históricos impone a cualquiera que desee trabajar con ellos. Las cuestiones
comunes son aquellas que han planteado los filósofos del pasado y las cuestiones historiográficas que surgen cuando se desea
explorar el pasado.

El objeto al que me refiero, los textos que tenemos del pasado, posee, en muchos aspectos, las características de la "realidad" que aceptaban generalmente los filósofos prekantianos.
Se trata de un objeto *dado*, no creado.[41] Es independiente de
nosotros y de nuestro arte. *Vamos* al texto, lo cual es como si
se nos presentara. El texto, por tanto, posee el *status* de un objeto fundamental de la experiencia, precisamente el que poseía
la "realidad" prekantiana. Es más, aunque se nos presenta en
un lenguaje, no se nos presenta necesariamente en *nuestro* lenguaje, de manera que no lo podemos confundir con una parte

---

[41] No todos los filósofos están de acuerdo con este punto. Para algunos argumentos en contra, *cfr.* Richard A. Watson, "Method in the History
of Philosophy", en *The Breakdown of Cartesian Metaphysics*, Humanities Press
International, Inc., Atlantic Highlands, N.J., 1987, pp. 13–15.

de nuestra experiencia ni de nuestro uso lingüísticos. Tampoco puede considerarse el texto como un producto de nuestras capacidades organizadoras mentales. Es cierto que se da en nuestra conciencia, pero aparece en ella como proveniente de fuera, como un objeto extraño cuya presencia tenemos que reconocer.

Examinemos ahora, por un momento, qué ocurre cuando se nos presenta un texto histórico, de manera que podamos entender cómo éste nos impone ciertas exigencias metodológicas, si es que queremos entenderlo. El texto con el que se enfrentan los historiadores está escrito en un lenguaje que conocen o que, por el contrario, desconocen.[42] En ambos casos se requieren, de parte de los historiadores, ciertas condiciones metodológicas para que el texto les revele su contenido; sin embargo, puesto que esto se ve más claro en aquellos casos en los que el texto está escrito en una lengua extranjera, utilizaré este caso como ejemplo que ayude a comprender lo que deseo explicar.

Cuando nos enfrentamos a un texto que no está escrito en una lengua que conocemos, el significado del texto posee la condición de misterio. Observamos unos papeles sobre los cuales hay unos signos, pero no sabemos lo que tales signos quieren decir. Podríamos asignarles, caprichosamente, un significado, pero no lo hacemos porque sabemos que el texto es producto del intento de otro ser humano por comunicar un mensaje, y lo que queremos es descubrir cuál es ese mensaje, y no proyectar nuestras ideas en el texto. Estamos conscientes de que asignarle, caprichosamente, significados a los signos no nos ayudaría a descubrir el significado del texto. Entonces, ¿qué hacemos? Vamos al diccionario, en donde se indican los significados de los signos en cuestión. Consultamos libros de gramática de la lengua correspondiente con el fin de descubrir cómo funciona dicha lengua. Se trata de un proceso difícil, que lleva su tiempo, y en el que no nos podemos permitir demasiadas licencias; pero si queremos conocer lo que dice el texto, debemos seguir estos y otros procedimientos. Adviértase, por supuesto, que no

---

[42] Los textos, como veremos en el capítulo IV, también pueden estar compuestos de sonidos: no necesitan estar escritos. Sin embargo, para los propósitos presentes, me voy a hacer a la idea de que estamos hablando de textos escritos.

tiene por qué ocurrir que, al final, entendamos lo que el texto significa; puede ocurrir, por ejemplo, que contenga palabras y símbolos que nadie ha logrado todavía descifrar; pero esto no es tan importante para mi propósito actual. Lo que importa es darse cuenta del carácter del texto y de cómo éste se impone sobre nosotros; importa estar conscientes de su independencia respecto de nosotros y, estoy tentado a decir, su "poder" sobre nosotros. También es importante observar cómo el texto se nos revela sólo si seguimos ciertos procedimientos: en el caso de un texto extranjero, necesitamos acudir a los diccionarios y a las gramáticas, por ejemplo. El texto, por tanto, impone exigencias y restricciones metodológicas a *todos* aquellos que deseen entenderlo.[43]

Así como un texto extranjero impone ciertas condiciones a aquellos que deseen descifrar su significado, de igual modo existen condiciones previas, de índole metodológica, que el mismo carácter de la historia de la filosofía impone a sus estudiosos. Estas condiciones previas pueden servir como un terreno común y como unas bases compartidas para la comunicación entre los partidarios de diferentes tradiciones filosóficas, puesto que aquellos que deseen entender el texto, trátese de poetas o de críticos, deben aceptar tales condiciones previas fundamentales, de índole metodológica, para lograrlo. Por ejemplo, deben asumir que el objeto que tienen delante es un texto; que alguien lo produjo; que posee algún significado; que su significado es, hasta cierto punto, comprensible; que existen maneras correctas y erróneas de lograr ese significado, etcétera; y todas estas condiciones previas sirven de puente entre aquellos que se ocupan de la historia de la filosofía.

Por último, el tercer tipo de terreno común que puede proveer la historia de la filosofía consiste en las preguntas que se dan en dicha historia, así como en aquellas que surgen cuando se intenta comprenderla. Es bastante obvio, desde el mismo comienzo, que los filósofos intentaban responder a ciertas preguntas. La pregunta de Platón en la *República*, ¿qué es la justi-

[43] *Cfr.* Michael L. Morgan, "The Goals and Methods of the History of Philosophy", *Review of Metaphysics*, no. 40, 1987, p. 720; y Oscar Kristeller, "Philosophy and Its Historiography", *Journal of Philosophy*, vol. 82, no. 11, 1985, p. 623.

cia?, la pregunta de Tomás de Aquino en la *Summa theologiae*, ¿existe Dios?, etcétera, son sólo dos ejemplos de preguntas que los filósofos han tratado de responder. Ahora bien, en el intento de los historiadores de la filosofía por entender la historia de la filosofía, es esencial que vean por qué y cómo surgieron esas preguntas, y que comprendan todo lo que las mismas implican; pero el intento por entender puede servir también de terreno común para continentales y analíticos, ya que no pueden limitarse a descartar las preguntas desde un principio, alegando que éstas carecen de sentido o que son triviales. En primer lugar, tanto los continentales como los analíticos consideran la historia de la filosofía como su ascendencia común —de hecho, cada grupo parece pensar que es el heredero legítimo de la historia, y que el otro grupo es una suerte de arribista intérlope. Pero si los miembros de cada grupo reivindican como propia la historia de la filosofía, sería difícil para ellos ignorarla, rechazarla por carecer de sentido, o pasar por alto las cuestiones y preguntas que se dan en ella por considerarlas "triviales" o "ilegítimas". Es más, como estudiosos de la historia, su tarea es entender lo que ocurrió y, por tanto, deben estar dispuestos a considerar la historia por su valor literal, y tratar de descifrar su sentido por medio del descubrimiento de lo que los filósofos del pasado tenían en mente. Descartar desde el principio las cuestiones que plantearon los filósofos del pasado por considerarlas carentes de sentido o triviales excluiría cualquier entendimiento del pasado. De este modo, tanto los continentales como los analíticos están obligados a hacer con la historia lo que rehúsan hacer entre sí: escuchar con una mentalidad abierta y comprometerse en un intento sincero por entenderla. No se trata de que no acaben concluyendo que Platón y el Aquinate estaban equivocados al plantearse las cuestiones que se plantearon. Los filósofos actuales pueden concluir, incluso, que las cuestiones de las que se ocuparon Platón y el Aquinate son, después de todo, carentes de sentido y triviales. Pero si ellos hacen tal cosa, lo habrán hecho *después* de que hayan abordado los textos y después de que hayan tendido un puente hacia los mismos que les podría servir también como puente hacia otras tradiciones filosóficas contemporáneas. Baste, entonces, con lo dicho, en cuanto al tema de las cuestiones que se encuentran en la historia de la filosofía.

Otros elementos también podrían servir para tender un puente entre aquellos que estudian la historia de la filosofía. Se trata de las cuestiones historiográficas que surgen del deseo del historiador por entender el pasado. Estas cuestiones tienen que ver, por ejemplo, con la interpretación de los textos filosóficos del pasado; con la inclusión de juicios de valor de verdad en las relaciones históricas; con el valor del estudio de la historia de la filosofía; con la metodología adecuada que hay que seguir en la exploración de la historia de la filosofía; con el tema del progreso filosófico; y muchos otros. Estos asuntos conforman una especie de núcleo de problemas que puede unir a aquellos que estudian la historia de la filosofía como no pueden hacerlo los problemas filosóficos que encontramos en la misma historia de la filosofía. La historia de la filosofía es demasiado vasta, y uno puede perderse fácilmente en un periodo o autor, con lo que no tiene por qué ocuparse de otras cuestiones de las que se ocupan los historiadores que exploran otros periodos y autores. Puede ocurrir que no haya ninguna coincidencia entre lo que estudian diferentes filósofos en la historia de la filosofía, o que la coincidencia sea tan minúscula, que no logre sentar las bases comunes necesarias para establecer una comunicación entre los filósofos que se mueven dentro de tradiciones diferentes; pero ningún filósofo comprometido con la historia de la filosofía puede pasar por alto las verdaderas cuestiones filosóficas que surgen en su intento por entender y utilizar dicha historia. Estas cuestiones historiográficas, por tanto, pueden constituir una base para la comunicación entre tradiciones filosóficas; de hecho, debería ser el fundamento para un nuevo comienzo en filosofía.

Huelga decir, por supuesto, que este libro es un primer intento, aunque modesto, en esta dirección. En los capítulos que siguen trato de comenzar la reconstrucción de un conjunto de temas y problemas que deberían ser accesibles e importantes tanto para los continentales como para los analíticos, con la esperanza de que el diálogo filosófico pueda ir más allá de los rígidos parámetros que se han desarrollado después de Kant. No pretendo sugerir que necesitamos retornar a la corriente principal prekantiana. Puede ser que nunca volvamos a la metafísica tal como se entendía antes de Kant; pero quizás no sea esto necesario para restablecer un clima filosófico en el que se considere que la comunicación es importante en filosofía. De hecho, mi tesis es que podemos encontrar en la historia de la filosofía y en la historiografía filosófica el objeto común, los principios metodológicos comunes, y los asuntos comunes que relegó al margen la revolución kantiana.

Puede que no sea fácil convencer a todos, y mucho menos a los continentales y analíticos, de que mi argumento es sólido: podrían considerarlo muy poco convincente. En primer lugar, está la pregunta de si existe, en definitiva, una historia de la filosofía. Algunos filósofos, de hecho, han afirmado que no existe tal cosa, y si no hay historia de la filosofía, parece que todo el edificio argumentativo que he presentado se vendría abajo.

En segundo lugar, aun cuando se aceptara que existe tal cosa como la historia de la filosofía, está la cuestión de su valor: después de todo, ¿no la hemos superado? ¿Por qué deberíamos regresar a viejos y anticuados planteamientos y soluciones de tiempos pasados, cuando lo que necesitamos hacer es enfrentar los problemas y desafíos del presente y del futuro? ¿Qué podemos encontrar en el pasado que nos pueda servir hoy día?

Supongamos, empero, que alguien acepta que la historia de la filosofía posee alguna utilidad. Todavía podríamos preguntar, en tercer lugar, ¿qué parte de la historia de la filosofía deberíamos utilizar? La historia de la filosofía es un campo muy amplio, y nadie lo puede dominar en su totalidad en una sola vida —de hecho, dirá alguno, ni siquiera se pueden dominar grandes parcelas del mismo. Los historiadores se están especializando cada vez más en épocas determinadas y, dentro de éstas, en problemas y autores concretos, con el fin de que les sea posible entender completamente el objeto que desean dominar. Es más, existe el problema del canon: ¿qué autores y problemas deberían considerarse canónicos y, por tanto, objeto de estudio del historiador de la filosofía? Parece que no hay acuerdo alguno en esto, y si no hay ninguno, ¿cómo podemos afirmar que encontraremos una base común de comunicación por medio del estudio de la historia de la filosofía?

Como si esto no fuera suficientemente malo, podríamos advertir, en cuarto lugar, que, aunque fuera a aceptarse un canon, y dicho canon se convirtiera en el objeto común de estudio de todos los historiadores de la filosofía, los continentales y los analíticos abordarían su estudio desde puntos de vista tan radicalmente diferentes, y con presupuestos metodológicos tan conflictivos, que tener un objeto común de estudio no serviría para lograr el tipo de comunicación que, según he afirmado, debería resultar del estudio de la historia de la filosofía.

Por último, aunque alguien fuera a garantizar que la historia de la filosofía y las cuestiones historiográficas que presenta pudieran formar la base de alguna comunicación y diálogo entre los analíticos y los continentales, ¿por qué habría que pensar que tal comunicación y tal diálogo iban a ir más allá de estos límites? Podemos imaginarnos a los dos grupos conversando sobre la historia de la filosofía y las cuestiones historiográficas que surgen de ella, pero yendo cada uno, de nuevo, por su lado en cuanto se pase a otras cuestiones filosóficas.

Éstas, de hecho, son objeciones serias que van al núcleo de mi argumento. Su propósito es señalar que el estudio de la historia de la filosofía no provee a los continentales ni a los analíticos un objeto común, y, aun cuando se admitiera que el objeto es común, no proveería la base metodológica y el núcleo de cuestiones que he afirmado que proporcionaría. De hecho, no vale la pena negar las premisas en las que se basan estas objeciones. Los continentales y los analíticos distan bastante en sus concepciones acerca de la historia de la filosofía, de su objetivo y del modo de alcanzar ese objetivo; pero esto no implica que el estudio de la historia de la filosofía no pueda proporcionar un fundamento común para establecer una comunicación entre ellos. Por un lado, aun cuando algunos filósofos adopten la posición extrema de rechazar el *status* independiente de la historia de la filosofía, eso no implica que lo hagan todos:[44] la mayoría, de hecho, no lo hace, y, lo que es más importante, incluso aquellos que lo rechazan, *utilizan*, en efecto, la historia de la filosofía

---

[44] Aquí mi respuesta a esta posición es, obviamente, pragmática. En la sección sobre historia, del capítulo I, vuelvo a ella, pero tratándola de modo diferente. Para otro enfoque de la cuestión, véase Jack W. Meiland, *Scepticism and Historical Knowledge*, Random House, Nueva York, 1965.

en su trabajo. Esto apunta a un hecho importante, a saber: que su negación del *status* independiente de la historia de la filosofía es una postura teórica. Ahora bien, para mi argumento, no necesito mantener que los continentales y los analíticos coinciden teóricamente, desde un principio, en el *status* independiente de la historia de la filosofía. Lo que necesito demostrar es, meramente, que, en la práctica, utilizan la historia de la filosofía cuando filosofan, y que investigar dicha historia forma parte de lo que hacen. Mi argumento concierne a la práctica, no a la teoría. De hecho, los filósofos de la corriente principal previa a Kant discrepaban frecuentemente en cuanto al *status* último de la llamada realidad y de sus elementos, pero esto no implica que no tuvieran un objeto común de estudio. Descartes y Berkeley, por ejemplo, discrepaban en cuanto al *status* y a la naturaleza de la realidad física, pero eso no implica que no discutieran ni argumentaran acerca de su *status* y de su naturaleza. De igual manera, discrepar teóricamente en cuanto al *status* último de la historia de la filosofía no imposibilita un acuerdo en la práctica respecto de la misma en tanto que objeto de estudio: es decir, no impide que los filósofos, de hecho, se ocupen de su discusión y su interpretación.

En cuanto a la segunda objeción, que señala la inutilidad de tratar con ideas obsoletas, mi respuesta es que, aun cuando se admitiera que las ideas del pasado carecen de valor y han pasado de moda, algo que sólo unos pocos extremistas defenderían, lo que es importante para mi argumento no es que esas ideas y posiciones históricas posean utilidad, sino que la investigación del pasado da origen a cuestiones filosóficas de carácter general y de índole historiográfica. Es más: la historia se impone ella misma sobre sus estudiosos de tal modo, que lleva también a la adopción, sea en la práctica, sea en la teoría, o en ambas a la vez, de ciertos principios metodológicos cuya aceptación y discusión tiende un puente entre aquellos que están comprometidos con el estudio de la historia de la filosofía. Pienso que esto debería haber quedado claro a partir de lo que se ha dicho anteriormente.

Por lo que respecta a las cuestiones que se plantearon acerca del canon, mi respuesta es que son completamente irrele-

vantes.[45] Queda fuera de toda duda que habrá mayor terreno
común entre los filósofos que estudian el mismo periodo o autor históricos, que entre aquellos que no lo hacen. Tal estudio
proveería no sólo una base común de ideas, sino incluso un lenguaje que tendría que compartirse, esto es, la terminología del
periodo o del autor bajo estudio. Pero nada de esto es necesario
en la medida en que, independientemente del periodo histórico o del autor bajo escrutinio, el estudioso de la historia de la
filosofía se enfrenta a ciertas cuestiones historiográficas comunes a todos aquellos estudiosos. De hecho, la misma pregunta
sobre cuál es o debería ser el canon o las obras y autores de un
periodo determinado, plantea unas cuestiones historiográficas
con las que tienen que enfrentarse, en algún momento, los estudiosos de la historia de la filosofía, independientemente de las
inclinaciones ideológicas. De este modo, plantear incluso esta
objeción significa, hasta cierto punto, encontrarse en la dirección correcta, esto es, significa estar hablando de un problema
que debería preocupar a la mayor parte de los filósofos y que
podría salvar la brecha entre los continentales y los analíticos.

Por lo que se refiere a la cuarta objeción, la respuesta va por
el mismo camino. Las mismas diferencias en el enfoque que los
continentales y los analíticos podrían adoptar en el estudio de
la historia de la filosofía plantean el tipo de cuestiones metodológicas que puede acercar a los dos grupos. Además, deseo
enfatizar la observación que hice anteriormente y que ilustré
en relación con el hecho de comprender un texto histórico escrito en otra lengua: los textos históricos imponen a aquellos
que desean entenderlos ciertas condiciones que no son nego-
ciables y que, por tanto, deben aceptarlas aquellos que deseen
tratar con ellos. Estos textos son como las bacterias, visibles sólo a través de un microscopio. Independientemente de lo que
podamos pensar de ellas, *sólo* las podemos observar *a través de
microscopios* y las podemos manipular *sólo con ciertos instrumentos.*

[45] Las cuestiones son importantes por otras razones, sin embargo, tal como
ha señalado Bruce Kuklick en "Seven Thinkers and How They Grew: Descartes, Spinoza, Leibniz; Locke, Berkeley, Hume; Kant", en Richard Rorty, J.B.
Schneewind y Quentin Skinner (eds.), *Philosophy in History: Essays on the Historiography of Philosophy*, Cambridge University Press, Cambridge, 1984, pp. 125–
139.

Si las queremos ver, debemos ajustarnos a ciertos procedimientos. Del mismo modo, para estudiar y entender la historia de la filosofía, debemos ajustarnos a los parámetros metodológicos que hacen posible estudiarla y entenderla.

Con el fin de responder a la última objeción, debo hacer dos observaciones. En primer lugar, debemos tener presente que, en parte, el abismo que separa a los analíticos de los continentales es práctico, y comprende una manera peculiar de comportarse y una costumbre. De hecho, la estrategia del rechazo, tan extendida en la filosofía contemporánea, es un síntoma de la dimensión práctica, me atrevería a decir "moral", del problema. Y los problemas prácticos y morales no se resuelven con propuestas teóricas. Me explico. Los filósofos contemporáneos, sean analíticos o continentales, en su mayoría, han sido educados bajo los rígidos parámetros de sus tradiciones; han estudiado siguiendo programas ideológicamente unilaterales; se les han enseñado ciertas reglas acerca del método y del estilo filosóficos; se relacionan solamente con miembros de su propia tradición; leen los materiales que se ajustan a las reglas que se les han enseñado, etcétera. Todo esto ha originado ciertos hábitos que se han arraigado profundamente y que provocan la reacción de rechazo cuando se enfrentan con filósofos que no escriben ni se comportan como ellos. Ahora bien, si fuera posible establecer alguna área en la que los miembros de ambas tradiciones pudieran comunicarse, entonces habríamos avanzado un buen trecho en la superación de los hábitos que han impedido la comunicación en otras áreas. El establecimiento de, por lo menos, un área de actividad común rompería el insularismo habitual de ambas tradiciones y abriría las puertas a la comunicación y al diálogo en otras áreas. Y mi propuesta es que el mejor candidato para tal área es la historia de la filosofía y su historiografía.

La segunda observación que debo hacer consiste en que, como espero ilustrar en este libro, el estudio de la historia de la filosofía está unido a las cuestiones filosóficas de naturaleza no histórica. Esto es así debido, en parte, a que el historiador de la filosofía se ocupa de concepciones filosóficas de filósofos del pasado, y, en parte, debido a que la historia de la filosofía hay que hacerla filosóficamente; pero también, y esto es tan importante como estas dos razones, porque las cuestiones historiográficas que plantea el estudio de la historia de la filosofía están estrechamente relacionadas con las cuestiones fundamentales de la filosofía del lenguaje, de la hermenéutica e incluso de la metafísica. De este modo, el estudio de la historia de la filosofía y su historiografía debería plantar las semillas de un diálogo, entre aquellos que se dedican a ella, que se abriría a otras áreas de la filosofía.

Para concluir, debería señalar que mi esperanza en que el estudio de la historia de la filosofía unirá a los continentales y a los analíticos, o por lo menos a algunos de ellos, no es meramente especulativa. Existen indicios de que el clima filosófico está cambiando, por lo menos en ciertos ámbitos. Pocos años atrás todos los indicios señalaban una bifurcación cada vez mayor de la tradición filosófica occidental y una esquizofrenia continua entre los analíticos y los continentales; recientes desarrollos indican, sin embargo, que algunas parcelas de la comunidad filosófica están cansadas de esta situación y están buscando maneras de superar este callejón sin salida creado por estos dos grupos. Existen muchos indicios de estos esfuerzos. En primer lugar, hay una conciencia explícita de la bifurcación filosófica que ha acontecido y de sus efectos perniciosos.[46] Esto constituye un primer paso necesario para la búsqueda de una solución. Como con cualquier enfermedad, el primer paso para la cura consiste en percatarse de que algo malo le ocurre al organismo. Pero, en segundo lugar, también ha habido diagnósticos sobre el origen del problema, así como recetas para su solución. El libro, bastante conocido, de Richard Rorty, *Philosophy and the Mirror of Nature*, es un ejemplo de análisis que apunta a una suerte de diagnóstico y de receta.[47] En tercer lugar, existe

---

[46] *Cfr.* los artículos de O'Connor, Dreyfus y Haugeland, en *APA Newsletter on Teaching Philosophy*, vol. 2, no. 3, 1981. Muchos filósofos piensan que la filosofía está en crisis, aunque algunos lo niegan. Para un análisis de la situación, *cfr.* los diferentes artículos en Cohen y Dascal, *The Institution of Philosophy*. Héctor-Neri Castañeda es uno de los que no están de acuerdo con la idea de que la filosofía está en crisis. *Cfr.* su "Philosophy as a Science and as a Worldview", *ibid.*, pp. 35–59.

[47] *Cfr.* también Kenneth Baynes, James Bohman y Thomas McCarthy (eds.), *After Philosophy: End or Transformation?*, MIT Press, Cambridge, 1988.

un renovado interés entre los analíticos por las cuestiones metafísicas, y entre los continentales, por el lenguaje. De hecho, la metafísica es, de nuevo, una materia que goza de reputación en la filosofía angloamericana, aun cuando lo que se entiende por tal no sea exactamente lo mismo que aquello de que se ocupaban Aristóteles y Suárez. En cuarto lugar, incluso el término "analítico" es rechazado por algunos miembros del grupo, que insisten en que son parte de la corriente filosófica principal que se remonta a Descartes y Aristóteles.[48]

Todos estos son indicios significativos de que el tiempo está maduro para un acercamiento entre continentales y analíticos. La señal más importante de este cambio de actitud, sin embargo, es el renovado interés por la historia de la filosofía de parte de ambos grupos. De hecho, la mayor parte de los otros indicios se relacionan en cierta medida con un reciente interés por la historia de la filosofía. Entre los analíticos y los continentales existe una preocupación, cada vez mayor, por el pasado filosófico y un reconocimiento de su importancia para la comunidad filosófica.[49] Entre los analíticos, esto es evidente en el trabajo de P.F. Strawson, R.M. Hare y Jonathan Bennett, por ejemplo; y entre los continentales, en el trabajo de los posheideggerianos, como

Para otro diagnóstico y receta, véase "Why Is a Philosopher?", de Hilary Putnam, en Cohen y Dascal, *The Institution of Philosophy*, pp. 61–75, quien propone una vuelta al sentido común. La solución que ofrece Mandt frente a la ruptura analítico-continental consiste en entender el análisis como una "comunidad de discurso", antes que como un "sistema ideológico", permitiendo, de ese modo, la ruptura de las, *prima facie*, barreras a la comunicación. *Cfr.* el artículo citado en la n. 28. Ambas sugerencias sirven de ayuda, pero, si mi análisis es correcto, necesitamos mucho más: necesitamos la restauración de un objeto y de un método comunes, y esto no puede conseguirse sólo mediante estas sugerencias.

[48] Ésta es una actitud corriente hoy en día. *Cfr.* los artículos citados en la n. 46.

[49] La página del editor de un número reciente del *American Philosophical Quarterly*, no. 26, 1989, incluye la siguiente afirmación: "Es el hecho de estar todos expuestos a los desarrollos sobresalientes en la historia de la filosofía lo que nos une a nosotros, los filósofos [. . .] en una comunidad única [. . .] Es nuestro entrenamiento común en su historia lo que nos une en una comunidad que comparte una cultura común y evita que la filosofía se divida en un conjunto de empresas dispares, unificadas sólo por el nombre, en razón de una conveniencia administrativa."

Gadamer y Foucault, cuyo interés por la historia de la filosofía en general ha crecido con el tiempo, aunque la semilla para el mismo ya había sido plantada por el propio Heidegger. Esto, a su vez, ha alimentado el interés por las cuestiones historiográficas relacionadas con la historia de la filosofía, y ha generado polémicas sobre la interpretación y la comprensión del pasado. De hecho, se ha puesto de moda la palabra "hermenéutica" entre los círculos filosóficos, y, aunque está ligada, en un principio, con la tradición continental, ahora se encuentra con frecuencia en las discusiones de los filósofos angloamericanos. Apenas pasa un mes sin que nos encontremos en la bibliografía periódica con escritos que tratan explícitamente de temas historiográficos.

El movimiento hacia la historia de la filosofía no anda equivocado, ya que la corriente occidental principal antes de Kant posee elementos comunes a las tradiciones crítica y poética. Comparte con la tradición crítica el énfasis por la argumentación y por el empleo del lenguaje objetivo; y con la tradición poética, comparte su interés por las cuestiones metafísicas fundamentales, antes que con las puramente formales o lingüísticas. La historia de la filosofía, por tanto, puede servir como puente entre los críticos y los poetas contemporáneos. Pero no conocemos todavía los detalles de cómo puede llevarse a cabo dicho acercamiento y de cómo puede utilizarse para lograrlo. Con el fin de encontrar una respuesta a estas preguntas, necesitamos saber algo acerca de la historia de la filosofía, qué es, y cómo se relaciona con la filosofía. El objetivo de este libro es, precisamente, investigar tales cuestiones. Comenzaré, entonces, con una discusión acerca de la historia, la filosofía, y la historia de la filosofía.

I

HISTORIA, FILOSOFÍA
Y LA HISTORIA DE LA FILOSOFÍA

Cualquier investigación acerca de la historiografía filosófica debe decir algo sobre la naturaleza de la historia de la filosofía, y, puesto que la historia de la filosofía comprende las nociones de historia y de filosofía, debe comenzar también por decir algo acerca de ellas. En las observaciones que siguen, mi propósito principal es poner ciertos límites a las nociones en cuestión, distinguiendo cada una de ellas de las demás y de otras nociones que, con frecuencia, se confunden con las mismas. Comienzo con la discusión de una dificultad que surge a menudo cuando se intenta delimitar con precisión la naturaleza de la historia de la filosofía. El resto del capítulo se divide en tres partes, que se ocupan, respectivamente, de la historia, de la filosofía, y de la historia de la filosofía. En este contexto, aprovecho la oportunidad para plantear la espinosa cuestión de la traducción de las ideas del pasado a los marcos conceptuales del presente, y también para plantear el controvertido tema acerca de si la historia de la filosofía puede incluir juicios de valor de verdad sobre las ideas del pasado. La tesis principal que defiendo es que la historia de la filosofía incluye proposiciones descriptivas, interpretativas y valorativas, y que, por tanto, no puede evitar ni la interpretación ni la valoración. También defiendo, de pasada, la postura de que es posible traducir las ideas del pasado a los marcos conceptuales del presente sin que ello suponga una distorsión sustancial de las mismas: tal es, de hecho, el papel de la interpretación en la historia de la filosofía. Comencemos, por tanto, con algunas observaciones, tal como hemos mencionado, acerca de la dificultad inicial que surge en relación con la naturaleza de la historia de la filosofía.

Investigar la naturaleza de algo entraña lograr una definición apropiada de la cosa en cuestión. La tarea de la definición es la de especificar un conjunto de condiciones necesarias y suficientes. Así, por ejemplo, se supone que la definición tradicional de *ser humano* como "animal racional" identifique aquellas condiciones (por ejemplo, racionalidad, animalidad, y todo lo que impliquen las mismas) que hacen que un ser humano sea humano, y sin las cuales él o ella no podrían existir como humanos. Se podría decir, lingüísticamente, que una definición es una expresión que identifica las condiciones necesarias y suficientes para que algo sea llamado de tal o cual forma.

En la filosofía contemporánea se ha cuestionado la tarea de encontrar definiciones, en particular por parte de los discípulos de Wittgenstein. Éstos arguyen que no siempre es posible identificar las condiciones necesarias y suficientes que se aplican a todos los miembros de una clase de cosas a las que nos referimos con el mismo término, salvo el hecho de que nos referimos a ello con aquel término.[1] Así, por ejemplo, no es posible encontrar un rasgo común a todos los gatos, los tigres, o los seres humanos más allá del hecho de que todos ellos son llamados gatos, tigres y seres humanos. La razón estriba en que parece que ellos se relacionan, no de la manera como se relacionan las cosas que comparten un rasgo, sino, más bien, como las familias se relacionan por parecido: cada miembro de la familia se parece, por lo menos, a un miembro de la familia en alguna forma, pero ningún miembro de la familia se parece a todos los miembros de la familia, ni siquiera en algo. Ningún tigre es como todos los tigres, aun cuando sea parecido, por lo menos, a otro tigre en algún aspecto. Es ésta una objeción habitual contra el intento de encontrar definiciones y, por cierto, se trata de una objeción lo suficientemente seria como para merecer una atención especial. Puesto que se trata de una acusación tan

---

[1] Este tipo de posición la defiende Renford Bambrough en "Universals and Family Resemblances", *Proceedings of the Aristotelian Society*, no. 61, 1960–1961, pp. 207–222; reimpreso en Michael J. Loux (ed.), *Universals and Particulars: Readings in Ontology*, ed. rev., University of Notre Dame Press, Notre Dame, Ind. y Londres, 1970, pp. 106–124.

abarcadora contra todo el procedimiento para determinar definiciones, y también porque, de algún modo, ya me he ocupado
de ella en otro lugar, no me voy a extender más en su discusión,[2]
la cual debería formar parte de un tratado más específico de
epistemología. Tan sólo menciono esta objeción para aclarar
que, en algún momento, nos tendremos que enfrentar con ella.
La segunda objeción es mucho más directa. A diferencia de
la anterior, no se basa en el rechazo de cualquier búsqueda de
definiciones; ataca, simplemente, la posibilidad de establecer
una definición de la historia de la filosofía, argumentando que
la historia de la filosofía no es una clase natural y, como tal,
no es definible.[3] Esto deja abierta, por supuesto, la pregunta
acerca de la posibilidad de la definición de las clases naturales,
pero esto no nos concierne por el momento.

Que la historia de la filosofía no es una clase natural me parece bastante obvio. Las clases naturales incluyen solamente las
entidades que se han producido naturalmente, esto es, las entidades que no son el resultado del arte humano. Una higuera
es un caso de una clase natural, y de igual forma lo es Pablo y
mi gata Medea. Ni Pablo, ni Medea, ni el árbol son el resultado de la creación humana. Los padres de Pablo tuvieron algo
que ver con su concepción, y es posible que las higueras hayan
sido plantadas y cultivadas, pero los procesos responsables de
su producción no son el producto de la invención y el diseño
humanos. Algo bastante diferente ocurre con la silla sobre la
que estoy sentado o con los signos que empleo para escribir
estos pensamientos. Ni la silla ni los signos son casos de clases
naturales, porque ambos son productos del diseño humano.
Tampoco me parece que la historia de la filosofía sea de alguna
manera semejante a Pablo o Medea, sino más bien a la silla y a
los signos. De modo que estoy dispuesto a aceptar, por lo menos
provisionalmente, y en razón del argumento, que la historia de
la filosofía no es una clase natural. Esto implica, por supuesto,
que debe ser una clase artificial, puesto que ambas categorías,

---

[2] Jorge J.E. Gracia, Prolegómenos, *Individuality: An Essay on the Foundations of Metaphysics*, Suny Press, Albany, Nueva York, 1988, pp. 10–12.
[3] Richard Rorty, Introducción, en Rorty, Schneewind y Skinner (eds.),
Philosophy in History, p. 8.

la de natural y artificial, se excluyen y no dejan lugar a un tercero. A la historia de la filosofía, por tanto, hay que considerarla
como el producto del arte humano.

Con todo, aunque no natural, la historia de la filosofía es una
clase, y, como tal, debería poder definirse de la misma manera
como se definen otras clases artificiales, pues no hay nada de
extraño, y mucho menos de imposible, en definir clases artificiales. En tal caso, la definición no será del tipo de definición
que se provee para las clases naturales, pero, con todo, será
una definición, en la medida en que especifica las condiciones
necesarias y suficientes para que algo pueda aceptarse como
historia de la filosofía, o pueda llamarse "historia de la filosofía". El hecho de que sea posible que estas condiciones sean
convencionales o incluso estipulativas no implica que sea imposible especificarlas claramente y con precisión, ni tampoco que
no sirvan para nada. Por ejemplo, estoy seguro de que todos
estaremos de acuerdo en que la letra "A" es un signo convencional y no una clase natural. Por tanto, las condiciones que
son necesarias y suficientes para que algo pueda considerarse
la letra A están sujetas completamente a un acuerdo entre los
usuarios de la A. Es más, es claro también que esas condiciones
son bastantes efectivas para determinar lo que es una buena y
lo que es una mala A, así como lo que es una A bien escrita y lo
que es una A mal escrita, y también para distinguir una A de,
por ejemplo, una B.

Existe, sin embargo, un ejemplo aún más llamativo y que refleja, mejor que el que se acaba de dar, el caso de la filosofía y de
la historia de la filosofía. Este ejemplo también determina con
precisión el origen de, por lo menos, algunas definiciones de
clases artificiales: se trata del caso de un artefacto, como, por
ejemplo, una silla. Es obvio que las sillas son clases artificiales,
inventadas por los seres humanos. Hubo un tiempo en el que
no había ninguna silla, y a alguno de nuestros brillantes ances-
tros se le ocurrió la idea de hacer una. Es presumible que los
seres humanos se sentaron desde el mismo comienzo, de modo
que ha habido objetos que se han utilizado como sillas desde el
momento en el que los humanos aparecieron sobre la Tierra.
Pero eso no significa que había sillas en ese tiempo. Las sillas
han existido sólo desde el momento en el que alguien hizo una.

Ahora bien, también es obvio que hay sillas cómodas e incómodas; sillas que sirven bien para su propósito —las podemos llamar "buenas" sillas— y sillas que no sirven bien a su propósito —las podemos llamar "malas" sillas—; al igual que sillas bonitas y feas, y así por el estilo. Alguien podría afirmar que, desde el momento en el que nos introducimos en el campo de la belleza, las cosas se vuelven demasiado complicadas como para inferir alguna conclusión del ejemplo. Pero si nos ceñimos al hecho de si una silla sirve o no sirve al propósito para el que está prevista, entonces debemos aceptar que tenemos algún tipo de idea de lo que una silla debería ser. Esa idea, por supuesto, es de alguna manera una definición que surge a partir de la función para la que la silla se hizo. Igual ocurre, entonces, con la historia de la filosofía: en tanto que producto del arte humano, se inventó con cierto propósito, y dicho propósito debería proporcionarnos los criterios con los que podamos distinguir entre la historia de la filosofía y otras cosas, así como entre buenas y malas historias de la filosofía. Es claro, por lo demás, que, de hecho, utilizamos tales criterios, entre otras cosas por la misma distinción que establecemos entre la historia de la filosofía y las sillas.

De este modo, afirmar que la historia de la filosofía no es una clase natural no debería ser un obstáculo para lograr una definición de ella que la distinga de otras cosas y nos permita separar la buena de la mala historia de la filosofía. Una vez dicho esto, debería apuntar que, en lo que sigue, no ofrezco una definición precisa y bien construida de la historia de la filosofía. De hecho, tan sólo identifico algunos rasgos asociados con ella que la distinguen de la historia y de la filosofía. La razón es que ni para el propósito de éste, ni de los siguientes capítulos, se requiere una definición de este tipo. No tenemos, por tanto, ninguna necesidad de comprometernos en el proceso, complicado y controvertido, de intentar, efectivamente, formular una. Comencemos con la historia.

I. HISTORIA

El término "historia" es ambiguo porque se emplea en el lenguaje para dar a entender un número de cosas diferentes. En un sentido, el término se emplea para hacer referencia a una serie de acontecimientos o sucesos.[4] Así, por ejemplo, hablamos de la historia de la Antigua Grecia cuando queremos referirnos a una serie de acontecimientos que tuvieron lugar durante cierto periodo de tiempo en Grecia; y hablamos también de la historia de nuestras vidas como aquello que comprende acontecimientos tales como el nacimiento, el matrimonio, la educación, los accidentes, etc. Desde esta perspectiva, cualquier acontecimiento es parte de la historia en la medida en que no está teniendo lugar en el presente. De hecho, tener lugar es, en un sentido, llegar a ser parte de la historia, puesto que el presente consiste en un momento que fluye constantemente en dirección hacia el pasado.

Pero el término "historia" posee también un segundo significado, derivado de la etimología de la palabra original griega, que significaba información, investigación, y narración. En este caso el término se emplea, más bien, para hacer referencia a una relación* de acontecimientos pasados y no a los acontecimientos mismos.[5] En la medida en que se trata de una *relación*, va más allá de una mera narración, crónica o de unos anales,

***

[4] Naturalmente, la referencia a los acontecimientos y a los sucesos supondrá también referencias a las personas, cosas y circunstancias que están involucradas en esos acontecimientos y sucesos.

* Uno de los términos más frecuentes en la versión original de este libro es la palabra inglesa *account*, que, en el contexto de la historia, está tomada en el sentido preciso, que a veces adquiere en inglés, de relación o exposición de las razones, causas, fundamentos o motivos que subyacen en un determinado hecho o acontecimiento. Por eso nos dice el autor, inmediatamente, que entiende por *account* algo más que la mera narración, la crónica o los anales. Para traducir este término, utilizo la palabra española "relación" (y, en contadas ocasiones, "relato" y "recuento"), en el sentido de acción y efecto de dar cuenta de un hecho o acontecimiento. Cuando se trata de un verbo, *to account*, prefiero utilizar las expresiones "dar cuenta de" u "ofrecer una relación de", antes que los verbos "relacionar" o "relatar". La palabra inglesa *account*, por lo demás, es la que suele emplearse para traducir la palabra española "relación" cuando se habla, por ejemplo, de las relaciones que ofrecían los primeros cronistas del Nuevo Mundo (recuérdese, por ejemplo, la *Relación acerca de la antigüedad de los indios*, de Pané, o la *Brevísima relación acerca de la destrucción de las Indias*, del padre Las Casas). [N. del t.]

[5] Hablando en sentido estricto, tendría que decir "una relación de *una serie de* acontecimientos pasados" y no simplemente "una relación de acontecimientos pasados", porque las relaciones históricas son relaciones de historia

puesto que contiene, o debería contener, referencias a sus causas, a las conexiones entre los acontecimientos en cuestión y a las consecuencias a que dieron lugar.[6] Las narraciones, las crónicas y los anales informan simplemente de los acontecimientos pasados, sin entrar en intento alguno por dar cuenta de ellos mediante explicaciones de por qué ocurrieron ni de sus conexiones y resultados.[7] Además, en la medida en que la histo-

en el primer sentido, esto es, de una serie de acontecimientos pasados. Sin embargo, aunque la historia en el primer sentido se refiere a series de acontecimientos, también está tomada, en el segundo sentido, en tanto que se refiere a relaciones de acontecimientos pasados individuales. Con el fin de conservar esta posibilidad en mi descripción, me refiero a la historia en el segundo sentido, simplemente como una relación de acontecimientos pasados. Debería quedar claro también que las relaciones de acontecimientos pasados son ellas mismas parte de la historia en el primer sentido, pues ellas mismas son acontecimientos históricos. Volveré sobre este punto más tarde.

[6] *Cfr.* Karl Popper, *The Poverty of Historicism*, Routledge & Kegan Paul, Londres, 1957, pp. 143-144. Esta manera de entender la historia no es, ni mucho menos, aceptada universalmente. Christian Wolff, por ejemplo, excluye de las relaciones históricas la explicación, que considera parte de la filosofía, antes que de la historia: "El conocimiento filosófico se diferencia del conocimiento histórico. El segundo consiste en el mero conocimiento del hecho. El primero va más allá y muestra la razón del hecho [. . .] Aquel que conoce la razón de un hecho que otro hombre dice conocer posee conocimiento histórico del conocimiento filosófico de otro." *Preliminary Discourse on Philosophy in General*, trad. Richard J. Blackwell, Bobbs-Merrill, Indianápolis y Nueva York, 1963, p. 5. La distinción entre el conocimiento de un hecho y el de un hecho razonado proviene de Aristóteles, *Segundos analíticos*, I, cap. 13, 78 a 23. Para una discusión de las cuestiones envueltas en la distinción entre crónica e historia, véase *Analytical Philosophy of History*, de Arthur C. Danto, Cambridge University Press, Cambridge, 1965, cap. 7. El tema de la naturaleza de la narración se ha discutido ampliamente en la filosofía contemporánea. Para un resumen de la controversia, véase Hayden White, "The Question of Narrative in Contemporary Historical Theory", *History and Theory*, vol. 23, no. 1, 1984, pp. 1-33.

[7] La cuestión de lo que constituye la explicación histórica ha llamado la atención de muchos filósofos durante el pasado reciente. No discuto esa cuestión en este libro, pero aquellos interesados pueden consultar, entre otros: Ernest Nagel, *The Structure of Science: Problems in the Logic of Scientific Explanation*, Harcourt, Brace y World, Nueva York, 1961, especialmente el cap. XV; John Herman Randall, *Nature and Historical Experience*, Columbia University Press, Nueva York, 1958; M.G. White, *Foundations of Historical Knowledge*, Harper & Row, Nueva York, 1965, y los artículos de Berlin, Passmore, Hempel, Hart y otros en William H. Dray (ed.), *Philosophical Analysis and History*, Har-

ria se refiere a acontecimientos pasados, antes que a los futuros, ha de distinguirse de la profecía, que, al igual que la historia, es una relación de acontecimientos, pero los acontecimientos en cuestión todavía no han ocurrido. La historia, entendida en este segundo sentido, es un producto de la iniciativa humana. Aun cuando los acontecimientos mismos puedan, o no, ser el resultado de la acción humana, la historia, en tanto que relación de tales acontecimientos, es, necesariamente, el resultado de la acción humana. Un terremoto, sin la menor duda, es un acontecimiento histórico, y hay que registrarlo en los libros de historia del lugar en particular en donde ocurrió, aun cuando se trata también de un acontecimiento natural en cuyo origen no cumplieron ningún papel los seres humanos. Y el asesinato de César a manos de Bruto es también un suceso histórico, aunque en este caso el acontecimiento no es natural, sino más bien el resultado de la voluntad y la acción humanas. Con todo, una relación de ambos acontecimientos es, necesariamente, el producto de la acción y de la voluntad humanas. Por tanto, la historia en el segundo sentido, es decir, entendida como una relación de acontecimientos, es, necesariamente, el resultado de la iniciativa humana.

Existe todavía un tercer significado del término "historia" que no debería pasarse por alto y que resulta, precisamente, del esfuerzo humano por dar cuenta de los acontecimientos pasados. En este sentido, "historia" se refiere al procedimiento que se sigue en la producción de la relación de acontecimientos. Por "historia" se da a entender, entonces, cierta disciplina del conocimiento cuya función es producir relaciones apropiadas de acontecimientos pasados y formular las reglas que, de aplicarse, permitirían dichas relaciones.

Por lo que se ha dicho, debería estar claro que existen diferencias ontológicas importantes entre la historia considerada como una serie de acontecimientos, la historia como una relación de esos acontecimientos y la historia como una disciplina del conocimiento. La primera podría estar compuesta de elementos

per & Row, Nueva York y Londres, 1966. Entre los filósofos continentales, son especialmente relevantes los trabajos de Foucault, Habermas, Gadamer y Ricoeur.

lingüísticos o no lingüísticos. Los discursos de Demóstenes son acontecimientos históricos y se componen de lenguaje, pero no la muerte de César, independientemente de lo que uno quiera dar a entender por hecho lingüístico. Por el contrario, la descripción de los acontecimientos históricos, por lo general, resulta en hechos lingüísticos, esto es, en proposiciones tales como: "Demóstenes dio un discurso en tal o cual fecha", "César murió", o "César fue asesinado por Bruto".

Además, la historia, considerada como una disciplina del conocimiento, puede comprender, bien una actividad, bien un conjunto de hechos lingüísticos, o ambas cosas. La actividad ocurre cuando alguien se encuentra en el proceso de producir una relación de ciertos acontecimientos. Obviamente, el proceso no es ni la relación lingüística de acontecimientos, ni los acontecimientos mismos, sino, más bien, la actividad mediante la cual se describen y explican los acontecimientos. Por otro lado, la historia, en tanto que disciplina, puede incluir también un conjunto de hechos lingüísticos o proposiciones, pero hay que distinguir esos hechos y proposiciones de los hechos y proposiciones que intentan dar cuenta de acontecimientos no lingüísticos. De hecho, son bastante diferentes, puesto que formulan, explican y justifican las reglas que necesitan seguirse para producir una relación histórica de acontecimientos. Por ejemplo, una de esas reglas podría estipular que "se debería dar más peso a las relaciones de acontecimientos de los testigos oculares para el establecimiento de los hechos que a las relaciones de acontecimientos de testigos no oculares". Y otra regla podría establecer que "la evidencia documental coetánea es, por lo general, más confiable que la evidencia verbal no coetánea". La formulación, explicación y justificación de esas reglas es lo que ha venido a llamarse "historiografía", con el fin de distinguirla de la historia considerada como una serie de acontecimientos, como una relación de esos acontecimientos y como una actividad mediante la cual se produce una relación de acontecimientos. Debería añadir a esta observación que la historiografía misma es, a la vez, un conjunto de reglas concernientes al procedimiento que ha de ser seguido por los historiadores en la producción de una relación de acontecimientos pasados y, también, la actividad, es decir, el procedimiento seguido en una investigación historiográfica. Paso por alto esta última distinción con el fin de evitar complicaciones innecesarias.

La historia puede interpretarse, por tanto, de diferentes modos:

I. Historia como una serie de acontecimientos pasados.

II. Historia como una relación de acontecimientos pasados.

III. Historia como una disciplina del conocimiento:

A. Una actividad mediante la cual se produce una relación de acontecimientos pasados.

B. La formulación, explicación y justificación de las reglas que debe seguir la producción de una relación de acontecimientos pasados (historiografía).

Antes de continuar, permítaseme añadir, en este momento, que todas estas nociones de historia como una serie de acontecimientos pasados, como una relación de acontecimientos pasados y como una disciplina del conocimiento han sido atacadas en alguna que otra ocasión. Algunos arguyen, por ejemplo, que no existen cosas tales como acontecimientos pasados a los que podamos tener acceso y de los que podamos ofrecer una relación. Los acontecimientos pasados, afirman, son constructos "creados" por el historiador, por lo que la misma noción de ser capaz de "dar cuenta" de ellos es absurda. Los acontecimientos pasados no son independientes de lo que decimos y pensamos sobre ellos. De hecho, la noción misma de "una serie" de acontecimientos pasados apunta al tipo de ordenación que la mente introduce en la historia. La distinción ontológica hecha arriba entre una serie de acontecimientos y la relación de esa serie se desmorona. Es más, bajo tales condiciones, la idea misma de una disciplina del conocimiento con reglas y regulaciones para guiar el procedimiento mediante el cual se produce una relación de acontecimientos pasados se convierte en un sinsentido o en algo inútil, cuando no en ambas cosas.

Existen muchas maneras de responder a esta objeción, pero, para nuestros propósitos, creo que la podríamos abordar de la siguiente manera. Podría señalarse que esta objeción es parte de un punto de vista epistémico más fundamental, en el que se considera el objeto del conocimiento como dependiente del cognoscente en la medida en que todas las categorías, a través de las cuales el cognoscente se aproxima a él, son parte del cognoscente y no categorías que corresponden al objeto del conocimiento, independientemente del cognoscente. Puesto que esta objeción se basa en un supuesto epistémico general, el lugar para tratar con ella no es en un contexto historiográfico específico, sino, más bien, en una discusión general de epistemología. Es suficiente, para nuestros propósitos, señalar tres cosas. En primer lugar, la distinción entre una serie de acontecimientos y la relación de esos acontecimientos está sustentada por nuestra manera corriente de mirar el mundo y, por tanto, puede servir para nuestro presente propósito, que es limitado. En segundo lugar, esta distinción opera, generalmente, en el trabajo de los historiadores, y son sólo los historiógrafos los que se enfrentan a ella. En este sentido, es más conveniente, para nosotros, darla por sentada que rechazarla desde un principio. Por último, las mismas nociones de una serie de acontecimientos pasados y de una relación de esos acontecimientos se pueden distinguir fácilmente, y parecen reflejar el propósito de la empresa histórica. Por estas razones, creo, entonces, que nos podemos desentender, en este momento, de esta objeción, aunque no creo, en modo alguno, que no sea necesario abordarla, ni tampoco que mi respuesta a la misma haya sido completamente satisfactoria. Son los epistemólogos, sin embargo, los que tienen que ocuparse de ella con mayor detalle.[8]

Ahora bien, aparte de la objeción que acabamos de discutir, no parece que suponga ninguna controversia entender la historia como una serie de acontecimientos pasados o como una disciplina del conocimiento. Pero la concepción de la historia como una relación de acontecimientos pasados se debe aclarar y analizar aún más. Por tanto, y antes de proseguir, me veo precisado a prestar atención a esta noción.

Voy a comenzar señalando que la historia, entendida como relación de acontecimientos pasados, no tiene necesariamente que ser lingüística. Por ejemplo, existen relaciones pictóricas de acontecimientos. Es más, desde el punto de vista lógico,

---

[8] Cfr. el trabajo, ya citado, de Meiland, Scepticism and Historical Knowledge.

es posible que existan relaciones no lingüísticas ni pictóricas de acontecimientos. Por ejemplo, es perfectamente posible que existan seres que se comuniquen entre sí telepáticamente, sin el uso de signos lingüísticos —ya sean escritos, orales o mentales—, aunque cuesta mucho trabajo imaginar cómo puede ocurrir tal cosa.[9] Sin embargo, es claro que la mayoría de las relaciones de acontecimientos que ofrecen los seres humanos utiliza signos lingüísticos de una clase u otra y, de hecho, estamos ceñidos a los signos escritos u orales, debido a los requerimientos impuestos por la transmisión de información a lo largo de amplios periodos de tiempo. Por tanto, y para los efectos de nuestra discusión, podemos limitarnos a las relaciones lingüísticas. Y puesto que las relaciones lingüísticas se componen de proposiciones, mi discusión de la historia como una relación de acontecimientos pasados se ocupará de las proposiciones utilizadas para ofrecer una relación de este tipo.[10]

Una mirada general a las proposiciones históricas, esto es, a las proposiciones que forman parte de las relaciones lingüísticas de acontecimientos pasados, nos ofrece tres categorías básicas. Para referirme a ellas, empleo los términos "descriptivo", "interpretativo" y "valorativo". La función primaria de las proposiciones descriptivas consiste en presentar con precisión aquellos acontecimientos y sus conexiones de los que puede haber evidencia empírica directa. Por tanto, incluyen lo siguiente: descripciones de acontecimientos y sus conexiones; descripcio-

---

[9] Una manera sería pensar en un universo en el que todas las mentes estuvieran conectadas de alguna manera, como lo están los televisores, de modo que siempre que una mente pensara algo, el mismo pensamiento ocurriría en todas las otras mentes. En realidad, cuando los escritores cristianos hablan de la visión beatífica, parece como si de lo que hablaran fuera de este tipo de cosas.

[10] He de aclarar que estoy empleando aquí el término "proposición" de una manera genérica, para referirme a los enunciados y a las oraciones, al igual que al significado de estos enunciados y oraciones. Para nuestro propósito actual, no tomamos en consideración las distinciones entre lenguajes mentales, no mentales, naturales y artificiales, al igual que entre proposiciones, enunciados y oraciones. Ninguno de los puntos que se traen a colación en el curso de la discusión está condicionado a tales distinciones. [N. del t. Traduzco, como es usual en lógica, *proposition* por "proposición", *statement* por "enunciado" y *sentence* por "oración".]

nes de enunciados coetáneos acerca de dichos acontecimientos y sus conexiones; y descripciones de lo que los historiadores posteriores dijeron o escribieron acerca de tales acontecimientos y sus conexiones, así como descripciones de las conexiones de los enunciados de varios historiadores acerca de sus propios puntos de vista. Como ejemplo de estas proposiciones, considérese lo siguiente:[11]

1^h. X mató a Y.

2^h. X murió.

3^h. La muerte de X siguió al hecho de que X matara a Y.

4^h. M, un contemporáneo de X, afirmó que X no había matado a Y.

5^h. N, otro de los contemporáneos de X, discrepaba de M en lo que se refiere a la opinión de M de que X no había matado a Y.

6^h. R, un historiador posterior, afirmó que M tenía razón al sostener que X no había matado a Y.

7^h S, otro historiador posterior, discrepó del punto de vista de R concerniente a M.

Obsérvese que, en todos los casos, la función de las proposiciones 1^h–7^h es descriptiva en el sentido especificado anteriormente, aunque en algunos casos la descripción es de acontecimientos (1^h, 2^h) y sus conexiones (3^h), mientras que, en otros casos, concierne a lo que los historiadores y otras personas han dicho o escrito acerca de esos acontecimientos y sus conexiones (4^h–7^h). Obsérvese también que, para que una proposición sea descriptiva, no es necesario que los mismos historiadores que la proponen tengan evidencia empírica directa del acontecimiento que se supone que la proposición describe: los historiadores pueden apoyarse en el relato de un testigo ocular

---

[11] No habría que considerar estos y los otros ejemplos que se ofrecen a lo largo de este capítulo como ejemplos paradigmáticamente exhaustivos. Lo que se pretende es que sean precisamente como los he llamado, "ejemplos" de las clases de proposiciones que encontramos en las historias, en la filosofía y en las historias de la filosofía.

del acontecimiento, por ejemplo. La cuestión que quiero subrayar, entonces, es que la función primaria de estas proposiciones es describir un acontecimiento del que los historiadores creen que, en algún lugar de la línea, hay, o podría haber, evidencia empírica directa, aunque ningún historiador hubiera sido testigo de dicho acontecimiento, como es lo más probable que haya ocurrido. Así, por ejemplo, la proposición "Bruto mató a César" es descriptiva, aun cuando ningún historiador fue testigo del acontecimiento. La razón estriba en que los historiadores creen que hubo o podría haber habido testigos oculares que dieran cuenta del mismo. De hecho, es bastante usual encontrarse con acontecimientos de los que no existen testigos oculares sobrevivientes, pero que, sin embargo, son el objeto de proposiciones descriptivas. Por ejemplo, supongamos que, cuando Bruto mató a César, no hubiera nadie presente salvo ellos dos, y que, en la lucha entre César y Bruto, Bruto también fuera herido mortalmente y falleciera antes de que alguien entrara en la habitación en la que tuvo lugar el suceso. En este caso, la proposición "Bruto mató a César" seguiría siendo descriptiva, de acuerdo con los criterios ofrecidos, porque, aunque el testigo ocular del suceso no pudiera testificar sobre el mismo, hubo por lo menos un testigo ocular (quizás dos, si César estuvo consciente de lo que estaba ocurriendo) del suceso y él podría haber testificado acerca del mismo. La cuestión, por supuesto, no es si hubo o no hubo testigos oculares, o si ellos testificaron o no, o incluso si hay alguna evidencia empírica de él o no, sino, más bien, si la función de las proposiciones es, o no, describir acontecimientos de los que puede ofrecerse evidencia empírica.

El uso de la expresión "evidencia empírica" intenta excluir la evidencia de naturaleza no perceptiva, como informes de estados y sucesos mentales, incluso cuando el que informa es la persona que los está experimentando. Así, proposiciones tales como "Pensé que X había matado a Y" (en donde "pensé" se emplea descriptivamente y no en lugar de, por ejemplo, "creo"), "Intenté matar a Y", o "Estoy angustiado mentalmente cuando pienso que intenté matar a Y" no reúnen los criterios que he establecido para las proposiciones históricas descriptivas. Se podría señalar, por supuesto, que las personas que ofrecen tales proposiciones, y que no están mintiendo cuando hacen tal cosa, están describiendo estados de hechos de los que ellos tienen evidencia directa —están informando de sus pensamientos, intenciones y estados mentales. Eso me parece razonable; pero la evidencia en cuestión no es "empírica": es, más bien, el tipo peculiar de evidencia a la que uno tiene acceso en su propia mente. Esto plantea cuestiones interesantes y dificultosas relacionadas con la filosofía de la mente; sin embargo, puesto que ellas se relacionan sólo marginalmente con nuestra materia y, además, puesto que nuestros propósitos son limitados, no se van a discutir aquí. Baste con señalar que la descripción del estado mental de uno mismo es un asunto intrincado debido a, por lo menos, dos razones: primera, el informante es una parte interesada, y las partes interesadas no constituyen los mejores testigos; y segunda, la memoria que uno posee de sus estados mentales no es confiable, incluso en casos en donde el acontecimiento mental en cuestión es bastante reciente.

Es importante reconocer también que las proposiciones descriptivas pueden ser falsas. Es decir, que aunque los historiadores piensen que la evidencia empírica que poseen verifica esas proposiciones, es posible, sin embargo, que estén equivocados. Por tanto, si una proposición es descriptiva, o no lo es, no depende de si ella realmente describe con precisión el acontecimiento que pretende describir, sino si pretende, antes que nada, hacerlo así sobre la base de una evidencia empírica directa. La mayor parte del trabajo de los historiadores, por su misma naturaleza, está bastante alejada de los acontecimientos que estudia y, por tanto, tiene que apoyarse en fuentes de segunda y tercera mano; pero eso no altera el carácter descriptivo de ciertas proposiciones que utilizan en sus relaciones.

En contraste con la función primaria de las proposiciones descriptivas, la función primaria de las proposiciones interpretativas no es describir acontecimientos de los que puede haber evidencia empírica directa, sino, más bien, ir más allá de ellos y reconstruir el entramado de motivos no manifestados, factores intangibles y circunstancias implícitas dentro de las cuales tuvieron lugar los acontecimientos y de los que no puede haber evidencia empírica. Además, algunas de estas interpretaciones contienen amplias generalizaciones, basadas en evidencia limitada, pero que están respaldadas por principios historiográficos interpretativos más o menos aceptados; otras, incluyen inferencias que tienen que ver con acontecimientos de los que no existe evidencia empírica directa, pero que tiene sentido suponer que ocurrieron. Esto muestra que existe cierto peso y determinado propósito descriptivos en las proposiciones interpretativas, pero el historiador está bien consciente de que la descripción se basa solamente en una reconstrucción de elementos que no se ajustan a los criterios empíricos estrictamente evidentes. Por tanto, nos encontramos en las historias con proposiciones interpretativas como las siguientes:

a^h. X tuvo que haber matado a Y con el fin de heredar la fortuna de Y.

b^h. El que X matara a Y denotaba que X tenía una intensa animadversión hacia la madre de Y.

c^h. La muerte de Y dio lugar a una serie de acontecimientos que condujeron a la caída de la monarquía.

d^h. N, un contemporáneo de X, pensó que X había matado a Y con el fin de heredar la fortuna de Y.

El uso de términos como "tuvo que haber", "denotaba" y "pensó" en las primeras dos (a^h y b^h) proposiciones y en la última (d^h), y el carácter general y causal de la tercera proposición, indican que estas proposiciones van más allá de los hechos de los que puede haber evidencia empírica directa, y lo hacen de diversas formas. La primera proposición (a^h) presenta una conjetura sobre las razones por las que X mató a Y. La segunda (b^h) interpreta cuál es el sentido y alcance de lo que hizo X. La tercera (c^h) traza una conexión causal de lo que no se puede tener una evidencia empírica directa. Por último, la cuarta (d^h) atribuye un punto de vista a una persona que, posiblemente, no haya sostenido de hecho, a pesar de lo que ella, realmente, dijera o escribiera; se trata de algo de lo que no hay evidencia empírica directa. El último caso podría ilustrarse con el ejemplo de Galileo, quien, de acuerdo con los expedientes de su juicio, se supone que se retractó de su concepción de que la Tierra se mueve alrededor del Sol. La evidencia documentada que tenemos indica que se retractó, y así, sobre esa base, podríamos inferir que él, realmente, pensó que la Tierra no se movía alrededor del Sol. Pero eso debería ser una conjetura que, de hecho, la historia posterior ha rechazado, llegando al extremo de otorgar credibilidad a una anécdota que no está documentada, de acuerdo con la cual Galileo, efectivamente, dijo para sí al final de su juicio: "Pero se mueve."

A la clase de proposiciones que se han enumerado bajo la categoría interpretativa deben añadirse también las proposiciones que informan de los estados mentales de sus propios informantes. Por ejemplo, tomemos las tres mencionadas anteriormente:

e^h. Pensé que X había matado a Y.

f^h. Intenté matar a Y.

g^h. Me siento angustiado cuando pienso que intenté matar a Y.

En estos casos, como se ha señalado, la evidencia de las proposiciones no sólo es privada y disponible solamente para el informante: tampoco es la clase de evidencia empírica utilizada para respaldar lo que he clasificado como proposiciones históricas descriptivas. La evidencia es directa, pero no es empírica puesto que los pensamientos, las intenciones y los sentimientos no son objeto de percepción. Uno piensa pensamientos, tiene intenciones y siente o tiene sentimientos, pero uno no los percibe como percibo, por ejemplo, que X mató a Y.

Ninguna de las proposiciones a^h-g^h, por tanto, se limita a la descripción de acontecimientos de los que puede haber evidencia empírica directa. Las primeras dos proposiciones se refieren a los motivos que muy bien podrían haber sido las causas de los acontecimientos en cuestión, pero que, ciertamente, no pueden considerarse como hechos de los que debería haber evidencia observable. La tercera y la cuarta van bastante más allá de los hechos. Estas proposiciones, por tanto, describen un edificio de circunstancias reconstruidas que, además, se emplea para interpretar y otorgar sentido a los acontecimientos históricos particulares dentro de un contexto más amplio.

Por último, llegamos a una tercera categoría de proposiciones históricas: las valorativas. Estas proposiciones se caracterizan por el hecho de que contienen valoraciones, tanto de los acontecimientos históricos, como de los puntos de vista de los historiadores concernientes a esos acontecimientos. En este caso, no existe, generalmente, ningún intento de descripción. Es más, las valoraciones en cuestión se basan en principios y criterios que no son parte ni de las proposiciones históricas descriptivas, ni de las interpretativas, y, por tanto, se derivan de otras fuentes que no son la historia, tal como la hemos entendido aquí: o bien forman parte de la historiografía, que establece las reglas para producir relaciones históricas, o bien se derivan de otras disciplinas. Como ejemplos de proposiciones valorativas, considérense las siguientes:

A^h. X fue un mal gobernante.

B^h. La muerte de X fue ventajosa para el país C.

C^h. M, un contemporáneo de X, se equivocó al pensar que X no había matado a Y.

D^h. R, un historiador posterior, que afirmó que M tenía razón, se equivocó.

E^h. Desde el año n^1 hasta el año n^{1+n} hubo un progreso considerable.

F^h. Los desarrollos d y d' supusieron un retroceso en el desarrollo cultural.

La tercera categoría de proposiciones es, manifiestamente, la más controvertida, porque los términos "mal", "ventajosa", "se equivocó", "tenía razón", "progreso" y "retroceso" indican juicios de valor. Algunos historiadores se apresurarán a afirmar que no es asunto del historiador ofrecer valoraciones de ninguna clase sino, simplemente, describir los acontecimientos históricos de una forma objetiva e inteligible. Otros están de acuerdo en que la descripción no es suficiente y se requiere la interpretación, pero rechazan la idea de que la valoración tenga cabida en las relaciones históricas. Y el caso se torna más controvertido en el contexto de la historia de la filosofía, como veremos más tarde. En este momento, sin embargo, me gustaría argüir que la historia entraña, tanto *de facto* como *de jure*, la valoración. Es evidente, *de facto*, que la mayoría de las historias y, ciertamente, todas las buenas historias, hacen juicios en cuanto al valor de los acontecimientos y personajes históricos. ¿Qué historia de

Portugal, por ejemplo, no caracterizará el terremoto de Lisboa del siglo XVIII como desastroso? ¿Y qué historiador del Imperio Romano se abstendrá de comentar sobre la falta de integridad moral de Nerón y Calígula? Ciertamente, Suetonio no se quedó corto haciendo tales comentarios. De hecho, no creo que podamos encontrar ninguna historia aséptica hasta tal punto respecto de los valores, que no tenga alguna proposición del tipo representado por A^h–F^h.

Sin embargo, no sólo tiene sentido *de facto*, sino también *de jure* afirmar que la historia sin valoración no es historia o, por lo menos, no una buena historia, porque los valores mismos, aunque intangibles, desempeñan papeles importantes en el desarrollo histórico. Por tanto, sólo si los historiadores entienden esos valores *qua* valores —lo que se consigue al juzgar su adecuación y su validez—, podrán entonces, verdaderamente, entender los procesos históricos (volveremos sobre este asunto cuando tratemos de la historia de la filosofía). Es más, ¿de qué serviría estudiar la historia si no podemos aprender nada de ella? Y aprender implica juicios sobre lo que es correcto e incorrecto, bueno y malo, valioso y no valioso, así como juicios acerca de si ha ocurrido un progreso o un retroceso. De hecho, no debería sorprender a nadie que los intereses moralistas predominantes de los griegos y romanos sean los responsables de su interés por la historia. Debemos aceptar, por tanto, que la valoración y las proposiciones valorativas forman parte integral de las relaciones históricas. Puesto que mi interés en este libro se centra en la historia de la filosofía y no sólo en la historia, me va a bastar, por ahora, con estas razones para fundamentar el caso de la inclusión de los juicios de valor en la historia. Cuando volvamos a la historia de la filosofía, sin embargo, ofreceré un conjunto más elaborado y, espero, más convincente de argumentos.

De todo esto podemos concluir, por un lado, que la historia comprende una amplia gama de proposiciones y que es un error pensar, como algunos filósofos de la historia han pensado, que la historia es exclusivamente o descriptiva, o interpretativa, o valorativa. Ni debería pensarse, por otro lado, que estas categorías se consideran mutuamente exclusivas a la vez que exhaustivas. No son mutuamente exclusivas porque puede haber casos en los que una proposición particular no se ajusta claramente a ninguna de las tres categorías, y hay casos en los que parecería que una proposición cae en más de una categoría. De hecho, si analizamos algunos de los ejemplos de proposiciones que hemos visto anteriormente, nos daremos cuenta de que contienen elementos de descripción, interpretación y valoración. Sin duda, es bastante evidente que la mayor parte de las proposiciones valorativas contienen elementos descriptivos e interpretativos, aun cuando su función primaria sea valorar. Tomemos el primer ejemplo que hemos dado de proposiciones valorativas, el A^h: "X fue un mal gobernante." Al decir que X fue un mal gobernante, se está afirmando también que X fue un gobernante y, por tanto, se está dando una descripción. Cuando vamos a la proposición C^h ("M, un contemporáneo de X, se equivocó al pensar que X no había matado a Y"), el uso del término "pensar" para hablar de M indica, claramente, una interpretación, puesto que no puede haber evidencia empírica directa de lo que algún otro piensa ni, incluso, del hecho de que esté pensando. Y se podrían hacer observaciones semejantes de la mayor parte de los otros ejemplos de proposiciones. En resumidas cuentas, estoy plenamente consciente de que la línea divisoria entre estas categorías de proposiciones es tenue, pero deseo insistir en el hecho de que, con relación a *su función primaria*, y en un gran número de casos, las proposiciones van a caer, claramente, en una de estas categorías y sólo en una, y que la mayor parte de esas proposiciones que parecen desafiar esta clasificación se puede, mediante un análisis, adaptar a la misma.

Además, las categorías no pretenden ser exhaustivas, puesto que una reflexión ulterior podría mostrar que es necesario subdividir una o más de estas categorías en ulteriores categorías, o que puede haber categorías que no se han incluido en las tres mencionadas. Por ejemplo, la categoría de proposiciones valorativas puede subdividirse de acuerdo con diversos criterios de valoración: alguien querrá separar aquellas proposiciones que implican juicios de valor de verdad de aquellas que expresan juicios estéticos y morales. Y las proposiciones interpretativas podrían subdividirse en aquellas que implican elementos psicológicos, aspectos sociales, etcétera. Es más, podría parecer que existen factores interpretativos y valorativos que no se ajustan al análisis categórico tal como se ha ofrecido. Por ejemplo, el historiador, obviamente, "selecciona" los materiales, y tal selección determina, en aspectos importantes, la naturaleza de la relación histórica que resulta; pero, ¿en dónde ponemos la selección? Ciertamente, no en las categorías que se han especificado, puesto que la selección es un acto y no una proposición. De hecho, yo la clasificaría como un acto que se basa, en el mejor de los casos, en cierto principio historiográfico, expresado él mismo por una proposición, y, en el peor de los casos, en principios idiosincrásicos que operan consciente o inconscientemente. Como tal, sin embargo, la selección influye en las relaciones históricas y, puesto que no se basa en evidencia empírica directa, implica la interpretación o la valoración.[12] Pero la selección no es una proposición que forma parte de la relación histórica misma. Todo esto debería mostrar que el análisis de las proposiciones históricas en las tres categorías que he introducido aquí posee sus ventajas, pero también sus limitaciones. Esas limitaciones, sin embargo, no socavan las conclusiones a las que llegaremos.

Antes de concluir con la discusión de la historia, debo advertir un rasgo muy importante de las proposiciones históricas que me parece característico de todas ellas, independientemente de que su fuerza sea, principalmente, de carácter descriptivo, interpretativo o valorativo. Se trata de que todas ellas contienen una referencia a la temporalidad, al lugar de origen y a los individuos. Esto no debería suponer sorpresa alguna, puesto que el propósito de la historia es ofrecer una relación del pasado, y aunque ese propósito se lleve a cabo de diferentes maneras por medio de la descripción, de la interpretación y de la valoración, las descripciones, interpretaciones y valoraciones que resultan siempre contienen una referencia, ya sea directa o indirecta, al tiempo, a una fuente u origen y a los individuos. Esto debería ser evidente en los ejemplos de proposiciones históricas que he ofrecido. En todas ellas existe un elemento temporal

---

[12] Para una amplia discusión del carácter selectivo de las relaciones históricas, véase William Dray, "The Historian's Problem of Selection", en Ernest Nagel, Partrick Suppes y Alfred Tarski (eds.), *Logic, Methodology and Philosophy of Science: Proceedings of the 1960 International Congress*, Stanford University Press, Stanford, California, 1962, pp. 595–603.

explícito que caracteriza todas las proposiciones históricas. De hecho, aun cuando los historiadores empleen la forma verbal del presente histórico, es siempre claro, de alguna forma, que la relación histórica se refiere al pasado.

Ahora bien, el caso del lugar de origen también debería estar claro. Aunque es posible que no haya referencias explícitas a un lugar determinado en cada una de las proposiciones históricas, podemos encontrar siempre, incluso en aquellos casos en donde no existe, alguna referencia indirecta que indica que la proposición implica acontecimientos que sucedieron en cierto lugar. La referencia temporal y el lugar de origen, por tanto, pertenecen a la esencia de la historia, y ninguna relación puede pretender ser histórica si carece de referencia al tiempo y al lugar de origen. Esta referencia necesaria otorga a la historia un carácter único y la separa de las demás disciplinas del conocimiento. Existen, por supuesto, otras disciplinas, como la arqueología y la historia natural, que también se ocupan del pasado, pero una mirada más atenta nos muestra que estas disciplinas son, de hecho, históricas. El caso de la historia natural no debería exigir mayores argumentaciones, puesto que su carácter histórico aparece en su mismo nombre. Con la arqueología, debería ser suficiente señalar su interés por entender y dar cuenta de la existencia y del carácter de los artefactos del pasado.

La comparación entre la historia y otras disciplinas del conocimiento me lleva a la tercera característica de las proposiciones históricas: la referencia a los individuos. Esto plantea un asunto interesante, que es la cuestión de si la historia puede considerarse una ciencia, cuando, por lo general, tal y como Aristóteles postuló hace más de dos mil años, se entiende que una ciencia versa sobre lo universal. Después de todo, proseguiría el argumento, el propósito de la ciencia es descubrir principios y relaciones que se aplican a todos los casos y que los científicos formulan como leyes que les permiten entender cómo funciona el mundo y predecir el futuro. Los científicos no están interesados en lo que es idiosincrásico de, por decirlo así, esta roca en particular o de aquel corazón en particular. Ellos examinan lo particular sólo para aprehender algún principio general que pueda aplicarse a todas las instancias de una clase. En cambio, parece que los historiadores hacen justo lo contrario: se interesan por los sucesos particulares, antes que por las leyes universales o principios que gobiernan dichos sucesos.

Por supuesto, si por historia nos referimos a la historiografía, entonces es claro que se ocupa de lo universal, puesto que el propósito de la historiografía es formular las reglas universales de procedimiento que han de utilizarse en todas las investigaciones históricas. Se supone que esas reglas se apliquen a la investigación de sucesos particulares, pero ellas mismas no son individuales ni se interesan en procedimientos individuales. Si lo fueran, carecerían de utilidad, puesto que se aplicarían a un caso (o casos) individual y no a los otros, mientras que es, precisamente, esto último lo que el historiógrafo busca entender. Pero, como se mencionó anteriormente, es útil mantener la historia separada de la historiografía, pues el historiador y el historiógrafo están involucrados en empresas que poseen diferentes propósitos y que siguen procedimientos diferentes.

Tampoco debería confundirse la historia con la filosofía de la historia.[13] La filosofía de la historia, a diferencia de la historia, se ocupa de la manera en que los acontecimientos históricos en general, no los acontecimientos particulares, se desenvuelven; también se ocupa de cómo éstos se relacionan y de las fuerzas que producen el cambio y el desarrollo. Los filósofos de la historia se refieren a los individuos, como lo hacen otros filósofos y científicos, con el fin de reunir datos que puedan servirles para formular generalizaciones, o como ejemplos para ilustrar sus puntos de vista. Pero su principal interés recae en la formulación y descubrimiento de las leyes y los principios que gobiernan la historia, y éstos son, necesariamente, universales. La filosofía de la historia, por tanto, versa sobre lo universal,

---

[13] Contrario a este punto, Hayden White ha argumentado que la historia, en sentido estricto, no es esencialmente diferente de las filosofías de la historia. Véase *Metahistory: The Historical Imagination in Nineteenth-Century Europe*, Johns Hopkins University Press, Baltimore, 1973, pp. xi y ss. Para una refutación de este punto de vista, véase Maurice Mandelbaum, "The Presuppositions of Hayden White's *Metahistory*", en *Philosophy, History, and the Sciences: Selected Critical Essays*, Johns Hopkins University Press, Baltimore, 1984, pp. 97-111. Aunque no estoy de acuerdo con el punto de vista de Hayden White, reconozco que, para hacer historia de la filosofía en sentido estricto, debemos desarrollar algunas ideas sobre la filosofía de la historia, como lo hago en el capítulo VI de este libro.

y esto es algo bastante diferente de la historia entendida como relación de los acontecimientos pasados.[14]

[14] Obsérvese que yo también he mantenido separadas la historiografía y la filosofía de la historia, aunque en los escritos sobre el tema no siempre se distinguen (véase el artículo de Dray, "Philosophy of History", en Paul Edwards (ed.), *Encyclopedia of Philosophy*, Macmillan, Nueva York/Londres, 1967, vol. 6, p. 247). Lo que llamo *historiografía*, a la que también se denomina *filosofía crítica, analítica o formal de la historia* en los escritos sobre el tema, se ocupa de la naturaleza y la metodología de la explicación histórica, de la justificación del conocimiento histórico y de la lógica del discurso histórico. Resumiendo: la historiografía, como se ha observado, es una rama de la epistemología que se ocupa de una clase especial de conocimiento. Por el contrario, lo que llamo *filosofía de la historia*, a la que también se denomina *filosofía especulativa, sinóptica o material de la historia* en los escritos sobre el tema, trata de descubrir el modo como se despliegan y relacionan los acontecimientos, detectando patrones de significado en el desarrollo histórico, así como un propósito y sentido en el mismo. La filosofía de la historia no se interesa por las condiciones del conocimiento histórico, sino por la descripción y la comprensión de las fuerzas que conforman la historia, esto es, de las leyes que gobiernan el desarrollo histórico. Como tal, la filosofía de la historia no es una rama de la epistemología, sino de la metafísica o de la filosofía de la naturaleza, dependiendo de la terminología que se prefiera, pues se supone que sea la metafísica la que nos diga cómo es el mundo. Entendida como yo lo hago aquí, la filosofía de la historia se remonta, entonces, hasta los antiguos, aunque se practica hasta el día de hoy. Quizás, el ejemplo más conocido de este tipo de investigación es *La ciudad de Dios*, de Agustín (*The City of God*, trad. J.H.S. Burleigh, The Westminster Press, Londres, 1953). En este siglo, tanto el *Decline of the West*, de Spengler (ed. especial, Alfred A. Knopf, Nueva York, 1939), como *A Study of History*, de Toynbee (Oxford University Press, Londres, 1935-1961), caen bajo esta categoría. La historiografía, sin embargo, es más reciente como disciplina. Aunque se remonta a la *Nueva ciencia*, de Vico (*The New Science*, traducido de la 3a. ed. (1744) por Thomas Goddard Bergin y Max Harold Fisch, Anchor Books, Garden City, 1961), es sólo en el siglo XIX que florece en la obra de Dilthey, Rickert y otros. En este siglo, algunos de los trabajos más influyentes en esta área han sido *The Theory and History of Historiography*, de Croce (trad. Douglas Ainslie, G.G. Harrap and Co., Ltd., Londres, 1921), *The Idea of History*, de Collingwood (Clarendon Press, Oxford, 1946) y *The Problem of Historical Knowledge*, de Mandelbaum (Harper & Row, Nueva York, Evanston y Londres, 1967), publicado originalmente en 1938. Existen, por lo menos, tres razones por las cuales no siempre se distingue la historiografía de la filosofía de la historia en los escritos sobre el tema: (1) normalmente se las coloca juntas con el fin de contrastarlas con la historia propiamente dicha; (2) ambas se ocupan de lo universal, mientras que la historia se ocupa de lo individual; y (3) la relación de ambas con la historia es semejante. Expliquemos mejor este punto (3). La historiografía se relaciona con la historia (entendida como una

Ahora bien, dado que nosotros no entendemos aquí la historia, ni como historiografía, ni como la filosofía de la historia, ¿podemos todavía afirmar que es una ciencia, a pesar de su interés primario por lo individual, antes que por lo universal? Aristóteles respondió a esta pregunta afirmativamente; pero relegó la historia a un nivel científico inferior a aquellas disciplinas del conocimiento que versan exclusivamente sobre lo universal. No voy a defender o a atacar a Aristóteles en esta cuestión, ni voy a argumentar que la historia es o no una ciencia. Para hacer tal cosa me tendría que involucrar en una amplia discusión acerca de lo que constituye el conocimiento científico, lo cual nos alejaría de nuestros intereses actuales y requeriría más tiempo y espacio del que dispongo. Lo que estoy dispuesto a defender es que no es convincente el argumento, en contra de la naturaleza científica de la historia, que se basa en el hecho de que la historia versa sobre los individuos antes que sobre los universales. Tengo dos razones para apoyar mi postura. La primera razón es que, contrario a lo que pensó Aristóteles, no toda ciencia versa primariamente sobre lo universal. Ya hemos visto los casos de la historia natural y de la arqueología, por ejemplo. Por supuesto, alguien se adelantaría a afirmar que esas mismas disciplinas, en la medida en que no versan sobre los universales, no pueden considerarse ciencias. Pero aun cuando sostuviéramos que la historia natural y la arqueología no son, realmente, ciencias, ¿qué hacemos con la teología natural y la astronomía? Menciono la teología natural por dos razones: porque se supone que solamente se ocupa de un individuo, a saber, Dios; y porque la mayor parte de aquellos que siguen el modelo aristotélico acepta que la teología es una ciencia. Pero si fuéramos a

relación de acontecimientos pasados) de la misma forma que la ciencia se relaciona con los datos científicos; y resulta que también la filosofía de la historia se relaciona con la historia (entendida en este caso como una serie de acontecimientos pasados) como una ciencia se relaciona con los datos científicos. En ambos casos, la historia, aunque entendida de modo diferente, funciona como los datos sobre los cuales basan su especulación la historiografía y la filosofía de la historia. Es importante, sin embargo, entender las diferencias entre estas dos disciplinas con el fin de evitar confusiones metodológicas. Logré hacerme una idea clara de los puntos (2) y (3) después de una conversación con Ky Herreid.

descartar incluso la teología natural, tenemos todavía la astronomía: en efecto, un componente integral de la astronomía es la investigación de los cuerpos celestes individuales.

La segunda razón para afirmar que la historia podría ser una ciencia, a pesar de su interés por lo individual, consiste, en primer lugar, en que la historia no se interesa exclusivamente por lo individual, y que las otras ciencias, incluso aquellas cuyo interés primario es lo universal, no se interesan exclusivamente por lo universal. Es cierto que el propósito primario de la historia, como ya se ha establecido, es el entendimiento del pasado; pero tal entendimiento, puesto que requiere de la interpretación y de la valoración, supone el empleo de conceptos y principios universales. Es más, parte del propósito de la historia es aprender del pasado, y, como tal, no esquiva la formulación de principios que se puedan aplicar a otras circunstancias: estos van a encontrarse siempre en un contexto cuyo interés principal será el pasado, pero es posible que los mismos no se restrinjan a éste. En segundo lugar, incluso las ciencias que se supone interesadas por lo universal se ocupan, en alguna forma, de lo individual. Y es que, en definitiva, todas las ciencias empíricas recopilan de los fenómenos individuales los datos en los que se van a basar para inferir sus generalizaciones; y una vez que han logrado la formulación de generalizaciones, éstas se aplican a los casos individuales.

Resumiendo, puede decirse que no se da el caso de que todas las ciencias versen exclusivamente sobre lo universal. Algunas versan, primariamente, sobre lo universal y, secundariamente, sobre lo individual; mientras que otras versan primariamente sobre lo individual y sólo secundariamente sobre lo universal.[15] Por tanto, no tiene sentido argumentar que la historia no es una ciencia porque versa primariamente sobre los individuos y sólo secundariamente sobre los universales, de ahí que no sea ésta una razón para considerar la historia como algo menos científico que cualquier otra ciencia. Pero esto no significa, por supuesto, que la historia sea una ciencia. Para establecer esto, se requeriría mucho más de lo que he hecho aquí.

[15] Ésta es también la conclusión de Ernest Nagel en *The Structure of Science*, p. 549.

II. FILOSOFÍA

Lo primero que es preciso advertir cuando se discute sobre filosofía, es que el término "filosofía", como el término "historia", se nos presenta con una cierta ambigüedad. Hemos encontrado que el término "historia" poseía, por lo menos, los principales sentidos siguientes: (I) una serie de acontecimientos pasados, (II) una relación de acontecimientos pasados y (III) una disciplina del conocimiento que podría, entonces, interpretarse como (A) la actividad mediante la cual se produce la relación de los acontecimientos pasados, o como (B) un conjunto de reglas a las que debe ajustarse la producción de la relación de los acontecimientos pasados. La última, (B), se llamó "historiografía".

Las gamas de los significados del término "filosofía" coinciden con algunas de las categorías que se aplican a la "historia", pero no con todas. Ningún sentido de "filosofía" se corresponde con el sentido de "historia" en tanto que serie de acontecimientos pasados. Es cierto que la filosofía se ocupa del mundo y de la experiencia humana, pero ni el mundo ni la experiencia humana pueden llamarse filosofía. Por otro lado, existe un sentido en el que la filosofía puede entenderse como un conjunto de ideas o creencias que alguien puede sostener en relación con este o aquel asunto. Así, hablamos, por ejemplo, de la "filosofía de Wolfang" como el conjunto de ideas que éste mantiene sobre la vida, o de "la filosofía del amor de Brunhilda" como las ideas que ésta posee sobre cómo desenvolverse en los asuntos del corazón, etcétera. Entendida de esta manera, no ha de identificarse la filosofía con el conjunto de ideas que los filósofos en particular sostienen. No se trata de un punto de vista elaborado, ni entraña sólo ciertas ideas: se trata, en resumidas cuentas, del punto de vista que cualquier persona corriente puede tener.

Por lo demás, existe cierta correspondencia entre las otras categorías de significados para "historia" y aquellas que se aplican a "filosofía". En primer lugar, la filosofía es una disciplina del conocimiento que implica tanto una actividad, como un conjunto de reglas que gobiernan tal actividad. Estos sentidos corresponden a los sentidos de "historia" en tanto que actividad y en tanto que historiografía, respectivamente, aunque la contrapartida filosófica de la historiografía se llama, en su lugar, metodología filosófica. Por último, el producto que resulta de la filosofía, entendida como una disciplina, consiste en una visión del mundo que pretende ser consistente, precisa y comprehensiva; este producto es la contrapartida de la noción de historia como una relación de una serie de acontecimientos pasados. Se puede interpretar la filosofía, por tanto, de los diferentes modos expuestos a continuación:

I. La filosofía como un conjunto de ideas o creencias sobre algo, y que es posible que una persona corriente sostenga.

II. La filosofía como una visión del mundo o de alguna de sus partes, que pretende ser precisa, consistente y comprehensiva.

III. La filosofía como una disciplina del conocimiento.

A. La actividad mediante la cual se produce una visión del mundo, o de una de sus partes, que pretende ser precisa, consistente y comprehensiva.

B. La formulación, explicación y justificación de las reglas por las que se lleva a cabo la producción de una visión del mundo, o de alguna de sus partes, que pretende ser precisa, consistente y comprehensiva (metodología filosófica).

Antes de proseguir, permítaseme añadir que las concepciones de la filosofía que se han indicado no son, en modo alguno, exhaustivas. Una de las áreas más frecuentes en las que los filósofos discrepan es, precisamente, la manera de entender qué es filosofía. Espero, sin embargo, que la clasificación que he provisto sea aceptable para la mayor parte de los filósofos. En cualquier caso, para los propósitos actuales, voy a trabajar con la concepción que considera la filosofía, por lo menos, como una visión del mundo que pretende ser precisa, consistente y comprehensiva. Confío en que aquellos que discrepan de dicha noción encuentren que tales discrepancias sobre la naturaleza de la filosofía no altera la validez de mis argumentos o la solidez de las conclusiones que derive de ellos. Debería añadir, también, que la referencia al "mundo" en esta definición provisional de filosofía no debería considerarse como algo que implica una metafísica o una epistemología realistas. Dejo, en este contexto, abierta la interpretación del referente de "mundo".

Con el fin de facilitar el tema, voy a tratar la filosofía, entendida en el sentido establecido de conjunto de proposiciones, de la misma manera como he tratado la historia considerada como una relación de acontecimientos pasados. Obsérvese también que la metodología filosófica, al igual que la historiografía, puede ser tanto un conjunto de reglas encaminadas a gobernar la investigación filosófica, como la actividad mediante la que se produce ese conjunto de reglas. Pero voy a pasar por alto esta complejidad al igual que lo hice en el caso de la historiografía. También voy a dejar al margen las cuestiones que pueden surgir en torno a la relación entre la filosofía, considerada como metodología filosófica, y la epistemología. Baste con decir, de pasada, que si se entiende que la epistemología se ocupa de la naturaleza del conocimiento y de los medios de su adquisición, la metodología filosófica debe ser una rama de la epistemología, puesto que se ocupa de los medios para adquirir un tipo específico de conocimiento.

Tenemos, entonces, que la filosofía, en tanto que visión del mundo, debería estar formada por proposiciones que, como las proposiciones históricas, describen, interpretan y valoran. Independientemente de si se acepta el significado, la objetividad y la verdad de las proposiciones filosóficas, debería esperarse que, por lo menos, la mayor parte de los autores que las ha propuesto lo ha hecho con la intención de que describan, interpreten o valoren. Pero la triple distinción en las proposiciones con las que hemos estado trabajando en el caso de la historia no parece que funcione también en el caso de la filosofía. Expliquémoslo.

A primera vista, podría parecer que la filosofía contiene, efectivamente, proposiciones puramente descriptivas. De hecho, los siguientes ejemplos parecen apoyar esta afirmación:

1^p. P (en donde, por ejemplo, P = Dios es omnipotente, omnisciente y benevolente).

2^p. Q (en donde, por ejemplo, Q = Dios no es la causa del mal).

3^p. P, por tanto Q.

Sin embargo, si volvemos a la explicación inicial de las proposiciones descriptivas e interpretativas, encontramos que la función primaria de las proposiciones descriptivas consiste en presentar acontecimientos e ideas *de los que puede tenerse evidencia empírica directa*, mientras que la función de las proposiciones interpretativas estriba en ir más allá de los hechos empíricos, con el fin de reconstruir la trama de los motivos no explícitos, los factores intangibles y las circunstancias implícitas en las que ocurren los acontecimientos e ideas, y de los que no puede haber evidencia empírica directa. Pero si se presenta la distinción en estos términos, entonces es claro, por supuesto, que ninguno de los ejemplos de proposiciones filosóficas que se han ofrecido y que, *prima facie*, parecía que eran descriptivas, puede considerarse como tal, puesto que no puede haber evidencia empírica directa para sostenerlos. ¿Qué evidencia empírica directa puede traerse a colación para sostener la cuestión de la omnipotencia y la omnisciencia de Dios, por ejemplo? Lo mismo vale decir de la afirmación de que Dios no es la causa del mal. Hay que clasificar tales proposiciones, por consiguiente, como interpretativas, y, de hecho, un análisis detallado de las proposiciones filosóficas mostrará que la filosofía, como tal, no contiene proposiciones puramente descriptivas en el sentido en el que las hemos entendido aquí.

Por supuesto, las relaciones filosóficas contienen, efectivamente, proposiciones que están tomadas del discurso cotidiano y que parecen referirse a hechos de los que existe una evidencia empírica directa. La famosa afirmación de Descartes, "Pienso, luego existo", contiene la proposición "Existo", que es claramente descriptiva. Y encontramos también proposiciones tales como "Descartes escribió 'Cogito, ergo sum' ", o "Pedro mató a María porque la odiaba". Pero, tras un examen más profundo, nos encontramos con que estas proposiciones: (1) se emplean solamente como ejemplos que ilustran un tipo de acción o evento, o un punto de vista determinado (el caso de "Pedro mató a María porque la odiaba"); o (2) se mencionan pero no se emplean (el caso de "Cogito, ergo sum"); o (3) forman parte, como en el caso del "Existo" de Descartes, de una afirmación más amplia de la cual no puede haber evidencia empírica directa; o, por último (4), son informes históricos (como en el caso de

"Descartes escribió 'Cogito, ergo sum' "). Por tanto, la primera diferencia que podemos establecer entre la filosofía y la historia estriba en que, en filosofía, no hay proposiciones puramente descriptivas en el sentido en el que las hemos entendido, y aquellas que, *prima facie*, parece que son descriptivas resultan, si las analizamos detenidamente, interpretativas.

Puesto que hemos concluido que todas las proposiciones filosóficas son interpretativas, no es preciso ofrecer otros ejemplos de esta categoría de proposiciones. Las tres proposiciones que parecían descriptivas, pero que, según se vio, resultaron interpretativas, pueden servir también como ejemplos de la categoría interpretativa.

Por otro lado, la filosofía, como la historia, contienen también proposiciones valorativas. Las siguientes deberían servir como ejemplos:

A^p. P es verdad (en donde, por ejemplo, P = Dios es omnipotente, omnisciente y benevolente).

B^p. El argumento 3^p es inválido.

C^p. P carece de prueba.

D^p. La doctrina 1^p es incoherente.

No creo que haya muchos filósofos que pongan en duda que los tipos de proposiciones que A^p–D^p ilustran sean típicas del discurso filosófico. Después de todo, el propósito de la filosofía es determinar el valor de verdad y la validez. De hecho, aunque fuéramos a afirmar, como hacen algunos, que el propósito de la filosofía es puramente aclaratorio, la aclaración, sin embargo, entraña valoraciones de diversos tipos, como se muestra en proposiciones tales como: " 'P' quiere decir Q, y no M", "X confunde P con Q", " 'P' expresa verdaderamente Q, y no M", y semejantes.

Es preciso advertir una segunda diferencia importante entre la historia y la filosofía. En la filosofía existe una tercera categoría de proposiciones que no aparece en la historia. La función de estas proposiciones es describir las relaciones entre las ideas o, por decirlo de modo más exacto, las relaciones lógicas entre las proposiciones que expresan esas ideas. Ejemplos de tales proposiciones podrían ser:

I. $P \to Q$.

II. $(P \cdot Q) \to P$.

En primer lugar, estas proposiciones se diferencian de las proposiciones estrictamente descriptivas en que no describen acontecimientos o ideas de las que existe evidencia empírica directa, y tampoco describen relaciones entre acontecimientos o relaciones entre las ideas de este y aquel autor: lo que describen son las relaciones entre las ideas mismas. En segundo lugar, se diferencian de las proposiciones valorativas en que no hacen afirmaciones acerca del valor de los acontecimientos o ideas. Y, en tercer lugar, se distinguen de las proposiciones interpretativas en que no se ocupan de razones ocultas, generalizaciones amplias, etcétera, pero se asemejan a ellas en el hecho de que hacen explícitas las conexiones lógicas implícitas entre las ideas.

Existe una tercera diferencia importante entre la filosofía y la historia. Como hemos observado anteriormente, había dos características esenciales de las proposiciones que pertenecían a la historia: sus referencias al tiempo y al lugar de origen. Pero ninguna de estas referencias son necesarias para las proposiciones filosóficas. Las referencias al lugar de origen y al tiempo ocurren en el discurso filosófico, pero cuando es éste el caso, las referencias no son esenciales para el propósito principal del discurso, porque dicho propósito, a diferencia del de la historia, es el establecimiento del conocimiento filosófico, y este conocimiento, a diferencia del conocimiento histórico, no tiene nada que ver con las cosas que ocurren en un determinado tiempo o lugar. Las referencias más usuales al tiempo y al lugar que se encuentran en las proposiciones filosóficas ocurren, precisamente, en las discusiones filosóficas del tiempo y del lugar. Cuando los filósofos discuten la naturaleza del tiempo, por ejemplo, se refieren al tiempo y ofrecen ejemplos de proposiciones en los que se emplean términos temporales. Pero, en ninguno de los casos, se trata de términos temporales usados como parte del discurso filosófico. Y algo parecido puede decirse acerca de las circunstancias espaciales o locales. El tiempo y el lugar pertenecen a la esencia de la historia, pero no son necesarias para hacer filosofía. Esto nos ofrece, por tanto, un punto de distinción entre la filosofía y su historia, porque la referencia al tiempo y al lugar es esencial para la historia de la filosofía, pero es sólo accidental en la filosofía.

Por último, la filosofía, a diferencia de la historia —pero del mismo modo que algunas otras disciplinas del conocimiento—, se ocupa primariamente de lo universal, mientras que la historia se ocupa primariamente de lo individual. El propósito de la filosofía es dar cuenta del mundo y de nuestra experiencia de él, mientras que la historia busca dar cuenta de acontecimientos individuales. En este dar cuenta del mundo, la filosofía puede referirse a los individuos en tanto que ejemplos, puede comenzar con el examen de los individuos con el fin de descubrir alguna verdad universal y, en ciertos casos, puede, incluso, intentar descubrir la naturaleza y el papel de tales individuos, como ocurre con Dios; pero su interés general no son los individuos, sino los universales. La historia, por el contrario, se centra primariamente en los individuos, y sólo secundariamente, como historiografía o cuando se entiende como filosofía de la historia, busca alcanzar conclusiones universales.

En conclusión, puede afirmarse que lo que sitúa a la filosofía en un lugar aparte de la historia consiste en que: (1) no contiene proposiciones meramente descriptivas de acontecimientos o ideas de las que puede existir evidencia empírica directa; (2) contiene proposiciones cuya función es describir las relaciones lógicas entre las ideas; (3) sus proposiciones pueden carecer de referencia al tiempo y al lugar de origen; y (4) sus proposiciones se ocupan, primariamente, de los universales, antes que de los individuos. Voy a volver sobre los puntos (3) y (4) en los capítulos II y III.

III. LA HISTORIA DE LA FILOSOFÍA

Como ocurre con "historia" y con "filosofía", el término "historia de la filosofía" se nos presenta con cierta ambigüedad. En un sentido, el término se refiere, simplemente, a una serie de ideas filosóficas del pasado. Así, cuando hablamos de la historia de la filosofía de un periodo, por ejemplo de la Edad Media, nos referimos a las ideas filosóficas presentes durante el periodo. En otro sentido, sin embargo, se emplea "historia de la filosofía" para hacer referencia a una relación ofrecida de ideas filosóficas del pasado. Por ejemplo, podríamos hacer referencia a la relación que ofrece Gilson de la filosofía medieval en su *History of Christian Philosophy in the Middle Ages* como una historia de la filosofía del periodo. Una relación histórica, al igual que cualquier relación, es producto del arte humano, como también lo son las ideas que estudia, pero se trata, más bien, de una reflexión sobre dichas ideas, sus orígenes, sus conexiones y sus consecuencias, y no de aquellas ideas mismas. Es ésta una distinción importante sobre la que volveré más tarde. Que la historia en el primer sentido sea un producto del arte humano del mismo modo como lo es la historia en el segundo sentido, es un hecho interesante que merecería mayores reflexiones, pero que, por el momento, me limito, simplemente, a destacar.

Por último, al igual que con la historia, la historia de la filosofía puede tomarse como una disciplina del conocimiento, esto es: la disciplina cuyo objeto es la historia de la filosofía entendida en el primer sentido que acabamos de identificar. En este tercer sentido, sin embargo, la podemos subdividir, también, en una actividad mediante la cual se lleva a cabo el estudio mencionado y se produce la relación de las ideas filosóficas del pasado, o como una reflexión sobre las reglas y las regulaciones que deberían guiar un estudio de esta naturaleza. El último sentido apunta a una rama de la historiografía que llamo *historiografía filosófica*, y de la cual pretende ser un ejemplo el presente libro. Obsérvese que, al igual que la historiografía y que la metodología filosófica, la historiografía filosófica puede subdividirse, a su vez, en una actividad y en un conjunto de proposiciones. La actividad apunta al proceso que ofrece las reglas historiográficas, y las proposiciones expresan esas reglas. Pero no es necesario que nos ocupemos, en este momento, de esta distinción.

De todo esto debería quedar claro que la historia de la filosofía posee elementos comunes tanto con la historia como con la filosofía, pero también que se diferencia de ambas en aspectos importantes. Volveré sobre estos parecidos y diferencias en su debido momento. Permítaseme, ahora, resumir los diversos significados de "historia de la filosofía" del siguiente modo:

I. Historia de la filosofía como una serie de ideas filosóficas del pasado.

II. Historia de la filosofía como una relación de ideas filosóficas del pasado.

III. Historia de la filosofía como una disciplina del conocimiento.

A. La actividad mediante la cual se produce una relación de ideas filosóficas del pasado.

B. La formulación, explicación y justificación de las reglas mediante las cuales se lleva a cabo la producción de una relación de ideas filosóficas del pasado (historiografía filosófica).

Para nuestro propósito actual, y siguiendo un procedimiento adoptado al hablar de la historia y de la filosofía, enmarco la discusión en términos del significado II: la historia de la filosofía se identifica con una relación de ideas filosóficas del pasado y, de este modo, con un conjunto de proposiciones que expresan dicha relación. Ahora bien, en la medida en que la historia de la filosofía es historia y, por tanto, una relación del pasado, debería contener proposiciones descriptivas, interpretativas y valorativas; y, de hecho, muchas de las proposiciones que forman parte de las historias de la filosofía no se diferencian significativamente de las proposiciones que forman parte de las meras historias y, en algunos casos, las mismas proposiciones aparecen en ambas. Por ejemplo, la proposición "Marco Aurelio fue un emperador romano" aparecerá, necesariamente, en una buena historia del Imperio Romano, al igual que en una buena historia de la filosofía romana. Por tanto, en la medida en que ambas, la historia y la historia de la filosofía, describen, interpretan y valoran acontecimientos, no existe diferencia entre ellas.

Mas, con todo, sabemos por experiencia que existen diferencias entre la historia y la historia de la filosofía. Basta tomar una historia del Imperio Romano y una historia de la filosofía romana para darse cuenta en dónde se encuentran algunas de estas diferencias. De hecho, aunque la información que ambas historias contengan coincida en alguna ocasión, como hemos visto en el caso de la proposición que acabamos de mencionar, la mayor parte de la información contenida en la historia no se va a repetir en la historia de la filosofía. La razón de la diferencia estriba en que la historia de la filosofía se interesa, sobre todo, por la filosofía, es decir, por un conjunto determinado de "hechos". Pongo el término "hechos" entre comillas porque la historia de la filosofía se ocupa de un conjunto muy peculiar de hechos. En efecto, su principal propósito es describir, interpretar y valorar las creencias, doctrinas y argumentos de los filósofos del pasado, junto con sus conexiones (ya sean internas o externas) e influencias respecto de las creencias, doctrinas y argumentos de otros filósofos. Es decir: como se ha dicho anteriormente, los historiadores de la filosofía se ocupan de la historia de las ideas filosóficas y de sus conexiones. Naturalmente, puesto que estas ideas no ocurren en el vacío, una historia de la filosofía deberá contener referencias a aquellos acontecimientos y circunstancias que, al parecer, arrojarán luz sobre aquellas ideas. Como en el ejemplo anterior, es pertinente para el historiador de la filosofía que Marco Aurelio fuera un emperador romano, porque, aunque el principal interés del historiador de la filosofía sea entender, sobre todo, las ideas filosóficas de Marco Aurelio y no los acontecimientos políticos o las situaciones que afectaron su vida, es posible que tanto su oficio como las tribulaciones y responsabilidades que acarreaba nos ayuden a entender, de una manera más profunda, algunas de sus ideas filosóficas. Por el contrario, el color exacto del cabello de Marco Aurelio o sus preferencias para el desayuno parecen irrelevantes para la reconstrucción de sus ideas filosóficas, aun cuando son ciertamente relevantes para la reconstrucción de la historia completa de Marco Aurelio. (En el capítulo V voy a tratar la cuestión acerca de qué es lo importante para los relatos histórico-filosóficos.)

En última instancia, por tanto, el tipo de proposiciones que contiene una historia es diferente de aquellas que contiene una historia de la filosofía, simplemente porque el objeto de estudio del historiador de la filosofía es sólo una parte del objeto más abarcador del historiador. La historia de la filosofía de un periodo, por lo tanto, es parte de una historia general de ese periodo, mientras que sólo algunos de los acontecimientos del periodo son relevantes para una historia de la filosofía del mismo. Por supuesto, la historia de la filosofía no se ocupa de cualquier tipo de idea. Por ejemplo, aunque una historia de la filosofía alemana del siglo XIX pueda contener alguna referencia al desarrollo de las ideas científicas en física, astronomía y psicología en Alemania durante el siglo XIX, su principal interés no se centra en esas ideas, sino en las ideas filosóficas. Se puede discutir la distinción entre esas ideas y las ideas filosóficas, pero ese debate es irrelevante para nuestro propósito actual y no pretendo traerlo a colación aquí. Nos basta, en el presente contexto, destacar, de pasada, que la historia de la filosofía no es la historia de todas las ideas, sino sólo de aquellas que son filosóficas o que son pertinentes en relación con las ideas filosóficas.[16] Voy a volver sobre este punto al final del capítulo.

Como ocurría en el caso de la historia, parecería que la historia de la filosofía está compuesta de tres tipos de proposiciones: descriptivas, interpretativas y valorativas. Es más, como en el caso de toda historia, esas proposiciones deberían poseer una referencia al tiempo y al lugar de origen, y deberían versar, antes que nada, sobre los individuos, y no sobre los universales. Empecemos con las proposiciones descriptivas.

A. *Descripción*

El propósito de las proposiciones descriptivas que contienen las historias de la filosofía es, simplemente, presentar con precisión

---

[16] Me parece que algunas ideas son claramente filosóficas. Por ejemplo, me parece que la noción aristotélica de que los objetos físicos están compuestos de materia y forma es una idea filosófica. Y me parece que algunas ideas no son filosóficas en absoluto, como la noción de que el agua hierve a los 100° C. Pero, en relación con otras muchas ideas, el asunto no es tan claro. Maurice Mandelbaum ha planteado este problema, más bien, en términos del problema de qué es lo que se considera un filósofo, y no en términos de qué es lo que se considera una idea filosófica. Esta manera de presentar el problema posee, a la vez, sus ventajas y sus desventajas. La principal desventaja es la dificultad que plantea con autores como Montaigne, que no son, en sentido estricto, filósofos, y, sin embargo, muchas de sus ideas no sólo son filosóficas, sino que influyeron sobre filósofos bien conocidos. Véase Mandelbaum, "The History of Philosophy: Some Methodological Issues", en *Philosophy, History, and the Sciences*, pp. 120–130.

lo que algunos filósofos determinados dijeron o informaron que pensaban, así como ofrecer un recuento de afirmaciones coetáneas y posteriores en relación con las opiniones de las figuras históricas. Se supone, en todos los casos, que existe o puede existir evidencia empírica directa del material en cuestión, como escritos al respecto o informes de declaraciones verbales. Ejemplos típicos de las proposiciones descriptivas que ocurren en cualquier historia de la filosofía son los siguientes:

1^{hp}. X afirmó que P (en donde, por ejemplo, P = Dios es omnipotente, omnisciente y benevolente).

2^{hp}. X afirmó que Q (en donde, por ejemplo, Q = Dios no es la causa del mal).

3^{hp}. La afirmación que hace X de que P, es la razón que dio X para sostener que Q.

4^{hp}. M, un contemporáneo de X, afirmó que X no sostuvo que P.

5^{hp}. N, otro de los contemporáneos de X, afirmó que estaba en desacuerdo con M en relación con el punto de vista de M de que X no sostuvo que P.

6^{hp}. R, un historiador posterior de la filosofía, afirmó que M tenía razón al sostener que X no sostuvo que P.

7^{hp}. S, otro historiador posterior de la filosofía, afirmó que estaba en desacuerdo con el punto de vista de R en relación con M.

Estas proposiciones muestran cómo los historiadores de la filosofía, en su papel descriptivo, se ocupan principalmente de la presentación de la información concerniente a las opiniones históricas de las que existe evidencia empírica directa. Pero es preciso que se entienda que esa información incluye, en un sentido amplio, no sólo afirmaciones e informes de creencias y doctrinas, sino también de argumentos. Es más, la tarea descriptiva de los historiadores de la filosofía no es sólo describir esas afirmaciones e informes de creencias y argumentos, sino también presentar sus conexiones en la medida en que existe evidencia empírica directa de éstas. Es decir, si Y dice que tomó

P de X, entonces es claro que los historiadores, en su papel descriptivo, deben registrar ese hecho. Y si X afirma que sostiene que P porque sostiene que Q, esto debe registrarse también, aun cuando, de hecho, resulte que P y Q no poseen ninguna relación aparente.

B. *Interpretación*

Por otro lado, en tanto que intérpretes, los historiadores de la filosofía pueden, deberían y, de hecho, lo hacen, ir más allá de la evidencia explícita que ofrecen los filósofos y otras fuentes en relación con las ideas del pasado, con el fin de sugerir, como ya se hiciera notar en el caso de la historia, hechos inobservables, tales como los puntos de vista de los autores históricos y las relaciones implícitas que pueden existir entre las ideas mismas, entre las diversas ideas de un filósofo aislado, y entre las ideas de varios filósofos. Además, los historiadores de la filosofía inferirán amplias generalizaciones que pretenderán determinar el enfoque global del filósofo y la perspectiva filosófica completa de un periodo. Por último, los historiadores de la filosofía tratarán también de traducir las ideas de los filósofos del pasado al lenguaje y al marco conceptual de su propio tiempo, con el fin de determinar su sentido y alcance. Con esta tercera tarea van más allá de los límites dentro de los cuales trabajan algunos historiadores.

Los historiadores que se interesan, sobre todo, por los acontecimientos, antes que por las ideas, no tienen que preocuparse demasiado por el problema de traducir las ideas del pasado dentro de los marcos conceptuales contemporáneos. Ellos tratan principalmente con acontecimientos, acciones físicas, objetos, y cosas por el estilo. Es más, la terminología que se emplea en muchas relaciones históricas ha desarrollado, por lo general, términos bastante claros, al igual que conceptos precisos que corresponden a esos términos, y que pueden intercambiarse fácilmente. Esto se muestra claramente en la facilidad con la que pueden traducirse, de una lengua a otra, las relaciones puramente descriptivas de acontecimientos sin que las mismas pierdan exactitud o creen ambigüedad. Por ejemplo, la palabra latina *currere* se traduce exactamente con la palabra española "correr" y con la inglesa *to run*. Del mismo modo, *hic feles niger est* puede traducirse al español por "este gato es negro" y al inglés por "this cat is black". Aquí no existen problemas serios, porque los significados de las palabras, en cada uno de los idiomas en cuestión, corresponden al mismo concepto (*hic*-este-*this*; *feles*-gato-*cat*; *est*-es-*is*).

Por supuesto, cuando los usuarios de un idioma no están al tanto de los objetos que se describen en otro idioma, entonces surgen las dificultades. Éstas se superan, a menudo, describiendo los nuevos objetos en términos de otros objetos conocidos. Por ejemplo, cuando Cortés alcanzó la costa de México, los observadores de avanzada de Moctezuma describieron los navíos de Cortés como montañas que descansaban sobre las aguas. Por tanto, puede que surjan problemas incluso en las relaciones históricas que describen acontecimientos, pero, por lo general, los problemas se solucionan por medio del uso de analogías, circunloquios y ejemplos. Ésta es la razón por la que la interpretación en historia consiste, principalmente, en *completar* el cuadro con conjeturas, especulaciones y suposiciones acerca de hechos de los que no se tiene evidencia empírica directa, y acerca de la interrelación entre los mismos hechos conocidos y entre esos hechos y aquellos otros que se aceptan sobre la base de la especulación.

Por el contrario, la interpretación en la historia de la filosofía va más allá de la tarea de completar el cuadro con conjeturas, especulaciones y suposiciones, pues la filosofía se ocupa de ideas, y las ideas difieren mucho de los acontecimientos, acciones y objetos de los que la historia corriente da cuenta. En primer lugar, las ideas, a diferencia de los objetos físicos, las acciones físicas y la mayor parte de los acontecimientos, son imperceptibles. Es posible señalar un objeto al alcance de la vista y decir "gato" con el fin de enseñar a un hablante inglés o español. También es posible enseñar a un hablante español el significado del inglés *to run* si uno mismo se pone a correr. Pero no está en modo alguno claro hacia dónde debería apuntar uno con el fin de enseñar a alguien el significado de "bueno" o "justicia". Por supuesto, incluso la enseñanza del significado de los nombres de objetos físicos no es tan sencilla como parece. Soy completamente consciente de los problemas que han surgido

en relación con las definiciones ostensivas desde tiempos in-
memoriales hasta el presente.[17] Lo que trato de dar a entender
no es que la historia, sin más, no conlleve dificultad alguna en su
tarea interpretativa, sino, más bien, que, sean las que fueren las
dificultades que pueda entrañar, éstas aumentan enormemente cuando nos apartamos de las relaciones de acontecimientos
observables y pasamos a la relación de entidades no observables, como las ideas. De hecho, este tipo de dificultad llevó a
Platón y a Agustín a concluir que no es posible la enseñanza, y
a Averroes a sostener que todos los seres humanos poseen uno
y el mismo intelecto.[18]

Existen dos posiciones extremas en relación con el papel de
la traducción conceptual en la historia de la filosofía, que llamo
el punto de vista *anticuario* y el *anacrónico*. Los anticuarios sostienen que la traducción conceptual no realiza ningún papel en
la historia. El trabajo del historiador consiste en presentar cuan-
tos conceptos sostuvieron los filósofos del pasado sin tratar de
traducirlos a conceptos contemporáneos. Hacer lo contrario es
caer en el anacronismo, impidiendo un entendimiento exacto
del pasado, puesto que cualquier intento de traducir el pasado
a ideas contemporáneas sólo resultaría en una distorsión más o
menos ingeniosa del mismo. El efecto que, en realidad, se sigue
de la traducción del pasado al presente no es sino el hecho de
que dicho pasado permanezca oculto ante nosotros. La tarea
del historiador de la filosofía, por tanto, consiste en entender a
un filósofo del pasado "en sus propios términos", antes que en
términos de nuestras propias categorías conceptuales.[19]

Obsérvese el fuerte énfasis descriptivo del punto de vista
anticuario. Algunos de los que lo defienden llegan hasta el
extremo de afirmar que los historiadores se equivocan cuando

---

[17] *Cfr.*, por ejemplo, el *De magistro*, de Agustín.

[18] Platón y Agustín sostuvieron que, puesto que, de hecho, se da el conocimiento de las ideas, es necesario, entonces, concluir que tendremos que tener
acceso directo a ellas. Y Averroes, consciente de que es posible que diversos
seres humanos entiendan la misma idea, aun cuando no existe la posibilidad
de que esta idea pase de uno a otro a través de medios físicos, concluyó que
todos los seres humanos deben poseer uno y el mismo intelecto.

[19] Michael Ayers, "Analytical Philosophy and the History of Philosophy",
en Rée *et al.*, *Philosophy and Its Past*, pp. 54, 58 y ss.

tratan de hacerse una idea de lo que los filósofos del pasado "pensaron": su tarea es, únicamente, describir lo que "dijeron", puesto que nadie puede tener evidencia empírica directa de los pensamientos de cualquier otro. Éste es el punto de vista implícito en un número de libros bien conocidos sobre figuras históricas, y un ejemplo lo tenemos en el título del libro de Paul Shorey, *What Plato Said*.[20]

En el extremo opuesto están los anacronistas, que sostienen que la traducción no sólo es inevitable, sino que impregna la tarea del historiador hasta tal punto, que no hay posibilidad de evitar el anacronismo que conlleva necesariamente.[21] De acuerdo con este punto de vista, no hay manera de recuperar el pasado filosófico tal como era. Nuestra visión del mismo está viciada por nuestras categorías contemporáneas de pensamiento hasta tal punto, que sólo podemos llegar a ser conscientes de dicho pasado histórico dentro del marco conceptual interpretativo en el que pensamos en el presente. Ocurre con esto

[20] Paul Shorey, *What Plato Said*, University of Chicago Press, Chicago, 1933. Compárese con G.M.A. Grube, *Plato's Thought*, Beacon Press, Boston, 1958. Parece que Michael Ayers apoya este tipo de anticuarismo al criticar que H.H. Price quiera llegar a lo que un autor "quiso decir realmente", incluso si es o "quizás no es, en absoluto, lo que dijo" ("Analytical Philosophy and the History of Philosophy", p. 50). La controversia entre aquellos que están en favor de limitarse, estrictamente, a lo que un filósofo dijo y la de aquellos que están en favor de una aproximación más interpretativa, se torna explícita en G.H.R. Parkinson, *Logic and Reality in Leibniz's Metaphysics*, Clarendon Press, Oxford, 1965, véase la p. 117 especialmente; y R. Robinson, *Plato's Earlier Dialectic*, Oxford University Press, Oxford, 1962, especialmente p. 5. Véase la discusión de Mulhern sobre el tema en "Treatises, Dialogues, and Interpretation", *Monist*, vol. 53, no. 4, 1969, pp. 631–641.

[21] Daniel W. Graham, "Anachronism in the History of Philosophy", en Peter H. Hare (ed.), *Doing Philosophy Historically*, Prometheus Books, Buffalo, Nueva York, 1988, pp. 137–148, y Hayden White en *Metahistory*. Entre los primeros autores que han argumentado de este modo, se encuentran Charles Beard y W.H. Walsh. De Beard, véase "Written History as an Act of Faith" y "That Noble Dream", *American Historical Review*, vol. 39, no. 2, 1934, pp. 219–229, y vol. 41, no. 1, 1935, pp. 74–87. El primero fue reimpreso en Hans Meyerhoff (ed.), *The Philosophy of History in Our Time*, Doubleday Books, Garden City, 1959, pp. 14–51, y el segundo en Fritz Stern (ed.), *The Varieties of History*, Meridian Books, Cleveland y Nueva York, 1956, pp. 315–328. De Walsh, véase *An Introduction to Philosophy of History*, Hutchinson's University Library, Londres, 1951.

lo mismo que acontece con el *nóumenon* kantiano, que sólo se conoce en la medida en que se estructura de acuerdo con las categorías fundamentales del pensamiento.[22] Así, aunque el anacronismo es inevitable, no tenemos por qué preocuparnos del mismo, puesto que nada ni nadie puede remediarlo, ni tampoco escapar de él. Para el presente no existe, de hecho, ningún pasado, sino sólo "interpretaciones" de él.

Estas dos posiciones extremas me parecen igualmente inaceptables. Si fuéramos a adoptar la primera posición literalmente, es claro que la tarea del historiador de la filosofía se restringiría al papel de informar lo que tal o cual persona dijo en tal o cual momento. Algo más allá de esto supondría el tipo de interpretación que requeriría conceptos e ideas contemporáneos y, por tanto, sería inaceptable. No podríamos, con toda seguridad, decir que Aristóteles, por ejemplo, "pensó" esto o aquello, puesto que tal afirmación supondría un salto del que no tenemos evidencia empírica directa. Es posible, de hecho, que Aristóteles haya pensado esto o aquello, pero el historiador sólo puede afirmar que él lo dijo, no que él lo pensó. Es posible, de hecho, que Aristóteles haya dicho algo mecánicamente, sin pensar acerca de lo que estaba diciendo. También es posible que haya dicho lo que dijo a la vez que le añadía términos mentales que cambiaban su significado, pero no se molestó en decirlo, o ni siquiera deseaba decirlo (esto es esencial para la casuística, por ejemplo). Sin embargo, si se acepta este punto de vista, puede incluso cuestionarse si los textos escritos en un idioma podrían o deberían traducirse a otro. En efecto, los idiomas comprenden, en muchos casos, modos diferentes de mirar las cosas, y diseñan el plano del mundo según aspectos conceptualmente diferentes. ¿Cómo podríamos estar seguros de que Aristóteles y nosotros estamos hablando de lo mismo cuando Aristóteles emplea el término *ousía* y nosotros empleamos "sustancia"? De hecho, este ejemplo pone de relieve, de una

---

[22] Este argumento se presenta, a menudo, en un contexto lingüístico. Se dice que el lenguaje es un producto histórico y cultural y, por tanto, no puede salvarse el abismo entre el presente y el pasado. Para una discusión reciente de los diversos intentos por argumentar que el lenguaje filosófico puede trascender la historia, véase Mark Jordan, "History in the Language of Metaphysics", *Review of Metaphysics*, vol. 36, no. 4, 1983, pp. 849–866.

forma bastante llamativa, el problema, pues, como sabe cualquier historiador del pensamiento griego, no puede sustituirse sencillamente "sustancia" por *ousía* cada vez que *ousía* aparece en el texto griego.

Desafortunadamente para aquellos que rechazan toda traducción conceptual por miedo al anacronismo, no está nada claro que logren salvar el pasado, que es, después de todo, su interés principal. De hecho, parece como si en su intento por salvarlo, lo perdieran, pues si ninguno de nuestros conceptos se puede utilizar con seguridad para explorar el pasado, por miedo al contagio, no tenemos entonces ningún modo de acercarnos a él, ya que no somos tablillas en blanco en las que pueda escribirse el pasado. Por supuesto, si el pasado no fuese una dimensión espacio-temporal, sino simplemente otro lugar, podríamos movernos allí, intentar aprender su idioma, como hacen los niños, olvidar todo lo que sabemos y, mediante una inmersión completa en la cultura y sus prácticas, llegar a ser sus miembros. Pero este tipo de acción no nos es posible. No podemos movernos hacia el pasado ni vivir en él y, por tanto, si los anticuarios tienen razón, la consecuencia ineludible es que nunca podríamos entenderlo o recuperarlo.

Es más, si por un golpe de suerte pudiéramos recuperar el pasado tal como fue, ¿de qué nos serviría a nosotros, personas que vivimos en el presente? Si el pasado no puede traducirse de ninguna manera al presente; si no puede tenderse ningún puente entre aquél y éste; si lo que encontramos en el pasado no puede compararse con lo que tenemos y pensamos en el presente, ¿por qué querríamos recuperarlo en absoluto y de qué nos serviría? Recuperarlo sería como poseer algún artefacto cuyo propósito se ha olvidado y no puede recordarse, o como si se entendiese para qué servía, pero no se le pudiera encontrar ninguna aplicación hoy en día. La mayor parte de la gente con sentido común que se encuentre en esta situación se desharía del artefacto antes de que ocupase un espacio que podría ser útil para otra cosa.

Por otro lado, aquellos que sostienen el punto de vista que se encuentra en el extremo opuesto, los anacronistas, no andan menos descaminados. Lo que están presuponiendo, que no es sino que todo lo que tenemos son "interpretaciones" y que nunca podemos esperar trascenderlas y alcanzar o entender cualquier dimensión del pasado tal como era realmente, no se apoya en nuestra experiencia, pues, aunque es verdad que nos acercamos al pasado a través de un entramado conceptual contemporáneo, existen aspectos del pasado que no se rompen o reestructuran al pasar por dicho entramado.[23] El entramado posee agujeros que permiten que pasen, completamente intactas, fases completas de la historia y de las ideas del pasado. Esto me parece bastante claro en nuestra comprensión de las lenguas muertas y de los textos antiguos. Incluso los estudiantes con poco conocimiento histórico son capaces de encontrar algún sentido en algunos de los textos del pasado con los que se enfrentan. Y las razones son simples. Ante todo, no parece que los seres humanos hayan cambiado mucho en los más de cinco mil años de historia humana registrada y, con seguridad, no lo parece en los dos mil quinientos años de historia de la filosofía. Las preocupaciones epistemológicas y éticas de Platón y Aristóteles no nos parecen extrañas, puesto que ellos parten de problemas básicos comunes a todos los seres pensantes. Platón estaba interesado por la injusticia, por la condición de las mujeres en la sociedad y por la mejor forma de gobierno, entre otros temas, y así también lo estamos nosotros. Y muchos de sus puntos de vista me parece que no son tan dispares y extraños a nosotros como para que no podamos entender lo que son, lo que implican y los motivos por los que los sostenían, aunque estemos en desacuerdo con ellos.[24] El hecho es que compartimos con otros miembros de la comunidad humana ciertas necesidades, pasiones, tendencias y modos de pensar que tienden un puente entre nosotros y nos ayudan a comunicarnos a lo largo del tiempo y de las culturas.[25] Como hiciera notar Vico, los

---

[23] Puede verse una estrategia diferente para abordar a los anacronistas en Danto, *Analytical Philosophy of History*, caps. III y VI.

[24] Ian Hacking apunta a esto en la parábola "The Green Family", en "Five Parables", en Richard Rorty, J.B. Schneewind y Quentin Skinner (eds.), *Philosophy in History*, pp. 104–107.

[25] *Cfr.* Peter Winch, "Understanding a Primitive Society", *American Philosophical Quarterly*, no. 1, 1964, pp. 307–324. La mayor parte de los estudios transculturales, incluyendo la empresa conocida como filosofía comparativa, suponen un núcleo de semejanza entre los seres humanos. Véase, por ejemplo,

fundamentos de la historia son las instituciones que todos poseemos en común:

Ahora bien, puesto que este mundo de naciones ha sido hecho por los hombres, veamos en qué cosas han convenido siempre y convienen todavía los hombres, porque tales cosas nos podrán dar los principios universales y eternos, cual deben ser los de toda ciencia, según los cuales surgieron todas las naciones y se conservan como tales.

Observemos que todas las naciones, bárbaras o humanas, distanciadas entre sí por espacios enormes de lugar y tiempo, fundadas separadamente, mantuvieron estas tres costumbres humanas: todas tienen alguna religión, todas celebran matrimonios, todas sepultan a sus muertos; entre las naciones más salvajes y crueles no hay acciones humanas que se celebren con más ceremonias y más sagradas solemnidades que la religión, los matrimonios y las sepulturas. Así, por el axioma de que "ideas uniformes nacidas en pueblos desconocidos entre sí deben tener un principio común de verdad", esto debe haber sido inspirado a todos. Por estas tres cosas empezó la humanidad en todas las naciones y por ello deben santamente conservarse para que el mundo no torne a su ferocidad y no lo cubra de nuevo la selva. Por esta razón habíamos tomado estas tres costumbres eternas y universales como los tres principios primeros de esta Ciencia [de la Historia].[26]

Pero yo iría más allá de esto y diría que no es sólo lo que Vico llama las instituciones de la religión, el matrimonio y la muerte aquello que une al género humano. Un núcleo de naturaleza humana nos une a todos, y conforma la base de las costumbres e ideas variadas que desarrollamos. No me interesa ahora cómo se interprete este núcleo. Lo que es importante para nosotros es darse cuenta de que existe una base de nuestras semejanzas, y que esa base hace posible la comunicación intercultural.

Pero la comunidad de naturaleza humana no es la única razón por la que es posible la comprensión del pasado. Existe,

John Major, "Myth, Cosmology, and the Origins of Chinese Science", *Journal of Chinese Philosophy*, vol. 5, no. 1, 1978, pp. 1–20.
[26] Giovanni Battista Vico, *La nueva ciencia*, Libro Primero, sec. tercera, §§ 332–333. [N. del t. Ofrezco la versión castellana de Manuel Fuentes Benot: Vico, *Principios de una ciencia nueva sobre la naturaleza común de las naciones*, 3a. ed., Aguilar, Buenos Aires, 1964, pp. 200–201.]

incluso, una razón más obvia en el caso de la filosofía occidental: pertenecemos a una tradición en la que el pasado es una parte. Nuestro pasado filosófico no es como un artefacto que hemos encontrado en Venus, completamente ajeno y nuevo para nosotros. Nuestro pasado filosófico se relaciona causalmente con lo que nosotros somos y pensamos en el presente. Somos el producto de una larga tradición en la que, en muchos casos, se han modificado las antiguas ideas, pero que, en otros, se han conservado. Mas incluso en aquellos casos en los que esas ideas se han modificado, se puede, con esfuerzo y con buena metodología histórica, seguir y reconstruir los vínculos causales que las unen a nosotros, pues, al igual que una huella de un dinosaurio puede revelar bastante a los científicos acerca del animal que la dejó, de igual modo podemos reconstruir la historia de nuestras ideas sobre la base de los trazos que nos han quedado de ellas en el presente.

La misma palabra "tradición" proviene del latín *traditio*, que se refiere a un dicho transmitido desde tiempos remotos, a un transferir de uno a otro. De hecho, esta palabra permite que nos demos cuenta del hecho de que nosotros estamos unidos al pasado no sólo de una manera causal, tal como ya se ha afirmado. Nos recuerda también el hecho de que, a lo largo de la historia, se han llevado a cabo numerosos intentos por volver y recapturar el pasado tal como era. Cada uno de esos intentos descubre algo nuevo que se pone a disposición y se transfiere a las generaciones futuras. Estos vínculos, académicos y pedagógicos, son tan importantes como los vínculos causales, y nos ayudan a salvar el abismo aparente que nos separa del pasado distante.

Nuestra situación no es la de aquellos que visitan por primera vez Venus, quienes hallan un objeto con ciertos signos y se encuentran perdidos a la hora de interpretarlo. Nuestra situación es, más bien, como la del arqueólogo de artefactos precolombinos que encuentra un objeto con unas marcas. Su interpretación será, sin lugar a dudas, dificultosa. ¿Son esas marcas signos lingüísticos, o son simplemente decorativas? Pero ellos disponen de algo para avanzar: descubrimientos previos, informes de los "conquistadores", rasgos culturales (lingüísticos y de otro tipo) de costumbres antiguas en la sociedad mexicana contemporánea, otros intentos de interpretación de esos signos, etcétera. Nosotros no estamos totalmente desconectados del pasado, y esas relaciones nos pueden ayudar para su recuperación. Estamos vinculados con el pasado por medio de las prácticas que se encuentran en el núcleo de la sociedad humana y que se conservan a través de las generaciones. Estas prácticas (lingüísticas, conceptuales, etcétera) son fundamentales para la sobrevivencia social y, por tanto, nunca están completamente borradas. Aunque es posible que las sociedades humanas modifiquen sus costumbres, siempre permanece algo, y tales permanencias son los hilos por medio de los cuales podemos volver al pasado.

Además, por lo que respecta a las ideas, parece que existen algunas cuyo carácter es tal, que no parece que se vean afectadas, por lo menos sustancialmente, por su localización cultural. Tómese, por ejemplo, la noción de "cuatro" o la noción de "dos más dos son cuatro". ¿Tiene sentido afirmar que esas dos nociones se encuentran hasta tal punto influenciadas culturalmente, que lo que ellas significaron para los asirios y lo que significan para los norteamericanos hoy en día es diferente? Sin duda, los signos por medio de los cuales se expresan esas ideas son diferentes en las dos culturas, pero las ideas mismas, y su uso, no parece que se vean afectados por las circunstancias culturales que las rodean. Por supuesto, es posible que no haya muchas ideas como las que hemos mencionado. En concreto, parece que la mayor parte de las ideas filosóficas está ligada, de un modo bastante intrincado, a su lugar cultural. Pero parecería dogmático sostener que es imposible desenredarlas y que ninguna de ellas posee la pureza de la idea de cuatro. Algunas ideas, por lo menos, son como monedas, que pueden pasar de mano en mano sufriendo, apenas, alguna pequeña alteración, y que sirven, en todo momento, a aquellos que las poseen.

Quizás un ejemplo tomado de la historia de la filosofía nos ilustre cómo algunas ideas filosóficas pueden transmitirse de una cultura a otra y de un idioma a otro sin sufrir cambios sustanciales. Los antiguos textos griegos que se tradujeron al latín en el siglo XII en España, y que constituyeron la base del renacimiento del saber en el siglo XIII y del desarrollo del escolasticismo, no se tradujeron directamente del griego. Algunos de los textos originales se tradujeron primero, alrededor del siglo VII, al siríaco y, posteriormente, del siríaco al árabe. Entonces, por último, se tradujeron en España con la ayuda de judíos españoles. El redactor judío, que conocía el árabe y el romance (el español medieval), tradujo literalmente el texto del árabe al romance. El traductor cristiano, entonces, que conocía el romance y el latín, traducía lo que oía al latín. Esto significa que la traducción latina de algunos textos se distanciaba del original griego por tres lenguas diferentes. Es más, cada una de las lenguas presentes en la traducción reflejaba culturas sustancialmente diferentes: siríaco, musulmán, judío y español. Sería de esperar que, bajo tales circunstancias, el texto latino resultante fuera completamente ininteligible, y, de ser inteligible, que ofreciera un significado muy diferente del original griego. Sin embargo, el hecho es que no hay nada más alejado de la verdad. En efecto, el texto latino de muchas de esas obras no sólo es inteligible y bastante confiable, sino que algunas traducciones latinas, como las que hemos mencionado, son tan buenas como las traducciones que se hicieron más tarde directamente del griego al latín, y a veces, incluso, mejores. Es más, las interpretaciones de algunos autores antiguos, como las que de Aristóteles hiciera Averroes, que tuvo acceso solamente a las traducciones de las traducciones (en el caso de las de Averroes eran árabes), son consideradas todavía por muchos eruditos como válidas. Ahora bien, este fenómeno sólo puede explicarse si se acepta que algunas ideas no se ven afectadas, sustancialmente, por su localización cultural: pueden moverse de cultura en cultura, de idioma en idioma, y de individuo a individuo, sin sufrir cambios drásticos.

Por último, es claro que, si fuera correcta la posición anacronista, entonces carecería de valor para nosotros el pasado y su estudio, pues el valor del pasado depende, en gran medida, de cuán diferente e independiente sea de nuestra interpretación. Es su carácter diferente lo que nos fuerza a contemplar una representación diferente; a considerar y entender una perspectiva diferente; y, de este modo, a plantear preguntas sobre nuestras propias opiniones, su viabilidad y su verdad. Pero esa comparación y reconsideración no son posibles si estamos encarcelados en nuestras interpretaciones y no podemos ir más allá de ellas. Necesitamos acceder al pasado para aprender de él.

Esto me lleva a una observación importante, y es que tanto aquellos que rechazan toda interpretación del pasado, los anticuarios, como aquellos que creen que no podemos trascender nuestros prejuicios conceptuales actuales sobre el mismo, los anacronistas, convierten el pasado en algo inaccesible: los primeros, porque no podemos traducir el pasado a nuestras ideas actuales; los segundos, porque nunca podemos escaparnos del presente. La traducción requiere una versión original del pasado y otra derivada. Los anticuarios, que temen el anacronismo, se quedan con el original, sin la versión derivada; los anacronistas, que creen que no podemos escapar de nuestras interpretaciones, eliminan el original y se quedan sólo con las versiones derivadas de él. Es más, ambos puntos de vista socavan el valor del pasado y su estudio, puesto que en ninguno de los dos casos puede sacarse provecho alguno para el presente. En el primero, porque nada de cuanto sea de valor en el pasado puede separarse de él, y en el segundo, porque nunca puede traerse el pasado al presente. Los primeros se encuentran encarcelados en el pasado, y los segundos, en el presente.

Es obvio que ninguna de estas dos alternativas es correcta, y que la mayor parte de los historiadores de la filosofía son bastante conscientes de que la verdad del asunto se encuentra en algún punto intermedio: la recuperación y traducción de los marcos conceptuales del pasado a los marcos conceptuales contemporáneos es posible, aun cuando sea difícil. El problema, por tanto, no consiste en si es, o no, posible, sino hasta qué punto y de qué manera. La cuestión se centra en el enfoque metodológico que debería emplearse para traducir el pasado al presente. Esta situación es paralela, en algunos casos, a la división que acontece en epistemología entre aquellos que conciben que su tarea consiste en probar que el conocimiento es posible, y la de aquellos que consideran que la suya consiste en mostrar cómo éste ocurre. Los primeros consideran la duda cartesiana como algo primordial, y tratan de establecer un punto absoluto de certeza sobre el que debería fundamentarse el conocimiento. Los otros consideran que la evidencia suministrada por las ciencias es una prueba de que el conocimiento es posible, y se preocupan más bien de cómo ocurre ese conocimiento y de cómo se justifica. El primer modo de enfocar la cuestión conduce a la parálisis y al escepticismo; el segundo permite el progreso y los descubrimientos metodológicos. Por supuesto, es el segundo el que estoy defendiendo con relación a la historia de la filosofía. Deberíamos aceptar el testimonio de la experiencia, que nos dice que el presente puede tener acceso al pasado. Lo que debería interesarnos (y es lo que analizo más adelante, en el capítulo V) es la formulación de un enfoque y de un método apropiados para el entendimiento del pasado filosófico.

Una vez que hemos concluido que es posible un entendimiento del pasado filosófico, y que la interpretación es un elemento intrínseco en la historia de la filosofía, podemos pasar entonces a mostrar algunos ejemplos del tipo de proposiciones interpretativas que se encuentran en las historias de la filosofía:

a^{hp}. X sostuvo que Q.

b^{hp}. X sostuvo que Q porque X sostuvo que P.

c^{hp}. X sostuvo que P porque Y sostuvo que P.

d^{hp}. El que X sostuviera P condujo a que los filósofos posteriores abandonaran $\neg Q$.

e^{hp}. Lo que X quiso decir con C fue D.

Las proposiciones interpretativas que se hallan presentes en la historia de la filosofía, por tanto, van más allá de los enunciados de ideas de las que existe evidencia empírica directa, ya que suponen hechos ocultos (a^{hp}), relaciones ocultas (b^{hp}), razones no declaradas (c^{hp}), y amplias generalizaciones causales (d^{hp}). Es más, intentan hacer inteligibles el lenguaje y el marco conceptual de figuras históricas por medio de la traducción a un lenguaje y a un marco conceptual fácilmente entendibles en el presente (e^{hp}), aunque tienen cuidado en no distorsionar el propósito y el contenido originales de ese lenguaje y de ese marco conceptual.

C. Valoración

No deberían confundirse las proposiciones interpretativas con aquellas que contienen valoraciones de ideas filosóficas o de su impacto en la historia posterior. Tales valoraciones se llevan a cabo en una categoría distinta de proposiciones, que llamo *valorativa*. Considérense los siguientes ejemplos:

A^{hp}. La opinión de X, de que P, es verdadera.

B^{hp}. El argumento A de X es válido.

C^{hp}. El argumento A de X carece de fundamento.

D^{hp}. X fue perspicaz al plantear la pregunta Q.

E^{hp}. X tenía razón al formular el problema N de la manera en que lo hizo.

F^{hp}. X no fue claro en la cuestión I.

G^{hp}. X es un filósofo excelente.

H^{hp}. X se contradijo.

I^{hp}. La opinión de X de que P, fue útil para el desarrollo del punto de vista de Y de que Q.

J^{hp}. M, un contemporáneo de X, se equivocó al pensar que la opinión de X, de que P, era falsa.

K^{hp}. R, un historiador posterior, que pensó que M tenía razón, se equivocó.

L^{hp}. La opinión de X acerca de S muestra que el pensamiento occidental había experimentado un progreso sustancial.

M^{hp}. La opinión de Y denota un paso hacia atrás en el desarrollo de la filosofía.

N^{hp}. R tenía razón al pensar que X sostuvo que P.

Todas estas proposiciones tienen en común el hecho de que evalúan, de algún modo, a un filósofo, una idea, un argumento o una época. En términos generales, creo que pocos historiadores de la filosofía pondrían en duda proposiciones tales como la D^{hp}, G^{hp}, I^{hp} o N^{hp}. Algunos irían más lejos, y aceptarían también proposiciones tales como E^{hp} o F^{hp}. Pero a muchos les sería difícil aceptar, como parte de la historia de la filosofía, proposiciones tales como A^{hp}, B^{hp}, C^{hp}, H^{hp}, J^{hp}, K^{hp}, L^{hp} o

M^{hp}.[27] La razón por la que pondrían objeciones al segundo y tercer grupo de proposiciones estriba en que contienen juicios sobre la verdad y el valor de ideas filosóficas, argumentos, etc., y para estos historiadores se supone que la historia, y la historia de la filosofía con mayor razón, no debe hacer tales juicios. Los historiadores de la filosofía, de acuerdo con ellos, a lo más pueden interpretar, pero nunca juzgar.

Los diversos ejemplos de proposiciones valorativas que acaban de ofrecerse manifiestan una amplia gama y unos tipos diferentes de juicios valorativos. Pero el núcleo de la discusión que acompaña a este tema se refiere a los juicios de valor de verdad: con ellos la mayor parte de los historiadores traza la línea que los excluye de cualquier relación que consideren realmente histórica. Critican, en especial, las proposiciones tales como A^{hp} y los juicios de falsedad, tales como "La opinión de X, de que P, es falsa". Afirman que, en tanto que historiadores, su tarea no es juzgar la verdad o falsedad de las opiniones expresadas en el pasado. Se ocupan, más bien, de lo que Guéroult ha llamado "verdad histórica", y no de la *verdad filosófica*.[28] La verdad histórica se refiere al valor de verdad de proposiciones que describen el pasado, tales como "Platón sostuvo que P". La verdad filosófica se refiere al valor de verdad de proposiciones que no son históricas, tales como "Los seres humanos poseen almas inmortales". Los filósofos se ocupan de las últimas, mientras que los historiadores se ocupan, exclusivamente, de las primeras. A los historiadores, por tanto, no se les permite juzgar si Platón tuvo razón o se equivocó al sostener que P; sólo se les permite juzgar si Platón sostuvo o no sostuvo que P. Ahora bien, algunos partidarios de esta opinión están dispuestos a aceptar algún tipo de valoración, especialmente valoraciones

[27] De hecho, existen muchas opiniones sobre qué es lo que se les permite a los historiadores de la filosofía en su tarea histórica. Un extremo piensa que su tarea es puramente descriptiva, excluyendo no sólo las valoraciones del valor de verdad, sino también las valoraciones de cualquier tipo, así como las interpretaciones. En el otro extremo están aquellos que, convencidos de que es imposible la recuperación objetiva del pasado, claman por una licencia completa cuando se va a la interpretación y valoración del pasado. Entre estos extremos se encuentra todo tipo de posiciones diferentes.

[28] Martial Guéroult, "The History of Philosophy as a Philosophical Problem", *Monist*, vol. 52, no. 4, 1969, p. 566.

"históricas" como las que representan las proposiciones D^{hp} y F^{hp}, puesto que esas valoraciones ayudan a entender, por ejemplo, el impacto del filósofo en cuestión sobre otros filósofos; y otros tantos, esta vez los menos, están dispuestos, a menudo, a hacer lo mismo con algunos de los otros tipos de proposiciones valorativas que se han mencionado. Se niegan, sin embargo, a tratar con juicios que, directamente, versan sobre el valor de verdad de las afirmaciones hechas por las figuras históricas.

Esta posición está bien arraigada entre los historiadores de la filosofía, y la han defendido hábilmente Daniel Garber en un artículo que se ha publicado recientemente, en donde la llama *historia desinteresada*,[29] e Yvon Lafrance, quien la denomina *historia positivista de la filosofía*.[30] Son muchos los argumentos que se traen a colación para apoyar esta posición, pero creo que los más fuertes son los tres siguientes.

El primero afirma que el valor de la historia de la filosofía reside en el hecho de que nos confronta con concepciones y perspectivas diferentes que se han tomado en serio en el pasado y que, por tanto, nos hace conscientes de cuestiones e interrogantes que, posiblemente, se nos hayan escapado. La historia de la filosofía nos abre a nuevas áreas de investigación y desafía

[29] Daniel Garber, "Does History Have a Future?: Some Reflections on Bennett and Doing Philosophy Historically", en Peter H. Hare (ed.), *Doing Philosophy Historically*, Prometheus Books, Buffalo, Nueva York, 1988, pp. 27–43. Véase también Franklin L. Baumer, "Intellectual History and Its Problems", *The Journal of Modern History*, vol. 21, no. 3, 1949, pp. 191 y ss.; y Edward H. Madden, "Myers and James: A Philosophical Dialogue", en Peter H. Hare (ed.), *ibid.*, p. 299.

[30] Yvon Lafrance, *Méthode et exégèse en histoire de la philosophie*, Les Editions Bellarmin, Montreal, 1983, p. 27. El "positivismo" de Lafrance no debería confundirse con el positivismo promulgado por los autores del siglo XIX, como Henry Thomas Buckle. El positivismo de Buckle supuso un intento por entender el desarrollo histórico en términos de leyes puramente físicas. Véanse los capítulos I y II de la Introducción a su *History of Civilization in England*, 3a. ed., Longmans, Green & Co., Londres, 1866. El punto de vista de Lafrance vuelve al énfasis en la historia científica, característica de historiadores como Leopold von Ranke y John Bagnell Bury. De Ranke, véase "Vorrede zur ersten Ausgabe", en *Geschichten der romanischen und germanischen Völker von 1494 bis 1514*, 3a. ed., Duncker & Humblot, Leipzig, 1885, pp. v–viii. De Bury, véase "The Science of History", en H. Temperley (ed.), *Selected Essays of J.B. Bury*, Cambridge University Press, Cambridge, 1930, pp. 3–22.

nuestros puntos de vista, ayudándonos a desvelar algunas de las suposiciones y presupuestos implícitos en nuestro marco conceptual y de los que no estamos conscientes. Esta función no la pueden realizar nuestros contemporáneos, puesto que ellos están sumergidos en el mismo marco conceptual y cultural en el que estamos nosotros; pero sí la puede llevar a cabo, y muy bien, la historia de la filosofía. Ahora bien, si tal es el origen del valor de la historia de la filosofía, prosigue el argumento, el valor de verdad de las concepciones históricas no contribuye en nada a la misma. Tal como ha afirmado Garber:

> Si aquello por lo que estamos interesados no es sino por la *perspectiva* histórica de nuestras creencias y presupuestos, entonces la verdad *o* la falsedad de las opiniones pasadas es, *simplemente, irrelevante*. De acuerdo con esta utilización de la historia, no importa en absoluto si las opiniones de Descartes o de Aristóteles o de Kant son verdaderas o falsas.[31]

El segundo argumento aparece en los escritos especializados bajo una variedad de formas, pero su principal fuerza reside en señalar que cualquier historia de la filosofía que se ocupe de la verdad o de la falsedad introduce un elemento de interés en la investigación histórica que distorsiona la relación resultante del pasado.[32] Cuando miramos el pasado, no sólo con la intención de conocerlo, sino con el deseo de tasar el valor y la verdad con los que puede contribuir, nos sentimos empujados necesariamente a enfatizar aquellos aspectos suyos que nos parecen más valiosos y verdaderos, a la vez que negamos aquellos que nos parecen menos valiosos. Este procedimiento no sólo distorsiona la relación de lo que realmente ocurrió, sino que nos conduce a ulteriores manipulaciones y distorsiones. Es como si miráramos el pasado a través de unas gafas que nos permitieran ver sólo ciertas partes de él, y verlas como deseamos hacerlo. Si tal es el caso, el pasado, tal como fue, permanece distante y desconocido.

El tercero aparece también en los escritos bajo diversos ropajes y lo ha revitalizado recientemente Michael Frede. El argu-

---

[31] Garber, "Does History Have a Future?", p. 37.
[32] *Ibid.*, p. 30.

mento lleva a cabo una distinción entre un enfoque histórico y otro no histórico de la historia de la filosofía, y afirma que la valoración sólo tiene lugar en el no histórico. El enfoque no histórico es el del filósofo cuyo principal interés es aprender, de la historia de la filosofía, algo acerca de la verdad. Se acerca a la historia de la filosofía con sus propios puntos de vista, intereses y criterios, puesto que el propósito de la empresa es filosófico, no histórico. De hecho, es por esta razón por la que juzga el valor de los puntos de vista que estudia. En cambio, el otro enfoque, el histórico, estudia la historia de la filosofía en su propio terreno, buscando entenderla en sus propios términos, al margen de concepciones, criterios e intereses con los que se pueda identificar el historiador. Como ha señalado Frede:

> El filósofo se interesará en la opinión y en las razones, como tales, que se ofrecen de la misma. Hará preguntas como: ¿es la opinión verdadera, razonable, plausible, posible, o no?; ¿son las razones que se ofrecen de la misma adecuadas o incluso determinantes?; ¿qué otras razones podrían alegarse en favor de la opinión, cuáles hablan en contra de ella? El historiador, sin embargo, no está interesado en la opinión y en las razones como tales, sino en el hecho histórico de que, cierta persona, en un determinado contexto histórico, sostuvo esta opinión y ofreció esas razones para la misma. Las preguntas que formulará no son si la opinión es verdadera o si las razones son adecuadas, sino, más bien, si la opinión parecía ser verdadera o plausible en su época, si en ese momento del pasado se hubieran considerado adecuadas o determinantes las razones ofrecidas.[33]

En definitiva, existe una diferencia radical entre el interés filosófico por la historia y el interés histórico, y el estudio histórico de la historia de la filosofía exige un interés puramente histórico. De acuerdo con esta concepción, el desinterés filosófico es una condición necesaria del interés histórico por la historia de la filosofía, pero no hay que confundir el propósito del historiador de la filosofía, como tal, con el del filósofo.[34]

[33] Michael Frede, "The History of Philosophy as a Discipline", *Journal of Philosophy*, vol. 85, no. 11, 1988, p. 669.

[34] Yvon Lafrance ofrece un argumento semejante en *Méthode et exégèse en histoire de la philosophie*, pp. 15-27. Su argumento consiste en que la filosofía

Son éstos, sin duda, argumentos poderosos en favor de una concepción desinteresada de la historia de la filosofía que deje al margen cualquier consideración de la verdad; pero omiten algunos aspectos fundamentales de la cuestión. Voy a ofrecer tres argumentos sobre la base de éstos.[35]

Mi primer argumento en defensa de una historia interesada de la filosofía consiste en señalar que muchos de los juicios de valor que no parecen implicar valores de verdad y que, por tanto, son aceptados por aquellos que favorecen una historia desinteresada de la filosofía, entrañan, de hecho, juicios de verdad. Tomemos dos de las proposiciones que hemos mencionado anteriormente, ejemplos de las cuales se encuentran, frecuentemente, incluso en las historias de la filosofía que se dicen desinteresadas.

D^{hp}. X fue perspicaz al plantear la pregunta Q.

G^{hp}. X es un filósofo excelente.

En la primera proposición (D^{hp}) tenemos un juicio de perspicacia y en el otro (G^{hp}), de excelencia. Pero podemos preguntarnos: ¿no se refieren la perspicacia y la excelencia, cuando de filósofos se trata, a su habilidad para llegar a la verdad? Des-

funciona, en cierto modo, bajo la ilusión de que existe una verdad absoluta y universal (p. 21) y, como tal, está cargada de prejuicios personales. La historia, por el contrario, se interesa solamente por el examen de hechos lingüísticos (obras históricas) y, por tanto, los historiadores deben abandonar toda teoría personal cuando se aproximan a su objeto de estudio. Por tanto, Lafrance aboga por una "historia de la filosofía no filosófica" (p. 26).

[35] Aparte de aquellos que incluyo aquí, los historiógrafos también emplean con frecuencia otros fundamentos para argumentar que los juicios de valor cumplen un papel indispensable en las relaciones históricas: (1) la selección de los acontecimientos de los que hay que dar cuenta se hace en términos de valores; (2) la elección de las condiciones relevantes para dar cuenta de esos acontecimientos se hace en términos de valores; y (3) la caracterización de esos acontecimientos está llena de valor, porque detrás de la misma hay alguien con una determinada perspectiva de valor, y porque los acontecimientos mismos son intencionados. Tales argumentos han sido propuestos, entre otros, por Max Weber, S.F. Nadel, Edwin A. Burtt, Leo Strauss y Karl Mannheim. Ernest Nagel ofrece una discusión completa de los mismos en *The Structure of Science*, cap. XIII, pp. 485-502. Véase también Dray, "Philosophy of History", p. 250, y *Philosophy of History*, Prentice-Hall Inc., Englewood Cliffs, Nueva Jersey, 1964, pp. 21 y ss.

pués de todo, los filósofos andan en búsqueda de la verdad, y por tanto, cuando se afirma que otros filósofos son excelentes o perspicaces, lo que, normalmente, quiere decirse es que esos filósofos lo hicieron mejor en su búsqueda de la verdad que otros, y que vieron algo más que los otros.[36] Llamar a los artistas o a los mecánicos de automóviles excelentes o perspicaces no tiene nada que ver con la verdad. Para los artistas, eso puede significar que han expresado con bastante precisión un determinado sentimiento, o que se nos han presentado con una pieza de arte bella, o cualquier cosa que se supone que haga el artista. Por otra parte, los mecánicos de automóviles son excelentes si nos arreglan bien, y sin que sea costoso, el automóvil. Tenemos, entonces, que en ningún caso se trata de verdad. Pero en el caso del filósofo, no puede evitarse una referencia a la verdad, puesto que la búsqueda de la verdad es la esencia misma de la filosofía.

En definitiva, los juicios valorativos que hacen los historiadores de la filosofía, incluso aquellos que no mencionan explícitamente la verdad y que parecen, por tanto, desinteresados en ese aspecto, se refieren a menudo, implícitamente, a ella, o implican un juicio sobre ella. Para lograr una historia de la filosofía puramente desinteresada, necesitaríamos erradicar de los recuentos históricos no sólo los juicios explícitos de valor de verdad, sino todos los juicios valorativos, con el fin de asegurar que la disciplina ha sido desinfectada adecuadamente. Creo, sin embargo, que ni siquiera los más recalcitrantes defensores de la historia desinteresada estarían dispuestos a dar un paso tan drástico.

De hecho, para los historiadores de la filosofía es prácticamente imposible mantenerse neutrales en su tarea y, por tanto,

---

[36] *Mutatis mutandis*, esto se aplica también a lo que denominamos las "grandes" obras, pues decir que algo es una "gran" obra de filosofía significa, efectivamente, que nos revela algo que desconocíamos antes. Por supuesto, alguien podría argumentar que "grande", en un contexto histórico, significa simplemente que la obra tuvo una influencia considerable. De hecho, ése puede ser el caso en determinadas circunstancias, pero ciertamente no en otras. Existen obras que han tenido una enorme influencia, tales como *Mein Kampf*, de Hitler, y que son todo menos grandes obras, y ha habido obras que han tenido poca influencia histórica y, con todo, pueden ser grandes obras.

la neutralidad completa que defienden aquellos que apoyan una aproximación desinteresada a la historia de la filosofía no puede constituirse en requisito para llevar a cabo dicha tarea. Por supuesto, la neutralidad completa puede ser lógicamente posible, y todos entendemos que es esencial para la tarea histórica cierto grado de neutralidad y objetividad. Pero ninguna persona puede arrojar al limbo todas sus creencias y valores mientras se encuentra ocupada en hacer historia de la filosofía. Lo que ocurre, a menudo, es que creemos que hay objetividad y discusión libres de valores, cuando, en realidad, nos encontramos con que hay valores y principios escondidos tras bastidores. El resultado es el peor tipo de historia de la filosofía: la que pretende neutralidad cuando, de hecho, persigue una agenda escondida. En ningún lugar se torna esto más evidente que en el mismo proceso de selección que siguen los historiadores y al que nos hemos referido anteriormente. El tiempo y el espacio que poseen están limitados, mientras que el tema parece ilimitado; por tanto, los historiadores están obligados a elegir, y, al hacerlo, ya están presentando una perspectiva parcial del pasado y, necesariamente, están tomando decisiones sobre lo que es más o menos importante. Por consiguiente, la honestidad intelectual, a lo que parece, requeriría de los historiadores que dejaran fuera tantos presupuestos y valores como pudieran —por supuesto, de algunos no son conscientes—, y que hicieran explícitos los juicios de valor, pudiendo, de esta manera, alcanzar un nivel de objetividad más elevado que en el caso en que esos presupuestos y valores quedaran sin identificar.[37] Desafortunadamente, vivimos en un mundo en el que, incluso los filósofos, que se enorgullecen abiertamente por su búsqueda de la verdad, juzgan más la apariencia que la realidad; y en donde se favorece, a menudo, un recuento prejuiciado, pero consistente, por encima de un recuento honesto, pero menos consistente.

Pero no es esto todo lo que deseo decir. Me gustaría ir más allá en mi argumento en favor de una historia interesada de la filosofía y afirmar, en segundo lugar, que, para poder hacer inteligibles las ideas del pasado y las posiciones filosóficas, de-

---

[37] Ésta es una de las preocupaciones de Michael Ayers. Véase su "Analytical Philosophy and the History of Philosophy", pp. 55–56.

bemos entender lo que consideramos que es su valor de verdad y la validez y firmeza de los argumentos sobre los que se fundamentan. Tres son las razones de esto. La primera (a) consiste en que, para entender las ideas de un autor del pasado, es preciso repensarlas, y esta tarea implica, a su vez, trabajar el problema que las suscitó y seguir los procesos de pensamiento del autor en cuestión. Ésta es, precisamente, la observación que hiciera, claramente, Collingwood. De acuerdo con él, la tarea del historiador que está intentando entender un texto del pasado consiste en:

> descubrir lo que la persona que escribió esas palabras quiso decir con ellas. Esto quiere decir descubrir el pensamiento [...] que expresó por medio de ellas. Para descubrir cuál fue su pensamiento, el historiador debe pensarlo de nuevo por sí mismo [...], debe ver cuál fue el problema filosófico cuya solución está proponiendo aquí su autor. Debe pensar por sí mismo ese problema, ver qué soluciones posibles podrían ofrecerse del mismo y por qué ese filósofo en particular eligió esa solución en lugar de otra. Esto quiere decir repensar por sí mismo el pensamiento de su autor, y nada que no sea eso lo convertirá en el historiador de la filosofía de ese autor.[38]

Esto me lleva a la segunda razón (b), a saber: que la filosofía, como vimos anteriormente, no es una disciplina puramente descriptiva y, como tal, la comprensión de las ideas filosóficas no entraña sólo trabajar con ellas, sino también interpretarlas y valorarlas. De hecho, la tarea más importante del filósofo es juzgar lo que es verdadero y mejor. Como dijimos anteriormente, ninguna afirmación filosófica es puramente descriptiva: todas entrañan, por lo menos, un elemento de interpretación, y muchas implican, también, juicios de valor. Proposiciones tales como "P es verdad" (A^p) y "$P \to Q$" (I) envuelven, claramente, algo más que la descripción y la interpretación; y la comprensión de su significado exige que los historiadores las juzguen. En efecto, para poder lograr dicha comprensión, deben ponerse ellos mismos en el lugar de aquellos que las sostuvieron y

[38] Robin George Collingwood, *The Idea of History*, Clarendon Press, Oxford, 1946, pp. 282–283.

ver y juzgar aquello que estaban tratando de hacer, así como su valor. Adonde quiero llegar no es sino a la afirmación de que, para entender los juicios de valor de verdad, tenemos que apropiarnos de ellos, por decirlo así, porque el significado de los juicios valorativos no puede separarse fácilmente, si es que se puede, de su valor de verdad. Como ha afirmado Rorty: "Así como determinar un significado consiste en colocar una aserción en un contexto de conducta real y posible, de igual modo, determinar la verdad consiste en colocarla en un contexto de aserciones que nosotros mismos estaríamos dispuestos a hacer. Puesto que lo que cuenta para nosotros, como patrón inteligible de conducta, es una función de lo que creemos que es verdad, la verdad y el significado no han de buscarse por separado."[39]

No podemos entender todo el peso de la tesis de Aristóteles de que un ser humano se compone de materia y forma hasta que no entendemos por qué sostuvo tal cosa, y si la entendemos, hemos valorado, de hecho, directa o indirectamente, y explícita o implícitamente, el grado de verdad y adecuación de dicha tesis. Del mismo modo, no podemos dar cuenta adecuadamente de la tesis a menos que la entendamos en este sentido. De hecho, como ha afirmado Schneewind: "El modo más satisfactorio posible de dar cuenta de por qué alguien cree algo consiste en mostrar, por un lado, que aquello que se cree, o bien es verdad, o bien es el propio resultado de un argumento convincente a partir de premisas que la persona acepta; y, por otro lado, que la persona estaba en una situación que le permitía advertir tal cosa."[40] Esto no quiere decir que los historiadores no puedan estar en desacuerdo con los juicios del pasado. Quiere decir, más bien, que tienen que actuar como evaluadores, al igual que lo hicieron los autores del pasado; de lo contrario, no pueden entender completamente los autores que estudian ni dar cuenta de sus ideas. Una comprensión y una relación adecuadas de la historia suponen, en un sentido, llegar a ser parte de la misma, convertirse en coetáneo de ella,

---

[39] Richard Rorty, "The Historiography of Philosophy: Four Genres", en Rorty *et al.* (eds.), *Philosophy in History*, p. 55.

[40] J.B. Schneewind, "The Divine Corporation and the History of Ethics", *ibid.*, p. 175.

y esto supone un juicio, puesto que los contemporáneos que están involucrados en la empresa filosófica se encuentran en la tarea de juzgar el valor de verdad. El caso sería diferente, por supuesto, si fuera distinta la empresa en la que se hallan involucrados los filósofos del pasado y los del presente. Pero esto no es así. La idea de que sus tareas y propósitos deben ser diferentes es una presunción historiográfica contraria a lo que la mayor parte de los filósofos han opinado. Parece que el propósito y los criterios fundamentales de la disciplina han recorrido toda la historia de la filosofía sin un cambio de tal magnitud, que se hayan vuelto irreconocibles. Y, precisamente porque los filósofos del pasado iban, fundamentalmente, tras lo mismo que andamos nosotros, es esencial, para que los podamos comprender, aplicar a sus concepciones aquellos criterios bastante generales de su disciplina que corren a lo largo de su historia.

Por supuesto, alguien objetaría que estoy suponiendo demasiado, pues mi tesis se reduce a la afirmación de que todos los filósofos del pasado se han adherido a los mismos criterios de la disciplina.[41] Y tampoco está del todo claro que la mayor parte de los filósofos, por no decir todos, lo hayan hecho así. De hecho, parece que los racionalistas están aplicando criterios que son muy diferentes de aquellos utilizados por los empiristas. Incluso los principios que encuentran mayor número de partidarios, tales como el principio de no contradicción, han sido rechazados por algunos filósofos de una época o de otra. Algunos de los poetas descritos en la Introducción, por ejemplo, consideran que la contradicción es un principio aplicable solamente a lo que podría llamarse "la superficie de nuestro

---

[41] De hecho, esta es la base de algunos de los argumentos de Lafrance en contra de una historia interesada, o filosófica, de la filosofía, pues sostiene que no existen criterios generales de acuerdo con los cuales puedan juzgarse todos los sistemas filosóficos. Es preciso juzgar cada sistema, únicamente, por los criterios internos empleados para erigirlos (*Méthode et exégèse*, pp. 16 y 19). El problema con esta postura es que si los únicos criterios legítimos a disposición de los historiadores fuesen internos, no habría entonces forma alguna de comparar sistemas diferentes de filosofía, a menos que adoptasen los mismos criterios. Los historiadores, entonces, se encontrarían atrapados dentro de los sistemas y no tendrían ninguna forma de comparar las respectivas fuerzas de los desarrollos históricos.

pensamiento". Una comprensión de la realidad va más allá de este nivel superficial y alcanza niveles más profundos de conciencia. Los escritos existentes del filósofo chino Lao Tzu, por ejemplo, contienen muchos casos de lo que parecen ser contradicciones, en donde se afirma que algo es, a la vez, lo que es y su opuesto. Pero no necesitamos ir al Oriente para encontrar tales afirmaciones. En la tradición occidental han existido siempre los que han rechazado las leyes de la lógica por no ser operativas en una esfera más profunda del entendimiento. Parece que algunos de los presocráticos han creído tal cosa, y en la era cristiana hubo muchos autores que hablaron de esta manera. El famoso dicho de Tertuliano, "Creo porque es absurdo" ("*Credo quia ineptum*"), y la postura de Pedro Damiano de que Dios pudiera hacer que lo que ha ocurrido no haya ocurrido, son ejemplos de esta actitud.

¿Existen criterios, entonces, que puedan aplicarse a todo lo largo de la historia de la filosofía? Ya he afirmado, en el contexto de la interpretación, que la comprensión del pasado es posible por las razones que expuse allí y que se aplican también al presente caso, aunque no las voy a repetir. Lo que me gustaría añadir en este momento, en cambio, es que existen ciertos criterios y requisitos que constituyen una condición necesaria para la comunicación cognitiva y que son las bases para poder comprender, no sólo lo que otros dicen y piensan en el presente, sino lo que otros dijeron y pensaron en el pasado. Esto no quiere decir que no podamos comunicarnos eficazmente por otros medios. Se pueden comunicar las emociones mediante signos a los que no se les aplican las leyes de la lógica. Unas lágrimas en el rostro, por ejemplo, se consideran, por lo general, como señales de emoción intensa (tristeza o alegría). De hecho, la comunicación puede ser tan intensa, que podemos hacer que los demás se emocionen y, lo que es probable, que también ellos derramen lágrimas. Pero la lógica no se aplica a las lágrimas o a la comunicación de las emociones. También podemos comunicar sentimientos y emociones a través de objetos de arte, por ejemplo, y la lógica tampoco se aplica a ellos. Pero la lógica sí se aplica a la comunicación de procesos mentales cognitivos: es una especie de entramado que filtra sólo lo que se ajusta al mismo. La comunicación cognitiva es imposible, por ejemplo, si los signos (palabras) que se utilizan para tal propósito se emplean siempre de un modo equívoco, de manera que cada vez que un mismo signo ocurre en el discurso en cuestión, corresponda a algo diferente. Y al igual que la exigencia de univocidad, no contradicción y otros prerrequisitos lógicos del pensamiento cognitivo, existen otros criterios y reglas que debería observar la mayor parte de los filósofos. Bien es cierto que algunos los han rechazado y han ofrecido argumentos en su contra, como vimos en los casos mencionados, pero cuando lo hacen, deben adherirse a ellos si pretenden lograr una comunicación efectiva.

En resumidas cuentas, entonces, no me parece que la objeción que se basa en la relatividad de los criterios socave el argumento que afirma que debe incluirse la valoración para lograr comprender el pasado filosófico, una valoración que, además, no lo distorsiona. Es posible que las bases de la valoración filosófica varíen en diversos aspectos de un filósofo a otro y de una escuela filosófica a otra, pero existe un núcleo suficientemente sólido de criterios, basados en los requisitos más fundamentales de la comunicación y en los propósitos generales de la disciplina, como para asegurar que puede llevarse a cabo dicha valoración. Me parece que aquellos que argumentan en contra de ésta se encuentran tan al margen de lo que los filósofos, por lo general, hacen, que no merecen atención alguna.

Pero, ¿qué haremos con las contradicciones aparentes en Lao Tzu y otros? ¿Se les ha de otorgar un *status* especial? ¿Se las ha de ignorar? ¿O las hemos de descartar por considerarlas sin sentido? La respuesta a esta pregunta hermenéutica no es difícil. Lo que necesita hacerse para responderla, suponiendo que las contradicciones no son meramente aparentes sino reales, consiste en determinar si Lao Tzu (u otros filósofos que puedan agruparse en la misma categoría) se había dado a la tarea de comunicar algún tipo de material cognitivo o no. En caso afirmativo, debemos aplicar, entonces, a lo que dijo, o se informó que dijo, los criterios lógicos y epistémicos a los que nos hemos referido; al igual que, para entender lo que escribió, necesitamos aplicar las reglas gramaticales que siguió. Si, de acuerdo con esos criterios, cometió errores, hay que reconocerlos. Por el contrario, si no estaba interesado en la comunicación de material cognitivo, entonces no tiene sentido aplicar a su discurso aquellos criterios, lo mismo que no tiene sentido aplicar la gramática a la pintura.

La tercera razón (c) en favor de la tesis que afirma que, para poder hacer inteligibles las ideas y las posiciones filosóficas del pasado, tenemos que entender lo que consideramos su valor de verdad y la validez y firmeza de los argumentos sobre los que se basan, tiene que ver con los textos. Los textos son los principales medios que poseemos para acceder a las ideas filosóficas del pasado. Pero los textos, como veremos en el capítulo IV, son artefactos a los que se les provee, convencionalmente, de significado para que puedan servir de ayuda en la comunicación de las ideas. Ahora bien, para que los historiadores logren extraer el significado de los textos, deben abordarlos teniendo ya en mente determinados presupuestos acerca de lo que los autores intentaban hacer y de cómo lo estaban intentando, pues la tarea de los historiadores consiste en recrear el significado intangible del texto, y para hacerlo, deben recrear el pasado. Pero hacer tal cosa supone el empleo de criterios y principios valorativos que les permitan elegir un significado antes que otro, elección que se basa en el hecho de si tiene sentido o no lo tiene, y si es verdadero o no lo es. Los juicios de valor tienen un papel importante que cumplir a la hora de elegir entre varias posibles interpretaciones de las opiniones de figuras históricas. Es un caso frecuente que los historiadores se enfrenten con situaciones en las que existen por lo menos dos, cuando no más, interpretaciones posibles de las opiniones de un autor determinado: ¿qué hacemos cuando la evidencia no es determinante y resulta que hay varias interpretaciones que son compatibles con la evidencia textual y los principios filosóficos generales que guían el pensamiento de un autor? Si a esto se le añaden varias tradiciones interpretativas del autor en cuestión, y que son incompatibles entre sí, ¿qué podemos hacer? ¿Sobre qué base deberíamos apoyarnos para decidir lo que el autor sostuvo o, por lo menos, en el caso de que alguien no esté completamente seguro, para decidir lo que es más probable que el autor sostuviera? Por supuesto, en estas situaciones, podemos ir más allá de la filosofía e intentar encontrar algún factor histórico determinante de naturaleza psicológica, sociológica o cultural. Pero existen ocasiones en las que no puede encontrarse un factor de este tipo y, por tanto, la cuestión se queda sin decidir. Es aquí donde son importantes el valor de verdad y el sentido, pues, bajo tales circunstancias, lo más sensato es favorecer una interpretación por encima de la otra porque tiene más sentido filosófico o porque es la verdad o lo más cercano a la verdad. En resumidas cuentas, por repetir la observación que se ha hecho anteriormente: puesto que la verdad es el propósito último del filósofo, su consideración debería cumplir un papel en el estudio de la historia de la filosofía. Por tanto, se encuentra completamente dentro del cometido de la historia de la filosofía afirmar, por ejemplo, que, en el caso de que no exista ningún otro criterio para decidirlo, es probable que Aristóteles o Platón hayan sostenido esta opinión antes que aquella otra porque la primera tiene sentido o es verdad y la segunda no tiene sentido o es falsa.[42]

La mejor interpretación, por supuesto, es la que tiene, a la vez, más sentido histórico y filosófico, pues el historiador debe suponer que el filósofo del pasado estaba en la búsqueda, precisamente, de lo que más sentido tiene. De hecho, lo que permite al historiador de la filosofía ser un buen historiador de la filosofía no es sólo su familiaridad con el periodo que estudia, sino su familiaridad con la filosofía misma y su comprensión. En igualdad de condiciones, diría que cuanto mejor filósofo sea uno, tanto mejor historiador será.

Los historiadores de la filosofía se asemejan, en muchos aspectos, a los historiadores de la música. Los historiadores que quieren hacer un recuento del pasado musical no necesitan reescribir las composiciones del pasado, pero deben entender las notas en las que estaban escritas esas composiciones y tienen que poder interpretarlas. Han de ser críticos para que puedan, de este modo, juzgar lo que deben significar esas marcas sobre

---

[42] Una variante de este caso ocurre cuando un autor sostiene dos posiciones incompatibles en dos momentos diferentes, por ejemplo: P en un t^1 y $\neg P$ en t^2. En tales casos, el historiador debería ser capaz de afirmar, no sólo que el autor sostuvo P en un t^1 y $\neg P$ en t^2, sino también por qué lo hizo y si el autor mejoró su posición general al cambiar de P a $\neg P$, ya que es completamente posible que el autor se equivocara al cambiar su modo de pensar; o también es posible que, en el momento que sostuvo $\neg P$, se olvidara que había sostenido P; o es posible que haya cambiado de parecer debido a una información incorrecta, etc. El historiador debe juzgar todas estas cosas y, para hacerlo, se requieren juicios sobre el valor de verdad de P y de $\neg P$.

el papel, y, para hacer tal cosa, no sólo emplean lo que saben acerca del pasado, sino el sentido musical que han desarrollado a lo largo de sus vidas.[43] Por esa razón es que corren un riesgo: pueden cometer equivocaciones; pero no tienen otra alternativa salvo juzgar lo que, musicalmente, tiene sentido y lo que no, y asumir, basados en eso, que ciertas interpretaciones de una composición histórica no son aceptables. El acto de re-creación supone, entonces, tanto para el historiador de la música como para el historiador de la filosofía, el tipo de juicios de valor que rechazan aquellos que están en favor de una historia desinteresada.

Un tercer argumento en favor de una concepción interesada de la historia de la filosofía se basa en el significado que, en última instancia, posee para nosotros. El estudio de la historia responde a dos necesidades: la curiosidad humana por conocer el pasado y el deseo humano de aprender de él con el fin de guiar la conducta futura. Ya he argumentado que incluso la comprensión del pasado filosófico supone una valoración; ahora me gustaría añadir que aprender de él la supone todavía de un modo más manifiesto: aprender del pasado supone juzgar sus errores y éxitos, con el fin de poder evitar los primeros e imitar los segundos. Ésta es la razón por la que es tan importante determinar lo que ha ido bien y hasta qué punto; dónde se han desviado los filósofos del pasado y dónde han alcanzado la verdad. Particularmente útil es considerar cómo

---

[43] Jonathan Rée ha afirmado que una de las razones por las que la historia de la filosofía es diferente de otras historias reside en que está hecha por filósofos, mientras que la historia de la música, por ejemplo, no está hecha por músicos. Véase su "Philosophy and the History of Philosophy", en Rée *et al.*, *Philosophy and Its Past*, pp. 1-2. No veo, sin embargo, una diferencia drástica entre ellas en este sentido. Si ser un filósofo significa escribir materiales filosóficos no históricos, entonces muchos historiadores de la filosofía no son filósofos, al igual que muchos historiadores de la música no son músicos. Pero si ser un filósofo significa comprender, analizar y juzgar opiniones filosóficas, entonces parecería un requisito que los historiadores de la filosofía fueran filósofos. Pero, por lo mismo, parecería que los historiadores de la música deben ser músicos, en la medida en que necesitan ser capaces de comprender, analizar y juzgar las composiciones musicales. En ambos casos, lo que ocurre con el historiador de la filosofía no se diferencia de lo que ocurre con el historiador de la música.

un filósofo acabó sosteniendo una idea que nos parece hoy en
día claramente falsa. En efecto, aunque es probable que, después de todo, no cambiemos nuestro punto de vista, es posible,
sin embargo, que descubramos patrones de pensamiento y de
argumentación que son nuevos y beneficiosos para nosotros a
la hora de profundizar en nuestra comprensión filosófica. Las
lucubraciones de Descartes en el *Discurso*, que acabaron con
la asombrosa descripción del movimiento del corazón, pueden
ser, ciertamente, instructivas, pues nos ayudan a ver patrones
de pensamiento que pueden desviarnos y que hay que evitar.
Y el renombrado método de Bacon que lo llevó a concluir que
"el calor es un movimiento" muestra, sin duda, las limitaciones
manifiestas de su método.

En este sentido, me inclino a compartir la opinión que dice
que lo que consideramos como errores del pasado son, muchas
veces, más útiles, desde el punto de vista filosófico, para el presente que lo que consideramos como éxitos.[44] La razón reside
en que los errores nos impactan, nos apartan de la complacencia y nos fuerzan a reexaminar y repensar nuestras opiniones,
a la vez que nos ayudan a deshacernos de lo inservible. Cuando encontramos que una mente del pasado de primer rango,
dedicada a la búsqueda de la verdad, ha cometido lo que nos parece un error, nos vemos impelidos, de nuevo, a la dialéctica del
problema, del cual, pensábamos, teníamos una respuesta. Nos
quedamos perplejos, y esta perplejidad, como Sócrates afirma
en los diálogos platónicos, es el comienzo de la verdadera sabiduría. Pero la historia de la filosofía no puede cumplir con
este papel instructivo si excluye la valoración. Una descripción
exacta y neutral respecto de toda valoración nos sería, por tanto, completamente inútil.

Téngase en cuenta que aquello por lo que abogo con estos
tres argumentos no es porque se elimine la distinción entre lo
que, con frecuencia, se denomina "juicios de valor" y "juicios
de hecho", y que he reformulado con los términos *proposiciones*

---

[44] Jonathan Bennett, "Response to Garber and Rée", en Hare (ed.), *Doing
Philosophy Historically*, p. 62. Véase también Voltaire, "De l'utilité de l'histoire",
en *Dictionnaire philosophique*, en M. Adrien Jean Quentin Beuchot (ed.), *Ouvres
de Voltaire*, vol. 30, Lefèvre, París, 1829–1840, pp. 207–209.

valorativas y *descriptivas.*[45] No estoy afirmando que no exista
ninguna distinción entre éstas, aunque haya señalado que hay
veces en las que algunos historiadores e historiógrafos consideran que algunas proposiciones son descriptivas, cuando, en
realidad, implícitamente, se trata de proposiciones valorativas,
y aunque haya demostrado que muchas proposiciones valorativas incluyen también la descripción. Lo que estoy afirmando
es, más bien, que una relación histórica del pasado filosófico
incluye, necesariamente, juicios valorativos, y que la tarea histórica implica la valoración. Mi postura no es, por tanto, la de
aquellos que afirman que es imposible la objetividad en el conocimiento histórico. Creo que es posible una relación objetiva
y precisa del pasado, tanto en la teoría como en la práctica, si se
entiende correctamente; aunque soy plenamente consciente de
las dificultades implicadas en la misma. Lo que estoy afirmando es, más bien, que la relación objetiva y precisa del pasado
supone, en el caso de cualquier tipo de historia, ciertos juicios
de valor; en el caso concreto de la historia de la filosofía, supone juicios de valor de verdad. Mi punto de vista, por tanto,
es contrario al de los objetivistas, quienes, con el fin de preservar la objetividad y la precisión en las relaciones históricas,
rechazan los juicios de valor en tales relaciones. Pero es también
contrario a la opinión de los subjetivistas, quienes admiten los
juicios de valor en las relaciones históricas, pero argumentan
que, debido a eso, son imposibles la objetividad y la precisión
históricas.[46]

Volvamos ahora a los tres argumentos que vimos antes en
favor de una historia desinteresada y tratemos de identificar
exactamente en dónde, según entiendo, se equivocan. Esos argumentos se apoyan en tres malentendidos. El primero es una

[45] Para una discusión de esta distinción, véase Nagel, *The Structure of
Science*, pp. 492 y ss.

[46] Éste debería distinguirse también del punto de vista invocado por Martial Guéroult, según el cual debemos considerar que la historia de la filosofía
contiene verdad, pero debemos abstenernos, *qua* historiadores, de hacer juicios de valor de verdad sobre la misma. No puedo suscribir la postura de
Guéroult porque no puedo comprender cómo podemos considerar algo verdadero sin hacer, al mismo tiempo, un juicio sobre su valor de verdad. Para
la postura de Guéroult, véase "The History of Philosophy as a Philosophycal
Problem", pp. 563-587, especialmente pp. 584-585.

confusión entre lo que llamo el *interés ideológico* y el *interés filosófi-co*.[47] El interés ideológico es el tipo de interés que alguien posee cuando se vuelve a la historia de la filosofía con el propósito de justificar un punto de vista determinado. Desgraciadamente, como veremos en el capítulo V, son muchos los historiadores de la filosofía cuyo enfoque metodológico es una clara muestra de este tipo de interés. Por supuesto, un interés ideológico tiende a distorsionar la relación histórica. En este sentido, están plenamente justificadas las críticas que, contra el mismo, lanzan los historiógrafos que están en favor de un enfoque desinteresado de la historia de la filosofía: en efecto, este tipo de historiadores ven en el pasado solamente lo que quieren ver, y su selección es bastante perniciosa.[48] Es más, algunos llegan al punto de modificar las opiniones originales de los autores históricos, corrigiéndolas para que puedan expresar de un modo más adecuado la verdad; sin embargo, no reconocen que el resultado carezca de precisión histórica.[49]

Por el contrario, podemos aproximarnos también a la historia de la filosofía con un interés no pernicioso. El interés filosófico por la historia de la filosofía no se convierte necesariamente en una distorsión del pasado. Entiendo por interés filosófico el tipo de interés mostrado por alguien que busca la verdad. Uno puede estar interesado en obtener un conocimiento claro de las cosas y, con todo, conservar un grado considerable de objetividad. De hecho, el interés por la verdad conduce a unos esfuerzos extraordinarios por lograr objetividad. Esto contrasta con aquellos cuyo interés descansa en defender y promover un punto de vista determinado y que, como consecuencia, han perdido toda objetividad. El que la historia de la filosofía contenga juicios de valor y esté guiada por un interés hacia la verdad no implica su distorsión: pues una cosa es juzgar y otra, modificar.

---

[47] Otra manera de señalar esto es diciendo, como lo ha hecho Danto, que existe una distinción entre "objetivo" y "prejuiciado".Véase *Analytical Philosophy of History*, p. 96.

[48] Esto es, de hecho, lo que lleva a Lafrance a su positivismo. En particular, él se preocupa por las distorsiones que resultan de las lecturas tomistas y marxistas de la historia. Véase su *Méthode et exégèse*, p. 17.

[49] S.F. Nadel reconoce esta necesidad en la antropología social, en *The Foundations of Social Anthropology*, Cohen & West Ltd., Londres, 1951, p. 54.

Podemos entender que una idea está equivocada y, con todo, conservar la integridad histórica de la misma. Es sólo cuando la integridad histórica se mezcla con razones ideológicas, o de otro tipo, que el interés se torna pernicioso. Existen, sin duda alguna, peligros que deben afrontar aquellos que se aproximan a la historia de la filosofía en busca de la verdad, pero no es necesario caer presa de los mismos y, por tanto, no justifican las acusaciones de aquellos que están en favor de una historia desinteresada. El problema con los autores que identifican la historia de la filosofía con la historia desinteresada estriba en que confunden estos dos tipos de intereses, pensando que todo interés, incluyendo el interés filosófico, es ideológico y, por tanto, pernicioso.

La segunda fuente de malentendidos es el intento de trazar una distinción neta entre la filosofía y la historia de la filosofía sobre la base del papel que la valoración desempeña en ellas. Tal distinción no es sino artificial, y no toma en cuenta que, puesto que lo que la historia de la filosofía estudia es, precisamente, filosofía, los criterios de la filosofía deben desempeñar su papel cuando se estudia su historia, como he afirmado anteriormente.

Por último, aquellos que insisten en una historia desinteresada me parece que piensan que los juicios de valor entrañan, necesariamente, un interés no histórico por la historia. Pero nada más lejos de la verdad. El interés de los historiadores de la filosofía puede ser la comprensión del pasado filosófico y, con todo, pueden hacer juicios de valor sobre el mismo. No existe incompatibilidad lógica alguna entre ambas cosas. De hecho, los argumentos anteriores muestran que aquellos juicios de valor no son sólo una parte integral de cualquier investigación histórica, sino también una parte bastante deseable.

Creo que estas consideraciones deberían bastar para responder a los argumentos de aquellos que desean aislar la historia de la filosofía de los juicios de valor y, particularmente, de los juicios de verdad y falsedad. Como ha señalado Rorty:

> Deberíamos tratar la historia de la filosofía como tratamos la historia de la ciencia. En este campo no tenemos el menor inconveniente en afirmar que conocemos mejor que nuestros antepasados de qué estaban hablando. No pensamos que sea anacrónico afirmar

que Aristóteles poseía un modelo falso de los cielos o que Galeno no entendió cómo funcionaba el sistema circulatorio. Consideramos probada la perdonable ignorancia de los grandes científicos muertos. Deberíamos estar igualmente dispuestos a afirmar de Aristóteles que desconocía, desafortunadamente, que no existen cosas tales como esencias reales; o de Leibniz, que no existe Dios; o de Descartes, que la mente es, simplemente, el sistema nervioso central, por utilizar un modelo alterno.[50]

Es posible que Rorty se equivoque en su opinión respecto de Aristóteles, Leibniz, Descartes e, incluso, Galeno en los puntos que trae a colación, pero tiene razón al afirmar que hacer historia de la filosofía entraña estar dispuesto a afirmar que nosotros conocemos mejor. Es más, al igual que deberíamos estar dispuestos a juzgar en dónde se equivocó el pasado, deberíamos, igualmente, estar dispuestos a juzgar en dónde acertó. Podemos, y deberíamos, estar de acuerdo con Suárez, por ejemplo, cuando distingue entre la incomunicabilidad y la diferencia, o con Aristóteles cuando afirma que el bien es el objeto del deseo. Incluir juicios de valor en la historia de la filosofía no significa que esos juicios deberían ser negativos: ellos pueden y deberían ser positivos cuando corresponda.

Como conclusión, por tanto, habría que decir que la historia de la filosofía contiene una amplia gama de proposiciones que incluye las proposiciones descriptivas, interpretativas y valorativas. Estas proposiciones reflejan un interés por el pasado y su origen. En el caso de la historia, el tema de interés son los acontecimientos pasados; mientras que en la historia de la filosofía sólo son pertinentes las ideas pasadas y los acontecimientos relacionados con ellas. En cada uno de los casos, sin embargo, el tiempo, el lugar de origen y el interés por lo individual son esenciales, aunque puede que no siempre estén explícitos en todas las proposiciones que forman parte de una historia de la filosofía. Obsérvese que, aunque las ideas de las que se ocupan los historiadores de la filosofía pueden ser universales, ellos las consideran en tanto que pertenecen a un individuo o a un conjunto de individuos. De esta manera, aunque es posible que

[50] Richard Rorty, "The Historiography of Philosophy: Four Genres", en Rorty *et al.* (eds.), *Philosophy in History*, p. 49.

los historiadores hablen, por ejemplo, de la opinión que afirma que las mónadas son entidades psíquicas, con lo cual se están ocupando de los universales, su interés, sin embargo, reside en describir la opinión de Leibniz. En las relaciones históricas, por tanto, los universales se individualizan debido a su acontecer histórico.

Por lo que se ha dicho, debería quedar claro, además, que la introducción de juicios de valor en la historia de la filosofía conlleva la introducción de proposiciones filosóficas que no esperaríamos encontrar normalmente en las relaciones históricas. Me estoy refiriendo a proposiciones tales como las que establecen las relaciones lógicas entre las ideas y que no incluyen referencias al lugar de origen, al tiempo o a los individuos. La razón de esto estriba en que los juicios de valor sobre las opiniones históricas suponen análisis conceptuales como los que se encuentran en la filosofía. Por ejemplo, si deseo juzgar, valga el caso, si es correcta la opinión P, sostenida por X, es posible que necesite conocer si P implica Q. La diferencia entre estas proposiciones, según se encuentren en la filosofía o en la historia de la filosofía, es puramente contextual. En un caso, forman parte de una relación del mundo que no tiene nada que ver con la historia; en el otro, forman parte de una relación histórica en la que el interés principal es comprender acontecimientos particulares en el pasado. Así, aunque las proposiciones en sí mismas sean iguales y carezcan de carácter histórico, su contexto, sin embargo, es histórico cuando se emplean en historia.

D. *Un ejemplo: la teoría de la individuación según Tomás de Aquino*

Es fácil ilustrar, de diversas formas, el carácter descriptivo, interpretativo y valorativo de la historia de la filosofía. Puesto que sería redundante detenernos en muchos ejemplos o, incluso, ofrecer una ilustración de dicho carácter que sea demasiado extensa, voy a contentarme con ofrecer un breve ejemplo, concreto, del tipo de problemas con los que se enfrentan los historiadores de la filosofía y de cómo sus soluciones los llevan a ocuparse de descripciones, interpretaciones y valoraciones.

He seleccionado como ejemplo la doctrina tomista, bastante conocida, del principio de individuación de las sustancias materiales. Como aclaración preliminar debería señalar, en primer lugar, que, para Tomás de Aquino, las sustancias materiales son cosas tales como un hombre, un gato y un árbol; es decir, lo que Aristóteles llamó "sustancias primeras" en las *Categorías*. En segundo lugar, debería quedar claro que el principio de individuación de las sustancias materiales es aquél en virtud del cual una sustancia material individual es individual. En tercer lugar, debería advertirse también que, para Tomás de Aquino, ser individual significa: (1) que una cosa no es divisible en entidades específicamente semejantes a sí misma; (2) y que dicha cosa es distinta de cualquier otra. Así, Minina, mi gata, es un individuo porque (1) no puede dividirse en otros seres que son también gatos (especies de Minina) y (2) se distingue de cualquier otra sustancia. Daremos por sentado todo esto, simplemente, como propedéutica para el tema del historiador, a saber, la doctrina de Tomás de Aquino concerniente al principio de individuación de las sustancias materiales. Para el historiador, la cuestión se centra en la identificación de dicho principio y en su comprensión.

La pregunta por la identificación del principio tomista de individuación parece fácil a primera vista, puesto que el Aquinate fue bastante explícito al respecto. Afirmó repetidas veces que el principio de individuación era la *materia signata*. El problema surge cuando el historiador trata de traducir ese término a otros idiomas y cuando trata de entender lo que éste significa. Puesto que se trata de un término técnico, podríamos decidir no preocuparnos demasiado por su traducción, escogiendo un término que pudiera identificarse fácilmente como la traducción estándar de *materia signata* (por ejemplo: "materia designada") o, simplemente, dejándolo sin traducir. Pero no todos los historiadores están de acuerdo con esta manera de hacer las cosas y, como resultado, nos encontramos con una variedad bastante amplia de traducciones del término. La opinión de aquellos que discrepan con la traducción sugerida consiste en que la traducción de un término técnico no debería reducirse a una mera transcripción que no le dice nada al usuario de una lengua, sino que debería sugerir, tanto como fuese posible, el significado del término original sin que esto conduzca a confusión alguna. Por supuesto, si tal es el caso, entonces no podemos ofrecer ni siquiera una traducción de *materia signata* sin ofrecer, al mismo tiempo, una explicación de la doctrina de Tomás de Aquino. Aún más: puesto que no existe un equivalente exacto en español del término empleado por Tomás,* cualquier traducción, en español, del mismo supondrá, necesariamente, una interpretación. De este modo, podemos observar claramente que, por lo menos en este caso en particular, la mera descripción de lo que dijo el Aquinate en un idioma diferente al que empleó supone ya una interpretación.

Pero, ¿cómo debería interpretarse la *materia signata*? Dos son los problemas con los que se enfrenta el historiador que desea responder a esta pregunta. En primer lugar, no parece que el mismo Tomás haya sostenido una única opinión sobre este tema. En su *Comentario al "De Trinitate" de Boecio*, afirma explícitamente que hay que entender por *materia signata* la materia bajo dimensiones indeterminadas, antes que la materia bajo dimensiones determinadas;[51] y ofrece, incluso, un argumento de por qué debería ser así. De acuerdo con dicho argumento, las dimensiones en cuestión no pueden ser determinadas porque, si lo fueran, entonces un individuo no seguiría siendo el mismo individuo cuando se modifiquen sus dimensiones a lo largo del tiempo, si bien lo cierto es que, de hecho, sabemos que los individuos siguen siendo los mismos. En otras palabras: si lo que individualiza a Minina son sus dimensiones determinadas (tal o cual peso, y tal o cual volumen, etc.), entonces no podría ser el mismo individuo cuando cambien esas dimensiones (cuando coma, crezca, engorde en invierno, respire, etcétera).

Todo esto parece estar bastante claro. El problema para el historiador es que, en otro lugar, Tomás afirma, sin ninguna ambigüedad, que las dimensiones en cuestión son determinadas.[52] Según esto, ¿qué debe hacer el historiador? ¿Pensó Tomás

---

* [N. del t. En el original, el autor se refiere, como es obvio, al inglés; pero entiendo que el mismo caso se aplica, también, al español. Por esta razón, me he tomado la licencia de sustituir "inglés" por "español".]

[51] Tomás de Aquino, *Expositio super librum Boethii de Trinitate*, q. 4, a. 2, *responsio*, B. Decker (ed.), Brill, Leiden, 1959, p. 143.

[52] Tomás de Aquino, *De ente et essentia*, M.D. Roland-Gosselin (ed.), J. Vrin, París, 1948, cap. 2, p. 11.7, y *Summa theologiae*, I, 29, *ad* 3 y 30, 4, De Rubeis (ed.), *et al.*, Marietti, Turín, 1932, vol. I, pp. 206a y 215b.

lo uno o lo otro, o quizás ambos? ¿Pensó uno primero y, después, cambió de opinión? ¿Cuál es la opinión correcta y más consistente? En resumidas cuentas: ¿cuál es la opinión que más se ajusta al pensamiento tomista?

Al responder a estas preguntas, el historiador experimentado se dirigirá a los comentadores y discípulos de Tomás: primero, a sus contemporáneos, que estaban más cerca de la fuente; y, en segundo lugar, a aquellos que vinieron después pero que se les ha identificado tradicionalmente como intérpretes ortodoxos del Aquinate. Desafortunadamente, lo que obtenemos de estas fuentes es un bullicio de opiniones discordantes.[53] Por un lado, son muchas las interpretaciones a la hora de entender la doctrina de Tomás y, por otro, incluso un mismo autor cambia sus opiniones de una época a otra. Lo que tenemos, entonces, es muy poca ayuda, tanto de parte de Tomás como de sus comentadores, sobre la doctrina tomista del principio de individuación.

Entonces, ¿qué debería hacer el historiador? ¿Rendirse? ¿Concluir que Tomás no tuvo ninguna opinión definitiva sobre el principio de individuación, o concluir que la tuvo, pero que nunca podremos saber cuál fue? Los buenos historiadores, creo, no se van a rendir tan fácilmente. Primero, se asegurarán de que tienen en sus manos todas las fuentes pertinentes, primarias y secundarias; y, en segundo lugar, volverán su atención a la manera como ellos mismos entienden, en términos filosóficos, el problema que Tomás estaba intentando resolver y, entonces, aplicarán su propia opinión a la evidencia que poseen ante sí. En suma, tratarán, *qua* filósofos, de ponerse en lugar de Tomás e intentarán decidir cuál es la mejor solución que hubiera podido vislumbrar Tomás dentro de los parámetros en los que se movía. Esto, por supuesto, supone una valoración. Por tanto, observamos cómo, en este caso, la valoración no sólo es necesaria para la interpretación, sino que también es necesaria, de un modo indirecto, para la descripción e, incluso, para la traducción. En la historia de la filosofía pueden encontrarse

---

[53] Véanse los diferentes artículos de Owens, Wippel y otros sobre las interpretaciones del principio tomista de individuación en Jorge J.E. Gracia (ed.), *Individuation in Scholasticism: The Later Middle Ages and the Counter-Reformation (1150-1650)*, Suny Press, Albany, Nueva York, 1994.

fácilmente otros casos que sirven como ejemplos de estas cuestiones, pero no creo que sea necesario continuar insistiendo en este asunto.

IV. HISTORIA, FILOSOFÍA, Y LA HISTORIA DE LA FILOSOFÍA

Una vez que hemos proporcionado una descripción general de las características de la historia, de la filosofía y de la historia de la filosofía, sería útil, en este momento, ofrecer una comparación entre las tres. Por un lado, a partir de lo que se ha dicho anteriormente, debería estar claro que la historia y la historia de la filosofía comparten su interés por el pasado y por la ubicación de los acontecimientos individuales que constituyen aquel pasado, así como por la identidad de los actores que tomaron parte en él. Por otro lado, debería estar claro también que este interés por el pasado y su origen no se encuentra en absoluto en la filosofía. El lugar de origen y el tiempo carecen de importancia para los filósofos. La filosofía comparte con la historia de la filosofía su interés por las ideas, aunque para los filósofos esas ideas se consideran al margen de su localización espacio-temporal, mientras que para los historiadores de la filosofía es esencial considerarlas bajo dicho marco contextual. Ahora bien, en la medida en que la historia de la filosofía es parte de una historia general, no podemos negar que los historiadores generales se ocupan también de las ideas filosóficas. La diferencia entre los historiadores generales y los historiadores de la filosofía consiste en que, para los primeros, las ideas filosóficas son sólo una pequeña parte del objeto que estudian en su intento por producir una historia completa del pasado; mientras que, para los segundos, las ideas filosóficas constituyen la parte fundamental de su objeto de estudio. Obsérvese que los historiadores de la filosofía prestan también atención a otros factores que no son las ideas filosóficas: por un lado, están las otras ideas —sociales, culturales, científicas, y otras semejantes—, que les interesan a la hora de dar cuenta del origen y del desarrollo de las ideas filosóficas; por otro, están también los acontecimientos y demás fenómenos históricos. El contexto de las ideas filosóficas es importante para los historiadores de la filosofía, porque ayuda en la comprensión de dichas ideas, sus orígenes y su desarrollo; pero dichos factores sólo se toman en cuenta en la medida en que ayudan en dicha comprensión: por consiguiente, su estudio está subordinado a la tarea principal, que es dar cuenta de las ideas filosóficas. (Voy a volver a este asunto en el capítulo V.)

Esto me trae de nuevo a la cuestión de las principales tareas de los historiadores, los filósofos y los historiadores de la filosofía, y de cómo se comparan entre sí. En los tres casos, la tarea implica la producción de una relación. Para el historiador general, se trata de una relación del pasado y de todo lo que formó parte de él. El historiador, *qua* historiador, intenta que comprendamos lo que ocurrió, cómo ocurrió, por qué ocurrió y cuáles fueron sus consecuencias. El filósofo también ha de proveer una relación, pero ésta no consiste en una explicación de un acontecimiento particular en el pasado. Una relación filosófica implica el desarrollo de una opinión adecuada, consistente y comprensiva que explique por qué el mundo es lo que es y que aclare el modo como deberíamos pensarlo. Por tanto, el producto de la actividad filosófica es, por necesidad, interpretativo y valorativo, y entraña el análisis de las relaciones lógicas entre las ideas, amén de juicios de verdad. Ahora bien, la tarea de los historiadores de la filosofía incluye elementos tanto de la historia como de la filosofía. En tanto que *historiadores* de la filosofía, se interesan por el pasado, su origen y consecuencias; pero, como historiadores *de la filosofía*, no pueden evitar estar interesados por las relaciones lógicas entres las ideas y por su verdad. Como *historiadores de la filosofía*, les incumbe, por tanto, observar las relaciones lógicas entre las ideas pasadas y juzgar su adecuación y su valor de verdad.

Discuto la relación entre la filosofía y su historia de un modo detallado en el capítulo II y, por consiguiente, no voy a entrar en ella ahora, pero es preciso decir, en este momento, algo acerca de la relación entre la historia en general y la historia de la filosofía. Esto es necesario porque, hasta el momento, hemos tratado la historia y la historia de la filosofía como conjuntos de proposiciones que dan cuenta del pasado, y, de acuerdo con esto, se ha considerado la relación entre la historia y la historia de la filosofía en estos términos. Pero la historia, como

vimos anteriormente, podía ser también: una serie de acontecimientos pasados; una actividad mediante la cual se produce
una relación de acontecimientos pasados; y un conjunto de reglas y procedimientos que guían la producción de una relación
de acontecimientos pasados. Vimos también que la historia de
la filosofía podría interpretarse como: una serie de ideas filosóficas del pasado; una relación de esas ideas; la actividad
mediante la cual se produce la relación; o las reglas y regulaciones que gobiernan la producción de tal relación. Cada una de
esas interpretaciones de la historia de la filosofía corresponde
a las diversas interpretaciones mencionadas de la historia. La
cuestión que surge ahora es la siguiente: ¿cómo se relacionan?

Se trata de una relación de inclusión, en donde la historia,
considerada en términos generales, funciona como la parte más
extensa y comprehensiva. La historia de la filosofía, interpreta-
da como una serie de ideas filosóficas del pasado, está incluida
en la historia, considerada como una serie de acontecimientos
pasados. De hecho, las ideas filosóficas del pasado pueden entenderse como acontecimientos de cierta clase, que hacen su
aparición en un tiempo y un lugar determinados. La relación
histórica global que da cuenta de los acontecimientos pasados,
esto es, el conjunto de todas las proposiciones sobre ellos, si
volvemos a hablar lingüísticamente, comprende el conjunto de
proposiciones que produce el historiador de la filosofía para
dar cuenta de las ideas filosóficas de las que se han ocupado
los filósofos. La historia de la filosofía, considerada como la
actividad que produce la relación de las ideas filosóficas del
pasado, es, de nuevo, parte de la actividad que lleva a la producción de la relación histórica global. Y, por último, la historia
de la filosofía, entendida como historiografía filosófica, es simplemente una rama de la historiografía general, a saber: la que
se ocupa de asuntos concretos y de problemas que han surgido
en el desarrollo de una relación de las ideas del pasado. En todos los casos, por tanto, la historia de la filosofía es parte de la
historia, y no debería entrar en conflicto con ella.

A quienes no están al tanto de los escritos especializados
sobre historiografía todo esto les parecerá, probablemente, demasiado obvio e, incluso, trivial. Sin embargo, la idea de que la
historia de la filosofía es una rama de la historia no es, ni mucho

menos, aceptada universalmente. El argumento para apoyar la opinión de que no lo es se basa en la convicción de que existen distinciones importantes entre la naturaleza de la historia en general y la de las historias especiales. Esas distinciones se basan, según se piensa, en el modo como los historiadores de historias especiales se ocupan de su objeto de estudio. En efecto, de acuerdo con los historiógrafos que desean mantener esta distinción, aun cuando los materiales empleados en diversas historias especiales "pertenezcan", efectivamente, "a la esfera a la que dedica su atención el historiador general", esos materiales, sin embargo, se tratan de un modo tan diferente, que ello no garantiza la conclusión de que las historias especiales forman parte de la historia general.[54] Estos materiales, continúa el argumento, se tratan de un modo diferente al menos por tres razones: (1) el foco de interés es diferente; (2) las historias especiales se ocupan de acontecimientos que no son necesariamente continuos, mientras que la historia general presupone la continuidad de los acontecimientos de los que da cuenta; (3) y las historias especiales introducen una noción de desarrollo en la relación histórica que no aparece en la historia general. Voy a intentar ilustrar estas razones en relación con la historia y la historia de la filosofía.

Lo primero es el foco de interés. Aquellos que intentan trazar una distinción clara entre la historia y la historia de la filosofía podrían señalar, por ejemplo, que el interés del historiador reside en ofrecer una relación de acontecimientos del pasado en la que se describe lo que, de hecho, ocurrió; se apunta a las causas, evidentes y escondidas, de lo que ocurrió y a las consecuencias de esos acontecimientos. La tarea del historiador general, por tanto, consiste en ofrecer una comprensión del pasado. Por el contrario, los historiadores de la filosofía no se ocupan de los acontecimientos, sino de las ideas, y su interés se extiende al valor de esas ideas. En resumidas cuentas: los historiadores de la filosofía se interesan por encontrar lo que es valioso en

[54] Maurice H. Mandelbaum, "The History of Ideas, Intellectual History, and the History of Philosophy", *History and Theory*, suplemento no. 5, 1965, pp. 44-45.

el pasado, y no sólo por comprender las ideas pasadas y sus interrelaciones.

En segundo lugar, la historia se ocupa de los acontecimientos que son continuos. De hecho, la tarea de la historia consiste en llenar las lagunas entre los acontecimientos que parecen discontinuos, pues su principal propósito es presentar una imagen completa del pasado, y se supone que el pasado no posee fisuras. Pero las historias especiales, y particularmente la historia de la filosofía, se sienten libres de saltar de un autor a otro e, incluso, de una edad a otra, sin suponer ni exigir continuidad alguna en la materia que está siendo objeto de su estudio. Así, por ejemplo, una relación del desarrollo del problema de la individuación en la Alta Edad Media podría saltar desde Boecio (siglo VI) a Juan Eriúgena (siglo IX) sin ningún escrúpulo, pero la historia general se sentiría obligada a ocuparse de los siglos intermedios.

Por último, el historiador general busca describir y explicar el cambio, mientras que los historiadores especiales y, en concreto, los historiadores de la filosofía se interesan por el desarrollo. Ahora bien, el cambio y el desarrollo son bastante diferentes. El cambio es la introducción de la diferencia. Así, decimos que algo ha cambiado o que ha sufrido un cambio si es, en algún sentido, diferente a como era. Pero el cambio no presupone una dirección o un fin. Cualquier introducción de una diferencia es un cambio. El desarrollo, por el contrario, es cambio en una determinada dirección, hacia un fin determinado. El historiador, por tanto, se ocupa simplemente de ofrecer una relación del pasado y de los cambios ocurridos en él. Pero el historiador de la filosofía se interesa por observar un patrón de desarrollo en el pasado, esto es, de cambio en una determinada dirección. Como observación al margen, es preciso advertir que el desarrollo y el progreso son también diferentes: el progreso es el desarrollo hacia lo mejor, mientras que el desarrollo puede suponer también el regreso. Sin embargo, voy a dejar la discusión acerca del progreso para el capítulo VI.

Estos tres argumentos no me parecen demasiado convincentes. En relación con el primero, puede fácilmente responderse que la historia general, tanto como la historia de la filosofía, implica valoraciones, y no se limita únicamente a la descripción.

De hecho, como se afirmó anteriormente, uno de los motivos fundamentales para la producción de una relación de acontecimientos del pasado es, precisamente, aprender del pasado con el fin de evitar cometer los mismos errores en el futuro; pero ese aprendizaje supone juzgar. Ya antes, sin embargo, se ha dicho suficiente sobre la valoración en la historia para poder dar respuesta a este argumento.

En relación con el segundo argumento, nos gustaría responder que la división entre objetos de estudio continuos y discontinuos no parece ser tan fundamental como para merecer una distinción radical entre la historia y la historia de la filosofía. Puede ilustrarse la diferencia como sigue. Supongamos que tenemos una imagen de diferentes guijarros coloreados, dispersos sobre una superficie blanca. Los historiadores especiales serían como aquellos observadores que concentran su atención en, por ejemplo, los guijarros azules y los patrones que éstos forman. Es posible que algunos de estos guijarros azules estén cerca de otros guijarros azules, pero es posible que otros no. Sin embargo, el historiador del guijarro azul los consideraría todos, independientemente de si están próximos o no, para buscar los patrones que pueden formar. Los historiadores generales, por el contrario, serían como los observadores que consideran todos los guijarros, y no sólo los azules, para buscar patrones generales. Pero por hacer tal cosa, los historiadores generales no están rechazando los guijarros azules. De hecho, es fundamental para su tarea tenerlos en cuenta y utilizar las conclusiones del historiador del guijarro azul en la descripción global de los guijarros. No tiene sentido, por tanto, separar al historiador general del historiador especial por el hecho de que uno atienda sólo a ciertos tipos de acontecimientos, sean continuos o discontinuos, mientras que el otro atiende a todos los acontecimientos, que, por esa misma razón, son continuos.

La respuesta al tercer argumento consiste en afirmar que es un error suponer que la tarea del historiador consiste en dar cuenta del cambio, mientras que la de los historiadores especiales consiste en mostrar el desarrollo. De hecho, ningún buen historiador sostendrá tal cosa. Es verdad que los historiadores especiales buscan un desarrollo, una dirección, un fin. Pero no intentan imponerlo sobre su objeto, y, a menudo, nos hablan de regresión, antes que de progresión. En ese sentido, no son diferentes del historiador general, puesto que éste también considera el desarrollo cuando ocurre. La misma noción de dar cuenta de un cambio, de sus causas y consecuencias, implica juicios concernientes a las direcciones y los fines, ¿o es que no le está permitido al historiador general afirmar que después del inmenso desarrollo en el Imperio Romano, por ejemplo, siguió, en la Alta Edad Media, un periodo de estancamiento y regresión económicos y culturales?

Voy a concluir señalando que me parece absurda toda la idea de que la historia general es algo completamente diferente de las historias especiales y que esas historias no forman parte, en cierta medida, de ella: si la historia es una relación del pasado, y las historias especiales son relaciones de algunos aspectos del pasado, deben ser parte de la historia general. No se trata de que la historia general pueda reducirse a las historias especiales. La tarea del historiador general consiste en integrar, en una relación general, las relaciones parciales que ofrecen las historias especiales y, por tanto, la relación global contendrá mucho más que lo que contenían aquellas relaciones parciales. Pero aquello que contiene de más no surge del hecho de poseer un campo especial u objeto de estudio que no haya cubierto ningún historiador especial. Los elementos que añade a las historias especiales constituyen el adhesivo intelectual integrador que los vincula en una representación general, esclarecedora del pasado.

Tampoco importa que el historiador especial necesite aplicar y emplear ciertos métodos idiosincrásicos, no aplicables a otras historias de acontecimientos, sino sólo a su clase especial de historia. La razón es que esos métodos serían, de hecho, parte de una metodología general, empleada por el historiador general, excepto que, como se ha afirmado, atañerían sólo a aquella rama de la metodología que se ocupa del objeto de estudio del historiador especial.

V. LA HISTORIA DE LAS IDEAS, LA HISTORIA DE LA CULTURA, LA HISTORIA DE LA CIENCIA Y LOS GÉNEROS DE LA HISTORIA DE LA FILOSOFÍA

Una vez que se han establecido algunas de las características fundamentales de la historia de la filosofía, y antes de que establezcamos su relación con la filosofía en el capítulo II, conviene que nos detengamos, por lo menos brevemente, para distinguir entre la historia de la filosofía y otras empresas relacionadas estrechamente con ella y, a menudo, confundidas, incluso, con ella. Entre estas empresas, las que se discuten con mayor frecuencia son la historia de las ideas, la historia de la cultura y la historia de la ciencia.

Que existen distinciones claras entre la historia de la filosofía y la historia de la ciencia debería ser bastante obvio, en la medida en que estemos dispuestos a aceptar una distinción entre las ideas filosóficas y las científicas. La noción de flogisto, empleada en el pasado para explicar diversos fenómenos físicos, es claramente científica, y pertenece a la historia de la ciencia; pero no pertenece, necesariamente, a una historia de la filosofía.[55] Por supuesto, es posible que exista una verdad filosófica que podría aprenderse de la teoría del flogisto y de cómo ésta se desarrolló, por ejemplo; pero, en tal caso, una relación filosófica debería, más bien, mencionar dicha teoría del flogisto, pero no utilizarla. Podríamos decir, por ejemplo, que la teoría del flogisto le llevó a tal o cual filósofo a concluir esto o aquello acerca de la naturaleza última de la realidad; pero, para ofrecer una relación de las ideas filosóficas de un periodo o de un autor, no basta con hacer referencias, solamente, a los factores no filosóficos que, posiblemente, influenciaron en esas ideas y sobre aquel autor.

Con respecto a la historia de las ideas, este caso se parece, aunque no tanto, al de la historia de la ciencia, pues lo que tenemos aquí es que la historia de las ideas filosóficas es una parte de la historia global de las ideas, ya que las ideas filosóficas son, meramente, una clase de ideas. Y algo semejante ocurre en el caso de la historia de la cultura. La historia de la cultura no sólo incluye la historia de las ideas, sino también la historia de todos los productos de la empresa humana, incluyendo la ciencia, la tecnología, el arte y, por supuesto, la filosofía. Las ideas filosóficas son sólo una pequeña parte de la cultura.

[55] El flogisto era una sustancia misteriosa, utilizada por los físicos y los filósofos modernos para explicar la presencia del calor.

Esto no quiere decir, por supuesto, que no existan diferencias entre la metodología que se emplea para desarrollar, por un lado, una historia general de las ideas o una historia de la cultura, y una historia de las ideas filosóficas, por el otro. Como veremos en el capítulo V, la historia de la filosofía entraña determinados procedimientos metodológicos que son peculiares. Pero tales diferencias metodológicas no excluyen que se incorporen a la historia de las ideas o a la historia de la cultura las conclusiones a las que ha llegado la historia de la filosofía.

Ahora bien, a menudo surgen preguntas en relación con la tarea del historiador de la filosofía. Han surgido dudas con respecto a la pregunta de qué es, exactamente, lo que se supone que hace el historiador de la filosofía. Todos sabemos que no es lo mismo escribir novelas históricas, incluso buenas, que hacer historia de la filosofía. Pero, ¿qué ocurre respecto a escribir biografías intelectuales de autores filosóficos, editar textos filosóficos, producir traducciones de obras filosóficas, y determinar la autoría de materiales filosóficos controvertidos? ¿Son éstas tareas legítimas del historiador de la filosofía?

Me parece que no puede negarse que la mayor parte de estas tareas requieren un conocimiento, no sólo superficial, sino en realidad profundo, de la filosofía. De hecho, cualquiera que haya editado textos filosóficos del griego y del latín, por ejemplo, sabe cuánto conocimiento del pensamiento del autor del texto se requiere para llevar a cabo la tarea. Y lo mismo podría decirse en relación con las traducciones y la determinación de la autoría. Incluso la producción de biografías intelectuales de filósofos necesita de un conocimiento de la filosofía y de un discernimiento filosófico, puesto que la biografía intelectual de un filósofo debe incluir, necesariamente, la discusión de las ideas filosóficas de la figura en cuestión.

No se trata, simplemente, de que estas tareas requieran un conocimiento de la filosofía; se trata, más bien, de que estas tareas constituyen prerrequisitos esenciales de la tarea de dar cuenta de las ideas filosóficas del pasado, que es, después de todo, la tarea del historiador de la filosofía. De hecho, no son prerrequisitos en el sentido de que precedan, temporal e incluso lógicamente, el trabajo del historiador de la filosofía. Ellas son, más bien, una parte y una parcela del trabajo de dicho historiador. No se trata, por supuesto, de que cualquier historiador de la filosofía tenga que ser un editor, un traductor o un biógrafo, por supuesto. Lo que quiero decir es que la producción de buenas traducciones, biografías y ediciones constituye una parte esencial de la historia de la filosofía.

Aquellos filósofos que descartan fácilmente a los historiadores que trabajan, principalmente, en la producción de ediciones y traducciones, calificándolos de "meros glosadores",* están haciendo alarde, simplemente, de su desconocimiento de la naturaleza de la historia de la filosofía y de lo que implica llevarla a cabo. La tarea de los editores y de los traductores de textos filosóficos, así como la de los biógrafos, es un componente importante de la historia de la filosofía. Eso no quiere decir que la tarea de los historiadores de la filosofía haya de limitarse a la edición y traducción de textos y a la producción de biografías, como parece que piensan algunos historiadores: la tarea del historiador debería ir más allá de esto y producir estudios que nos ayuden a esclarecer las ideas filosóficas del pasado y sus interrelaciones. Lo que esto significa, más bien, es que la tarea de los editores, traductores y biógrafos que se ocupan de textos y autores filosóficos, ha de incluirse como una parte y una parcela de la tarea de la que es responsable el historiador de la filosofía.

Esto me lleva a una cuestión que se ha discutido raras veces, si es que alguna vez se ha discutido en la historiografía de la filosofía: la de los géneros de la historia de la filosofía. Como acabamos de decir, parece adecuado incluir, como parte de la tarea del historiador de la filosofía, la producción de ediciones críticas y de traducciones de textos filosóficos. Las ediciones críticas son particularmente importantes cuando la obra en cuestión se conserva sólo en diversas versiones manuscritas que presentan diferencias entre sí. El historiador ha de producir un texto que se aproxime, todo lo posible, al autógrafo original producido por el autor (o el secretario) en cuestión. También son importantes dichas ediciones en situaciones en las que el original está disponible en manuscritos en

---

* [N. del t. En inglés, *textmen*, un término peyorativo que no posee un correlato exacto en español. Literalmente, significa "hombres de textos".]

los que es corriente el empleo de abreviaturas peculiares y en donde es el lector el que debe suplir el significado de esas abreviaturas. Por ejemplo, las obras de la mayor parte de los autores medievales sobreviven en manuscritos que muestran variantes importantes, y las palabras de los manuscritos están, a menudo, abreviadas con el fin de ahorrar espacio (el pergamino era muy caro en aquella época, y era el único material, disponible, con cierta facilidad, que poseían los medievales para escribir). La tarea del historiador de la filosofía que intenta ofrecer una relación de las ideas del autor de un texto medieval, entonces, debe comenzar por ofrecer una lectura precisa de esas abreviaturas y una versión del texto que sea lo más cercana posible a la primera, que produjo el autor.[56] Todo esto, por supuesto, implica un conocimiento cabal del idioma en el que se escribió el texto; del sistema de abreviaturas empleado por los escribanos; del contexto filosófico y cultural de la época; y, lo más importante de todo, de las ideas y del estilo del autor en cuestión.

El trabajo del traductor comienza en donde termina el trabajo del editor. Los traductores no tienen que producir un texto. Su trabajo es cambiar el texto de una lengua a otra. Como tal, su tarea requiere de todo el conocimiento que necesita el editor, salvo del conocimiento paleográfico que le permite a éste leer diversas escrituras y descifrar las abreviaturas. Es más, ellos tienen la responsabilidad adicional de presentar las ideas expresadas por el texto en un nuevo ropaje lingüístico sin cambiarlas. Esta tarea es muy difícil, pues supone la comunicación transcultural, algo que no se le exige al editor, quien trabaja, por decirlo así, dentro del dominio cultural del autor que produjo el texto en primer lugar. Pero el traductor debe salvar el abismo entre dos lenguas, y, al mismo tiempo, mantener la integridad de las ideas que va a transferir de una lengua y una cultura a otra. Ésta es la razón por la que las buenas traducciones vienen acompañadas de abundantes comentarios, ya sea bajo la forma de anotaciones introductorias, o de notas al texto. Este aparato crítico es necesario para explicar los diferentes

---

[56] Eso, por supuesto, no asegura que el historiador esté, de hecho, reconstruyendo el texto que el autor intentó escribir, sino solamente aquel que el autor efectivamente escribió. Voy a volver a la relación del texto con el autor y al *status* del llamado texto intentado en el capítulo IV.

matices de pensamiento, los giros que presentan dificultad, los pasajes oscuros, etcétera.

Son diversos los tipos de biógrafos con los que nos encontramos. La mayor parte de los biógrafos, incluso aquellos que escriben sobre filósofos, se interesa principalmente por los acontecimientos no filosóficos de la vida de un autor. Hoy día, lo que parece más importante para ellos son las idiosincrasias sexuales. Pero, por supuesto, no todos los biógrafos se interesan por esta cuestión. Los biógrafos de santos, por ejemplo, se concentran normalmente en el carácter moral y en las buenas acciones de las personas sobre las que escriben. Ahora bien, las biografías que no se ocupan principalmente de las ideas filosóficas no pueden considerarse parte de la historia de la filosofía, aun cuando puedan proporcionar una información valiosa para la biografía filosófica de un autor. El propósito de una biografía filosófica debe consistir en dar cuenta de los acontecimientos de la vida de un autor y su relación con sus ideas filosóficas. Como tal, debe contener una referencia detallada de dichas ideas, incluyendo las posiciones principales que sostuvo el autor y las razones por las que lo hizo. De este modo, una biografía filosófica incluye una exposición de las opiniones de la figura histórica en cuestión, y por tal razón, de su contenido y su carácter filosóficos.

Los géneros que se han discutido hasta ahora son considerados por los historiadores de la filosofía como menos filosóficos que otros y, como ya se ha dicho, algunos llegan al punto de negar que se trate de géneros legítimos de la historia de la filosofía. La razón, por supuesto, estriba en que se considera que el propósito principal de esos géneros es diferente del propósito que, se supone, tenga el historiador de la filosofía: la intención del historiador de la filosofía es la comprensión de las ideas filosóficas del pasado, pero la intención del editor es la producción de un texto; la del traductor, una traducción; y la del biógrafo, la descripción de una vida y sus acontecimientos. No parece, por tanto, que ninguna de estas intenciones sea la misma que la del historiador de la filosofía.

Lo que pasa por alto esta objeción es que el interés del historiador de la filosofía no es sólo la comprensión, sino también la producción de una relación que facilite la comprensión. Siendo éste el caso, tenemos, entonces, que todo lo que lleve a la producción de la relación que ayude a comprender la filosofía del pasado forma parte de la historia de la filosofía, y sería muy difícil intentar excluir de ese proceso la preparación de ediciones, las traducciones y las biografías. Sin embargo, como ya se ha observado, esto no quiere decir que la tarea del historiador de la filosofía sea menos filosófica. Esa tarea consiste en ofrecer una relación de las ideas filosóficas del pasado, y esa relación, si ha de formar parte de la historia de la filosofía, debe ser filosófica. Voy a volver sobre este punto en el capítulo V, cuando tratemos los diversos enfoques metodológicos que pueden adoptarse para hacer historia de la filosofía.

Existen otros géneros de la historia de la filosofía que poseen mayor aceptación y que varían de acuerdo con el grado de generalidad y comprensión que persiguen. Los primeros y más generales de todos son los que podrían llamarse *historias generales*. Éstas describen el desarrollo histórico de las ideas y de las cuestiones filosóficas a lo largo de diversos autores, escuelas y épocas. Su propósito es lograr que se comprendan los cambios filosóficos en un contexto histórico más amplio. En este género se incluyen, tanto las historias generales de la filosofía, como las historias más específicas de un periodo o país. Debido a la extensión de los materiales que se cubren, este género no puede ofrecer el tipo de detalles y análisis que pueden ofrecer otros tipos de estudios más restringidos.

Un segundo género podría denominarse *estudios comprehensivos*. Estos estudios cubren también periodos, y se extienden a grandes intervalos de tiempo, pero se concentran en un problema o cuestión particular. Así, pueden describir el desarrollo del problema de los universales desde Boecio, por ejemplo, hasta Tomás de Aquino, o pueden comparar las opiniones sobre ese tema en el siglo XII, concentrándose unas veces en una determinada escuela de pensamiento, y otras, en un siglo o en una región. En todos los casos, sin embargo, el interés es ofrecer una relación comprehensiva.

Existe un tercer género que se utiliza, también, con frecuencia. Se ocupa de la exposición de toda la filosofía de un autor.

Estos estudios también pueden hacer referencia a las opiniones de los contemporáneos del autor en cuestión, e incluso de los predecesores y sucesores. La diferencia entre estos estudios y los "comprehensivos" consiste en que su principal propósito es la exposición y comprensión de las opiniones de un autor, aunque, para hacer tal cosa, tengan que referirse a las ideas de otros autores y al punto de vista aceptado durante una época o en una sociedad o lugar determinados. El centro de atención de estos estudios es la filosofía de una sola persona. Los estudios comprehensivos, por el contrario, intentan ofrecer, más bien, una comprensión de la filosofía de un periodo, de una época, de una escuela, etc., antes que de las opiniones de una sola persona.

El cuarto género es todavía más restringido que el anterior. Busca examinar con detalle la posición de un autor con relación, únicamente, a un tema o idea. Su énfasis, entonces, tiende a ser más analítico y detallado. Esto no quiere decir, una vez más, que no se haga referencia a otros autores o doctrinas, pero el foco de atención es siempre el problema o idea en cuestión y el autor bajo consideración.

Voy a regresar, brevemente, a estos géneros en el capítulo V, y voy a mostrar cuáles son los enfoques metodológicos que mejor se adaptan a ellos. Ahora toca volver nuestra atención a la relación entre la filosofía y su historia, que va a ser examinada en el próximo capítulo.

II

LA FILOSOFÍA Y SU HISTORIA

Una vez discutida, en el capítulo anterior, la naturaleza de la historia, de la filosofía y de la historia de la filosofía, voy a centrarme ahora en el tema, bastante discutido, de la relación existente entre la filosofía y su historia. Cualquier intento serio por comprender en qué puede contribuir la historia de la filosofía a la filosofía debe comenzar por una comprensión de su relación, como señala abiertamente el creciente número de estudios sobre el tema. Divido la discusión en tres partes: la primera examina cómo se percibe actualmente el tema en cuestión; la segunda presenta una propuesta para la comprensión de la relación que guarda la filosofía con su historia; y la tercera muestra las consecuencias que se derivan de no comprender adecuadamente esa relación. Defiendo tres tesis principales respecto a la relación entre la filosofía y su historia: (1) que la filosofía y el estudio de su historia no son incompatibles; (2) que el estudio de la historia de la filosofía no es necesario para la filosofía; y (3) que la filosofía es necesaria para el estudio de la historia de la filosofía.

Prima facie alguien podría estar tentado a pensar que las tesis que defiendo son bastante obvias o triviales, cuando no ambas cosas. Después de todo, ¿acaso la misma noción de "historia de la filosofía" no entraña la noción de "filosofía"? ¿No es acaso evidente que la noción de "filosofía" no hace ninguna referencia a la historia de la filosofía? Y, por último, ¿no es el caso que tanto el filósofo como el historiador de la filosofía no han encontrado dificultad alguna, y mucho menos incompatibilidad, al mezclar ambas disciplinas en la práctica?[1] Sin embargo, como quedará claro en el curso de la discusión, las tesis que presento no son, ni mucho menos, obvias o triviales, y poseen serios y numerosos oponentes, tanto en el presente como en el pasado. Es más, los temas que comprenden se extienden hasta cuestiones importantes de metodología; cuestiones que no habría que pasar por alto en una discusión sobre la historiografía de la filosofía. Permítaseme empezar, entonces, con una discusión sobre el estado presente de la cuestión.

I. *STATUS QUAESTIONIS*

Con respecto a la relación entre la filosofía y su historia, los filósofos han adoptado dos posiciones extremas y contrarias. La primera niega que exista, o que debiera existir, cualquier relación entre ellas. La segunda sostiene que la relación entre la filosofía y su historia es necesaria: no puede existir filosofía al margen de su historia, ni historia de la filosofía al margen de la filosofía. Llamo al primer punto de vista, la *postura incompatibilista*, y al segundo, la *postura historicista*. Son muchos los representantes de ambas posturas, no sólo en la historia de la filosofía, sino también en los círculos filosóficos actuales.

A. *La postura incompatibilista*

Aquellos que favorecen esta perspectiva comienzan, a menudo, señalando que todo cuanto hace, o logra, el filósofo es irrelevante para lo que hace, o logra, el historiador de la filosofía, y

---

[1] De hecho, como ha señalado alguno de mis críticos: "El resultado final de las intrincadas instrucciones del profesor Gracia sobre este punto [esto es: hacer filosofía históricamente] —al que ha llegado después de no poco apoyo argumentativo y documental— parece que no es otra cosa que la trivialidad de que para hacer filosofía históricamente, no se puede, por supuesto, evitar completamente hacer algo de *historia* de la filosofía; y, de igual modo y al mismo tiempo, en la medida en que hay algo que se está haciendo de historia de la *filosofía*, no puede evitarse completamente hacer también algo de filosofía", Henry B. Veatch, "Response to Commentators", en Hare (ed.), *Doing Philosophy Historically*, p. 127.

viceversa.[2] Ellos se preguntan, por ejemplo: ¿Qué tiene que ver el pensamiento de Tales acerca de la materia básica del mundo con las cuestiones actuales de la filosofía? De hecho, por utilizar una analogía, advierten cómo, por ejemplo, hoy en día ningún astrónomo serio presta atención alguna a lo que Tolomeo pensó sobre los cielos: si tal es el caso, ¿por qué debería prestar atención un filósofo contemporáneo a Tales o a Aristóteles? De acuerdo con este punto de vista, no hay nada relevante con lo que la historia de la filosofía pueda contribuir a la filosofía. (Voy a volver sobre estos tipos de argumentos en el capítulo III.) Y por lo que se refiere a la contribución de la filosofía a su historia, podría decirse algo semejante, pues, prosigue el argumento, ¿cómo podrían los conceptos y las ideas desarrollados contemporáneamente ayudar a una comprensión adecuada de los conceptos y las ideas desarrolladas en una época y en un contexto diferentes? Los historiadores de la filosofía, por tanto, no tienen necesidad alguna de la filosofía como tal, al igual que los filósofos no tienen necesidad alguna de la historia de la filosofía.

Con todo, algunos consideran insuficiente esta conclusión, y van más allá de la acusación de irrelevancia, hasta acabar diciendo que lo que el filósofo hace o logra, no sólo es irrelevante, sino realmente perjudicial y claramente incompatible con respecto a lo que hacen o logran los historiadores de la filosofía, y viceversa. La filosofía, como la astronomía y las otras ciencias, se ocupa de la investigación de la naturaleza última del universo y sus componentes, y, por tanto, trata del valor de verdad de las afirmaciones sobre dicha naturaleza. Pero la historia de la filosofía se ocupa, más bien, de lo que los filósofos del pasado han pensado sobre la naturaleza última del universo y sus componentes *al margen de* si lo que pensaron es verdadero o falso. Las proposiciones de cuyo valor de verdad se ocupan los histo-

---

[2] Wittgenstein afirma en los *Notebooks 1914-1916*, trad. G.E.M. Anscombe, G.H. von Wright y G.E.M. Anscombe (eds.), Basil Blackwell, Oxford, 1961, p. 82e: "¿Qué tiene que ver la historia conmigo? ¡Mi mundo es el primero y el único! Quiero dar cuenta de cómo *yo* he encontrado el mundo. Lo que otros en el mundo me han dicho sobre el mundo es una parte muy pequeña e incidental de mi experiencia del mundo. *Yo* tengo que juzgar el mundo, medir las cosas."

riadores de la filosofía son proposiciones que describen lo que los filósofos del pasado pensaron. Así, mientras los filósofos se ocupan del valor de verdad de proposiciones del tipo "X es Y", los historiadores de la filosofía se ocupan del valor de verdad de proposiciones del tipo "X afirmó que P". Estos dos tipos de proposiciones muestran, claramente, que el propósito de los filósofos y el de los historiadores de la filosofía están reñidos y no pueden reconciliarse. El empleo de la historia en la filosofía no conduce sino a la confusión que resulta de la búsqueda simultánea de dos objetivos distintos y que confligen, los cuales exigen procedimientos diferentes que, además, interfieren entre sí.[3] De igual modo, la aplicación de conceptos filosóficos a la historia de la filosofía interfiere con la exactitud histórica, distorsionando la historia al presentarla bajo una luz ajena a la misma, lo cual conduce al anacronismo.

Esta posición, en la forma extrema en la que la he descrito, no está tan extendida hoy en día como lo estuvo en su momento. Por lo general, aquellos que la apoyan se dividen en dos campos. El primero argumenta sobre la incompatibilidad de la filosofía y la historia de la filosofía desde un punto de vista filosófico. Los argumentos que estos autores ofrecen se basan en una idea de la filosofía y de la historia que hace que éstas entren en conflicto. Se interpreta la filosofía como una disciplina científica, universal en su intento y extensión, aislada de las circunstancias espacio-temporales y culturales en las que tiene lugar. Su propósito, como ya se ha observado, es descubrir una verdad que pueda aplicarse de modo universal. Por consiguiente, el filósofo, al igual que el científico, debe concentrarse en el presente. La historia de la filosofía, por el contrario, se ocupa del pasado y de sus indiosincrasias individuales. Por tanto, la historia de la filosofía, con sus teorías, opiniones y distorsiones, se considera un obstáculo para la claridad y la comprensión. Las perspectivas y opiniones pasadas interfieren con una mirada nueva a los hechos y al descubrimiento de la verdad. La filosofía debe comenzar desde el principio, como unas tablillas

---

[3] *Cfr.* Paul G. Kuntz, "The Dialectic of Historicism and Anti-Historicism", *Monist*, vol. 53, no. 4, 1969, p. 658.

en blanco, desembarazada de las equivocaciones y los errores del pasado, y libre de presupuestos.

Este tipo de posición siempre ha prevalecido entre aquellos a quienes he llamado *positivistas* en la Introducción, es decir: aquellos filósofos que quieren hacer de la filosofía una ciencia según el modelo de lo que hoy llamamos las ciencias naturales. En nuestro propio siglo, los positivistas lógicos son ejemplos de primer orden de esta posición.[4] No se trata de que siempre eviten la discusión de opiniones del pasado. De hecho, ellos piensan que el estudio del pasado filosófico es útil a veces, e incluso con frecuencia, pues ilustra muy bien los errores que los filósofos pueden cometer.[5] Pero éste es el único uso que puede tener la historia de la filosofía, pues filosofar no comienza o procede con la ayuda positiva de la historia de la filosofía. Esta actitud, sin embargo, no se restringe a nuestro siglo o a los positivistas: su influencia se extiende, incluso, a algunos autores que he clasificado como parte de la corriente filosófica principal prekantiana. Un caso particular es Descartes, que de ninguna manera sostiene que la historia de la filosofía es incompatible con la filosofía, pero que, sin embargo, parece que la considera, en la mayoría de los casos, como una pérdida de tiempo y, a veces, como un obstáculo para el progreso filosófico:

El plan [de un autor] de coleccionar en un único libro todo lo que es útil de cada uno de los otros libros sería muy bueno si pudiera llevarse a cabo, pero creo que no. *A menudo es difícil juzgar con precisión lo que otros han escrito y extraer lo bueno sin tomar también lo malo.* Es más, las verdades particulares que se encuentran esparcidas en los libros están tan separadas y son tan independientes de las otras, que creo que se necesitaría más talento y energía para agruparlas en una colección bien proporcionada y ordenada [...] que levantar tal colección a partir de los descubrimientos de

4 Esta opinión se atribuye con frecuencia a los analíticos en general, no a los positivistas lógicos. Véase Peter H. Hare, Introducción a *Doing Philosophy Historically*.
5 Esta consideración la encontramos también fuera del ámbito de los positivistas lógicos. *Cfr.* Jonathan Bennett, "Response to Garber and Rée", p. 62.

uno mismo. No trato de decir que deberíamos rechazar los descubrimientos de la otra gente cuando nos encontremos con que son útiles. Pero no creo que debiéramos pasar la mayor parte de nuestro tiempo coleccionándolos. *Si un hombre fuera capaz de encontrar el fundamento de las ciencias, sería erróneo de su parte malgastar su vida encontrando migajas de conocimiento escondidas en las esquinas de las bibliotecas; y si él no era* [sic] *bueno para otra cosa sino para ésa, no sería capaz de escoger y ordenar lo que encontró.*[6]

Es obvio que Descartes no tiene en buena estima el estudio del pasado filosófico en tanto que medio para ayudar al presente filosófico. La historia es un saco en el que está mezclado lo bueno y lo malo. Aquellos que no saben discernir entre lo bueno y lo malo que hay en ella no deberían exponerse a la misma, y aquellos que lo saben, no la necesitan. Siendo así, dejemos que los muertos entierren a los muertos, podríamos decir, y volvamos al presente, pues en esto consiste el negocio de la filosofía, de acuerdo con Descartes: mirar dentro y comenzar sin ninguno de los presupuestos que su pasado ha impuesto sobre él.

El segundo grupo de autores que apoyan la posición incompatibilista argumenta desde el lado de la historia, antes que desde el de la filosofía. Rechaza, de igual forma, la idea de que tanto la filosofía como su historia se dediquen, a la vez y conjuntamente, a la búsqueda de un mismo objetivo. Curiosamente, sus argumentos se basan en concepciones de la filosofía y su historia semejantes a los adoptados por los filósofos, pero sus preocupaciones descansan, más bien, en el efecto pernicioso de la filosofía sobre la historia de la filosofía, y no al contrario.[7] Afirma, por ejemplo, que los intentos de ambas disciplinas son incompatibles y que mezclarlos destruye la historia. El interés de la historia consiste, fundamentalmente, en presentar una descripción exacta de lo que ocurrió en el pasado; mientras que el interés de la filosofía es descubrir verdades sobre el universo. Su modo de concebir la filosofía es, principalmente, interpretativo y valorativo: descubrir y comprender la verdad, es decir,

[6] René Descartes, Carta de 1638, en *Descartes: Philosophical Letters*, Anthony Kenny (trad. y ed.), Clarendon Press, Oxford, 1970, pp. 59–60.

[7] Véanse los trabajos de Garber y Lafrance a los que nos hemos referido en el capítulo I.

formular y juzgar la verdad de los enunciados sobre el mundo. Su modo de concebir la historia es descriptivo: la relación desinteresada del pasado.

En conclusión, aquellos que sostienen la incompatibilidad de la filosofía y de la historia de la filosofía, sean filósofos o historiadores, fundamentan, por lo general, sus opiniones sobre la noción, contraria a lo que he argumentado en el capítulo I, de que la historia es una búsqueda esencialmente desinteresada, mientras que la filosofía no lo es. Para ellos, ninguna historia, incluida la historia de la filosofía, puede ir más allá de una descripción no valorativa ni interpretativa del pasado. Por otro lado, interpretar y valorar pertenecen a la esencia de la filosofía: por esta razón, es imposible practicar, a la vez y conjuntamente, ambas disciplinas.

B. *La postura historicista*[8]

Al igual que existen quienes rechazan cualquier relación entre la filosofía y su historia, existen también aquellos que consideran que tal relación es indispensable para que tanto la empresa de la una como de la otra logren sus resultados.[9] Señalan que el estudio de la filosofía está, de hecho, y así debe estarlo siempre, centrado en su pasado, puesto que, desde el momento en el que se formula o se defiende una opinión, su formulación o defensa forman ya parte de la historia. Ni hay, ni puede haber, escisión alguna real entre la filosofía y su historia: su presunta

[8] El historicismo es un fenómeno complicado que, a menudo, presenta afirmaciones confusas y conflictivas. No debe confundirse la postura que describo aquí con cualquier opinión de un autor en concreto, aunque, tal como se presenta, tiene mucho en común con muchos autores cuyos puntos de vista se describen, usualmente, como historicistas. Para una discusión sobre los orígenes del historicismo, véase Georg G. Iggers, *The German Conception of History: The National Tradition of Historical Thought from Herder to the Present*, ed. rev., Wesleyan University Press, Middletown, Connecticut, 1983, en especial la Introducción. Sobre el impacto del historicismo en el pensamiento filosófico contemporáneo, véase Robert D'Amico, *Historicism and Knowledge*, Routledge, Nueva York y Londres, 1989.

[9] Véase, por ejemplo, Jonathan Rée, "Philosophy and the History of Philosophy", p. 30, y Michael Ayers, "Analytical Philosophy and the History of Philosophy", pp. 48–49 y 63.

separación es artificial, creada por aquellos que desean separar la historia reciente de la filosofía de su pasado más distante. Toda filosofía, desde el momento en que hace su aparición, es historia de la filosofía.

Aunque las versiones de este argumento se presentan ocasionalmente en las discusiones sobre el tema que aquí nos concierne, aquellos que desean probar que los filósofos no pueden hacer filosofía independientemente de su historia rara vez le dan demasiada importancia al argumento. Pues el argumento no justifica el estudio de toda la historia de la filosofía ni, incluso, de la mayor parte de ella. De hecho, lo que el argumento mostraría, si fuese válido y basado en premisas verdaderas, es que no puede considerarse incompatible el hecho de hacer filosofía con el hecho de hacer historia de la filosofía; pero, ciertamente, no probaría que, para hacer filosofía, se deba estudiar, necesariamente, la más reciente historia de la filosofía. Sin embargo, la mayor parte de los historicistas desean apoyar la opinión de que no es sólo la historia reciente de la filosofía lo que es necesario, sino toda la historia, incluida, quizás de un modo particular, la historia remota de la filosofía. Ésta es la razón por la que han desarrollado otros argumentos en su favor.

La defensa más efectiva de la postura historicista está inspirada por Hegel, pero ha sido reformulada, de diversas formas, por sus seguidores. Una formulación más reciente dice, más o menos, lo siguiente: la filosofía consiste en la rearticulación de una visión sobre nosotros mismos y sobre el mundo; pero dicha rearticulación presupone dos cosas: primero, una comprensión de las articulaciones pasadas y, segundo, una liberación de ellas; puesto que estas dos condiciones no pueden darse sin el estudio de la historia de la filosofía, la misma actividad de filosofar depende, intrínsecamente, del estudio del pasado. Charles Taylor ha presentado, de modo elocuente, este punto de vista en un artículo reciente, en el que ofrece un sumario del argumento en cuestión con las siguientes palabras:

> Liberarse uno mismo del modelo [en el que uno opera] no puede hacerse, simplemente, con mostrar una alternativa. Lo que necesitamos hacer es superar la presunción de que sólo existe una

única manera de concebir la imagen que se ha fijado firmemente. Pero, para hacer esto, tenemos que adoptar una nueva postura en relación con nuestras prácticas. En lugar de vivir en ellas y considerar que su interpretación implícita de las cosas no es sino el modo como las cosas mismas son, debemos comprender cómo éstas han llegado a ser lo que son, cómo han llegado a fijar cierta visión de las cosas [...] Pero esto requiere una relación genética; una relación que, además, revele las formulaciones a través de las cuales tuvo lugar la fijación en nuestras prácticas. Liberarnos de la presunción de unicidad requiere desvelar los orígenes. Ésta es la razón por la que la filosofía es, ineludiblemente, histórica.[10]

La filosofía no puede escapar de su historia porque, con el fin de rediseñar el modo como mira al mundo, debe distanciarse primero de los diseños previos, y ese distanciamiento requiere la comprensión de los mismos. Esta opinión, entonces, no aboga por un enfoque erudito o histórico de la filosofía. Entiende que el propósito de la filosofía consiste en ir más allá y producir algo nuevo, pero ese mismo proceso, argumenta, supone la comprensión y, por tanto, el estudio del pasado.[11]

Bajo esta posición subyace la convicción de que ni la filosofía ni su historia han de hacerse desinteresadamente. La filosofía, por supuesto, está interesada en la verdad y, por tanto, en la valoración; pero también ocurre esto con la historia de la filosofía. No bastaría con afirmar que la historia de la filosofía es sólo un paso propedéutico, aunque necesario, en la empresa

[10] Charles Taylor, "Philosophy and Its History", en Rorty *et al.* (eds.), *Philosophy in History*, p. 21.

[11] Para otras formulaciones y defensas recientes de este punto de vista, véase Louis Dupré, "Is the History of Philosophy Philosophy?", *Review of Metaphysics*, vol. 42, no. 3, 1989, pp. 463–482, y Lesley Cohen, "Doing Philosophy Is Doing Its History", *Synthese*, vol. 67, no. 1, 1986, pp. 51–55. La tesis de Cohen es que "la filosofía es esencialmente histórica porque no puede olvidar (o no se le debería permitir que olvide) el verdadero *desarrollo* histórico (es decir, temporal) de las cuestiones que nos conciernen", en cuanto que "no conocer la historia de la filosofía es no comprender *por qué* las preguntas que hemos intentado responder merecen la pena que se respondan —o que se planteen—" (p. 53). Desde un punto de vista algo diferente, Étienne Gilson afirma que la historia de la filosofía es una introducción necesaria a la filosofía, sin la cual nunca se ha hecho contribución valiosa alguna a la disciplina. Véase "Introduction to *A History of Philosophy*", en Armand A. Maurer, *Medieval Philosophy*, Random House, Nueva York, 1962, pp. vii y viii.

filosófica, pues afirmar tal cosa implicaría que la filosofía y la historia de la filosofía no son idénticas, como dirían Taylor y Hegel, sino solamente que la historia de la filosofía es una parte de la filosofía. Para apoyar la tesis de la identidad se requiere mucho más que eso, y a este respecto, el argumento de Taylor, aunque se considerara válido y basado en la verdad, sería insuficiente. Para establecer la identidad, éste tendría que demostrar que la filosofía no supone más actividad y no alcanza más conclusiones que la actividad y las conclusiones del historiador de la filosofía.

Por supuesto, existen aquellos que estarían dispuestos a argumentar que la filosofía y su historia son idénticas de la forma precisa que acaba de señalarse. Para ellos, la filosofía está atrapada en su historia, y la liberación de la que habla Taylor, y que está implícita en la opinión de Hegel de que el Absoluto se hace consciente de sí mismo, no es posible. El modo de defender su postura consiste en argumentar que nuestros conceptos e ideas, y el mismo lenguaje en el que los expresamos, se encuentran atados a la historia por su misma génesis y desarrollo, y que, por tanto, no nos es posible ir más allá de ellos. No es posible liberación alguna, puesto que los conceptos que se emplean para producir tal liberación serían el resultado del proceso histórico. No podemos salir de la historia, al igual que no podemos salir del lenguaje, como dirían los wittgensteinianos. La supuesta liberación no produce nada nuevo.

Éste no es, empero, el argumento de Taylor. Como ya se ha afirmado, su argumento no muestra que la filosofía y la historia de la filosofía sean una y la misma. Si fuera válido y basado en la verdad, el argumento mostraría tan sólo que la filosofía depende, necesariamente, de su historia y, por tanto, que el estudio de la historia de la filosofía es necesario para la filosofía.

Espero que se hayan aclarado tres puntos a partir de esta presentación breve y, como es obvio, demasiado simplificada del problema que plantea la relación entre la filosofía y su historia. El primero es que parecen existir dos posturas bastante incompatibles y extremas respecto a esta relación. La una rechaza cualquier relación; y la otra hace necesaria la relación. Por tanto, no existe un punto intermedio en el que las dos se reúnan y transijan.

El segundo punto es que la cuestión puede presentarse desde dos perspectivas diferentes. Por un lado, puede plantearse como el problema de si, y hasta qué punto, la historia de la filosofía puede contribuir a, o integrarse en, la filosofía. Por otro lado, puede presentarse como el problema de si, y hasta qué punto, la filosofía puede contribuir a, o integrarse en, su historia. La primera perspectiva, de hecho, es la que se refleja en el título de la conferencia reciente a la que me he referido en el Prólogo: "Haciendo filosofía históricamente." El problema que surge, desde esta perspectiva, concierne, primariamente, a los filósofos, pues es de la naturaleza de la filosofía de lo que se trata. Pero el mismo problema puede presentarse también desde una perspectiva diferente, aunque se confunde a menudo con la primera, y se discute con frecuencia en el mismo contexto. De lo que se trata ahora es de considerar hasta qué punto, alterando el título de la conferencia, puede hacerse la historia de la filosofía filosóficamente. Planteado de esta manera, el problema concierne primariamente al historiador de la filosofía, pues lo que está en cuestión es la naturaleza de esa historia.

En tercer y último lugar, también debería quedar claro que la solución a esta cuestión depende, en gran medida, de lo que se entienda por historia y por filosofía. Puesto que el capítulo I ya ha permitido una comprensión preliminar de los términos de la relación que se discute, podemos volver directamente a la propuesta que me gustaría plantear sobre el modo de comprender la relación entre la filosofía y su historia.

II. LA FILOSOFÍA Y SU HISTORIA

La cuestión entraña la relación entre la filosofía y su historia; y las preguntas que nos acabamos de plantear tienen que ver con lo siguiente: si la filosofía y su historia son incompatibles o se encuentran relacionadas necesariamente entre sí. Voy a comenzar primero con la cuestión de la incompatibilidad.

A. *Incompatibilidad*

Por lo que se ha dicho respecto de la filosofía y la historia de la filosofía en el capítulo I, se sigue, en primer lugar, que no existe ninguna incompatibilidad entre la filosofía y su historia: si las proposiciones de la filosofía y las de su historia son tan diferentes como hemos dicho que son, entonces no sería posible que encontremos que se contradicen y, por tanto, que sean incompatibles. Para ilustrar este punto, vamos a examinar brevemente las proposiciones no valorativas de la filosofía y de la historia de la filosofía que hemos ofrecido anteriormente como ejemplos, y vamos a integrarlas en un único conjunto:

1^{hp}. X afirmó que P (en donde, por ejemplo, P = Dios es omnipotente, omnisciente y benevolente).

1^{p}. P (en donde, por ejemplo, P = Dios es omnipotente, omnisciente y benevolente).

2^{hp}. X afirmó que Q (en donde, por ejemplo, Q = Dios no es la causa del mal).

2^{p}. Q (en donde, por ejemplo, Q = Dios no es la causa del mal).

3^{hp}. La afirmación que hace X de que P, es la razón que dio X para sostener que Q.

a^{hp}. X sostuvo que Q.

3^{p}. P, por tanto Q.

b^{hp}. X sostuvo que Q porque X sostuvo que P.

c^{hp}. X sostuvo que P porque Y sostuvo que P.

4^{hp}. M, un contemporáneo de X, afirmó que X no sostuvo que P.

d^{hp}. El que X sostuviera P condujo a que los filósofos posteriores abandonaran $\neg Q$.

e^{hp}. Lo que X quiso decir con C fue D.

5^{hp}. N, otro de los contemporáneos de X, afirmó que estaba en desacuerdo con M en relación con el punto de vista de M de que X no sostuvo que P.

6^{hp}. R, un historiador posterior de la filosofía, afirmó que M tenía razón al sostener que X no sostuvo que P.

7^{hp}. S, otro historiador posterior de la filosofía, afirmó que estaba en desacuerdo con el punto de vista de R en relación con M.

Un análisis de estas proposiciones nos muestra que no existen contradicciones en el conjunto. De hecho, si tomamos las proposiciones que se ofrecen como ejemplos de proposiciones contenidas en la historia de la filosofía, es claro que, incluso aquellas proposiciones que poseen el mismo sujeto (1^{hp}, 2^{hp}, a^{hp}, b^{hp}, c^{hp}), no se contradicen. Por supuesto, es bastante probable que haya un conjunto de proposiciones de este tipo en el que se dé contradicción. Por ejemplo, si añadiéramos al conjunto otra proposición de la historia de la filosofía, como 8^{hp} (X no afirmó que P), esa proposición contradiría la 1^{hp}. De igual forma, es fácil pensar en ejemplos (P y $\neg P$) en los que las proposiciones filosóficas se contradicen, aun cuando las proposiciones que están presentes en el conjunto precedente (1^{p}, 2^{p} y 3^{p}) no lo hagan. Lo que no es posible es tener una contradicción entre proposiciones que pertenecen a la historia de la filosofía y proposiciones que pertenecen a la filosofía, por las razones a las que aludiré enseguida.

Algo semejante puede decirse de las proposiciones valorativas. Si reunimos los ejemplos que dimos anteriormente de proposiciones valorativas de la filosofía y de la historia de la filosofía, obtendremos el siguiente conjunto:

A^{hp}. La opinión de X, de que P, es verdadera.

A^{p}. P es verdad (en donde, por ejemplo, P = Dios es omnipotente, omnisciente y benevolente).

B^{hp}. El argumento A de X es válido.

B^{p}. El argumento 3^{p} es inválido.

C^{hp}. El argumento A de X carece de fundamento.

C^{p}. P carece de prueba.

D^{hp}. X fue perspicaz al plantear la pregunta Q.

D^{p}. La doctrina 1^{p} es incoherente.

E^{hp}. X tenía razón al formular el problema N de la manera en que lo hizo.

F^{hp}. X no fue claro en la cuestión I.

G^{hp}. X es un filósofo excelente.

H^{hp}. X se contradijo.

I^{hp}. La opinión de X de que P, fue útil para el desarrollo del punto de vista de Y de que Q.

J^{hp}. M, un contemporáneo de X, se equivocó al pensar que la opinión de X, de que P, era falsa.

K^{hp}. R, un historiador posterior, que pensó que M tenía razón, se equivocó.

L^{hp}. La opinión de X acerca de S muestra que el pensamiento occidental había experimentado un progreso sustancial.

M^{hp}. La opinión de Y denota un paso hacia atrás en el desarrollo de la filosofía.

N^{hp}. R tenía razón al pensar que X sostuvo que P.

En este conjunto, como en el anterior, encontramos que no hay contradicciones, incluso en los casos en los que las proposiciones poseen el mismo sujeto (por ejemplo, B^{hp} y C^{hp}), aunque sería fácil añadir ejemplos de proposiciones, por ejemplo O^{hp} (El argumento A de X es inválido), que contradirían algunas de las proposiciones que pertenecen al conjunto (O^{hp} contradice a B^{hp}). Sin embargo, la contradicción sólo es posible en aquellos casos en los que las proposiciones pertenecen a la misma disciplina, ya sea la historia de la filosofía o la filosofía; no ocurre si se traspasan las disciplinas. La razón por la que no puede existir contradicción entre las proposiciones filosóficas y las que se encuentran en la historia de la filosofía tiene que ver, precisamente, con el carácter de dichas proposiciones. En primer lugar, existe una categoría completa de proposiciones históricas, las descriptivas, que no tiene contrapartida en la filosofía. De esta manera, no es posible encontrar proposiciones en la filosofía que contradigan las proposiciones en la historia que llamo descriptivas. Para que se dé una contradicción, las proposiciones contradictorias deben versar sobre lo mismo, y las proposiciones descriptivas y las no descriptivas (por ejemplo, 1^{hp} y C^p) no pueden hacerlo.

En segundo lugar, todas las proposiciones en la historia de la filosofía, o bien contienen una referencia explícita o implícita al tiempo, al lugar de origen y a los individuos, o bien, por lo menos, se encuentran en un contexto en el que se hallan presentes tales referencias, pues, de hecho, su función, como vimos en el capítulo I, es ofrecer una relación de ideas pasadas. Los historiadores de la filosofía, como los filósofos, interpretarán y harán juicios de valor cuando se encuentren inmersos en su tarea, y, al hacer tal cosa, discutirán problemas puramente filosóficos; pero sus juicios, a diferencia de los de los filósofos, siempre se referirán al pasado: en el momento y en la medida en que el pasado deje de ser el centro de su atención, tendrían que dejar de considerarse historiadores. Una proposición que no haga referencia, directa o indirectamente, al pasado y que no se encuentre en un contexto en el que el pasado es el interés principal, no puede, por tanto, considerarse histórica. Pero, como muestran los ejemplos de proposiciones filosóficas que se han ofrecido arriba, las proposiciones filosóficas no poseen referencia alguna al pasado. Por eso vemos una vez más que las proposiciones que pertenecen a la historia de la filosofía y las proposiciones filosóficas no pueden versar sobre lo mismo y, por tanto, no pueden tener el tipo de significado que haría posible la contradicción.

Por estas razones, por tanto, no puede existir incompatibilidad alguna entre la filosofía y su historia; sin embargo, esta conclusión no responde a la pregunta sobre la necesidad de su relación, por lo que tenemos que discutirla a continuación.

B. *Necesidad*

Hemos visto anteriormente, en este capítulo, que aquellos que están en favor de una relación necesaria entre la filosofía y su historia adoptan una actitud historicista. Mantienen que la filosofía y su historia no son significativamente diferentes, y que dedicarse a una es lo mismo que dedicarse a la otra. Pero si es correcto lo que se dijo en el capítulo I, entonces esta postura está equivocada. Con el fin de entender su error de un modo más claro, tenemos que considerar la cuestión desde el punto de vista del fin perseguido, pues el fin de la filosofía es claramente diferente del de su historia.

Formulada desde una perspectiva filosófica, la cuestión pertinente que necesita plantearse es si la historia de la filosofía es necesaria para la filosofía. Pero ya disponemos de una respuesta. En primer lugar, si la función de las proposiciones filosóficas, por un lado, de acuerdo con lo que se ha dicho anteriormente, es presentar interpretaciones del mundo a partir de la experiencia humana, describir las relaciones lógicas que se emplean para presentar tales interpretaciones y evaluar tales ideas y sus relaciones, y, por otro lado, el propósito de la historia de la filosofía es ofrecer una relación exacta de las ideas del pasado, en donde son esenciales la referencia al tiempo pasado, al lugar de origen y a los individuos, es obvio, entonces, que la filosofía no depende necesariamente de su historia. La razón estriba en que el filósofo, *qua* filósofo, no necesita referirse a la historia de la filosofía, sus actores, autores o ideas para ofrecer interpretaciones del mundo, para describir las relaciones lógicas entre las proposiciones que presentan tales interpretaciones o para evaluar las ideas y sus conexiones.

De nada vale argumentar en contra: (1) que toda filosofía es histórica desde el mismo momento en que se la formula; o (2) que la filosofía, debido a su naturaleza dialéctica, debe referirse, retroactivamente, a su historia; o, incluso, (3) que los conceptos y las ideas que emplean los filósofos para filosofar poseen un origen histórico y, por tanto, hacen que la filosofía dependa de su historia. A pesar del carácter espacio-temporal y dialéctico de la filosofía y del origen histórico de los conceptos e ideas que emplea, la empresa filosófica, como tal, no pretende ofrecer una relación del pasado, y no necesita apoyarse en él para ocuparse de sus asuntos. De esta manera, aunque la filosofía, en tanto que empresa humana, sea un fenómeno histórico que, además, se refiere al pasado y emplea unos conceptos y un lenguaje que poseen orígenes históricos, nada de eso la convierte en historia, o la hace dependiente, necesariamente, de su historia. Esto debería quedar claro cuando se comparan las proposiciones filosóficas y las históricas. Una rápida ojeada a los ejemplos paradigmáticos que se han ofrecido en el capítulo I reforzará esta cuestión.

Aquellos que quieren hacer de la filosofía una empresa histórica, por lo demás, confunden, a menudo, la historicidad de la práctica de la filosofía con la historicidad de su contenido; confunden, también, la dimensión dialéctica de la filosofía con su historia; y, por último, confunden los conceptos históricos, que la filosofía debe emplear, necesariamente, como punto de partida, con la historia de la filosofía. La práctica de la filosofía, al igual que cualquier otra empresa humana, es histórica, pero eso no quiere decir que el contenido producido como resultado de dicha empresa sea histórico. De igual modo, la dimensión dialéctica de la filosofía implica el toma y daca presente en el diálogo, pero no es necesario que los participantes de dicho diálogo hayan surgido del pasado. Por último, el uso de conceptos que preceden históricamente a la práctica de la filosofía en un determinado tiempo y lugar no supone que dichos conceptos constituyan una historia de la filosofía. Para filosofar, los seres humanos deben emplear los conceptos presentes en su cultura; por tanto, la práctica de la filosofía implica siempre el uso de conceptos previos; pero no es necesario que esos conceptos sean filosóficos en algún sentido especial: pueden ser ordinarios, religiosos, etc. y, por tanto, no debería pensarse que constituyen un pensamiento filosófico.

Por último, alguien estaría dispuesto a afirmar, en contra de la opinión que sostiene que la filosofía no necesita para nada de su historia, que (4) por lo menos una rama de la filosofía la necesita: la filosofía de la historia. De hecho, esta objeción, a primera vista, se muestra razonable, pues parece obvio que la filosofía de la historia necesita de la historia como su objeto de estudio. Pero en un examen más atento, observaremos que el peso de la objeción no es tan evidente. Se puede intentar responder a la objeción de diversas maneras. Alguien podría replicar, en primer lugar, que aun cuando la filosofía de la historia es una rama de la filosofía, la filosofía no es la filosofía de la historia y, por tanto, las condiciones que se aplican a una no se aplican necesariamente a la otra. En segundo lugar, alguien puede responder que lo que presupone la filosofía de la historia no es la historia de la filosofía, sino más bien la historia, y eso no afecta la tesis defendida en este capítulo. Dicha tesis afirma que la filosofía no necesita de la historia de la filosofía, no que no necesite de la historia. Para que la objeción sea válida, por tanto, debería reformularse de manera que lo que afirme sea que la filosofía de la historia de la filosofía presupone la historia de la filosofía. Pero incluso en tales términos, alguien podría tener, todavía, dos salidas. En primer lugar, podría insistirse, de nuevo, en que las condiciones que se aplican a la filosofía y aquellas que se aplican a la filosofía de la historia de la filosofía no son las mismas. En segundo lugar, es posible, por lo menos lógicamente, especular acerca de la historia de la filosofía aun cuando, de hecho, no exista tal historia o la historia sea ficticia: se podría construir en el aire una historia de la filosofía y emplear dicho montaje para filosofar. En ese sentido, no podría argumentarse que la filosofía de la historia de la filosofía necesita una historia de la filosofía real, sino que lo único que requiere es un historia de la filosofía imaginada.

Estas respuestas a la objeción 4 poseen diversos grados de fuerza. Ninguna de ellas, sin embargo, ataca directamente la confusión central que da origen a la objeción. La confusión estriba en dos maneras diferentes de entender la necesidad, que llamo, respectivamente, *necesidad objetiva* y *necesidad metodológica*. La necesidad objetiva es el tipo de necesidad que caracteriza la relación entre una investigación, estudio o disciplina del conocimiento, por un lado, y el objeto de dicho estudio, investigación o disciplina del conocimiento, por el otro. En este sentido, nadie pone en duda que la historia de la filosofía no sólo es necesaria para la filosofía de la historia de la filosofía, sino para la filosofía en general. De hecho, si la historia de la filosofía es parte del mundo, y la tarea de la filosofía consiste en ofrecer una interpretación del mundo, entonces la historia de la filosofía es parte del objeto que estudia la filosofía. Pero, por supuesto, éste no es el sentido de necesidad contra el que he estado discutiendo aquí. El sentido de necesidad es la necesidad metodológica: se trata del tipo de necesidad que caracteriza la relación entre dos estudios, investigaciones o disciplinas de conocimiento. Es metodológica porque lo que está en juego aquí es la interdependencia del método. Así, por ejemplo, la física es dependiente, metodológicamente hablando, de las matemáticas; y la medicina, de la química. Pero, como he intentado mostrar, la filosofía no posee ninguna relación de dependencia, en este sentido, respecto de la historia de la filosofía. Ahora bien, la objeción que hemos estado discutiendo se basa en la confusión entre la necesidad objetiva y la metodológica, al afirmar que la historia de la filosofía es necesaria para la filosofía porque es un objeto de estudio filosófico; pero eso, por supuesto, no invalida la tesis que estoy defendiendo aquí, a saber: que la historia de la filosofía no es necesaria, metodológicamente hablando, para la filosofía.

Que la historia de la filosofía no sea necesaria para la filosofía no quiere decir, en segundo lugar, que la historia de la filosofía sea irrelevante para la filosofía. De hecho, la historia de la filosofía debería ser de gran utilidad para el filósofo, pues, entre otras cosas: le proporciona diversas formulaciones de posturas y argumentos que facilitan su tarea y, en muchos casos, le pueden ofrecer la solución o el principio de la solución que está buscando; le puede mostrar que ciertas opiniones son demasiado simples, o que ciertos argumentos carecen de fundamento. La historia de la filosofía, por tanto, aunque no es esencial para la filosofía, es una fuente de lo que podrían denominarse datos básicos de investigación para los filósofos: es, por decirlo así, el lugar en el que el filósofo realiza su tarea. Esto puede apreciarse fácilmente si volvemos la mirada a los conjuntos integrados de proposiciones de la filosofía y de la historia de la filosofía que se han ofrecido anteriormente, pues es evidente la íntima relación que existe entre ellos. Esto no quiere decir que la historia de la filosofía sea filosofía o se convierta en filosofía cuando la utilizan los filósofos. La historia de la filosofía permanece historia, pero es precisamente como tal que puede ser útil al filósofo. En el capítulo III voy a volver sobre el tema de la utilidad de la historia de la filosofía para el filósofo, en donde examinaré con más detalle diversas teorías concernientes a la justificación del estudio de la historia de la filosofía.

Con respecto a la historia, por el contrario, la situación es, en cierto modo, diferente. En efecto, aunque las proposiciones que se encuentran en la historia de la filosofía difieren de las proposiciones filosóficas en que algunas de ellas son puramente descriptivas y en que todas ellas poseen, o bien una referencia al tiempo, al lugar de origen y a los individuos, o bien se encuentran en contextos en los que está presente dicha referencia, sin embargo, dichas proposiciones contienen también conceptos filosóficos, y la comprensión de dichos conceptos cae, necesariamente, en el terreno de la filosofía, considerada como una disciplina. De hecho, como vimos en el capítulo I, la historia de la filosofía no sólo incluye la descripción, sino también la interpretación y la valoración, y ninguna de éstas puede llevarse a cabo sin la ayuda de la filosofía. Por tanto, la historia de la filosofía supone la filosofía: de lo contrario, se reduce a la repetición de esos términos y frases, sin comprender lo que éstos significan. Por consiguiente, aunque es posible que la historia de la filosofía pueda ser solamente útil para la filosofía, la filosofía es esencial para su historia, pues las proposiciones que componen la historia de la filosofía incluyen, además, ciertas proposiciones filosóficas que están implícitas en las mismas.

Tomemos, por ejemplo, la proposición "X sostuvo que Dios es omnipotente, omnisciente y benevolente". Me imagino que alguien podría informar que éste o aquél afirmó dicha proposición, sin entender las nociones de omnipotencia, omnisciencia y benevolencia. Pero esto sería equivalente a informar de una proposición en un idioma extranjero y, por tanto, no se podría llamar comprensión o historia. Para comprender la proposición debemos comprender también que ser omnipotente consiste en ser esto o aquello, y lo mismo ocurre con las otras nociones que se utilizan en la proposición. La relación de las ideas del pasado exige la comprensión, interpretación y valoración, tareas que sólo pueden llevarse a cabo por medio del ejercicio de la filosofía misma. La historia de la filosofía entraña una comprensión de lo que se viene diciendo y, por tanto, un marco conceptual y unos análisis de los términos que emplea. Aquí es donde la filosofía se hace indispensable para ella. La historia de la filosofía, por necesidad, es filosófica, a menos, por supuesto, que se trate de una mala historia de la filosofía o que no se trate, en absoluto, de historia alguna de la filosofía.

El hecho de que la historia de la filosofía necesite de la filosofía de la manera en que he especificado no debería opacar, empero, la distinción entre la filosofía y su historia. Tal distinción tiene que ver con los diferentes propósitos de las disciplinas y con la referencia necesaria al tiempo, al lugar de origen y a los individuos, que caracteriza la historia de la filosofía. Los historicistas tienen razón al afirmar que los pensamientos y los enunciados, desde el mismo momento en que ocurren, son históricos. De hecho, puesto que los pensamientos y los enunciados siempre ocurren en cierto tiempo y en determinado lugar, se encuentran atados, necesariamente, a coordenadas históricas. De acuerdo con esto, estas mismas palabras que estoy poniendo sobre el papel en este momento y los pensamientos que las acompañan en mi mente son históricos. Pero eso no significa que las intensiones* de los signos y el contenido de los pensamientos sean históricos. Es decir, cuando pienso, por ejemplo, que $2 + 2 = 4$, no existe nada histórico en lo que pienso, aun cuando mi pensamiento sea histórico en el sentido de que ha ocurrido en cierto tiempo y en cierto lugar, y, desde ese mismo momento, forma parte del pasado. Por otro lado, cuando pienso sobre lo que cené *ayer en la noche* —una deliciosa pizza casera que preparó Clarisa—, y cuánto la disfruté *en ese momento*, tanto mi pensamiento como el contenido de mi pensamiento son históricos. Quizás podríamos distinguir estos dos tipos de historicidades si las llamamos *extensional* e *intensional*, respectivamente. La historicidad extensional es el tipo de historicidad que se aplica a los acontecimientos y entidades en el mundo, y la historicidad intensional es el tipo de historicidad que se aplica al contenido de nuestros pensamientos y al significado de los enunciados sobre el mundo.

Los historicistas confunden, con frecuencia, estos dos tipos de historicidad, y argumentan que toda filosofía es historia de la filosofía porque todos nuestros pensamientos son históricos. Pero la historicidad que caracteriza nuestros pensamientos es sólo extensional, y aunque tengamos muchos pensamientos que son también históricos desde el punto de vista intensional, hay muchos que no lo son. De hecho, el tipo de pensamientos mediante los cuales establecemos relaciones entre las ideas discu-

---

* [N. del t. *Intensions* en el texto inglés. Más adelante voy a traducir el término inglés *extensional* por "extensional". A sugerencia del propio autor, adopto esta traducción, que, por lo demás, viene siendo la traducción española usual en muchos textos de lógica, por ejemplo.]

tidas en el capítulo I son ejemplos de pensamientos históricos de carácter no intensional. De este modo, si se comprende esta distinción, puede preservarse la distinción entre la filosofía y su historia. La historia de la filosofía consiste en una relación de ideas que es histórica intensionalmente, mientras que la filosofía consiste en una relación de ideas que es histórica sólo extensionalmente. Esto es lo que quiere darse a entender cuando se afirma que la historia de la filosofía se ocupa del pasado, mientras que la filosofía no.

Obsérvese que, de acuerdo con el punto de vista que he presentado aquí, con el fin de que pueda clasificarse una relación como histórica, no se requiere ninguna distancia temporal determinada entre la producción de la relación y los sucesos o ideas de los que se propone dar cuenta. Una relación de lo que acabo de pensar, por ejemplo, es tan histórica como una relación actual de lo que pensó Platón. Las diferencias entre las dos relaciones no estriban en su historicidad, sino más bien en su distancia respecto del acontecimiento que describen. En tanto que tales, ellas plantean los mismos problemas de reconstrucción-descripción, interpretación y evaluación. Tampoco importa demasiado si aquellos que toman parte en la tarea de ofrecer relaciones históricas son o no los actores de los acontecimientos de los que se da cuenta. En este sentido, la autobiografía es tan histórica como la biografía, y las opiniones del último Wittgenstein sobre lo que el primer Wittgenstein pensó son también históricas, si es el caso que tales pensamientos se ocupan de la construcción de una relación de lo que pensó el primer Wittgenstein; si no es así, es decir, si no se ocupan de dar cuenta del pasado, entonces no son históricas en el sentido intensional que se ha identificado más arriba.

Que la reconstrucción del pasado inmediatamente anterior plantea problemas semejantes a los que presenta la reconstrucción del pasado distante, puede demostrarse por medio de un experimento que llevé a cabo en un seminario de maestría en Buffalo, en la primavera de 1989, y que puede repetirse fácilmente en cualquier salón de clases. El experimento consistía en llevar a cabo una discusión en clase, durante la cual los estudiantes debían tomar notas. Después de media hora, detuvimos la discusión, y fuimos pidiéndole a cada estudiante que leyera sus notas y que reconstruyera dicha discusión. El resultado fue bastante revelador. Aunque se trataba de estudiantes graduados, que estaban familiarizados con los temas que estábamos discutiendo, se puso de manifiesto que sus notas diferían en aspectos esenciales. De hecho, rápidamente nos encontramos discutiendo sobre cuáles eran los informes que daban cuenta exacta de la discusión y cuáles no. Es más, nos percatamos de que, incluso cuando reunimos todas las notas, había lagunas evidentes en el informe y, lo que es peor, hubo desacuerdos respecto a la interpretación de aspectos claves de la discusión que se había llevado a cabo. Es bastante interesante que, a menudo, los desacuerdos surgían, no sobre la base del informe escrito, sino sobre la base de lo que *tenía sentido*, lo cual apoya mi tesis de que la valoración es una parte esencial de la tarea del historiador de la filosofía.

En conclusión, la filosofía y la historia de la filosofía son empresas diferentes, pero esto no implica que la filosofía no sea necesaria para su historia. De hecho, desde mi punto de vista, lo es. Desafortunadamente, no hay muchos filósofos e historiadores de la filosofía contemporáneos que estén conscientes de la necesidad de comprender la relación entre la filosofía y su historia como la he expuesto aquí, y, como resultado, malinterpretan, no sólo sus tareas respectivas, sino, incluso, el carácter del trabajo que han producido. Estos problemas no se restringen a figuras sin renombre y poco conocidas, sino que se manifiestan en la obra de filósofos e historiadores bastante conocidos y respetados. Un caso concreto que tuve la oportunidad de examinar recientemente es el libro *Aristotle*, de Veatch. Por tanto, voy a utilizar este trabajo para mostrar cómo el malentendido de Veatch sobre la naturaleza del libro que, sobre Aristóteles, ha producido, y sobre cuál era su tarea al producirlo, afectan la manera como él mismo procede al defender la principal tesis que propone.

III. UNA ILUSTRACIÓN:
EL LIBRO *ARISTOTLE*, DE VEATCH

Mi argumentación en lo que resta de este capítulo será la siguiente. En primer lugar, que Veatch piensa que, en su libro sobre Aristóteles, está, ante todo, haciendo filosofía o, por lo menos, algo mucho más filosófico que la mera historia de la filosofía; y que él piensa esto porque, a la hora de utilizar la historia de la filosofía, lo hace de un modo filosófico. En segundo lugar, voy a argumentar que, de hecho, Veatch no está haciendo principalmente filosofía, sino más bien historia de la filosofía, aun cuando emplee la filosofía para comprender dicha historia. En tercer lugar, voy a señalar dos concepciones erróneas con respecto a la historia de la filosofía que fundamentan la opinión de Veatch sobre la naturaleza de su libro, y que Veatch comparte con muchos filósofos contemporáneos: (1) la opinión de que la historia debería ser completamente descriptiva; (2) y la noción de que la historia de la filosofía posee poco valor para la filosofía. Por último, en cuarto lugar, voy a señalar cómo todo esto afecta a, por lo menos, una de las afirmaciones que hace con respecto a la filosofía de Aristóteles.

¿Cómo puede mostrarse que Veatch piensa que no está envuelto, principalmente, en un estudio histórico? Simplemente por lo que dice. El mismo subtítulo de su libro, *A Contemporary Appreciation*,* sugiere que tiene en mente algo más que la historia. Esto se apoya en afirmaciones explícitas que se encuentran a lo largo del libro. Nos dice, por ejemplo, que "los historiadores-filósofos y los historiadores de las ideas siguen escribiendo libros eruditos sobre [Aristóteles, pero que] [...] más que aproximarse a Aristóteles de esta manera, ¿por qué no intentamos tratarlo como si fuera un filósofo contemporáneo?"[12] Un poco después escribe que su "breve relación de la vida de Aristóteles y su influencia [...] no es una relación cuyo propósito sea, simplemente, determinar el lugar de Aristóteles en la historia. En lugar de esto, lo que se intenta es hacernos recordar precisamente quién y qué es este hombre del que exigimos que debería, una vez más, convertirse en una fuerza dominante

---

* [N. del t.] "Una apreciación contemporánea".
[12] Henry B. Veatch, *Aristotle: A Contemporary Appreciation*, Indiana University Press, Bloomington y Londres, 1974, p. 3. Afirmaciones semejantes encontramos en "Introduction: On Trying to Be an Aristotelian or a Thomist in Today's World", en *Swimming against the Current in Contemporary Philosophy: Occasional Essays and Papers*, Catholic University of America Press, Washington, D.C., 1990, p. 3.

en la escena filosófica contemporánea".[13] Y todavía después: "Preservar a Aristóteles como una figura histórica es, realmente, embalsamarlo en tanto que filósofo."[14]

Así pues, parecería que Veatch considera que su propósito no es histórico o, por lo menos, que no es meramente histórico sino, más bien, algo diferente o, al menos, algo más que eso. Es decir, considero que lo que quiere dar a entender es que su propósito es "filosófico". Detrás de la opinión de Veatch está su deseo de establecer la verdad de ciertas opiniones que, según él, defendió Aristóteles; tarea que, por lo que parece, piensa que no pertenece a la esfera del historiador.

Ahora bien, algunos historiadores de la filosofía estarán, probablemente, de acuerdo con Veatch en que su libro contiene afirmaciones acerca de las ideas de Aristóteles que ellos considerarían que van más allá de lo que dijo Aristóteles. La misma tesis principal del libro parece reflejar dicho enfoque interpretativo, pues afirma que "Aristóteles es, *par excellence*, el filósofo del sentido común",[15] y, para la mayor parte de los historiadores del pensamiento aristotélico, esta tesis va mucho más allá de lo que Aristóteles sostuvo explícitamente, por varias razones. En primer lugar, Aristóteles no emplea terminología alguna que exprese la noción de sentido común a que se refiere Veatch. De hecho, como el propio Veatch reconoce, el término "sentido común" se emplea para traducir un término griego que se refiere a algo que no tiene nada que ver con lo que Veatch entiende por sentido común. Y tampoco se adhiere Aristóteles explícitamente al principio que Veatch identifica como fundamental para una filosofía del sentido común: la máxima de que "lo que todos los hombres creen que es verdad en todo lugar, y en sus momentos lúcidos, es, de hecho, realmente, la verdad".[16] Es más, si Veatch tuviera razón respecto al papel del sentido común en la filosofía, entonces la función de la filosofía estaría restringida a la tarea empírica de encontrar lo que todos los hombres, en todo lugar y en sus momentos lúcidos, saben, o

---

[13] *Ibid.*, p. 5.
[14] *Ibid.*, p. 9.
[15] *Ibid.*, p. 12.
[16] *Ibid.*

creen saber que es verdad; pero, de hecho, Aristóteles no se dedicó a tal empresa empírica.[17]

Es más, proseguiría el argumento de los historiadores: los conceptos y los puntos de vista que propone Aristóteles en su filosofía están tan alejados de una visión del mundo de sentido común, como puede estarlo cualquier filósofo. Es cierto que Veatch trata de mostrar, con mucho esmero, que las doctrinas de Aristóteles son de sentido común; pero, aunque en muchos casos lo logra, es, simplemente, imposible considerar que todas, o incluso la mayor parte de las opiniones filosóficas de Aristóteles, sean opiniones de sentido común. ¿Cómo puede alguien demostrar que tenga sentido común, por ejemplo, la doctrina de Aristóteles del fin último de los seres humanos como "la ac-

[17] Por supuesto, otros puntos de vista sobre la función del sentido común no impiden, necesariamente, llegar a conclusiones que no son parte de lo que "todos los hombres, en todo lugar, en sus momentos más lúcidos saben o creen saber que es verdad". Por ejemplo, G.E. Moore, como Jonathan Bennett me señaló, le adscribió al sentido común un papel importante en la filosofía y, con todo, llegó a toda suerte de conclusiones que no formaban parte de lo que podrían considerarse verdades de sentido común. De hecho, en la medida en que dichas conclusiones no contradecían el sentido común, pensó que no entraban en conflicto con la visión del mundo de sentido común, aun cuando ellas mismas no fueran de sentido común. Sin embargo, parece que Veatch sostiene una opinión mucho más radical que la de Moore respecto a la función del sentido común. Tal como lo veo, es necesario distinguir tres posturas respecto al uso del sentido común en filosofía. Una sostiene que toda filosofía debería comenzar con el examen de la visión del mundo de sentido común. Según esta postura, el sentido común es el origen de la filosofía, pues toda filosofía comienza con el examen de nuestras creencias ordinarias sobre el mundo. Otro punto de vista sostiene que el sentido común es un criterio firme para la verdad filosófica, hasta tal punto, que todas las proposiciones filosóficas deben encontrarse en la visión ordinaria, de sentido común, del mundo. En consecuencia, si una proposición filosófica no se encuentra entre las proposiciones que forman parte de dicha visión, o si contradice una proposición que forma parte de dicha visión, hay que considerarla entonces un sinsentido, o falsa. Por último, existe la opinión que sostiene que el sentido común es un criterio débil para la verdad filosófica, hasta tal punto que: (1) si una proposición filosófica forma parte de la visión de sentido común del mundo, es verdad; (2) si una proposición filosófica contradice la visión de sentido común del mundo, es falsa; y (3) si una proposición filosófica no forma parte de la visión de sentido común del mundo, pero no contradice el sentido común, puede que sea verdadera. Creo que Aristóteles sostuvo el primer punto de vista, Moore sostuvo el tercero, y Veatch sostiene el segundo.

tividad completa e ininterrumpida del conocimiento teórico y la pura contemplación"?[18] ¿Y qué cabe decir de nociones tales como materia, forma o el motor inmóvil? Si estas son nociones de sentido común, entonces lo son también el "*bare particular*" de Bergmann y la "*haecceitas*" de Escoto.

Por último, algunos historiadores, e incluso el mismo Veatch, podrían señalar que el libro *Aristotle* contiene juicios sobre el valor de doctrinas filosóficas. De hecho, la conclusión general del libro es que la filosofía de Aristóteles es "quizás, no meramente una opción viva, sino, incluso, la única opción abierta a un hombre de sano sentido común respecto a las realidades de las cosas en general y de nuestra situación humana en particular".[19] Al introducir tales juicios de valor, proseguiría el argumento, Veatch ha ido más allá de la historia y se ha puesto a filosofar.

A esto me gustaría responder que, como vimos anteriormente, la historia de la filosofía no se restringe a la descripción, sino que también contiene interpretaciones y valoraciones. La presencia de interpretaciones y valoraciones en una historia de la filosofía, por tanto, no la convierte en menos histórica, pues se supone que las interpretaciones incluidas van más allá de lo que los autores han dicho con el fin de reconstruir presupuestos y opiniones escondidos que constituyen el fundamento y explican enunciados explícitos. Por tanto, el empleo que hace Veatch de la noción de sentido común, aun cuando no está explícito en Aristóteles, no convierte su recuento en algo no histórico. Podría resultar, por supuesto, que Veatch se equivoque sobre Aristóteles y el sentido común, pero eso no altera el carácter histórico de su empresa.

De igual forma, las valoraciones incluyen proposiciones en las que se expresan afirmaciones concernientes al valor de las opiniones de las figuras históricas. Por consiguiente, los juicios de Veatch respecto al valor de la filosofía de Aristóteles pueden, difícilmente, descalificar su relación y considerarla como algo que no es fundamentalmente histórico. De hecho, mucho de lo que hace Veatch coincide, completamente, con lo que la historia

---

[18] Veatch, *Aristotle*, p. 124.
[19] *Ibid.*, p. 199.

de la filosofía ha hecho en sus mejores momentos y, por tanto, debería seguir siendo así.

Todo esto, sin embargo, señala solamente que las consideraciones que llevaron a Veatch a interpretar que su libro sobre Aristóteles poseía un carácter fundamentalmente no histórico, no son sólidas; pero esto no basta para establecer que el libro no es un libro fundamentalmente filosófico. La prueba de esto, sin embargo, puede encontrarse fácilmente en el hecho de que el libro se ocupa de las ideas de Aristóteles, aun cuando también se piense que esas ideas son verdaderas. El peso de la relación de Veatch recae siempre en la descripción, interpretación y valoración *de las opiniones de Aristóteles*, aun cuando las valoraciones entrañan recomendaciones positivas sobre lo que nosotros mismos deberíamos pensar. Y creo que nadie podría argumentar que esta es una obra filosófica en la que se emplea la historia de la filosofía para ilustrar las posturas discutidas, pues el libro no se encuentra organizado de este modo. De hecho, lo que el libro hace es presentar las opiniones de Aristóteles de un modo favorable y recomendar que las adoptemos; pero este procedimiento es, con todo, de carácter plenamente histórico, contrario a lo que parece que piensa Veatch. Incluso una ojeada superficial al texto confirmará su continua preocupación por el tiempo y el lugar de origen de sus afirmaciones, pues, de hecho, son las opiniones de Aristóteles las que se discuten, se evalúan y se recomiendan.

Cabría, empero, preguntar lo siguiente: si lo que he dicho respecto del libro de Veatch es correcto, esto es, que lo que Veatch ha llevado a cabo en su libro sobre Aristóteles es, principalmente, una tarea histórica, ¿por qué se reclama lo contrario? ¿Por qué debería intentar Veatch con tanto esmero presentar su relación de las opiniones de Aristóteles como algo más que, o diferente de, una mera historia de la filosofía?

Creo que las razones son dos. La primera surge de la creencia, ampliamente difundida, pero equivocada, de que la historia es completamente descriptiva y no debería contener ni interpretaciones ni juicios de valor. La segunda tiene que ver con una concepción bastante pobre de la historia de la filosofía, en la que se considera que la disciplina es algo bastante irrelevante e inútil: una disciplina por la que sólo se interesan los anticuarios.

De hecho, la imagen del historiador que se refleja, indirectamente, en el primer parágrafo del libro de Veatch confirma mi punto.

¡Pobre Aristóteles! Después de haber sido durante tantos siglos una fuerza dominante en la filosofía occidental y, en general, en la cultura occidental, nos recuerda hoy más bien a un enorme dinosaurio. No es que esté precisamente extinto, pero parece que apenas sigue vivo filosóficamente hablando. En consecuencia, como con casi todos los dinosaurios, al igual que incontables filósofos muertos, parece que Aristóteles está reducido a poco más que a una pieza inmensa de museo en la historia de la cultura occidental. Los investigadores clásicos todavía lo traducen y editan sus textos, y, por supuesto, historiadores-filósofos e historiadores de las ideas continúan escribiendo libros eruditos sobre él. Sí, incluso los mismos filósofos —por lo menos durante su infancia en la profesión— se encuentran a menudo con que son llevados de la mano por uno de sus mayores en un recorrido por los museos de la filosofía occidental en el que están casi seguros de que van a encontrar al viejo Aristóteles, presentado de una manera prominente en una enorme vitrina de cristal.[20]

La historia de la filosofía no puede reducirse a la mera descripción, y adquiere una función vital e importante asistiendo a la filosofía en su empresa. El deseo de Veatch por interpretar y evaluar la filosofía de Aristóteles, por tanto, y su afán por hacer que el pensamiento de Aristóteles reviva para nosotros hoy día no tiene por qué suponer que la historia de la filosofía ha de interpretarse como filosofía o como alguna otra cosa de lo que, en realidad, es: historia. Es posible seguir teniendo nuestra historia de la filosofía y, al mismo tiempo, interpretar y evaluar las ideas que contiene, amén de comprenderlas filosóficamente, como Veatch mismo ha demostrado muy bien en su libro.

Llegamos ahora al último aspecto que quiero señalar en este capítulo, a saber: que lo que Veatch entiende que es la historia de la filosofía y la naturaleza de su *Aristotle* tienden a debilitar, en cierta medida, los argumentos de su libro, socavando la tesis principal que en él se defiende.

[20] *Ibid.*, p. 3.

Después del análisis que se ha ofrecido en el capítulo I, debería quedar claro que la historia de la filosofía contiene proposiciones descriptivas, interpretativas y valorativas y necesita, además, saber de filosofía. Una buena relación histórica de la filosofía del pasado requiere descripciones que sean precisas y que estén documentadas históricamente; requiere también interpretaciones que sean consistentes, inteligibles y que nos aclaren las razones y el carácter de determinadas ideas filosóficas; y, por último, requiere valoraciones bien fundadas de esas ideas, de su impacto histórico y de su valor filosófico.

Las relaciones descriptivas que son precisas e históricamente documentadas requieren, además, una presentación cuidadosa de los datos históricos, respaldados por evidencia explícita. En el caso de la filosofía, es necesario presentar o referirse, no sólo a los textos primarios que hacen explícitas las ideas que el historiador está describiendo, sino también a la evidencia que se ha recopilado de las opiniones de coetáneos, así como de autoridades históricas que han tenido algo que decir sobre dichas ideas o sus autores.

El desarrollo de interpretaciones que son consistentes, inteligibles y esclarecedoras requiere explicaciones de cómo los conceptos e ideas que hasta el momento han permanecido ocultos explican la naturaleza del marco filosófico que está siendo estudiado, así como de las razones por las que se adoptó y defendió ese determinado marco conceptual. Si las interpretaciones carecen de esta dimensión, su utilidad se verá limitada.

Es más, las valoraciones bien fundadas requieren que se describan claramente los criterios que se han utilizado para medir el valor de las ideas filosóficas y que se explique cómo se ajustan dichas ideas a los criterios adoptados. De lo contrario, seremos incapaces de juzgar si dichas valoraciones son apropiadas.

Por último, la naturaleza filosófica de la historia de la filosofía requiere la presentación y el análisis explícitos de los conceptos básicos que se han utilizado en la descripción, interpretación y valoración buscadas. De hecho, para que una relación histórica esté bien fundamentada, debe presentarse en el contexto de un marco conceptual cuyos principios e ideas se discutan explícitamente. La existencia de un marco hace posible la producción de una relación inteligible, y su presentación explícita funciona como un mecanismo de control de la objetividad, imparcialidad y honestidad de la relación. Esto se verá más claro en el capítulo V, en el que examinaremos varias maneras de entender la historia de la filosofía.

¿Se adhiere el *Aristotle* de Veatch a los principios que se han delineado? ¿Cumple con los requisitos de una relación histórica sólida de la filosofía de Aristóteles? La relación que ofrece Veatch, en su mayor parte, constituye, sin duda, un ejemplo excelente de lo que debería ser una historia bien fundamentada de la filosofía. Pero, y esta es mi principal objeción, la relación que ofrece Veatch, aunque en términos generales puede considerarse un logro, falla cuando llega a la tesis principal que defiende. Y sospecho que la razón estriba en que, como afirmé anteriormente, Veatch no llega a entender del todo que su tarea es histórica y, por tanto, rechaza aquellos aspectos de la relación histórica que son necesarios para que ésta pueda lograrse. Su opinión de que su libro no es histórico, o por lo menos que no es principalmente histórico, lo lleva a pensar que no necesita respaldar la tesis principal que propone en él con el tipo de evidencia textual que debería acompañarse en el caso de una historia bien fundamentada, por ejemplo. Incluso (y lo más probable es que sea por las mismas razones) deja sin enunciar los criterios de evaluación de acuerdo con los cuales mide el valor de algunas ideas de Aristóteles. Por último, y lo más importante: no presenta explícitamente el marco conceptual que emplea para interpretar la filosofía de Aristóteles como una filosofía de sentido común.

Una rápida ojeada a la tesis de Veatch nos puede ilustrar estos puntos. La tesis, como se indicó anteriormente, es que "Aristóteles es, *par excellence*, el filósofo del sentido común". Claro está, es ésta una tesis histórica que pretende caracterizar la filosofía de Aristóteles; se trata de una tesis interpretativa en la medida en que Aristóteles no se describió a sí mismo ni su filosofía como una filosofía de sentido común; y entraña un elemento valorativo porque Veatch también afirma que la filosofía de Aristóteles "no es solamente una opción viva, sino, incluso, la única opción abierta a un hombre de sano sentido común".

Ahora bien, el problema que surge con esta tesis es que el apoyo documental que Veatch ofrece de ella no cumple con todos los requisitos de una relación histórica consistente. En primer lugar, no ofrece evidencia textual alguna, sea primaria o secundaria, para apoyar la tesis. Bien es verdad que muestra, con bastante éxito, que muchos de los conceptos básicos de Aristóteles corresponden a conceptos que están presentes en nuestra visión ordinaria del mundo. Así, por ejemplo, la noción aristotélica de sustancia corresponde, más o menos, a la noción ordinaria de cosa. Lo mismo acontece con otros. Pero esto no es suficiente para sostener la opinión de que la mejor manera de describir la filosofía de Aristóteles es afirmando que se trata de una filosofía de sentido común. Necesitamos los textos de Aristóteles que apoyan esta opinión, así como las interpretaciones confiables existentes sobre la filosofía y los propósitos de Aristóteles que evidencien dicha opinión.

En segundo lugar, Veatch no discute, en ninguna parte del libro, los criterios que lo han llevado a concluir que la filosofía de Aristóteles es la única opción disponible para un hombre de sano sentido común. Intenta, efectivamente, y a menudo lo consigue, mostrar que las ideas de Aristóteles tienen sentido, pero esto no es suficiente para demostrar su tesis, que va mucho más allá. No es suficiente debido a, por lo menos, dos razones: el que una opinión tenga sentido no significa necesariamente que sea de sentido común; además, sin duda alguna, tampoco supone que sea la única vía abierta a aquellos sujetos con un sano sentido común.

Por último, y esta es quizás la debilidad más importante que aprecio en la demostración que hace Veatch de su tesis: no presenta una explicación del concepto básico de sentido común que emplea para interpretar el pensamiento de Aristóteles. En ningún momento explica con detalle lo que es el sentido común, y tampoco nos especifica, en ningún momento, cómo distinguir lo que es el sentido común de lo que son puntos de vista personales, sociales y culturales. ¿Cómo podemos juzgar que la filosofía de Aristóteles es una filosofía de sentido común si no sabemos lo que quiere decir Veatch por sentido común? Éste es, de hecho, el punto crucial, pues la noción de sentido común es una noción que se ha discutido ampliamente en la historia de la filosofía, y no se ha logrado ningún acuerdo al respecto. No tiene sentido emplear esta noción controvertida sin ofrecernos una idea clara que nos permita caracterizar y entender la filosofía de Aristóteles. ¡Yo iría, incluso, más allá y afirmaría que esto no me parece, en absoluto, de sentido común! A pesar de todo lo que sabemos después de la lectura del libro de Veatch; aunque pueda ser cierto que la filosofía de Aristóteles es una filosofía de sentido común *par excellence* y que es la única abierta a un hombre de sano sentido común, como afirma Veatch, seguimos, sin embargo, carentes de una prueba definitiva de que eso es así. Y la razón de esto, si estoy en lo correcto, puede encontrarse en la metodología que surge de la opinión negativa que tiene Veatch sobre la historia de la filosofía como algo de poco valor, y de su opinión de que su *Aristotle* no es una obra histórica.

Una vez que hemos llegado a la conclusión de que la filosofía es necesaria para la historia de la filosofía, mientras que, por el contrario, la historia de la filosofía no es necesaria para la filosofía, y una vez que hemos ilustrado los problemas que pueden surgir cuando no se entiende esa relación adecuadamente, podemos volver a la cuestión de las razones por las que los filósofos deberían prestar atención a la historia de la filosofía. Esta cuestión no es otra que la de la justificación y el valor del estudio de la historia de la filosofía. La discusión de este tema la llevo a cabo en el siguiente capítulo.

III

HACIENDO FILOSOFÍA HISTÓRICAMENTE: LA JUSTIFICACIÓN Y EL VALOR DE LA HISTORIA DE LA FILOSOFÍA

La actitud general que mantienen hacia la filosofía aquellos que no son filósofos es bastante diferente de la actitud que, por lo general, mantienen hacia la ciencia, el arte y la literatura, pues consideran necesario que la filosofía se justifique a sí misma. La mayor parte de las personas no considera necesario justificar el propósito de la ciencia, por ejemplo. De hecho, sus aplicaciones prácticas son tan manifiestas en la sociedad, que parece casi evidente por sí mismo que la ciencia no sólo es una cosa buena, sino algo que debería perseguirse con empeño. ¿Cómo podría, por ejemplo, estar escribiendo cómodamente estas palabras en medio de un invierno de Buffalo sin la ayuda de la ciencia y su vástago, la tecnología, que me proveen de luz, calor y un procesador de palabras? Bien es cierto que, de vez en cuando, nos encontramos con críticas que, *prima facie*, parecen dirigirse directamente contra la ciencia. Pero, tras una mirada más atenta, se observa que éstas no están dirigidas contra el propósito de la ciencia misma, sino, más bien, en contra de lo que se entiende que son sus abusos o en contra de los resultados indeseables de tales abusos. Rara vez se cuestiona, y menos aún se critica, el propósito de la ciencia como tal. Algo semejante ocurre, también, con el arte y la literatura, pues recibimos una satisfacción y una gratificación inmediatas con ellos, lo cual hace innecesarias las preguntas por su valor. No parece que exista ninguna necesidad imperiosa de pedir a Miguel Ángel o a Tolstoi que justifiquen su obra: una mirada al *David* o una lectura de *Gue-*

rra y paz convencen, incluso al observador más escéptico, del valor de las empresas que produjeron tales obras.

La idea de que no existe ninguna necesidad de justificación de la ciencia es bastante clara en la academia, en donde parece que muchos estudiantes y administradores dan por sentado que el presupuesto para facultad y equipo en los departamentos de ciencias debería aumentarse constantemente; y aunque ni la literatura ni el arte disfrutan de las condiciones presupuestarias privilegiadas de la ciencia, incluso la mayor parte de las universidades de carácter técnico, así como sus administradores, alaban las ventajas que conlleva el que sus estudiantes entren en contacto con ellos y, por tanto, fomentan la necesidad de apoyarlos. Los estudiantes tampoco tienen ninguna dificultad para darse cuenta del valor práctico de la ciencia y del valor estético del arte y de la literatura. Ven en el conocimiento tecnológico la solución de su futuro financiero, y consideran el arte y la literatura como medios que harán sus vidas más agradables e interesantes.

Desgraciadamente, muchos administradores y estudiantes tienen dificultad a la hora de comprender el papel de la filosofía en sus programas académicos. Algunos administradores subrayan, ocasionalmente, el valor de la disciplina, y hablan de "integración", "valores" y "una visión coherente del mundo", pero esos clichés rara vez se traducen en realidades presupuestarias: en última instancia, si mantienen la filosofía es porque, generalmente, otras universidades lo hacen, y ellos no quieren aparecer como menos progresistas. Una mirada al número de plazas de facultad asignadas a la filosofía en la mayoría de las universidades públicas, y una comparación con las plazas asignadas a la ciencia y, por ejemplo, a los departamentos de lenguas modernas, muestra claramente las prioridades administrativas de la academia en los Estados Unidos hoy día.

Y por lo que se refiere a los estudiantes, la situación es, incluso, peor. Puesto que no han entrado en contacto con la disciplina en la Escuela Superior y, puesto que poseen, por lo general, una orientación técnica y empresarial, apenas toman cursos de filosofía; y, aquellos que lo hacen, los encuentran tan difíciles y tan alejados de su experiencia corriente, que rara vez los vuelven a tomar. Todo esto resulta en una demanda limitada de cursos de filosofía y en un presupuesto que, continuamente, se reduce para los departamentos en los que se enseña la disciplina. La pregunta con la que todo el mundo insta a los filósofos, por tanto, es: ¿por qué la filosofía?

Como si esto no fuera suficientemente malo, la situación de la historia de la filosofía es mucho peor, pues ocupa, dentro de la filosofía, una posición semejante a la que la filosofía ocupa en el espectro de las ciencias y las humanidades. La mayor parte de los que practican la filosofía dan por sentado el valor de la filosofía y su necesidad, y sólo unos pocos plantean cuestiones concernientes a su justificación. De hecho, si se plantean tales cuestiones, es, más bien, como resultado de las presiones no filosóficas, y no por las necesidades internas de los propios filósofos. Pero cuando se llega a la historia de la filosofía, el asunto es bastante diferente. Después de todo, si la tarea de la filosofía es hacer que avance, a toda costa, la disciplina, ¿por qué tenemos que estudiar concepciones e ideas del pasado que, en la mayoría de los casos, no están de moda o son claramente falsas? ¿No deberíamos concentrarnos en lo que está ocurriendo y es relevante ahora, y no en el pasado? ¿No hemos superado las viejas preguntas y controversias? Ciertamente, los astrónomos de hoy día no vuelven donde Galileo cuando ejercen su disciplina, y es difícil de creer que un físico, en la vanguardia de la disciplina, gaste hoy día mucho tiempo estudiando, larga y detenidamente, la *Física* de Aristóteles. Tampoco se ocupan los astrónomos de las teorías astrológicas medievales —dejan esa tarea a los jefes de estado famosos o a sus esposas— y muy pocos, si es que hay alguno, han leído alguna vez las obras clásicas de Kepler o Copérnico. Sólo los historiadores de la ciencia se toman en serio la historia de la ciencia.

Este mismo modo no histórico de enfocar el asunto es típico de los que practican el arte y la literatura contemporáneos. Bien es verdad que, en algunos casos, los artistas y escritores encuentran motivos de inspiración en las obras del pasado: Picasso rehizo *Las Meninas* y Bernstein ofreció una nueva versión de *Romeo y Julieta*, por ejemplo. Pero lo que los artistas y escritores hacen con el pasado no puede compararse con la tarea del historiador de la filosofía. Los artistas se vuelven al pasado, sobre todo, en busca de inspiración. Se utiliza la obra histórica, con mayor frecuencia, como punto de partida para una composición nueva y original en la que el autor contemporáneo da rienda suelta a la expresión artística. Esto contrasta, claramente, con la atención cuidadosa que el historiador de la filosofía le dedica a las fuentes filosóficas, cuyo interés principal es ofrecer una relación precisa de las ideas del pasado. El trabajo del historiador de la filosofía es semejante al del historiador de arte y de la literatura, pero no al trabajo del artista o del escritor literario. Y en ninguno de los casos parece que exista una razón apremiante, por parte de las disciplinas no históricas, para ahondar en su historia. Por tanto, podemos preguntarnos lo siguiente: ¿tiene la historia de la filosofía algo que ofrecer a la filosofía que la historia de la física, del arte y de la literatura no le ofrezcan a la física, al arte y a la literatura? En definitiva, ¿existe una justificación del estudio, que llevan a cabo los filósofos, de la historia de la filosofía?

Obsérvese que la justificación que se pide no es meramente histórica, en la que el estudio de la historia de la filosofía se vería como algo que satisface la curiosidad humana general por conocer el pasado. Es cierto que la historia de la filosofía, al igual que cualquier otra historia, puede justificarse en estos términos. Pero esto no nos ayuda en este momento, puesto que lo que queremos saber es si la historia de la filosofía puede justificarse como un objetivo adecuado para los filósofos, entre otras personas, cuyos intereses van más allá del interés del anticuario. En el capítulo anterior vimos cómo la filosofía y su historia no son incompatibles, y también determinamos que la filosofía es necesaria para la historia de la filosofía. Nuestra pregunta, ahora, tiene que ver con la utilidad que la historia de la filosofía puede tener para la filosofía, toda vez que, como sabemos por nuestra discusión anterior, la historia de la filosofía no es necesaria para la filosofía.

I. EL PUNTO DE VISTA NEGATIVO

Una respuesta a esta pregunta es negativa. La historia de la filosofía no ofrece otra cosa a la filosofía que no sea lo que le ofrece la historia de la física al físico y la historia del arte y la literatura a estas disciplinas. De hecho, ésta es la razón principal, prosigue el argumento, por la que nadie debería dedicarse a ella al mismo tiempo que se dedica a la filosofía.

Las razones que se ofrecen en favor de esta conclusión negativa son, por lo general, una o varias de las siguientes: (1) el estudio de la historia de la filosofía entorpece la creatividad; (2) impide los descubrimientos; (3) es irrelevante para las preocupaciones actuales; y (4) malgasta un tiempo precioso.[1] No pueden descartarse a la ligera estas razones, pues son muchos los ejemplos de filósofos que han caído, de hecho, en una o varias de estas trampas. La ausencia de creatividad filosófica, por ejemplo, es corriente entre aquellos que trabajan en la historia de la filosofía. Como veremos en el capítulo V, el enfoque excesivamente erudito de algunos historiadores los conduce a desempeñarse, principalmente, como parafraseadores y comentadores del trabajo de otros filósofos, y los hace incapaces de interpretar y traducir el pasado a las categorías conceptuales que pueden ser comprensibles y útiles al presente. Esta dependencia del pasado puede llevar a extremos, como ocurre, por ejemplo, en los casos en los que los historiadores sienten que sólo pueden expresarse con las palabras y los términos de los autores que estudian. Esto se hace, a veces, por exigencias retóricas, pero a menudo se convierte en un apoyo sin el cual se queda mudo el historiador. La mayor parte de aquellos que son un ejemplo de este problema se comportan de esta manera debido a un respeto desmesurado hacia la autoridad de aquel que constituye su fuente. Se olvidan que, en filosofía, el argumento de autoridad es el más débil que puede ofrecerse.

[1] Para textos que ilustran estas razones, véanse las referencias a Descartes, Kant y los positivistas lógicos que se ofrecen en los dos capítulos anteriores y en la Introducción. Un ejemplo más reciente se encuentra en la opinión de Michael Scriven de que los requisitos de historia en el currículo de filosofía constituyen una barrera para el desarrollo filosófico. Véase "Increasing Philosophy Enrollments and Appointments through Better Philosophy Teaching", *Proceedings and Addresses of the American Philosophical Association*, vol. 50, no. 3, 1977, p. 233. Alan Wood, en "Russell's Philosophy", que aparece en Bertrand Russell, *My Philosophical Development*, Simon and Schuster, Nueva York, 1959, p. 274, afirma: "La ausencia [en Russell] de una educación filosófica sistemática fue una ventaja, y nada puede contribuir más a entorpecer el pensamiento original que un conocimiento meticuloso de los filósofos del pasado adquirido demasiado temprano en la vida."

Más aún: si las conexiones con el pasado se hacen tan fuertes, no sólo se entorpece la creatividad, sino que se impide el descubrimiento. Aquellos que viven en el pasado, y piensan bajo sus categorías, ven el mundo siempre desde la misma perspectiva. Sólo reconocen lo que les es familiar, pasando por alto todo lo que sea nuevo. Son como carruajes que viajan por rodadas bastante hundidas de las que no pueden escapar. Existen incontables ejemplos de este fenómeno en la historia de la filosofía; un fenómeno que es especialmente evidente entre aquellos historiadores que muestran una devoción especial hacia un filósofo determinado del pasado. Su problema, con todo, no es su devoción, sino su incapacidad para pensar en términos de nuevos patrones y estructuras. Así, por ejemplo, muchos neoescolásticos son incapaces, con frecuencia, de amoldarse a nociones filosóficas contemporáneas, e incluso, a menudo, de comprenderlas. Sus intentos por hacer tal cosa se reducen a un intento por traducir los conceptos e ideas contemporáneos en el lenguaje escolástico que les es familiar. Al hacer tal cosa, pasan por alto, a veces, precisamente los elementos nuevos e importantes de las concepciones que examinan. No se trata de que sea imposible traducir el presente al pasado. Si, como he afirmado, es posible traducir el pasado al presente, no existe imposibilidad lógica alguna para hacerlo a la inversa. Dicha traducción no es imposible; la dificultad estriba en que un énfasis excesivo por la traducción y por encontrar correlaciones entre el presente y el pasado distorsiona el presente e impide que se aprecie su contribución peculiar a la historia de la filosofía. De este modo, muchos historiadores de la filosofía se encuentran de tal manera encerrados en el pasado, que no pueden escapar de él para seguir nuevos cursos en la filosofía y para apreciar y comprender aquellos que ya han trazado otros.

En tercer lugar, también es cierto que una buena parte de la historia filosófica del pasado es irrelevante para las preocupaciones actuales. Los filósofos que se ocupan sólo del pasado tienden, habitualmente, a estar ocupados con temas y problemas que tienen poco o nada que decir al presente. Por ejemplo, ¿de qué puede servirnos hoy día ocuparse detenidamente en la doctrina, bastante abstrusa, de la multiplicidad de los entendimientos humanos, debatida de una manera tan acalorada, primero por los autores islámicos, y, posteriormente, por los teólogos-filósofos escolásticos durante la Edad Media? Toda esta controversia parece que se basa en un respeto e interés excesivos por ciertos textos oscuros de Aristóteles, en el *De anima*, sobre la composición de la mente humana y sobre diversos presupuestos filosóficos y teológicos que ya no rigen la reflexión filosófica. Algo semejante podría afirmarse de la doctrina medieval de la iluminación, debatida de una manera tan intensa en su tiempo, pero que ahora se nos presenta como una rareza de la historia del pensamiento humano. Igual podría decirse, en relación con este asunto, de las ideas innatas de Descartes o las categorías de Kant. Si la preocupación es por estos y otros temas abstrusos y completamente irrelevantes, prosigue el argumento, nos encontramos impedidos para enfrentarnos a los problemas filosóficos acuciantes del momento. No se trata de que todos los temas filosóficos discutidos en el pasado sean abstrusos o irrelevantes: de hecho, algunos siguen siendo relevantes hoy día. El asunto consiste en que esos filósofos que agotan sus energías y su tiempo sólo en el pasado pasan por alto las numerosas cuestiones que están vivas hoy día y que nunca formaron parte del pasado. Algunas de éstas, por ejemplo, han surgido a raíz de los desarrollos científicos y tecnológicos de los que no estaba consciente el pasado. Los problemas morales implicados en la ingeniería genética, por ejemplo, o los asuntos relacionados con la inteligencia artificial, son completamente nuevos y nunca se los plantearon los filósofos hasta hace relativamente poco. En definitiva, el interés por la historia de la filosofía conduce al tipo de antiquismo* que congela en el pasado a aquellos que sufren de él; impide que se ocupen de los problemas del presente y del futuro; y hace que sus pensamientos resulten irrelevantes para los intereses contemporáneos.

Por último, el tiempo de que disponemos es muy limitado, y la historia de la filosofía es vasta y complicada. Emprender seriamente el estudio de, incluso, una porción pequeña de la historia de la filosofía, y aún más, del pensamiento de un único filósofo, puede consumir fácilmente las energías de una vida completa y no dejar tiempo alguno para investigar cuestiones filosóficas.

---

* *Antiquarianism* en el original inglés. [N. del t.]

Las universidades están llenas de personas cuya área de especialización no va más allá, a veces, de un autor e, incluso, de un único periodo de su vida. ¿En qué medida pueden estas personas desarrollar una relación comprehensiva y consistente del mundo? Si la tarea del filósofo es, precisamente, desarrollar tal relación comprehensiva y consistente del mundo, el estudio de la historia de la filosofía parece una pérdida de tiempo. Podría haber verdad en la historia de la filosofía que nos ayude a llevar a cabo la meta filosófica; pero el problema es que no sabemos dónde encontrar esa verdad ni cómo separarla de lo que es falso o inútil. Además, el esfuerzo y la energía que se requieren para hacer tal cosa sobrepasa, con creces, las posibles recompensas. Aquellas personas, por tanto, cuyos intereses sean filosóficos, y que se ocupan del desarrollo de una relación comprehensiva y consistente del mundo, no tienen otra alternativa que dedicarse a la investigación sistemática de la disciplina, antes que a la investigación de su historia.

Pero, por supuesto, ninguno de estos problemas tiene que ver, necesariamente, con el hecho de que la filosofía utilice la historia de la filosofía, y aquellos filósofos que se fijan en ellos con el fin de rechazar el valor que la historia de la filosofía pueda tener para la filosofía pasan por alto las ventajas que dicha historia tiene para ésta. Consideremos el primero: que el estudio de la historia de la filosofía entorpece la creatividad. Parecería que esto es verdad en muchos casos, como ya se ha observado, pero la experiencia nos enseña que existen muchos otros casos en los que no es verdad. Por ejemplo, si ha existido alguna vez una época que estuviera interesada por el pasado y vinculado a él, ésa fue, precisamente, la Edad Media. La noción de autoridad, entendida como las concepciones del pasado que están sancionadas y los textos que las expresan, dominó el periodo. De hecho, el peso del pasado era tan arrollador en aquella época, que se aceptaba, generalmente, como una regla de procedimiento que nadie debía contradecir. Así, rara vez, si es que hay alguna, nos encontramos con alguien que se enfrente, explícitamente, a las opiniones de San Agustín o de alguno de los otros Padres de la Iglesia. Si acaso, nos encontramos con "interpretaciones", algunas de las cuales, de hecho, no son fieles a la letra o al espíritu del texto o del autor en cuestión, pero que, sin embargo, tratan de mantener la apariencia de un acuerdo con las mismas. La opinión general que los autores medievales mantenían del pasado era que éste poseía un valor inmenso y, a menudo, incuestionable. Entendían que su función consistía en facilitar la armonización y conservación de las opiniones con autoridad de dicho pasado. Las ideas de "descubrimiento" y "originalidad", que dominan con tanta frecuencia los intereses de los filósofos contemporáneos, les eran extrañas. Con todo, no puede ponerse en duda que los autores medievales, a pesar de su interés por el pasado, abrieron nuevos campos de investigación en muchas áreas de la filosofía y demostraron el tipo de originalidad que constituiría la envidia de muchos de nuestros contemporáneos. La experiencia, por tanto, contradice la conclusión de que el estudio del pasado entorpece, necesariamente, o incluso la mayor parte de las veces, la creatividad. De hecho, así como en las artes el estudio de los logros del pasado puede, realmente, ayudar, más que entorpecer, a los artistas en su creación de nuevas obras, de igual forma no existe ninguna razón por la que la historia de la filosofía debiera convertirse en un obstáculo infranqueable y no en un apoyo que ayude en la búsqueda de creatividad. El estudio de la historia de la filosofía, como veremos en un momento, puede ayudar, de hecho, en dicho proceso de creación.

Algo semejante podría decirse en relación con la segunda acusación: que el estudio de la historia de la filosofía impide los descubrimientos. Digamos, de nuevo, que es cierto que, en muchos casos, el interés excesivo por el pasado ejerce una influencia nefasta en el descubrimiento. Pero, como muestra el ejemplo de la Edad Media, eso no es, ciertamente, el resultado necesario de tal estudio. Por ejemplo, el enorme respeto que le tenía Tomás de Aquino a Aristóteles, a quien se refiere como "el Filósofo", no le impidió introducir conceptos nuevos y revolucionarios en su pensamiento filosófico, conceptos que pueden considerarse no sólo como no aristotélicos, sino que, incluso, pueden interpretarse como antiaristotélicos. La idea de que la existencia es un acto distinto, realmente, de la esencia, y de que el principio de individuación es la materia considerada bajo determinadas dimensiones, son dos conceptos de este tipo, por ejemplo. Del mismo modo, las exploraciones de Heidegger de la filosofía medieval y antigua han dado como resultado concepciones abiertamente inusuales que no pueden considerarse, en ningún sentido, como repeticiones de las concepciones de los autores antiguos y escolásticos.

Por lo que se refiere a la tercera acusación, que dice que el pasado es irrelevante para el presente y nos traslada a un marco conceptual extraño a los intereses del presente, la respuesta es que esto es, sencillamente, falso. Por supuesto, muchos de los intereses del pasado son filosóficamente irrelevantes para nosotros hoy día, así como muchos intereses actuales no preocuparon al pasado. Ambos puntos resultan claros a partir de los ejemplos que se han ofrecido anteriormente. Pero también es completamente cierto que mucho de lo que discutió el pasado nos concierne también hoy día, y muchas de las concepciones a las que llegaron los filósofos del pasado pueden defenderse incluso hoy. ¿Quién va a decir, por ejemplo, que la cuestión fundamental de Platón en la *República*, "qué es la justicia", es irrelevante para nosotros? Y ¿quién va a decir que la respuesta cínica de Trasímaco, "la justicia es el interés del más fuerte", no es una postura que se discute hoy día? El hecho es que el núcleo de la filosofía se compone de cierto tipo de cuestiones y temas que, según parece, permanecen inalterados por mucho tiempo a lo largo de la historia: ésta es la razón por la que las afirmaciones y las opiniones de los filósofos que vivieron hace cientos o miles de años siguen siendo pertinentes para nuestras discusiones; éste es, de hecho, el motivo por el que hoy día se los sigue leyendo. Pero, sobre esto, volveremos después; por el momento, basta con señalar que el estudio de la historia de la filosofía no parece ser irrelevante para los intereses actuales, ni interfiere, necesariamente, como se concluyó antes, en el camino del descubrimiento y la creatividad. Me voy a ocupar de la cuarta acusación después. Ahora voy a fijarme en aquellos modos en los que puede defenderse la historia de la filosofía.

II. EL PUNTO DE VISTA AFIRMATIVO

La opinión más generalizada con relación a la utilidad de la historia de la filosofía para la filosofía es que, efectivamente, la historia de la filosofía puede, y de hecho lo hace, contribuir sustancial y beneficiosamente a la filosofía. Los intentos por sustentar esta postura se sitúan, a grandes trazos, en tres categorías: una de éstas ofrece razones prácticas para argumentar en favor del estudio de la historia de la filosofía, y por eso la denomino la *justificación pragmática*; otra intenta encontrar las bases teóricas para la utilidad de la historia de la filosofía en la filosofía, y por eso me refiero a ella como la *justificación teórica*; además, existe un tercer grupo de argumentos, de los que tan sólo ofrezco dos, que no caen fácilmente en una única categoría, pero que los reúno bajo el calificativo de *justificación retórica* por las razones que se verán cuando los discutamos. Voy a comenzar por esta tercera categoría, para pasar, luego, a la justificación pragmática, y terminar con la justificación teórica.

A. *La justificación retórica*

La justificación retórica del estudio de la historia de la filosofía adopta diferentes formas. Voy a referirme tan sólo a dos: la primera considera que dicho estudio sirve de inspiración, y la segunda encuentra en él apoyo y respetabilidad para las opiniones contemporáneas.

1. La historia de la filosofía como fuente de inspiración

De acuerdo con esta justificación, la función primera de la historia de la filosofía es la de servir de fuente de inspiración para los filósofos posteriores. No hay que entender esta inspiración, ante todo, en términos de contenido, como una fuente de información y verdad: esto es una concepción diferente, que discutiré después. De la fuente de inspiración que se trata aquí es, más bien, de corte "romántico". Se considera que los filósofos del pasado ejercen el papel de modelos cuyas vidas, obras y luchas sirven como ejemplos de lo que otros filósofos deberían ser y hacer. Verlos como personas de carne y hueso, trabajando por unas metas elevadas de conocimiento y verdad, nos inspira en la búsqueda de las mismas metas en tanto que filósofos: se convierten en nuestros héroes. Como ha señalado Rée: "Se presume que [sus] doctrinas son verdaderas, aun cuando sea un misterio su significado, y, de cualquier manera, el foco de atención no son las doctrinas sino el estilo de vida y muerte del héroe. Los devotos están atormentados por el temor —de hecho, es una certeza— de que son indignos de su maestro."[2]

Aunque no he visto esta justificación de la historia de la filosofía articulada explícitamente del modo como la he descrito, es fácil imaginar que aquellos como Rée, que favorecen la aproximación romántica a la historia de la filosofía que se va a discutir en el capítulo V, tenderán a adoptar este tipo de apología para el estudio del pasado filosófico, y, de hecho, existe un valor considerable en este argumento, porque, aunque no todos los filósofos han llevado vidas que podrían servir como fuentes de inspiración para otros filósofos, muchos, sin embargo, sí lo han hecho. Sócrates, por supuesto, es el ejemplo por excelencia de alguien que no sólo llevó una vida impecable, sino que estaba dispuesto a morir por sus principios; pero existen también entre los filósofos del pasado otros muchos ejemplos de devoción semejante hacia la filosofía y de conducta basada en principios morales. Los filósofos de cualquier época pueden, en verdad, encontrar la fuerza y el coraje para desafiar el antagonismo y la intolerancia si examinan ejemplos de dicha fuerza y coraje en las personas que los precedieron. Debemos recordar que los filósofos no son mentes desencarnadas, y que están sujetos a las mismas influencias emocionales que otros seres humanos. Como habría señalado Agustín, la búsqueda de la verdad y la bondad requiere no sólo la actividad del entendimiento, sino también el concurso de la voluntad, y la voluntad necesita un objeto de deseo con el fin de poder actuar. Es este objeto de deseo el que la historia de la filosofía nos desvela por medio de ejemplos concretos de muchas vidas filosóficas valiosas.

Con todo, si lo que la historia de la filosofía nos ofrece es sólo una fuente de inspiración, podríamos entonces preguntarnos: ¿merece esto el tipo de estudio y análisis minuciosos de las opiniones y de los argumentos, que constituye la norma en los estudios históricos? ¿Por qué molestarse, después de todo, con todos esos detalles doctrinales si lo que importa es, tan sólo, la

---

[2] Jonathan Rée, "History, Philosophy, and Interpretation: Some Reactions to Jonathan Bennett's *Study of Spinoza's 'Ethics'*", en Hare, *Doing Philosophy Historically*, p. 44.

historia de la lucha filosófica y la personalidad de los sujetos?
¿Por qué no hacer de la historia de la filosofía una suerte de
hagiografía seglar? La misma etimología sugiere que estar "inspirado" significa situarse en el espíritu de alguien o de algo,
y ese resultado no puede lograrse fácilmente sino por medio
de la observación de la manera como otros seres humanos se
han enfrentado a los desafíos que se les han presentado. No es,
por tanto, su pensamiento el que sirve como fuente de inspiración, sino su conducta en diversas circunstancias y la manera
como se las han arreglado para lograr sus metas. Parece que
no sería necesario conocer algo sobre las concepciones de Bertrand Russell, por ejemplo, para poder admirar su coraje frente
a la oposición, así como su disponibilidad para luchar en favor
de causas impopulares, de cuyo valor estaba convencido. Si tal
es el caso, entonces la mayor parte de lo que se ofrece bajo el
nombre de *historia de la filosofía* no tiene ninguna utilidad. Necesitamos concentrarnos, únicamente, en aquellos aspectos de
esa historia que poseen un potencial romántico e inspirador.

Esta conclusión, sin embargo, me parece absurda por tres
razones. En primer lugar, porque las biografías ocupan sólo
una pequeña porción de la historia de la filosofía. En segundo lugar, porque si el propósito del historiador fuera escribir
libros inspiradores sobre las vidas del pasado, necesitaríamos
muy poca investigación, salvo los datos biográficos, y tendría-
mos que concentrarnos, únicamente, en aquellos filósofos que
llevaron una vida inspiradora y en los detalles de esas vidas
que podrían servirnos como inspiración hacia el pasado. Sería
cuestionable que, de ser éste el caso, alguien prestara atención a
Kant, por ejemplo, pues ¿qué inspiración podríamos extraer de
la vida bastante tranquila e inactiva que llevó? Apenas salió
de su ciudad natal; no se involucró en controversias políticas
o de cualquier otra índole; y no parece que se haya torturado
por preocupaciones psicológicas o religiosas. Fuera del contenido de su pensamiento filosófico, la puntualidad parece haber
sido su única cualidad digna de admiración, que, difícilmente,
puede considerarse un tema de inspiración. En tercer lugar,
puesto que lo que es inspirador para una época puede que no
lo sea para otra, sería difícil saber, exactamente, lo que es, en
definitiva, valioso en la vida de un filósofo. Por ejemplo, sería

difícil para muchos filósofos contemporáneos que se inspiraran
en la piedad de Agustín o en la aquiescencia dócil de Séneca
a la hora de cumplir la orden de Nerón de que se suicidara.
Todo lo más que podríamos esperar sería un número, siempre
cambiante, de relatos biográficos y esto, ciertamente, no parece
que sea aquello de lo que trata la historia de la filosofía.

2. La historia de la filosofía como fuente de apoyo y respetabilidad

Como ocurre con la justificación que apela a la inspiración,
no tengo noticia de algún filósofo que haya defendido, explícitamente y sin ambigüedad, que la única o, incluso, principal
justificación para el estudio de la historia de la filosofía sea la
búsqueda de apoyo y respetabilidad. Probablemente, la razón
de esta ausencia estriba en que tal justificación nos parece cínica o deleznable, cuando no ambas cosas a la vez. Con todo,
el empleo de la historia de la filosofía como apoyo es, *de facto*,
frecuente en la filosofía. Incluso aquellos filósofos que se enorgullecen de su enfoque no histórico, hacen, a veces, referencias
a las figuras históricas: y no hay que admirarse de esto, toda vez
que la corroboración con el pasado otorga a las opiniones del
presente un aura de continuidad, validez y sentido común que
contribuye a que se asienten. Es alentador encontrar que esas
figuras del pasado, que vivieron bajo condiciones diferentes y
trabajaron dentro de marcos conceptuales completamente distintos, concuerdan con la propia opinión de uno. Es más, si las
figuras en cuestión son intelectos sobresalientes, respetados generalmente, tanto por su búsqueda genuina de la verdad como
por su extraordinaria perspicacia filosófica, habría, entonces,
más razón para alistarlos en favor nuestro. Si andamos en los
hombros de gigantes, podemos parecer muy altos.
   Aunque la búsqueda de validación y apoyo del pasado está presente en toda época, apenas puede dudarse que es en la
Edad Media donde nos encontramos con los casos más extremos. Este periodo de la historia intelectual de Occidente, como
ya se ha dicho, estuvo dominado por la noción de autoridad:
la opinión de que determinadas posturas han de considerarse
hasta tal punto verdaderas, o muy cercanas a la verdad, que

deben respetarse y nunca contradecirse. En última instancia, una autoridad era un texto que había sido respaldado por la reputación de un autor y aprobado, explícita o implícitamente, por la Iglesia. En la cumbre de la jerarquía de autoridades estaban las Sagradas Escrituras, consideradas como revelación divina de Dios. Luego venían los primeros comentarios de las Escrituras y las elaboraciones de la doctrina cristiana, es decir, la obra de los Padres de la Iglesia. Por debajo de los Padres estaban las obras de los Maestros, que enseñaron en las universidades medievales y, por último, los escritos de los filósofos paganos, personas como Aristóteles, Averroes y Avicena. Dentro de este marco de autoridades, se consideraba que la tarea de los teólogos-filósofos cristianos consistía en edificar sobre la base de lo que ya se había conseguido, armonizando cuanta opinión pareciera discordante y presentando un compendio global del pensamiento cristiano. Esta meta dio lugar a las *summae* de esa época, en las que se dedica mucho espacio a las citas de las Escrituras, de los Padres y de otras fuentes de autoridad. De hecho, es casi imposible, durante la Edad Media, encontrar la presentación de cualquier punto de vista que no esté acompañada de referencias al pasado. Debe aclararse, sin embargo, que el interés de estos autores no era histórico. Utilizaban los autores y textos del pasado como refuerzo para sostener sus propios puntos de vista y con el fin de lograr respetabilidad para sus teorías.

Obviamente, en una época en la que uno de los criterios de aceptabilidad intelectual era la sanción de la autoridad, este tipo de procedimiento funcionaba bien; pero, si se descarta el presupuesto del valor de la autoridad, este procedimiento se desmorona. En efecto, dado que, en filosofía, el argumento de autoridad es el más débil posible, el estudio de la historia de la filosofía deja de ser útil si dicho estudio se basa, únicamente, en la presunta autoridad del pasado. Incluso algunos autores medievales se dieron cuenta de que el empleo de los textos como refuerzo sólo es valioso en disciplinas como la teología, que se basa, fundamentalmente, en la autoridad; en filosofía, los refuerzos textuales poseen poco valor.[3]

---

[3] Por ejemplo, Tomás de Aquino, *Summa theologiae*, I, 1, 8.

Resumiendo: la justificación del estudio de la historia de la filosofía que se basa en el apoyo y la respetabilidad que ésta puede proporcionarle a las opiniones actuales no supone, en absoluto, ninguna justificación. En muchos aspectos, subvierte el verdadero propósito de la filosofía —la búsqueda de la verdad—, pues presenta a la disciplina como una suerte de procedimiento retórico cuyo objetivo es la defensa de puntos de vista predeterminados, y es el aspecto retórico e inspirador de esta justificación el que la invalida. Si no podemos encontrar que el estudio de la historia de la filosofía contribuye, de una manera significativa, a la práctica y al progreso de la filosofía, entonces no existe ninguna razón para volver a ella. El hecho de que la historia de la filosofía pueda funcionar como una fuente de inspiración, apoyo y respetabilidad no contribuye, de un modo significativo, al desarrollo de la filosofía. Si la historia de la filosofía ha de tener algún valor para la filosofía, dicho valor hay que encontrarlo en otro lugar.

B. *La justificación pragmática*

La justificación pragmática del estudio de la historia de la filosofía adquiere, por lo menos, tres formas diferentes: una de ellas lo concibe como un laboratorio para el arte del razonamiento; la otra lo considera una fuente de información y verdad; y una tercera lo considera como una buena terapia conceptual, ya sea para restaurar la salud de la filosofía o ya para evitar que caiga en algún tipo de enfermedad. En los tres casos, la justificación se basa en consideraciones prácticas, relacionadas con la utilidad que el estudio de la historia de la filosofía puede tener para la filosofía. Es por esta razón que me refiero a ella como la *justificación pragmática*.

1. La historia de la filosofía y el arte del razonamiento

Aquí, el argumento es bastante conocido. La historia de la filosofía proporciona al filósofo innumerables muestras de buen y mal razonamiento, y el filósofo puede beneficiarse con su estudio. Después de todo, sólo existe un modo de conseguir que un razonamiento sea correcto, y aunque existen muchas maneras de que sea erróneo, su número es, también, limitado. Es más, algunos errores y falacias tienden a repetirse, y la sutilidad de otras es tal, que resulta difícil identificarlas. La historia de la filosofía es una gran mina de oro incuestionable, en la que el filósofo puede ver algunas de las formas más ingeniosas de argumentación, presentadas por las mejores mentes de todos los tiempos. Volverse hacia tales argumentos y entenderlos, así como entender sus puntos fuertes y débiles, ayuda a que los filósofos aprendan y practiquen los modos de argumentación. Dicho aprendizaje y dicha práctica se convierten en técnicas reales que conducen a la formulación de una metodología mediante la cual pueden resolverse los problemas filosóficos. Del mismo modo que el arte de enseñar debe aprenderse no sólo mediante una concientización teórica de cómo enseñar, sino también mediante la práctica de la teoría aprendida, de igual forma el filósofo puede aprender mucho de la experiencia práctica que proviene del estudio de la historia de la filosofía.[4]

Éste es un argumento corriente, que se basa en un procedimiento y en una experiencia establecidos a lo largo del tiempo, especialmente en el salón de clases. Los filósofos aprenden a filosofar, a identificar argumentos, a juzgar su validez, etc., examinando textos filosóficos, que, en su mayor parte, son textos históricos muy distantes de la época en la que se encuentran los estudiantes de filosofía. Bien es cierto que muchos textos de lógica, por ejemplo, elaboran sus propios argumentos para que los utilicen los estudiantes; y tampoco existe ninguna necesidad lógica por la que los argumentos con los que practican los estudiantes de lógica y filosofía deban extraerse de la historia de la filosofía; pero también es cierto que los mejores libros de texto de lógica son aquellos que utilizan ejemplos de razonamientos que ya existen, y no ejemplos designados *ad hoc*. La razón es sencilla: los ejemplos *ad hoc* son artificiales y carecen,

---

[4] Una variación de esta justificación se encuentra en el señalamiento que hace Yolton de que el estudio de la historia de la filosofía produce la destreza para comprender a los demás, ya que promueve el ejercicio que enseña cómo hay que leer los textos. Véase "Is There a History of Philosophy? Some Difficulties and Suggestions", *Synthese*, no. 67, 1986, p. 20.

a menudo, de la personalidad genuina y de la frescura que caracteriza lo que los filósofos han dicho de buena fe mientras estaban entregados a la actividad filosófica. Es más, el vasto repertorio de argumentos históricos le ofrece al estudiante una variedad que, sin duda, se vería menguada si tuviera que limitarse a los textos contemporáneos. Existen fragmentos famosos de razonamiento —a menudo notorios— que se encuentran en la historia de la filosofía y que han desafiado a los filósofos a lo largo de los tiempos y que, ciertamente, ofrecen a los estudiantes de la disciplina oportunidades únicas para que practiquen sus técnicas: ¿quién no se ha roto la cabeza, por ejemplo, con el argumento de Anselmo sobre la existencia de Dios, o con el *cogito* de Descartes?

Esta justificación del estudio de la historia de la filosofía es particularmente eficaz, porque se relaciona con el conocimiento de la estructura formal de los argumentos y las técnicas lógicas que cualquier filósofo debería poseer, ya que dichas estructuras formales y dichas técnicas no están sujetas al paso del tiempo o se ven afectadas por los presupuestos y los puntos de vista que impregnan las circunstancias que rodean al filósofo. Como tales, no pueden considerarse "fuera de moda", como puede ocurrir con las doctrinas y los puntos de vista que, efectivamente, sostienen los filósofos en un periodo histórico determinado. Así, aunque el contenido de los argumentos que ofrece Aristóteles en apoyo del motor inmóvil se base en las teorías físicas de la época y, por tanto, sean inaceptables para nosotros hoy día, la forma de dichos argumentos no está infectada por tal contenido: de ahí que podamos aprender de dicha forma, aun cuando ignoremos el contenido con el que se recubre.

Existe, por tanto, un fuerte argumento pedagógico, desde el punto de vista de la lógica, en favor del estudio de la historia de la filosofía. La debilidad de la justificación descansa, antes que nada, en la ausencia de cualquier conexión esencial entre el estudio de la forma lógica y la historia de la filosofía. De hecho, son, a menudo, los mismos lógicos quienes, con mayor frecuencia, dejan al margen, completamente, la historia de la filosofía, pues, aun cuando fuera conveniente el empleo, en sus procedimientos, de ejemplos tomados de ella, tal empleo no es necesario y, en algunos casos, se considera, incluso, contraproducente: la razón de esta conclusión estriba en que la forma se encuentra, frecuentemente, atada al contenido y, por tanto, el contenido de los argumentos históricos que no tenemos completamente claros podría enturbiar nuestra comprensión de la forma en la que aparecen. Después de todo, prosigue el argumento, es mucho mejor utilizar argumentos artificiales, especialmente si se expresan en símbolos sin ninguna ambigüedad, que tratar de desenmarañar confusas piezas de razonamiento del pasado.

Un segundo problema tiene que ver con el escaso interés que esta justificación, relacionada con destrezas pedagógicas, posee por la historia de la filosofía, pues, de acuerdo con dicha justificación, sólo pueden emplearse aquellos aspectos de esa historia que puedan servir para practicar técnicas lógicas. ¿Por qué necesitamos, entonces, todos los detalles sobre el contenido doctrinal, tan importantes para el historiador de la filosofía? En efecto, ¿existe, después de todo, algún motivo por el que debiéramos preocuparnos por la precisión histórica? Si la razón del estudio de la historia de la filosofía es sólo practicar las propias técnicas de razonamiento, la exactitud de la relación histórica parecería superflua; la misma idea de proveer una relación se torna irrelevante. Si tal es el caso, este tipo de justificación no sirve para lo que, tradicionalmente, se ha conocido como historia de la filosofía.

En definitiva, la justificación del estudio de la historia de la filosofía basada, exclusivamente, en su utilidad pedagógica respecto a la forma y a la argumentación lógicas fracasa rotundamente: desde el punto de vista del lógico, porque no está claro cómo puede ayudar la historia de la filosofía en el desarrollo de las técnicas lógicas; y, desde el punto de vista del historiador, fracasa porque no está claro que una historia de la filosofía que sea útil, pedagógicamente, para aprender técnicas de razonamiento se parezca, en absoluto, a lo que se entiende, generalmente, por historia de la filosofía.

2. La historia de la filosofía como fuente de información y verdad

El estudio que los filósofos hacen de la historia de la filosofía también se justifica frecuentemente al señalar que ésta proporciona a los filósofos información acerca de puntos de vista, problemas, soluciones a los problemas y argumentos reales de los que, de otro modo, no podrían percatarse. El valor de la historia de la filosofía, por tanto, no descansa en la oportunidad que ofrece para practicar el método filosófico —para ejercitar los propios músculos mentales, por decirlo así—, sino en el hecho de que ofrece a los filósofos información sobre cuestiones, posturas alternas y maneras de defenderlas que se relacionan con sus intereses y que podrían haberse escapado a su atención. Como señala Corcoran, "los intentos por comprender las teorías antiguas parece que nos fuerzan a reconsiderar las cuestiones fundamentales y perpetuas".[5] Es un hecho de experiencia que la familiaridad con las reacciones, los puntos de vista y los intereses de otros filósofos contemporáneos amplía, profundiza y agudiza el horizonte filosófico, la conciencia de los problemas y sus alternativas, y la posición filosófica general de un filósofo. Pero si esto es tan claro en el caso de las ideas y las obras contemporáneas, no existe ninguna razón por la que no pueda decirse lo mismo respecto del pasado.

A esto debería añadirse que el conocimiento de la historia de la filosofía previene al presente de repetir el pasado y perder un tiempo y esfuerzo valiosos en lo que ya se ha descubierto. Por parafrasear un dicho bastante conocido: aquellos que no conocen el pasado filosófico están condenados a repetirlo. Los filósofos que no desean viajar por las mismas rutas por las que ya han pasado otros antes que ellos harían bien en estudiar la historia de la filosofía: rica reserva de verdad que puede enseñarnos fácilmente lecciones que, de otro modo, nos supondría un gran esfuerzo aprender.[6]

---

[5] John Corcoran, "Future Research on Ancient Theories of Communication and Reasoning", en John Corcoran (ed.), *Ancient Logic and Its Modern Interpretations*, D. Reidel, Dordrecht y Boston, 1974, p. 187. Edwin Curley defiende este punto de vista al señalar que la historia de la filosofía agudiza nuestra percepción de los problemas, la gama de las posturas posibles y las ventajas y desventajas de cada postura. Véase "Dialogues with the Dead", *Synthese*, no. 67, 1986, pp. 33–49, especialmente p. 38.

[6] La justificación didáctica del estudio de la historia es una de las que se encuentra, con mayor frecuencia, en los escritos sobre el tema. Véase, por

La diferencia entre el presente y el pasado, en este sentido, es la extraordinaria riqueza del pasado si se compara con el presente. Existen 2 500 años de filosofía en los que pueden sumergirse los estudiantes de filosofía, mientras que es posible que lo que se considera el presente consista, de hecho, sólo en la producción filosófica de unos poquísimos años.

Además de esto, el pasado ofrece una variedad de perspectivas que difieren, sustancialmente, de las actuales, lo que exige un reexamen de las opiniones actuales que subraye su peculiaridad y que plantee cuestiones concernientes a su viabilidad. Incluso Descartes, quien, como vimos anteriormente, tenía en poco a la historia de la filosofía, reconocía el valor del estudio del pasado de esta manera:

> Pues es casi lo mismo conversar con gente de otros siglos que viajar. Bueno es saber algo de las costumbres de otros pueblos para juzgar las del propio con mejor acierto, y no creer que todo lo que sea contrario a nuestras modas es ridículo y opuesto a la razón, como suelen hacer los que no han visto nada.[7]

Los filósofos que han entrado en contacto con las opiniones de sus contemporáneos solamente, son como aquellos que nunca han viajado fuera de su propio país y no tienen noticia de otros idiomas, literaturas y culturas. Desarrollan una especie de provincialismo filosófico que les impide darse cuenta de sus propios errores y presupuestos, asumidos sin espíritu crítico,

ejemplo, "Conseils à un journaliste", de Voltaire, en M. Beuchot (ed.), *Ouvres de Voltaire*, vol. 37, pp. 362-367.

[7] Descartes, *A Discourse on Method*, p. 6. [N. del t.: empleo la versión castellana de García Morente, Espasa-Calpe, México, 1982, p. 39.] (Este texto, sin embargo, es seguido por una afirmación en la que vuelve a enfatizarse la actitud antihistórica general de Descartes.) John Stuart Mill hace un señalamiento semejante, y advierte que una "parte necesaria del carácter filosófico es una consideración completa de los pensadores previos y de la mente colectiva de la raza humana". El filósofo necesita reforzar "la débil regla de su propio intelecto", prestando atención a "los modos del pensamiento más opuestos al suyo propio. Es ahí en donde encontrará las experiencias negadas a él mismo; el resto de la verdad de la que sólo ve la mitad", *Dissertations and Discussions*, Henry Holt, Nueva York, 1882, pp. 376, 377 y 379. Véase también Paul G. Kuntz, "The Dialectic of Historicism and Anti-Historicism", en donde discute el alcance de los textos de Mill, en pp. 663-665.

sobre los que descansan muchos de sus puntos de vista. El estudio de la historia de la filosofía, por tanto, funciona como una técnica liberadora que abre nuevas posibilidades y presenta nuevos desafíos. Tal y como ha señalado Garber:

> Muchas de las creencias filosóficas que ahora damos por sentadas no las han compartido figuras del pasado. Al estudiar el pasado y tomarlo en serio, llegamos a reflexionar sobre nuestras propias creencias, del mismo modo que, mediante los viajes, llegamos a reflexionar sobre nuestras propias costumbres. Tal reflexión no necesita conducirnos a un cambio en nuestras creencias. Observaciones históricas, como el hecho de que algunos geógrafos del pasado pensaran que la tierra era plana, o que físicos del pasado pensaran que existía tal cosa como un fuego elemental que, por su propia naturaleza, ascendía, no deberían llevarnos a abandonar nuestras concepciones actuales de geografía o combustión. Pero la reflexión sobre algunas de las cosas en las que las personas han creído debería, por lo menos, hacer que nos preguntemos *por qué* creemos en las cosas que creemos, y *si* nuestros cimientos bastan para soportar las creencias, explícitas o implícitas, que tenemos y las suposiciones que hacemos [...] La historia de la filosofía puede ser importante, no porque conduzca a *verdades* filosóficas, sino porque conduce a *interrogantes* filosóficas.[8]

Todo esto tiene bastante sentido; sin embargo, el argumento que plantea esta justificación no es incuestionable. Después de todo, siempre puede señalarse que, del mismo modo como puede que existan algunas razones pragmáticas para volver la mirada a la historia de la filosofía, existen otras razones, también pragmáticas, por las que no debería hacerse tal cosa. Por ejemplo, está el problema de las limitaciones de tiempo, que hemos planteado anteriormente: ¿en qué periodo o área deberían concentrarse los estudiantes?; ¿a qué filósofos, posturas y problemas debería prestárseles atención, y cuáles deberían ignorarse? La historia de la filosofía es demasiado vasta, y alguien puede extraviarse fácilmente en ella y perder de vista el objetivo

[8] Daniel Garber, "Does History Have a Future?", p. 36. C.S. Lewis ya hizo anteriormente el mismo señalamiento en "On the Reading of Old Books", en *First and Second Things: Essays on Theology and Ethics*, Walter Hooper (ed.), Collins, Glasgow, 1985, pp. 27-28.

que, en un principio, buscaba. De hecho, éste parece que ha sido el destino de muchos filósofos, que acabaron convirtiéndose en historiadores y nunca lograron salirse del estudio puramente histórico del pasado filosófico. Existe, por tanto, un peligro real de ser tragados por la historia de la filosofía. El panorama filosófico contemporáneo muestra, ampliamente, el hecho de que la mayor parte de los filósofos se limitan al estudio de áreas muy restringidas de la historia de la filosofía: se trata de filósofos que escriben artículos eruditos sobre lo que Descartes pensó de esto o Platón de aquello, y que se consagran, a menudo, a lo que algunos filósofos consideran minucias. El estudio de la historia de la filosofía, de acuerdo con muchos, es una espada de doble filo que, en el peor de los casos, debería evitarse y, en el mejor, debería tratarse con sumo cuidado, y la justificación de la filosofía que se basa en su consideración como una fuente de información no ofrece un argumento convincente en contra de este tipo de objeción.

3. Historia de la filosofía y terapia

Por último, están aquellos que sostienen que la justificación práctica más importante para el estudio de la historia de la filosofía son los efectos terapéuticos de tal estudio, bien como un método de curación, o bien como una medida preventiva contra un posible empeoramiento. Por un lado, aquellos que lo consideran, sobre todo, como un procedimiento de curación suponen, por lo general, que la filosofía ha sufrido un proceso de deterioro hasta tal extremo, que en el presente se encuentra, o enferma, o confundida, cuando no ambas cosas, sobre cuál es su naturaleza y su papel. Bajo tales condiciones, se hace necesaria una terapia con el fin de restaurar el antiguo vigor y salud de la filosofía. La manera de llevarla a cabo, como ha intentado Heidegger, es regresando a sus orígenes, pues en la historia de la filosofía podemos encontrar, antes que nada, cómo surgió la filosofía, cuáles eran sus objetivos originales y qué pensaron de ella los primeros filósofos. El estudio de esos orígenes puede revelar las intuiciones originales sobre la disciplina que condujeron a sus fundadores a cultivarla, así como las necesidades que impulsaron su fundación. La comprensión de esas intuiciones y necesidades originales, no mezcladas con la especulación y el artificio ulteriores, podría, entonces, ofrecernos la clave para la comprensión adecuada de la filosofía. Además, a partir del estudio de la historia de la filosofía podemos aprender también los pasos que han seguido los filósofos para llegar a su presente estado de decadencia. El estudio de la historia de la filosofía nos puede ofrecer una imagen de lo que se supone que sea la filosofía en sus mejores momentos y, por tanto, de las metas que debería perseguir y de los métodos que debería utilizar en dicha empresa. Y si descubrimos las causas que han desviado la filosofía del camino propuesto, conduciéndola por otros derroteros, podremos divisar las estrategias para hacer que esas causas dejen de surtir su efecto.

Por otro lado, aquellos que ven el estudio de la historia de la filosofía como algo que ofrece una prevención en contra de un deterioro futuro no suponen, necesariamente, que el estado presente de la filosofía carezca de salud. Su preocupación versa sobre un deterioro futuro. Coinciden, sin embargo, con el grupo anterior en el hecho de que encuentran en el estudio de los orígenes y los desarrollos históricos posteriores la clave para mantener la salud de la disciplina: la razón estriba en que, por medio de la comprensión de tales orígenes y desarrollos, podemos lograr una comprensión adecuada de la naturaleza de la filosofía, al igual que del procedimiento que debería emplear.

Ambos puntos de vista tienen sentido si uno comparte sus presupuestos, pues la comprensión de un procedimiento ayuda, generalmente, o bien a restaurarlo en el estado originario, que fue el que se había diseñado, o bien previene su deterioro. No puede caber duda alguna de que tal comprensión puede funcionar, bajo ciertas circunstancias, como una condición necesaria para que pueda llevarse eficazmente a la práctica; y aquí, la analogía de la salud, que se emplea a lo largo de su justificación, se vuelve particularmente provechosa. Tomemos, por ejemplo, un órgano corporal. Es de todos sabido que, para prevenir su deterioro, debemos comprender con precisión la naturaleza del órgano y su función. Y lo mismo vale para restaurar la buena salud cuando, por alguna razón, ha sufrido un deterioro. Del mismo modo, en el caso de la filosofía, debemos comenzar por comprenderla, y para hacer tal cosa, debemos prestar atención a la manera como funciona, y esto sólo puede lograrse, de acuerdo con este punto de vista, por medio del examen de su historia.

Pero, nuevamente, alguien podría preguntar: aunque se demostrara que la filosofía está enferma o puede enfermarse, ¿ha de encontrarse el remedio, necesariamente, en su historia? El hecho de que la historia sirva de cura está lejos de ser claro. Es más, ¿en qué parte de la historia de la filosofía deberían concentrarse los filósofos? ¿Los presocráticos? ¿Platón y Aristóteles? ¿La Edad Media? ¿La Ilustración? La medicina parece demasiado imprecisa y demasiado amplia como para poder hacer algún bien. Antes de que terminemos de administrarla, es muy posible que el paciente esté muerto.

Hay dos problemas que son especialmente difíciles. En primer lugar, la idea de que la filosofía se encuentra, actualmente, en estado de enfermedad: en efecto, es éste, sin duda, un juicio con el que muchos filósofos no estarían de acuerdo. Muchos de ellos defenderían el punto de vista opuesto: la filosofía está floreciendo y ha alcanzado un grado de madurez intelectual, precisión y desarrollo como el que no se ha logrado en ningún otro periodo histórico anterior. La evidencia con la que se cuenta para respaldar este juicio es abundante, pues, aunque pueda discreparse sobre el valor definitivo de las ideas filosóficas que están circulando hoy en día, no puede cuestionarse que existen más filósofos ejerciendo la filosofía y más publicaciones filosóficas que en cualquier otra época de la historia de la disciplina.

Del mismo modo, en segundo lugar, son muchos los que no están de acuerdo en que la historia de la filosofía puede restaurar la salud original de la filosofía o prevenir que su salud actual se deteriore basándose en el estudio de los orígenes de la disciplina y sus desarrollos históricos posteriores. Algunos argumentarán que no está claro cómo este estudio puede ayudarnos a descubrir qué es la filosofía o cuál es su metodología adecuada. El estudio de tales orígenes y desarrollos nos daría, solamente, un conocimiento descriptivo sobre esos orígenes y desarrollos, pero no necesariamente, ni siquiera en principio, el tipo de conocimiento prescriptivo que necesitamos si deseamos conocer la naturaleza de la disciplina y su metodología apropiada.

No hay ninguna duda de que las tres justificaciones pragmáticas que hemos discutido poseen un mérito considerable, y que incluso los más recalcitrantes opositores al estudio de la historia de la filosofía estarían de acuerdo, probablemente, con algunas de las observaciones que éstas justificaciones hacen. Las dos primeras poseen un atractivo especialmente fuerte. Se requiere muy poca experiencia en el ejercicio de la filosofía para aprender que la familiaridad con la historia de la filosofía ayuda a desarrollar destrezas de argumentación y aumenta el alcance y la profundidad de nuestra comprensión de las cuestiones y los puntos de vista filosóficos. La tercera justificación, por el contrario, es mucho más controvertida, debido, por un lado, a los presupuestos que asumen aquellos que la defienden (que la filosofía se encuentra, actualmente, en un estado lamentable), y, por otro, a la manera como entienden que la historia de la filosofía puede hacer que la filosofía recobre la salud.

Con todo, y sea como fuere, aun cuando aceptáramos las conclusiones de las tres justificaciones pragmáticas, tal aceptación no parecería suficiente para justificar el estudio de la historia de la filosofía. Se hace preciso una justificación más teórica, es decir, que descanse en algo más que la mera conveniencia: debería tratarse de una justificación que se relacione con la misma naturaleza de la filosofía y de su historia. No se trata de que, al final, nos encontremos con que la filosofía requiere del estudio de la historia de la filosofía: ya hemos visto que esto no es así. Más bien, lo que nos gustaría encontrar son razones que se basen en la naturaleza de la filosofía y de su historia, y que hagan que el estudio de la historia de la filosofía sea, por su propia naturaleza, útil para la filosofía. A estos tipos de consideraciones vamos a pasar a continuación.

C. La justificación teórica

La *justificación teórica* del estudio de la historia de la filosofía encuentra sus pertrechos en la naturaleza de la filosofía misma y en la naturaleza de la práctica filosófica. Aquí voy a considerar cuatro formas que puede adoptar este tipo de justificación: las dos primeras a las que hago referencia se basan, principalmente, en la naturaleza de la práctica filosófica; las dos últimas se basan en ciertas concepciones sobre la naturaleza de la filosofía.

1. La ontogenia recapitula la filogenia

La ontogenia es el proceso mediante el cual una entidad individual se desarrolla desde su origen, a través de varias etapas, hasta la entidad completa que es. La filogenia es el proceso mediante el cual una clase de entidad se desarrolla desde su origen, a través de varias etapas, hasta la clase completa de entidad que es. Por tanto, decir que la ontogenia recapitula la filogenia es afirmar que el proceso mediante el cual una entidad individual se desarrolla en un individuo completo repite, de alguna forma, el proceso mediante el cual una clase de entidad se desarrolla hasta la clase completa de entidad que es.[9] Por ejemplo, se ha sostenido que, puesto que, biológicamente hablando, la especie humana es el producto de un proceso que consiste en varias etapas de desarrollo, la producción de un individuo humano refleja, de alguna manera, ese proceso de desarrollo. De hecho, prosigue el argumento, si observamos las etapas de desarrollo por las que atraviesa un embrión humano, podemos emparentarlas con las etapas del desarrollo de la raza humana.

Este tipo de argumento puede aplicarse, también, al conocimiento y, en particular, al caso que tenemos a la mano: podría argumentarse que la adquisición del conocimiento filosófico de un individuo pasa por unas etapas que reflejan las etapas por las que la raza humana, como un todo, ha pasado en su comprensión de la filosofía.[10] Si esto es así, entonces tiene mu-

---

[9] Esta idea se hizo popular gracias al biólogo Ernst Haeckel, *The Riddle of the Universe*, trad. Joseph MacCabe, Harper & Brothers, Nueva York, 1900. La formulación exacta de Haeckel es como sigue: "*La ontogénesis es una breve y rápida recapitulación de la filogénesis*, determinada por las funciones fisiológicas de la herencia (generación) y la adaptación (mantenimiento)" (p. 81).

[10] Hay muchas maneras diferentes de entender la idea de que la ontogénesis recapitula la filogénesis, especialmente cuando se aplica al conocimiento. Por ejemplo, en una discusión reciente sobre la enseñanza de las matemáticas, Edwin E. Moisie interpreta este principio como "la idea de que las cosas deben enseñarse en el orden en el que fueron descubiertas". Véase el panel de discusión sobre "New Directions in College Mathematics" en Robert W. Ritchie (ed.), *New Directions in Mathematics*, Prentice Hall, Englewood Cliffs,

chísimo sentido estudiar la historia de la filosofía, pues al hacer tal cosa podríamos ahorrarnos un esfuerzo considerable.

El argumento es atractivo en muchos aspectos, y si pudiéramos estar seguros de la verdad de su premisa fundamental, a saber, que la ontogenia recapitula la filogenia, sería bastante fácil establecer la mejor o, por lo menos, una de las mejores justificaciones teóricas para el estudio de la historia de la filosofía. El problema, por supuesto, es que el *status* de esa premisa no está claro; y no lo está, principalmente, porque la misma idea de "recapitulación" sobre la que descansa no es clara. Ante todo, y en primer lugar, la idea de recapitulación parece que se basa en alguna semejanza entre los procesos filogenéticos y los ontogenéticos, pero no están claras cuáles son esas semejanzas. En segundo lugar, aunque hubiera semejanzas entre los procesos, existen también diferencias importantes entre ellos. Las diferencias resultan, en parte, del hecho de que en el caso de la filogenia estamos tratando con un grupo, mientras que en el caso de la ontogenia estamos tratando con un individuo. Es más, el proceso de la filogenia tiene lugar a lo largo de un amplio periodo de tiempo, mientras que el proceso de la ontogenia ocupa un espacio más breve. Estas diferencias sugieren que, en el mejor de los casos, la filogenia y la ontogenia son análogas en algunos aspectos fundamentales, y, en el peor de los casos, por supuesto, que los procesos son fundamentalmente diferentes y poseen sólo analogías superficiales que no reflejan la naturaleza básica de los procesos mismos. En ambos casos, estamos tratando con analogías cuyas naturalezas hay que determinar; bajo tales condiciones, parece inapropiado argumentar que pasar por un procedimiento va a ayudar, necesariamente, al otro. Si tal es el caso, no encontraríamos una base firme para demos-

Nueva Jersey, 1964, p. 51. Imre Lakatos señala que tanto H. Poincaré como G. Pólya aplicaron la "ley biogenética fundamental" de Haeckel al desarrollo mental y, en particular, al desarrollo mental matemático. Véase de Lakatos su *Proofs and Refutations: The Logic of Mathematical Discovery*, J. Warrall y E. Zahar (eds.), Cambridge University Press, Cambridge, 1976, no. 2, p. 4. De Poincaré, véase *Science et Méthode*, Flammarion, París, 1908. Para Pólya, véase "The Teaching of Mathematics and the Biogenetic Law", en I.J. Good (ed.), *The Scientist Speculates*, Heinemann, Londres, 1962, pp. 352–356.

trar que el estudio de la historia de la filosofía nos va a ayudar, realmente, en nuestro desarrollo filosófico.

En resumidas cuentas: la afirmación sobre la que descansa esta justificación del estudio de la historia de la filosofía es demasiado oscura y controvertida como para que pueda servir de base para una justificación de su estudio hoy en día. Mientras el principio sobre el que se fundamenta la justificación no se haya asentado sobre unas bases más firmes, debemos volvernos a otras opciones para justificar el estudio de la historia de la filosofía.

2. La naturaleza dialéctica de la filosofía

Otro intento de justificación teórica del estudio de la historia de la filosofía se basa en la opinión de que la filosofía es una disciplina dialéctica. Que la filosofía es dialéctica puede interpretarse, sin embargo, de diversas formas; dos de las cuales son especialmente pertinentes en este momento. De acuerdo con una, la filosofía es una disciplina en la que el diálogo forma parte de su esencia: hacer filosofía es entregarse al diálogo y, por tanto, al intercambio de ideas. La filosofía no puede progresar por sí misma; necesita del toma y daca, tan evidente en los escritos platónicos. De acuerdo con otra, la naturaleza dialéctica de la filosofía significa que la filosofía se mueve de acuerdo con ciertas leyes del pensamiento; esto es, con ciertos patrones que conducen hacia una meta. Estas dos interpretaciones de la naturaleza dialéctica de la filosofía se pueden utilizar para justificar el estudio de la historia de la filosofía.

a. Filosofía y diálogo. El argumento aquí consiste en afirmar lo siguiente: puesto que el diálogo es esencial para la filosofía, y puesto que en el diálogo ocurre que cuanto mejor sea el partícipe, tanto mejor será el resultado, tenemos entonces que el estudio de la historia de la filosofía será enormemente beneficioso para la filosofía, ya que su historia proporciona a los filósofos contemporáneos el mejor partícipe posible en el diálogo.[11] Las ventajas de la utilización de este partícipe son

---

[11] Una variante interesante de esta postura la ha defendido recientemente Henry Veatch en *Swimming against the Current*, pp. 1-12. Su opinión es que

extraordinarias si se compara con aquellas que se derivan de la utilización de nuestros contemporáneos. En primer lugar, la historia de la filosofía nos presenta una riqueza de argumentos y posturas que no pueden igualarse aunque reuniéramos el pensamiento de todos los filósofos contemporáneos. Por supuesto, algunos argumentos y posturas de la filosofía contemporánea son originales y, por tanto, no se encuentran antes del momento presente; pero su número palidece cuando se compara con el número de argumentos y posturas que tiene que ofrecernos el pasado.

En segundo lugar, se trata también de una cuestión de calidad. Sabemos que, en la historia de la filosofía, estamos tratando con los mejores intelectos de los diferentes periodos que estudiamos, mientras que todavía no estamos seguros de quiénes son las mejores mentes de nuestro tiempo: nos hallamos aún demasiado cerca de ellos como para poder juzgarlos con ecuanimidad. Este aspecto me lleva al tercer punto que es preciso señalar en relación con esta justificación, a saber: que estamos demasiado cerca de nuestros contemporáneos y de sus opiniones como para poder entrar con ellos en la clase de diálogo desapasionado, objetivo y racional que se espera de los filósofos. Como es obvio, empero, es mucho más fácil hacer esto con el pasado, prosigue el argumento, porque no estamos relacionados emocionalmente con sus figuras como lo estamos con nuestros contemporáneos.

No deseo discutir la tesis que afirma que la filosofía es, esencialmente, dialéctica en el sentido establecido, aunque creo que esto está muy lejos de ser verdad; sin embargo, aun cuando dejemos al margen de toda cuestión dicha tesis, existen, con todo, dos defectos en esta posición que la debilitan seriamente. El primero está relacionado con la aplicación de la idea de "diálogo" que se emplea para describir la relación del presente filosófico con su pasado, igualmente filosófico.

lo que él llama "la dialéctica aristotélica" es algo preliminar a la investigación filosófica (p. 4). Su función es despejar las aporías que son el punto de partida de la filosofía, dejando espacio para el descubrimiento de la verdad (p. 11). Naturalmente, despejar aquellas aporías requiere comprender las opiniones de las que resultan, y eso requiere, entonces, un estudio de la historia de la filosofía (p. 7).

El ejemplo principal y más claro de diálogo ocurre cuando dos hablantes se envuelven en una conversación. Así, hablamos del diálogo como un fenómeno primariamente verbal, aunque también denominamos "diálogos" a los informes escritos de lo que se supone fue una actividad verbal. Es claro que no hay ninguna razón seria por la que no pudiera tener lugar un diálogo a través de la escritura u otros medios adecuados. Es cierto que podemos establecer y mantener un diálogo por correspondencia. Además, tampoco es necesario, como muestra el caso de la correspondencia, que haya un determinado elemento temporal envuelto. Podemos mantener un diálogo a través de los años, y los intercambios no tienen que estar separados, específicamente, por breves espacios de tiempo; aunque, por otro lado, es verdad que si el tiempo entre los intercambios se alarga demasiado, hablamos de "interrumpir" un diálogo y "retomarlo" de nuevo. En realidad, lo que parece más importante, de hecho esencial, para un diálogo son dos cosas: (1) que las partes se contesten y (2) que exista una posibilidad real de que las respectivas posturas que mantienen las partes se modifiquen y cambien. Esto es lo que distingue un auténtico diálogo de dos sendos monólogos que cada uno de los hablantes le recita al otro. Cuando dos personas están tan aferradas a sus creencias, que no existe la posibilidad real, por *ambas* partes, de cambiar de posición, no consideramos, normalmente, que el intercambio sea un diálogo. Para sostener un diálogo, ambas partes deben estar abiertas al cambio. Esto se echa de menos, con frecuencia, en los intercambios mordaces que ocurren actualmente entre el partido antiabortista y el partido que está en favor de la libre decisión, por ejemplo. En este caso, muchos antiabortistas se aferran a su posición sobre la base de creencias religiosas que no pueden cuestionarse. Y muchos de los que apoyan la libre decisión fundamentan su postura sobre la base de necesidades emocionales y personales. Bajo tales condiciones, el diálogo entre estas dos partes es imposible, puesto que ninguna está dispuesta a introducir cambios en su postura. De hecho, ni siquiera pueden concebir la idea de un cambio de postura. Los intercambios entre ambos grupos, bajo tales circunstancias, no son diálogos sino, más bien, declaraciones de sus opiniones respectivas, y los argumentos que se ofrecen para apoyarlas tienen como finalidad la mera persuasión o intimidación, pero no la comunicación.

Si, con el fin de mantener un diálogo, debe haber respuestas y debe existir la posibilidad de cambiar de postura, se ve, entonces, claramente que es imposible mantener un diálogo con figuras de la historia de la filosofía: ellas no pueden reaccionar a lo que decimos y, posiblemente, no pueden cambiar sus opiniones como resultado de nuestros argumentos. Por tanto, no hay ni puede haber un diálogo genuino entre el presente y el pasado. Es cierto que los historiadores de la filosofía hablan, a veces, de "establecer un diálogo" con el pasado, pero en esos casos la palabra "diálogo" se emplea, o debería haberse empleado, de un modo metafórico.[12] No trato de decir que cuando los filósofos estudian la historia de la filosofía, no estén intentando seriamente comprender a los filósofos del pasado: muchos de ellos lo hacen. Tampoco rechazo el procedimiento que consiste en desarrollar cuestiones que alguien puede intentar responder sobre la base de lo que conoce de la postura de un filósofo del pasado: éste es, de hecho, un procedimiento filosófico e historiográfico muy útil. Ninguno de estos procedimientos, sin embargo, conlleva un diálogo con el pasado, pues el pasado no puede cambiar; y, aun cuando hiciéramos que el pasado nos respondiera según el proceso que hemos señalado, nunca estaríamos seguros de que esa supuesta respuesta es la

---

[12] Para ejemplos recientes de esta manera de hablar, véase Dominick La-Capra, "Rethinking Intellectual History and Reading Texts", en Dominick LaCapra y Steven Kaplan (eds.), *Modern European Intellectual History: Reappraisals and New Perspectives*, Cornell University Press, Ithaca, N.Y. y Londres, 1982, pp. 49 y ss.; Edwin Curley, "Dialogues with the Dead", citado anteriormente, y A. Peperzak, "On the Unity of Systematic Philosophy and History of Philosophy", en T.Z. Lavine y V. Tejera (eds.), *History and Anti-History in Philosophy*, Kluwer Academic Pubs., Dordrecht, 1989, p. 27. Este punto también se aplica a la palabra "conversación". Algunos filósofos hablan de que sostienen una "conversación" con el pasado, con los filósofos del pasado, o incluso con un texto. Véase, por ejemplo, Michael L. Morgan, "The Goals and Methods of the History of Philosophy", *Review of Metaphysics*, no. 40, 1987, p. 721; W.H. Williams, "Comment on John Yolton's 'Is There a History of Philosophy? Some Difficulties and Suggestions'", *Synthese*, vol. 67, no. 1, 1986, p. 26, y Víctor Tejera, "Introduction: On the Nature of Philosophic Historiography", en el volumen editado por él y por Lavine.

que los filósofos del pasado habrían dado a nuestra pregunta, a no ser que la pregunta que hicimos sobre el pasado, y su respuesta, estén, efectivamente, registradas en algún sitio. Esto indica, claramente, que el pasado no nos responde realmente, y que ninguna de las dos condiciones que se requieren para que tenga lugar un diálogo se cumplen en el estudio de la historia de la filosofía.

La otra objeción en contra de la justificación del estudio de la historia de la filosofía no es menos importante. Ésta afirma que, aun cuando la filosofía se considere fundamentalmente dialéctica en su naturaleza, eso no quiere decir que tenga que ser con el pasado con el que necesite establecer un diálogo. La filosofía podría ser esencialmente dialéctica y, con todo, podría satisfacer esa naturaleza entablando un diálogo contemporáneo. Por supuesto, es posible que haya ventajas al tratar con el pasado, pero no es necesario que tratemos con él.

En conclusión, la justificación del estudio de la historia de la filosofía que se basa en su naturaleza dialéctica falla a la hora de señalar cómo puede beneficiarse la filosofía a partir del estudio de su pasado. Decir que la filosofía es, fundamentalmente, dialéctica por naturaleza no es suficiente para indicar que su historia la ayuda. Al final, esta justificación se reduce, en muchos aspectos, al tipo de justificación pragmática que hemos examinado anteriormente, y carece de la dimensión teórica de la que también carecen aquellas justificaciones.

b. La filosofía y la dialéctica. La segunda justificación dialéctica del estudio de la historia de la filosofía sigue por un derrotero diferente: argumenta que el estudio de la historia de la filosofía es útil para la filosofía porque permite que el filósofo conozca cómo opera la filosofía. Es decir, el filósofo puede ver en la historia de la filosofía cómo se mueve la filosofía a lo largo de ciertos patrones preestablecidos. Estos patrones son los que los partidarios de esta postura llaman "la dialéctica", y consisten en una lógica del progreso y del desarrollo. El modo como se analiza esta lógica varía de un autor a otro, pero el ejemplo más conocido es el que propuso Hegel. De acuerdo con él, la filosofía, al igual que cualquier otra realidad en la historia, se mueve según un patrón triple, que comienza con una etapa llamada *te-*

sis, seguida por una etapa que la niega, llamada *antítesis*, y, por último, se llega a una etapa final, llamada *síntesis*. La síntesis es, a la vez, el final de un proceso dialéctico y el comienzo de otro en el que la síntesis del antiguo funciona como una tesis del nuevo.

El valor de la historia de la filosofía, de acuerdo con este punto de vista, consiste en que nos revela el patrón dialéctico de desarrollo y progreso de la filosofía, y nos conduce a un estado superior de conciencia de lo que ya se ha logrado en el pasado y del proceso inexorable que la filosofía debe seguir en su desarrollo. Esta conciencia superior nos ayuda, por supuesto, en nuestra tarea como filósofos, y evita que repitamos el pasado, ahorrándonos tiempo y ayudándonos a ver cómo tenemos que proceder.[13]

Hay dos problemas con esta justificación que la socavan seriamente. El primero es bastante obvio: esta justificación descansa sobre la opinión de que la filosofía siempre se desarrolla de acuerdo con un patrón dialéctico preestablecido, y esto está lejos de ser evidente. La tesis de que la filosofía, como cualquier otra cosa en el universo, sigue un patrón dialéctico es sumamente especulativa y descansa en una metafísica compleja. Emplear una tesis especulativa de este tipo para apoyar cualquier otra tesis carece de firmeza, desde el punto de vista metodológico, pues habría que adueñarse de toda una interpretación metafísica del mundo con el fin de adquirir la justificación del estudio de la historia de la filosofía. Dicho con otras palabras: esta justificación del estudio de la historia de la filosofía se restringe a una determinada filosofía, y pierde su atractivo y efectividad si se emplea fuera de los parámetros en los que dicha filosofía funciona. Por tanto, para nuestro propósito general, esta justificación no sirve.

---

[13] Lawrence H. Powers ha añadido a esta concepción una idea original e ingeniosa en su reciente "On Philosophy and Its History", *Philosophical Studies*, vol. 50, no. 1, 1986, pp. 1–38, especialmente pp. 1–13. Según él, la filosofía necesita de la historia de la filosofía porque "las posturas filosóficas tienen que dar cuenta, adecuadamente, de la historia de los argumentos" que apoyan o socavan dichas posturas. De este modo, el filósofo *qua* filósofo necesita volverse al pasado.

El segundo problema no está tan claro, pero es, sin duda, más serio que el primero. Lo voy a presentar en forma de pregunta: si la filosofía y su historia se mueven necesariamente de acuerdo con un patrón dialéctico preestablecido, entonces ¿de qué les sirve a los filósofos conocer la historia de la filosofía o el patrón que sigue? En otras palabras, si los filósofos proceden, inexorablemente, de acuerdo con la dialéctica, entonces el conocimiento del pasado y de dicha dialéctica no puede contribuir en nada al proceso en el que están inmersos. La naturaleza determinada del proceso excluye la posibilidad de que los filósofos puedan mejorar su ejecutoria o ahorrar tiempo. De hecho, afirmar, en este contexto, que el estudio de la historia de la filosofía es útil o necesario carece de sentido o es incoherente, pues si los filósofos se dedican a él, lo hacen porque están determinados a hacerlo, y si no lo hacen, entonces es porque están determinados a no hacerlo. Bajo tales condiciones, no tiene sentido tratar de responder a la pregunta de por qué deberían estudiar la historia de la filosofía, pues dicha cuestión presupone que ellos pueden elegir estudiarla o no estudiarla; mientras que esta postura considera este estudio como un hecho predeterminado, fuera del alcance de nuestra voluntad. Desde el punto de vista de aquellos que aceptan la postura dialéctica, parecería imposible ofrecer una justificación del estudio de la historia de la filosofía: lo único posible sería ofrecer una descripción del papel que desempeña la historia de la filosofía en el desarrollo de la filosofía, y dicho ofrecimiento, como cualquier otra cosa en el proceso histórico, también está determinado.

3. Filosofía como la conciencia de la ciencia

Una tercera justificación teórica se basa en una concepción bastante inusual, que tiene que ver con la relación que posee la filosofía con la ciencia y la tecnología. El argumento señala que la comprensión y el manejo de la ciencia y de la tecnología sólo es posible sobre la base de la experiencia histórica, y que dicha experiencia histórica la suple la historia de la filosofía. Lo que es bastante original desde esta perspectiva es que la necesidad del estudio de la historia de la filosofía no se basa en la naturaleza histórica de la filosofía misma, como han argumentado repetidamente los historicistas; y tampoco se apoya sobre la base de la naturaleza cultural de la filosofía, como afirman los culturalistas. Más bien, la necesidad y el valor de la historia de la filosofía se apoyan sobre la base de su relación con la ciencia y la tecnología y el carácter eminentemente histórico de éstas. Es debido a que la ciencia y la tecnología son fenómenos históricos por lo que la historia de la filosofía posee valor, pues es el único estudio capaz de integrar y producir una comprensión del significado de los desarrollos científicos y tecnológicos. No se considera el conocimiento científico, por tanto, como absoluto y universal, sino como un producto social vinculado a las circunstancias culturales en las que surge. Lo mismo acontece con la tecnología: sólo con la conciencia de las ideas que la produjeron puede comprenderse su significado. Más aún: sólo la historia de la filosofía puede llevar a cabo esa tarea.

No cabe duda de que este punto de vista no sólo es original, sino que, además, posee algún mérito. Es cierto que la ciencia y la tecnología no surgen de un vacío ideológico y cultural;[14] y también está bastante claro que sólo el filósofo y, en particular, el historiador de la filosofía puede comprender el amplio entorno en el que surgen. Alguien podría objetar, sin embargo, que esta tarea pertenece al historiador de la ciencia, antes que al historiador de la filosofía; pero los partidarios de esta postura responden que esto no es así, porque la historia de la ciencia es demasiado insular: aunque intenta ofrecer una relación del desarrollo de la ciencia, su objeto de estudio restringido le impide proporcionar una comprensión cultural amplia como la que la filosofía puede facilitar. El significado de la ciencia y de la tecnología sólo puede juzgarlo una disciplina lo suficientemente amplia como para ocuparse de las ideas generales que se desarrollan en una cultura, y ésta es una tarea que sólo la filosofía puede llevar a cabo.

No estoy completamente satisfecho con una réplica de este tipo, pero esto es lo último por lo que me preocupo en relación con esta justificación. Estoy dispuesto a aceptar, en aras del argumento, que los partidarios de esta postura son capaces

---

[14] Cfr. Thomas S. Kuhn, *The Structure of Scientific Revolutions*, University of Chicago Press, Chicago, 1970.

de explicar cómo la historia de la ciencia no puede hacer por la ciencia lo que la historia de la filosofía sí puede hacer por ella. Lo que exaspera es que, como reconoce el defensor más reciente de esta postura, ésta descansa en el presupuesto de que "las ciencias naturales y la tecnología basada en ellas poseen una dimensión histórica irreductible [. . .] [es decir] no pueden entenderse adecuadamente si no se conciben como acontecimientos históricos únicos".[15] Aquí es donde descansa la mayor debilidad de esta postura, pues no está claro, en absoluto, que el conocimiento científico sea tan irreductiblemente histórico, que no pueda comprenderse su significado, salvo en el contexto que ofrece la historia de la filosofía. De hecho, me parece que, aunque algunas dimensiones del significado de determinados desarrollos científicos y tecnológicos no pueden apreciarse salvo en el contexto que ofrece la filosofía y su historia, existen otros muchos aspectos cuyo significado sí puede comprenderse al margen del contexto histórico-filosófico en el que surgen. Nótese que no estoy afirmando que todo conocimiento científico sea de este tipo, ni tampoco que lo sea la mayor parte del mismo. Estoy afirmando, simplemente, que *algunos* de éstos son de este tipo o, por lo menos, podrían ser de este tipo. Es posible que el jurado no esté todavía decidido sobre este asunto, pero la mera posibilidad de que llegue a una decisión contraria a esta postura socava su reclamo harto pretencioso. Puesto que la comunidad filosófica considera este asunto demasiado controvertido, me parece inapropiado emplearlo como base para apoyar una tesis como la que estamos discutiendo.

Por el contrario, sí que me parece bastante razonable argumentar que se pasa completamente por alto la importancia de una buena parte de la ciencia y de la tecnología si no se las sitúa en el contexto que proporciona la historia de la filosofía y que, por tanto, el estudio de dicha historia es valioso en este sentido. Es más, puesto que parte de la tarea filosófica es comprender la importancia de la ciencia y de la tecnología, es claro que el

[15] Lorenz Krüger, "Why Do We Study the History of Philosophy?", en Richard Rorty *et al.*, *Philosophy in History*, p. 78. Entre otros defensores de esta postura se encuentra Friedrich Engels, *Dialectics of Nature*, International Publishers, Nueva York, 1940, Introducción.

estudio de la historia de la filosofía es útil no sólo para comprender los desarrollos científicos y tecnológicos, sino también para la filosofía. Con todo, esta justificación es más pragmática que teórica y, de esta suerte, relega el estudio de la historia de la filosofía al reino de la conveniencia. Para una justificación más efectiva, debemos dirigirnos a una postura que se base en un análisis cultural de la filosofía.

4. La dimensión cultural de la filosofía

La cuarta, y la que me parece la justificación teórica más efectiva del estudio de la historia de la filosofía, afirma que la filosofía se alía, estrechamente, con la cultura en la que se produce, y, por tanto, que el estudio de la historia de la filosofía ayuda a liberarnos de los provincialismos conceptuales y nos facilita la comprensión de nuestras propias ideas y sus limitaciones. El estudio de la historia de la filosofía posee un efecto liberador sobre la filosofía y la ayuda a seguir un curso más objetivo y equilibrado.

Existen dos versiones de esta justificación, dependiendo de cómo se entienda el grado en el que la filosofía está vinculada a las condiciones y circunstancias culturales en las que surge. La primera, sostenida por la mayor parte de los filósofos que favorecen este punto de vista, concibe la filosofía como algo que se encuentra atado, inextricablemente, a la cultura. La segunda, que es la postura que yo favorezco, es que, aunque estrechamente relacionada con la cultura, la filosofía posee cierto grado de independencia. Llamo a la opinión que sostiene el primer grupo, la *postura culturalista*. Llamo a mi propia opinión, la *postura culturalista modificada*.

a. La postura culturalista. La médula de la postura culturalista es la creencia de que la filosofía, al igual que todo lo que se basa en la experiencia humana, está vinculada a unas coordenadas espacio-temporales determinadas. Que se encuentre vinculada de esta manera implica que sus enunciados con pretensión de verdad acerca del mundo también se encuentran ligados a determinadas circunstancias espacio-temporales, con el resultado de que no existen verdades filosóficas universales y absolutas.

La verdad es, siempre, particular: producto de un punto de vista, de una perspectiva individual que surge de circunstancias particulares y que se encuentra ligada, inextricablemente, a las mismas. Esto ocurre, incluso, en el caso de las verdades matemáticas, como sugería Ortega.[16]

Naturalmente, puesto que la filosofía se encuentra ligada culturalmente, su estudio está unido, estrechamente, al estudio de la cultura y, así como la historia es esencial para el estudio de la cultura, también lo es para el estudio de la filosofía. El estudio de la historia de la filosofía, por tanto, es esencial para la filosofía, de acuerdo con los culturalistas.

Un resultado interesante del éxito de este punto de vista ha sido el auge de la idea de filosofías "nacionales": filosofías que expresan el espíritu y la cultura nacionales. Así, nos encontramos en los últimos cien años con un interés por la "filosofía alemana", la "filosofía francesa", la "filosofía italiana", etc. Un caso especialmente persistente de este fenómeno se encuentra en América Latina, en donde la búsqueda de una "filosofía latinoamericana" específica ha sido la principal preocupación desde los años cuarenta.[17]

La opinión de Ortega de que toda verdad está vinculada culturalmente y depende de una perspectiva particular, introducida en América Latina por muchos de sus discípulos españoles, y de manera especial por José Gaos, es responsable, en gran medida, de la postura culturalista en esta parte del mundo. Una filosofía que enfatiza el valor de lo particular y lo idiosincrásico se presta con gran facilidad a apoyar las aspiraciones de las culturas con tradiciones filosóficas débiles. Por consiguiente, muchos latinoamericanos adoptaron este punto de vista sin titubeos, y lo adaptaron a sus necesidades conceptuales. Es así como surgió la idea de una filosofía latinoamericana en tanto que filosofía propia del continente latinoamericano: una filosofía diferente de la de otras culturas y, en particular, opuesta a la filosofía angloamericana. Esta filosofía es, supuestamente, el

[16] José Ortega y Gasset, *El hombre y la gente*, en *Obras Completas*, Revista de Occidente, Madrid, 1964, vol. 7, cap. III, p. 115.

[17] Iván Jaksić y yo hemos reunido los textos más influyentes en el desarrollo histórico de esta postura en *Filosofía e identidad cultural en América Latina*, Monte Ávila, Caracas, 1987.

producto de la cultura latinoamericana, que, a su vez, es el producto de la perspectiva cultural desde la que piensa América Latina. El perspectivismo de Ortega, por tanto, fue un instrumento poderoso en la búsqueda de una filosofía autóctona que pudiera reflejar, sin ambigüedades, las características idiosincrásicas de la cultura latinoamericana.

Existen muchos elementos loables en la postura culturalista. Es obvio que la filosofía siempre funciona en el contexto de una cultura dada, de la que recibe impulso y dirección. La filosofía no surge por sí sola; es el producto de la reflexión humana, que, a su vez, siempre es particular: pertenece a una u otra persona en situaciones y circunstancias culturales específicas. Son Platón y Tomás de Aquino los que filosofan, y son las circunstancias en las que se encontraban las que los impulsaron a hacer tal cosa: en el caso de Platón, la enseñanza y la muerte de Sócrates, entre otras cosas; en el de Tomás de Aquino, su creencia en la fe cristiana y la influencia del conocimiento secular en el siglo XIII que amenazaba dicha fe. Pero el origen particular de la filosofía no entraña que el contenido y la intención de la reflexión filosófica sean, necesariamente, relativos a esta o aquella persona, o a las condiciones bajo las que se produce dicha reflexión. Es ésta una cuestión importante y que requiere una discusión más detallada por dos razones: en primer lugar, porque la justificación culturalista del estudio de la historia de la filosofía no sólo es una de las más difundidas entre los historiógrafos que defienden el valor de dicho estudio, sino porque también posee un mérito sustancial; en segundo lugar, porque mi propio punto de vista posee semejanzas con esta posición y, por tanto, tengo que dejar bien claro en qué difiere de esta postura.

Voy a comenzar por distinguir cuatro tipos básicos de proposiciones que mostrarán, a la vez, la naturaleza de la tesis culturalista y su debilidad: absolutas, relativas, universales y particulares.

Una proposición es absoluta cuando su valor de verdad no depende de otros factores salvo aquellos que se describen en la proposición. Obsérvese que no estoy diciendo que la verdad de la proposición en cuestión tenga que ser independiente de todas las circunstancias, porque existen muchas proposiciones sintéticas cuya verdad depende de hechos particulares, aun cuando sean absolutas. Un claro ejemplo es la proposición "Ky está sentado". La verdad de esta proposición no depende del significado de sus términos (es decir, no es analítica), sino de la posición de Ky. Pero la proposición no es relativa, pues su valor de verdad no depende de otros factores salvo aquellos que la proposición describe. Otros ejemplos de proposiciones absolutas son los siguientes:

a^1. *La Traviata* es una ópera en cuatro actos.

a^2. Las óperas se dividen en actos.

a^3. María se casó con Juan a los veintidós.

a^4. Las mujeres se casan a los veintidós años de edad.

a^5. María está embarazada.

a^6. El embarazo ocurre cuando un óvulo es fertilizado por un espermatozoide.

a^7. La intensidad de la luz fluorescente sobre mi escritorio es X.

a^8. Las luces fluorescentes poseen una intensidad X.

a^9. El universo es infinito.

a^{10}. Ningún universo puede ser infinito.

Al margen del valor real de verdad de estas proposiciones, su valor de verdad es independiente de cualquier perspectiva o punto de vista relacionado con aquel que propone la proposición. Que éste o cualquier otro universo sea o no infinito, o que María esté o no esté embarazada, por ejemplo, no dependen de otra cosa que del universo, de María y de las circunstancias en las que se encuentran, y no de las circunstancias o de la perspectiva de los observadores externos a la situación.

En el caso de las proposiciones relativas, por el contrario, el valor de verdad depende de las circunstancias relacionadas con un observador, es decir, la verdad de esas proposiciones depende no sólo de los factores que describe la proposición, sino también de factores externos a los mismos. La proposición

234 LA FILOSOFÍA Y SU HISTORIA

"Ky está sentado a la izquierda de Tim" es una proposición relativa, pues su verdad depende de la posición relativa que, con respecto a Ky y a Tim, ocupa el observador que propone la proposición. Es posible que el observador se encuentre en una posición tal, que Ky aparezca detrás, en frente o a la derecha de Tim, y no a su izquierda. Otros ejemplos de proposiciones relativas son los siguientes:

r^1. Los actos de *La Traviata* son demasiado largos.

r^2. Los actos de las óperas son demasiado largos.

r^3. La decisión de María de casarse con John a los veintidós fue un error.

r^4. Para las mujeres, el matrimonio a los veintidós es un error.

r^5. La decisión de María de tener un aborto fue un error.

r^6. El aborto es un crimen.

r^7. La luz fluorescente sobre mi escritorio es demasiado brillante.

r^8. Las luces fluorescentes son demasiado brillantes.

r^9. Este universo es grande.

r^{10}. Ningún universo es pequeño.

En todos estos casos, el valor de verdad de las proposiciones depende, en parte, de alguna otra cosa que no es lo que describen las proposiciones. Lo que sea esta otra cosa varía de un caso a otro. Puede ser una escala de cierto tipo que determina si los universos son grandes o pequeños, o puede ser un principio que estipula algo sobre la naturaleza del crimen y el aborto. En el caso de la proposición anterior, que describía la posición de Ky respecto de Tim, tenía que ver con la localización del observador que la propuso. En todos los casos, es claro que está obrando una perspectiva o un principio que actúa desde fuera de lo que describen las proposiciones, pero que desempeña su papel a la hora de determinar su valor de verdad.

Las proposiciones absolutas y relativas pueden ser, a su vez, universales o particulares. Una proposición es universal cuando se refiere, indistintamente, a todos los miembros de una clase. Una proposición es particular cuando se refiere, parcialmente, a algún o algunos individuos. Todas las proposiciones pares que hemos enumerado en las listas precedentes son universales; las proposiciones impares enumeradas son particulares. Así, por ejemplo, a^4 ("Las mujeres se casan a los veintidós años de edad") es universal, pero a^3 ("María se casó con Juan a los veintidós") es particular, porque María es un miembro de la clase mujer. Y esto vale también para a^1, en donde "*La Traviata*" se refiere a una ópera en particular, y a^9, en donde "El universo" se refiere a un universo en particular, y no a todos los universos.

Las combinaciones de estas cuatro clases diferentes de proposiciones nos dan, como resultado, cuatro tipos de proposiciones: absolutas-particulares, absolutas-universales, relativas-particulares y relativas-universales. De este modo, los ejemplos que se dieron anteriormente pueden descomponerse en las siguientes categorías:

Absolutas-particulares:

a^1. *La Traviata* es una ópera en cuatro actos.

a^3. María se casó con Juan a los veintidós.

a^5. María está embarazada.

a^7. La intensidad de la luz fluorescente sobre mi escritorio es X.

a^9. El universo es infinito.

Absolutas-universales:

a^2. Las óperas se dividen en actos.

a^4. Las mujeres se casan a los veintidós años de edad.

a^6. El embarazo ocurre cuando un óvulo es fertilizado por un espermatozoide.

a^8. Las luces fluorescentes poseen una intensidad X.

a^{10}. Ningún universo puede ser infinito.

Relativas-particulares:

r^1. Los actos de *La Traviata* son demasiado largos.

r^3. La decisión de María de casarse con John a los veintidós fue un error.

r^5. La decisión de María de tener un aborto fue un error.

r^7. La luz fluorescente sobre mi escritorio es demasiado brillante.

r^9. Este universo es grande.

Relativas-universales:

r^2. Los actos de las óperas son demasiado largos.

r^4. Para las mujeres, el matrimonio a los veintidós es un error.

r^6. El aborto es un crimen.

r^8. Las luces fluorescentes son demasiado brillantes.

r^{10}. Ningún universo es pequeño.

Regresemos ahora a las proposiciones filosóficas y veamos si se adecuan a las categorías de proposiciones que hemos examinado. Parece que no hay dificultad en encontrar ejemplos de proposiciones filosóficas que sean, a la vez, absolutas y universales. Tomemos, por ejemplo, las dos siguientes:

Toda causa tiene un efecto.

$\neg(P \cdot \neg P)$

En ambos casos es obvio que las proposiciones no se refieren, parcialmente, a uno o varios individuos, sino más bien, indistintamente, a cualquier miembro de una clase. Es más, el valor de verdad de las proposiciones no depende de algo externo a ellas. Ambas proposiciones podrían interpretarse como analíticas, y, de hecho, las proposiciones analíticas son un buen ejemplo de proposiciones absolutas-universales. Pero no es necesario que todas las proposiciones absolutas-universales sean analíticas. Por ejemplo, la proposición "Todas las entidades físicas están compuestas de materia y forma" no es analítica, puesto que la verdad de la proposición no depende exclusivamente del significado de sus términos; pero es, a la vez, absoluta y universal, de acuerdo con los criterios que hemos establecido.

Tampoco existe ninguna dificultad real en encontrar ejemplos de proposiciones que sean relativas y universales. Consideremos, por ejemplo, las dos siguientes:

Matar es incorrecto.

El aborto es incorrecto.

En ambos casos el carácter universal de las proposiciones es claro: ninguna de ellas se refiere, exclusivamente, a un acto en particular. Además, ambas son relativas pues, en cada caso, los juicios que contienen se basan en circunstancias externas a las proposiciones, que tienen que ver con las personas que las proponen. Por ejemplo, si se considera la primera proposición desde una perspectiva en la que la protección de la vida se toma como más valiosa que cualquier otra cosa, entonces matar se interpretará como incorrecto. Pero si la situación se considera desde una perspectiva que adopta el principio según el cual la felicidad del mayor número se identifica como el bien supremo, entonces matar no va a interpretarse, necesariamente, como algo incorrecto, puesto que, en ciertas circunstancias, la terminación de la vida puede producir más alegría para el mayor número de personas que su prolongación. Esto es lo que ocurre, por ejemplo, en el caso de un paciente de avanzada edad, con una enfermedad terminal, que está sufriendo dolores intensos y cuyo tratamiento está produciendo un caos financiero a su familia. Un argumento semejante podría mostrar que la segunda proposición que se ha dado como ejemplo, "El aborto es incorrecto", cae, fácilmente, en la categoría de relativa-universal.

Debería añadir, en este momento, que el hecho de que se clasifiquen como relativas proposiciones tales como "Matar es incorrecto" no entraña, necesariamente, un relativismo ético. En primer lugar, mi señalamiento versa sobre lógica, y no sobre ética; en segundo lugar, no he afirmado que *todas* las proposiciones éticas sean relativas; y, en tercer lugar, aun cuando todas las proposiciones éticas fueran relativas, eso no supondría que todas las perspectivas sobre las que se basan sean, igualmente, justificables.

Es más difícil obtener ejemplos de la categoría que he llamado absoluta-particular; con todo, sin embargo, es posible encontrar dichos ejemplos. Consideremos los dos siguientes:

Dios es omnipotente.
El universo es finito.

Ambas proposiciones cumplen, fácilmente, con los criterios de absolutas y particulares. No me preocupa ahora si tienen sentido o no, por supuesto: mi único interés es encontrar proposiciones de las que se ocupan generalmente los filósofos y que ilustren las categorías que he propuesto; y, en mi opinión, estas proposiciones lo hacen. Ambas se refieren a individuos, y su valor de verdad es independiente de cualquier cosa que no sea lo que las proposiciones pretenden describir. La primera es verdad si, de hecho, Dios es omnipotente, y la segunda es verdad si el universo es finito.

Por último, hemos llegado a la última categoría y, probablemente, la más controvertida: la relativa-particular. Propongo los siguientes dos ejemplos:

La sentencia de muerte contra Sócrates fue injusta.

El *Guernica* de Picasso no es una gran obra de arte.

Supongo que pocos son los filósofos vivos hoy día que estarían en desacuerdo con la primera proposición y que no estarían en desacuerdo con la segunda.[18] La posteridad ha desempeñado un papel en favor de Sócrates, y el gran valor artístico del *Guernica* de Picasso es reconocido universalmente. Pero eso es irrelevante. Lo importante para nosotros es que ambas proposiciones son particulares y relativas. Son particulares porque versan sobre la sentencia de muerte de Sócrates y sobre el *Guernica* de Picasso; son relativas porque ambas hacen juicios de valor que dependen de criterios externos a las proposiciones.

De todo esto podemos concluir que la filosofía incluye los cuatro tipos de proposiciones, lo que quiere decir que aquellos que adoptan la posición culturalista están equivocados. Se equivocan porque, en su celo por entender la filosofía como relativa a la cultura y cuyo valor de verdad depende de circunstancias particulares, terminan por mantener la posición extrema de que *toda* filosofía, es decir, toda proposición filosófica, es relativa y particular. Pero, como hemos visto, el valor de verdad de algunas proposiciones filosóficas no depende de circunstancias particulares, es decir, no todas las proposiciones filosóficas son

---

[18] I.F. Stone ha tratado, recientemente, de justificar la acusación en contra de Sócrates, en *The Trial of Socrates*, Little, Brown & Co., Boston, 1988.

particulares. Un gran número, quizás la mayoría, de las proposiciones son universales; la mayor parte de las conclusiones
filosóficas son universales o intentan serlo y, por tanto, trascienden las circunstancias particulares.

En este punto, es conveniente que volvamos a la distinción
que se ha introducido en el capítulo II entre la historicidad intensional y la extensional, pues parece que los culturalistas, al igual
que los historicistas, las confunden. La historicidad extensional
es el tipo de historicidad que se aplica a acontecimientos y entidades en el mundo, incluyendo las afirmaciones que hacemos
y los pensamientos que pensamos. La historicidad intensional,
por el contrario, es el tipo de historicidad que se aplica al contenido de nuestro pensamiento y al significado de los enunciados
que hacemos. Ahora bien, afirmé en el capítulo II que los historicistas confunden estos dos tipos de historicidades cuando
afirman que toda filosofía es historia de la filosofía porque todos nuestros pensamientos son históricos; se equivocan, porque
la historicidad que se aplica a nuestros pensamientos es sólo
extensional, y aunque todos nuestros pensamientos sean históricos desde el punto de vista extensional, puesto que acontecen
en un tiempo y en un contexto determinados, el contenido de
muchos de esos pensamientos no tiene por qué ser histórico,
aun cuando muchos de ellos puedan serlo. Así, por ejemplo,
aunque el pensamiento que tengo cuando escribo "2 + 2 = 4"
sea histórico, el contenido de ese pensamiento, esto es, que
2 + 2 = 4, no es histórico. Por otro lado, ambos, el pensamiento que tengo y su contenido, son históricos cuando pienso que
estuve en París hace dos semanas.

La distinción entre la historicidad intensional y extensional
se puede emplear para comprender el error de la postura culturalista, pues ésta confunde las características extensionales de
nuestros pensamientos, que siempre son históricos y, por tanto,
particulares y relativos, con las características intensionales de
los mismos, que no siempre son, necesariamente, históricos y,
por tanto, particulares y relativos.

Los culturalistas podrían afirmar todavía, sin embargo, que
todo lo que se ha dicho aquí es irrelevante para su posición,
porque se basa en un análisis de la gramática superficial de las
proposiciones, mientras que la postura culturalista se basa en

una comprensión más profunda del lenguaje. Así, por tanto, aun cuando en la superficie parezca que ciertas proposiciones son universales o absolutas, en realidad todas ellas contienen un sesgo cultural, pues se componen de términos lingüísticos cuyo significado está determinado culturalmente. Términos incluso como "embarazada" y "luz fluorescente" son productos de una cultura y, por tanto, dependen, en su significado, de una perspectiva cultural.

En respuesta a esta réplica me gustaría traer a colación lo siguiente. En primer lugar, lo que he tratado de hacer en la discusión sobre los diversos tipos de proposiciones es señalar que existen ciertos modos intencionales irreductibles de hablar sobre el mundo y que, entre éstos, hay algunos que no implican una perspectiva. Cuando decimos que María está embarazada o que la luz fluorescente se caracteriza por una intensidad determinada, no queremos decir algo cuya verdad sólo puede juzgarse de acuerdo con un punto de vista determinado. Queremos establecer algo que es así, *independientemente* del punto de vista de cualquiera. De hecho, esté María embarazada o no lo esté, sólo necesitamos unos pocos meses para ver si nuestra afirmación sobre su embarazo es verdadera o falsa: su embarazo no es un asunto de perspectiva.

El problema con la postura culturalista en su forma pura y extrema es que distorsiona la intencionalidad de nuestros enunciados, convirtiéndolos a todos en perspectivos, independientemente de su intención. En muchos casos, el programa del perspectivismo se parece bastante al programa del lenguaje ideal de los positivistas lógicos: ambos quieren traducir el lenguaje ordinario a un lenguaje de su propia creación, que posee propiedades e implicaciones metafísicas y lógicas que difieren de aquéllas del lenguaje ordinario. La diferencia entre los dos no reside en sus programas, sino en el tipo de lenguaje que ellos identifican como ideal. Para los positivistas lógicos, es el lenguaje de los símbolos, purgado de las connotaciones metafísicas tradicionales; para los culturalistas, es un lenguaje en el que todas las proposiciones se convierten en relativas y particulares. Hay algo que puede decirse en favor de los positivistas lógicos: trataron de llevar a efecto su programa, razón por la cual se vio claro, incluso para ellos mismos, las deficiencias de su postura. Los culturalistas, por el contrario, se contentan, normalmente, con hacer afirmaciones teóricas, y nunca han intentado, sistemáticamente, desarrollar el lenguaje que, de acuerdo con lo que parece implicar su concepción, deberían desarrollar. Quizás por esto sus afirmaciones se toman todavía en serio en algunos círculos, porque han permanecido lo suficientemente abstractas como para enmascarar sus implicaciones y sus deficiencias.

Pero no es esto todo lo que quiero decir en contra de la tesis culturalista. Me gustaría añadir también que la experiencia milita en contra de ella, pues si la postura culturalista fuera verdad, las traducciones de un lenguaje a otro y la comunicación transcultural serían imposibles; sin embargo, no lo son. Es cierto que ambos procedimientos entrañan dificultades enormes, pero también es verdad que se llevan a cabo con eficacia. Tales éxitos, aunque fuesen parciales, apuntan al hecho de que, si bien los signos que empleamos para comunicarnos poseen un origen cultural, al igual que muchos de los conceptos que pretenden comunicar lo poseen también, algunos conceptos trascienden los parámetros culturales. Podríamos encontrar culturas en las que el embarazo de María se expresara en términos de hinchazón, por ejemplo. Pero estaríamos seguros de que la hinchazón en cuestión podría distinguirse de la hinchazón de un dedo, y conllevaría la expectativa del nacimiento de un niño en algún tiempo posterior.

Me referí al fundamento de la comunicación transcultural en el capítulo I y, por tanto, no es necesario repetir lo que ya se ha dicho allí. Lo que es importante para nosotros es dejar claro que la tesis culturalista, tal como se ha presentado, es inaceptable.

El fracaso del culturalismo no significa, sin embargo, que el extremo opuesto al *culturalismo*, que denomino *universalismo*, esté libre de serias deficiencias. De hecho, al adoptar la perspectiva completamente opuesta al culturalismo y sostener que *todas* las proposiciones filosóficas son absolutas y universales, el universalismo también cae en un extremo intolerable. Su principal error consiste, precisamente, en negarse a aceptar que la filosofía se origina a partir de condiciones particulares y que, por tanto, toda generalización filosófica se basa en una o varias situaciones particulares.[19] La descripción de las situaciones sobre cuya base emerge una generalización es una parte tan legítima de la filosofía como las conclusiones generales a las que llega la disciplina. Ésta es la razón por la que encontramos en la filosofía no sólo proposiciones universales y absolutas, sino también particulares y relativas, que, en muchos casos, proporcionan los cimientos para las proposiciones universales o absolutas. Está en la naturaleza de las indagaciones científicas, sean filosóficas o no, proceder de esta manera, pues la ciencia y la filosofía son empresas humanas, y nosotros, los humanos, somos individuos históricos, ceñidos por las circunstancias históricas. Por supuesto, esto no quiere decir que no podamos trascender dichas circunstancias. Lo hacemos desde el mismo momento en que formulamos principios y leyes universales. Pero debe recordarse que la filosofía también incluye el tipo de proposiciones relativas y particulares que hemos examinado anteriormente.[20]

Al rechazar la posición culturalista, no tenemos que rechazar todo lo que sostienen los culturalistas y adoptar el universalismo que acabamos de describir. Podemos reconocer que hay aspectos del culturalismo que son correctos, pues la idea de que la filosofía está aliada estrechamente con la cultura es útil hasta tanto no se suponga que lo que esto significa es que la filosofía es tan dependiente, culturalmente hablando, que cualquier conclusión que alcance está ligada culturalmente, careciendo, por tanto, de valor universal. La idea de la posición culturalista de que todas las proposiciones filosóficas están ceñidas culturalmente, de forma que revelan la perspectiva cultural en

[19] Que las ciencias incluyen tanto proposiciones universales como singulares lo dejó claro Nagel en *The Structure of Science*, pp. 547–551.

[20] Quizás debería dejar claro, de pasada, que la inclusión de proposiciones particulares en la filosofía no supone integrarse en las filas de los que se oponen al punto señalado en el capítulo I de que las proposiciones filosóficas no pueden contradecir las proposiciones que forman parte de la historia de la filosofía porque las primeras no se ocupan del tiempo, lugar de origen e individuos, mientras que las segundas sí. La razón estriba en que, aunque la filosofía incluye proposiciones particulares del tipo mencionado y, por tanto, se ocupa de los individuos en cierto aspecto, no se ocupa del tiempo o del lugar de origen. Debería recordarse que el objetivo de la filosofía es, más bien, la formulación de proposiciones universales, y no particulares, mientras que el objetivo de la historia es, precisamente, lo contrario.

la que se originan, es un punto de vista extremo que es difícil de justificar y fácil de combatir. Afortunadamente, no tenemos que adherirnos a una versión extrema de la posición culturalista para justificar el estudio de la historia de la filosofía, pues esa defensa requiere, solamente, que adoptemos la tesis, mucho menos pretenciosa, de que la filosofía se relaciona estrechamente con la cultura. La concepción cuya médula es dicha tesis la denomino la *posición culturalista modificada*.

b. La posición culturalista modificada. La tesis de que la filosofía está relacionada estrechamente con la cultura puede defenderse fácilmente al margen de la tesis más fuerte que afirma que la filosofía se encuentra vinculada, necesariamente, a la cultura. La defensa se lleva a cabo de dos maneras. En primer lugar, los tipos de proposiciones que forman parte de la filosofía vinculan, claramente, la disciplina con la localización espacio-temporal y cultural. No pueden ignorarse los fuertes componentes relativos y particulares de la filosofía. Ésta comienza con lo particular y lo relativo, y aunque sea su objetivo principal lo universal y absoluto, tampoco es su único objetivo definitivo, como pretenden los universalistas. Los filósofos también buscan aplicar los principios universales y absolutos que descubren o formulan a la realidad particular en la que viven. La reflexión filosófica se ve, a menudo, impulsada por los problemas particulares que surgen de la situación que experimentan los filósofos; se mueve a partir de ellos hasta la formulación de principios y verdades universales y absolutos, alejados, en muchos aspectos, de esa situación; pero vuelve, frecuentemente, a las preocupaciones originales que la hicieron surgir en un principio. Por ejemplo, la muerte repentina de una persona querida puede dar origen a reflexiones sobre la muerte en general, que, posteriormente, se aplican al caso en particular. Los tipos de proposición que hemos encontrado en la filosofía, por tanto, muestran, claramente, las estrechas relaciones de la disciplina con la cultura.

En segundo lugar, podemos mostrar la estrecha relación de la filosofía con la cultura señalando la dependencia de la filosofía con el lenguaje. Sin el lenguaje, sin signos lingüísticos de una clase u otra, la tarea del filosofar parecería imposible. Podría argumentarse, quizás, que el pensamiento es posible sin el lenguaje y, si tal es el caso, entonces la investigación filosófica aún sería posible, puesto que la filosofía no dependería del lenguaje para su existencia. No estoy seguro de que esta tesis pueda sostenerse, pero, aunque fuéramos a mantener que, de hecho, la filosofía se puede llevar a cabo mentalmente sin el lenguaje, la ausencia de un lenguaje impediría cualquier tipo de comunicación entre los filósofos, por lo menos en un mundo como el que vivimos. Sin el lenguaje, la filosofía se convertiría en una tarea solitaria, accesible, solamente, a una sola persona. Podemos concluir, por tanto, que la filosofía *sí* depende de un lenguaje, por lo menos en el sentido de que los filósofos comunican sus ideas a otros *por medio* del lenguaje. Ahora bien, si los medios para la comunicación filosófica son el lenguaje, y el lenguaje, como creo que cualquiera aceptaría, es una expresión cultural, no puede sino concluirse que la filosofía tiene que estar relacionada, estrechamente, con la cultura. Por medio del lenguaje se comunican las ideas y se conservan una vez que se descubre un medio para codificar dicho lenguaje en escritura; por tanto, también se conservan las bases de la cultura y la civilización, es decir, los esquemas conceptuales mediante los cuales la sociedad interpreta, valora y se ocupa de lo que la rodea.

Los signos lingüísticos, registrados y codificados, poseen un sentido y un significado sólo en la medida en que hay una comunidad de individuos que entiende los conceptos a los que hacen referencia los signos y en la medida en que esa comunidad toma en consideración, para su conducta, los principios y las reglas que revelan los signos. Pero las comunidades cambian; sus miembros se encuentran en un estado continuo de evolución, mientras que sus signos codificados permanecen y se transmiten a las generaciones futuras, las cuales tienen que apropiárselos por medio de la comprensión de su sentido y su aplicación a sus propias circunstancias. El lenguaje es un fenómeno histórico, puesto que los signos lingüísticos que empleamos hoy en día poseen una historia, y lo mismo ocurre con los conceptos a los que se refieren los signos.

La visión general del mundo que desarrolla cada cultura y cada generación dentro de una cultura dada está teñida por el lenguaje que aprende a utilizar y por el fuerte bagaje cultural que acarrea el lenguaje. Es posible que la mente humana sea una *tábula rasa* en el nacimiento, pero, inmediatamente, comienza a adquirir una serie de principios, conceptos, ideas y directrices con la ayuda del lenguaje.

Una vez que hemos mostrado la estrecha relación de la filosofía con la cultura, debería verse claro por qué el estudio de la historia de la filosofía es tan útil para nosotros. En primer lugar, su estudio nos coloca, cara a cara, con el origen de los términos y conceptos básicos que componen nuestro marco intelectual. Es más, la historia de la filosofía descubre cómo se han desenvuelto y modificado a lo largo de los años, y cómo han alcanzado su estado actual. En resumidas cuentas: el estudio de la historia de la filosofía es una herramienta inestimable para la comprensión de nuestras ideas.

Pero ésta no es, como ya se ha mencionado, la única función que posee el estudio de la historia de la filosofía. Quizás tan importante como ella sea el hecho de que su estudio nos libera de los grilletes del provincialismo cultural. Al mostrarnos la manera como pensaron los filósofos en el pasado y el proceso que los llevó a pensar de esa forma, nos hace conscientes de las limitaciones de nuestra herencia cultural intelectual. Nos descubre suposiciones y presupuestos escondidos que funcionan en nuestra cultura, los cuales no podrían tornarse explícitos, salvo por medio de la comparación de nuestras ideas con el pensamiento de diferentes periodos y culturas; nos fuerza a repensar nuestras ideas, a profundizar nuestra comprensión de las mismas y a poner al descubierto sus deficiencias. Como ha señalado Skinner, "el valor indispensable del estudio de la historia de las ideas" es que hace percatarnos "de lo que es necesario y de lo que es el mero producto de nuestras propias convenciones contingentes".[21]

La justificación y el valor del estudio de la historia de la filosofía, por tanto, descansan, principalmente, en las dimensiones culturales de la empresa filosófica, que se revela en el carácter relativo y particular de algunas proposiciones filosóficas y en la naturaleza cultural del lenguaje. Por supuesto, las justifica-

[21] Quentin Skinner, "Meaning and Understanding in the History of Ideas", *History and Theory*, vol. 8, no. 1, 1969, pp. 3–53.

ciones pragmáticas que se han dado anteriormente subrayan también el valor del estudio de la historia de la filosofía. No hay ninguna duda de que este estudio puede servir como un laboratorio para el arte del razonamiento, como una fuente de información y verdad filosóficas, y puede ayudarnos a ver áreas en las que es posible que nos hayamos equivocado. Debemos aceptar también que la historia de la filosofía puede servir como inspiración para los filósofos, al igual que añade apoyo persuasivo a las ideas y a los argumentos filosóficos. Aunque la filosofía consiste, más bien, en la búsqueda de la verdad, y no en algo edificante o persuasivo, que sea edificante o persuasivo no entra, necesariamente, en conflicto con la filosofía y, como se ha señalado anteriormente, a veces puede ser útil a la disciplina. Pero, en definitiva, es en la necesidad de trascender el provincialismo cultural y de entender los términos que empleamos en el discurso donde encontramos los fundamentos indiscutibles de la importancia de la historia de la filosofía para la filosofía.

Pero podríamos preguntar: ¿no se reduce, de hecho, la justificación culturalista modificada del estudio de la historia de la filosofía a una justificación pragmática? ¿Acaso decir que el estudio de la historia de la filosofía colabora con la filosofía en su tarea, puesto que la ayuda a liberarse del provincialismo cultural, no parece sino el mismo tipo de justificación que emplean, por ejemplo, aquellos que argumentan que se encuentra en la historia de la filosofía una gran reserva y variedad de argumentos que ayudan a los filósofos a practicar sus habilidades? Superficialmente, la respuesta a esta pregunta parecería afirmativa. Podría pensarse que, en la medida en que afirmamos que la historia de la filosofía *sirve*, no estamos sino tratando con una justificación pragmática de su estudio. Sin embargo, existen diferencias importantes entre las justificaciones pragmáticas y las teóricas, y que distinguen, también, la justificación culturalista modificada de las pragmáticas. Entre tales diferencias, la fundamental consiste en que las justificaciones pragmáticas se basan en una cuestión de conveniencia: la historia de la filosofía es una fuente rica y, por tanto, útil y conveniente, de argumentos, información y verdad para los filósofos. Pero dicha justificación pragmática no va más allá. No existe ninguna razón en particular, aparte de la riqueza de la fuente y su conveniente disponibilidad, por la que los filósofos deberían volverse a la historia de la filosofía. En cambio, la justificación teórica va más allá de estas consideraciones pragmáticas y afirma que la misma naturaleza de la filosofía y de su ejercicio justifica la utilidad especial que posee el estudio de la historia de la filosofía para la filosofía. En concreto, la justificación culturalista modificada afirma que la estrecha asociación entre la filosofía y la cultura, que se ejemplifica, entre otras cosas, en el empleo que la filosofía hace del lenguaje, convierte el estudio de la historia de la filosofía en algo especialmente valioso para los filósofos. No se trata, por supuesto, de que dicho estudio sea necesario para la filosofía. Esta cuestión ya se resolvió en el capítulo anterior de dos maneras: primero, al mostrar que no hay ninguna relación metodológica necesaria entre la filosofía y la historia de la filosofía; segundo, al distinguir entre la historicidad extensional y la no-historicidad intensional de la filosofía. Con todo, la historia de la filosofía es especialmente útil para los filósofos, debido al carácter mismo de la disciplina.

Sin embargo, aun cuando se acepte la distinción entre la justificación pragmática y la justificación culturalista modificada, siguen quedando preguntas. Éstas se relacionan con algunos de los argumentos que se han empleado para socavar el poder de las justificaciones pragmáticas que se han dado anteriormente, pues parece que algunos de esos argumentos también pueden aplicarse a la justificación culturalista modificada.

Dos argumentos me parecen pertinentes de modo especial. El primero señala que la atención cuidadosa que prestan los historiadores a las opiniones y argumentos de las figuras históricas apenas compensa las necesidades del filósofo que se vuelve a la historia por razones pragmáticas. ¿No podría decirse algo semejante de la justificación culturalista modificada? Es decir, ¿no podría argumentarse que no existe ninguna razón aparente por la que el culturalista modificado deba dirigirse al estudio de la historia de la filosofía con el celo que muestran, tan a menudo, los historiadores?

La respuesta a esta objeción es que, aunque para los pragmáticos los detalles históricos constituyan obstáculos para su labor, los culturalistas modificados sostienen que el estudio de los detalles históricos es esencial para la suya. De hecho, si estudian la historia de la filosofía con el fin de trascender su propio provincialismo cultural, dicho estudio debe ser todo lo detallado, objetivo y completo posible; debería entrañar la reconstrucción fiel del pasado con el fin de compararlo con el presente; y debería entrañar también el establecimiento de los vínculos históricos entre dicho pasado y el presente. Los culturalistas modificados, por tanto, basados en las razones que dan para el estudio de la historia de la filosofía, necesitan adoptar los procedimientos historiográficos más estrictos, puesto que la utilidad que la historia de la filosofía posee para ellos descansa, precisamente, en su habilidad para recuperar correctamente dicha historia.

Pero, entonces, alguien podría replicar —y éste es el segundo argumento que se emplea para socavar la justificación pragmática del estudio de la historia de la filosofía— que las restricciones temporales a las que están sujetas los filósofos les impedirían llevar a cabo la labor que se requeriría para que funcione la justificación culturalista modificada. En primer lugar, dichas restricciones afectarían la elección de los materiales: ¿qué periodos, autores y materiales debería estudiar el filósofo? En segundo lugar, el trabajo de los historiadores es tan exigente y cubre tantos materiales, que el filósofo corre el riesgo de ser absorbido por el trabajo histórico, abandonando, de este modo, la filosofía.

Una vez más, no es difícil responder a esta objeción, pues no estoy afirmando que el filósofo debería convertirse en un historiador de la filosofía. Éste es el punto de vista de algunos historicistas, y ya se rechazó en el capítulo II. Lo que trato de señalar es, más bien, que el estudio de la historia de la filosofía es especialmente útil para los filósofos. Esto quiere decir que no es necesario que los filósofos se enfosquen en la historia de la filosofía. Ellos se benefician de su estudio, y dicho estudio debe ser tan objetivo, riguroso y completo como sea posible, con el fin de proporcionar el tipo de materiales que ayudaría en su tarea filosófica. Pero el estudio de la historia de la filosofía no es el objetivo del filósofo. Sus intereses primarios recaen en la filosofía, no en su historia, y se vuelven a dicha historia solamente en la medida en que es útil para su tarea como filósofos. Esto quiere decir, por supuesto, que deben elegir qué van a estudiar, y que deben hacer sus elecciones de acuerdo con sus necesidades filosóficas. La historia de la filosofía es vasta, pero está justificado que los filósofos dirijan su atención sólo a ciertas partes de la misma, puesto que su interés no es la reconstrucción completa del pasado filosófico, sino el avance de la filosofía.

Pero, entonces, ¿cómo deberían los filósofos hacer historia de la filosofía? ¿Y cómo deberían los historiadores hacer historia de la filosofía? Afirmé en el capítulo I que la historia de la filosofía debe hacerse filosóficamente, y que, por tanto, incluso los historiadores no pueden sino hacer historia de la filosofía filosóficamente. Y he afirmado en este capítulo que el estudio de la historia de la filosofía es especialmente útil para la filosofía. Lo que todavía necesito aclarar es si existen diferencias metodológicas entre la historia de la filosofía hecha con un interés histórico y la historia de la filosofía hecha por motivos filosóficos. Es más, debo mostrar cómo una historia filosófica de la filosofía incorpora la valoración y la interpretación, sin que esto suponga un peligro para la objetividad exigida por la historia. Voy a intentar aclarar estas cuestiones por medio de la discusión de la metodología de la historia de la filosofía. Pero antes de que atienda este tema en el capítulo V, creo que debemos discutir una tarea fundamental del historiador de la filosofía: la interpretación de los textos filosóficos. Éste es el tema del siguiente capítulo.

IV

LOS TEXTOS Y SU INTERPRETACIÓN

Si, tal como se ha afirmado en el capítulo I, la historia de la filosofía estudia las ideas que nos vienen del pasado, entonces los historiadores de la filosofía se enfrentan con un serio problema relacionado con su objeto de estudio, y esto por dos razones. En primer lugar, porque nunca podemos tener acceso empírico directo al pasado, a menos que éste nos sea cercano y hayamos tomado parte en él. Con el fin de conocer el pasado en el que no hemos participado, debemos apoyarnos en el testimonio de aquellos que tuvieron acceso directo al mismo y que nos han dejado información de aquello de lo que fueron testigos. En segundo lugar, el problema surge porque las ideas no son cosas, acontecimientos o hechos de los que podamos tener evidencia empírica directa, aun cuando seamos contemporáneos a ellas. Lo máximo que podemos tener es un tipo de evidencia empírica indirecta. Nosotros no percibimos ideas; lo que percibimos son ciertos fenómenos que nos sugieren ciertas ideas. Si pregunto a alguien, por ejemplo, "¿tú apruebas lo que hizo el presidente?", y él, como respuesta, me frunce el ceño, infiero que no lo aprueba. Pero es perfectamente posible que él, de hecho, apruebe la acción del presidente, aunque me quiera hacer pensar que no, haciendo, de esta manera, que me equivoque al fruncir el ceño. Por tanto, la conclusión que infiero de que no lo aprueba sólo puede considerarse como una interpretación de lo que está pensando, sobre la base de cierta evidencia empírica que se relaciona, sólo indirectamente, con lo que piensa. Por tanto, el estudio de la historia de la filosofía es muy difícil, mucho más que el estudio del tipo de historia que se apoya en los acontecimientos de los que puede tenerse evidencia empírica directa en el momento en que ocurrieron, pues no se trata solamente de que los historiadores de la filosofía no puedan tener acceso directo, desde el presente, al pasado, sino que, aun cuando lo tuvieran, no tendrían acceso directo a las ideas, que se supone constituyen el objeto de su estudio.

El estudio del pasado filosófico, por tanto, como la reconstrucción de lo que pienso sobre la base de lo que digo, entraña una interpretación, y las bases de dicha interpretación son los textos. Pero hay también, por lo menos, otros dos factores que desempeñan papeles importantes en la interpretación de los textos: sus autores y sus audiencias. Por este motivo, y con el fin de lograr que se comprenda la naturaleza de los textos y su interpretación, necesitamos hablar del autor, de la audiencia, y de su relación con los textos y su interpretación. Según esto, se ha divido este capítulo en cuatro partes, que se ocupan, respectivamente, del texto, del autor, de la audiencia y de la interpretación de los textos. Su propósito principal es ofrecer una visión de lo que es una interpretación, su objeto y sus propósitos, así como del entramado complejo de dificultades con las que se enfrentan los historiadores de la filosofía cuando intentan producir interpretaciones de textos y, por tanto, cuando intentan hacer historia de la filosofía.

I. EL TEXTO

Un texto es un grupo de signos que un autor selecciona y organiza, en el seno de un determinado contexto, con el propósito de transmitir a una audiencia un significado específico. El significado específico del texto depende de tres factores: (1) el significado particular y la función de los signos que componen el texto; (2) la disposición de esos signos; y (3) el contexto del texto.[1] Hablo de significado y función de los signos particulares

---

[1] Dos aclaraciones en relación con este punto. En primer lugar, es posible afirmar que hay textos compuestos de un solo signo, como "*P*", que funciona como una orden para imprimir en el programa de mi procesador de palabras. En tal caso, el significado del texto no dependería de ninguna clase de disposición u organización. Sin embargo, la idea de que los textos pueden estar compuestos solamente de un único signo es discutible. Paul Ricoeur se

porque hay signos que no poseen un significado independiente, sino que, más bien, adquieren significado sólo cuando se encuentran junto con otros signos a los que modifican. En tales casos, su función como modificadores consiste en alterar el significado de otros signos. Tomemos, por ejemplo, los signos sincategoremáticos, como los artículos indeterminados y determinados. Ni "un" ni "el" poseen significado independiente, pero sí cambian el significado del término "hombre" cuando se usan junto con dicho término. "Hombre", "un hombre" y "el hombre" significan cosas bastante diferentes.[2]

Otro punto sutil, pero, con todo, bastante obvio, que quiero subrayar es que el significado de un texto no depende sólo del significado y la función independientes de los signos que lo componen, tengan o no significado independiente, sino que depende también de la disposición concreta de tales signos. Por ejemplo, si digo "Sólo se permiten hombres en este club", es claro que lo que se quiere dar a entender es que todos aquellos que se permiten en este club tienen que ser hombres y, por tanto, se excluye a las mujeres. Pero si cambio el lugar de "sólo" en la proposición y digo: "Se permiten hombres sólo en este club", lo que se quiere dar a entender es que no se permiten hombres en ningún otro lugar que no sea este club, y se deja abierta la posibilidad de que también se permita a las mujeres.

Un punto igualmente importante es que el significado de los textos depende, también, de su contexto. Por ejemplo, cuando una madre dice a su querido niño: "Si tocas eso, te mato", es claro que está empleando una metáfora para dar a entender que se va a ofrecer algún castigo menor al niño si desobedece. Pero cuando un guardia de seguridad de un banco le dice a un

muestra contrario a la misma en "On Interpretation", en Baynes *et al.* (eds.), *After Philosophy*, p. 359. En segundo lugar, estoy empleando aquí, más bien, una manera corriente de hablar del significado, debido a su conveniencia. No creo que tenga que desarrollar una teoría del significado con el fin de llevar a cabo mi propósito en este capítulo, y, por esta razón, no lo hago.

[2] Hay contextos, sin embargo, en los que "hombre", "un hombre" y "el hombre" pueden tener el mismo significado. Por ejemplo, en las proposiciones "El hombre es un animal racional" y "Un hombre es un animal racional", "el hombre" y "un hombre" significan, ambos, la misma cosa. En casos como éstos, el contexto es el factor determinante.

ladrón al que cogió *in flagranti*, y que intenta sacar una pistola: "Si tocas eso, te mato", él quiere decir exactamente lo que dice. El contexto, por lo tanto, es sumamente importante a la hora de determinar el significado de los textos.

Estos ejemplos sirven para mostrar que el significado de un texto depende del significado y la función independientes de los signos que lo componen, del modo particular como están dispuestos tales signos y de su contexto. Dichos ejemplos subrayan también el hecho de que no debería confundirse un texto con su significado. El significado de un texto es aquello que se supone que comprendamos cuando comprendemos un texto. Hablamos, efectivamente, de "comprender un texto", pero lo que queremos decir con esto es que hemos comprendido lo que el texto significa, lo que expresa. El *status* y la naturaleza de lo que comprendemos, cuando comprendemos un texto, es un tema de controversia, probablemente indefinida, entre los filósofos, y difícilmente puedo esperar solucionarlo de pasada, por lo que, aquí, me voy a mantener al margen del mismo. Sin embargo, y cualquiera que sea el *status* y la naturaleza definitivos, es preciso decir que, en el caso de los historiadores de la filosofía, aquello que comprendemos cuando comprendemos un texto debe considerarse ideas filosóficas, como se señaló en el capítulo I, pues son las ideas filosóficas lo que esos historiadores buscan comprender y de lo que pretenden dar cuenta.

Volvamos ahora a los signos que componen un texto. Es preciso afirmar que éstos se pueden clasificar de varias maneras: pueden ser escritos, hablados o mentales; convencionales o naturales; lingüísticos o no lingüísticos; y universales o individuales. Esta diversidad da lugar, respectivamente, a diferentes clases de textos. Pasemos, entonces, a discutir cada una de estas clasificaciones.

A. *Textos escritos, hablados y mentales*

Los textos pueden ser físicos (es decir, escritos o hablados) o mentales. Consideremos los siguientes ejemplos:

1. $2 + 2 = 4$
2. $2 + 2 = 4$

3. Dos y dos son cuatro.

4. Dos más dos suman cuatro.

5. *Two and two make four.*

En 1–5 tenemos cinco textos-muestra,* cuatro textos-tipo, y un solo significado. Por *muestra* y *tipo* entiendo lo que, normalmente, se entiende por tales términos. Los términos y las expresiones funcionan como muestras, por ejemplo, si no pueden colocarse ambos antes y después de la cópula en una oración de identidad, como, por ejemplo, "*A* es *A*". En cambio, los términos y las expresiones funcionan como tipos cuando no cumplen esa condición y, por tanto, ambos pueden colocarse antes y después de la cópula en una oración de identidad. De acuerdo con esto, los textos 1–5 no son el mismo texto-muestra. Cada vez que escribo un texto, aunque sea como otros textos, tengo un texto-muestra diferente. Las muestras ocurren una sola vez. Por el contrario, 1 y 2 son textos-muestra del mismo texto-tipo, es decir, son semejantes, lo que hace que haya cuatro textos-tipo en el grupo, puesto que ninguno de ellos pertenece al mismo tipo: hay diferencias en los textos en español 3 y 4, y en el texto 5 en inglés. Por lo que se refiere al significado de estos textos, sin embargo, todos los textos, del 1 al 5, son idénticos.

Del mismo modo que puede haber textos escritos muestra y tipo como los que hemos visto, puede haber, también, textos hablados muestra y tipo. En este caso, en lugar de marcas escritas sobre un trozo de papel u otro material de escritura, habrá ciertos sonidos emitidos por un hablante. Así, por ejemplo, cuando pronuncio en voz alta el texto 1, he emitido un texto hablado muestra, y lo mismo ocurre cuando pronuncio en voz alta el texto 2, o cualesquiera textos del 1 al 5. Pero cuando pronuncio los textos 1 y 2 o cuando repito los textos 1 o 2, en este caso los sonidos son instancias similares de un tipo de sonido, que, de

* [N. del t. En inglés, *token text. Token,* en este contexto, podría traducirse también por "ejemplo" o "ejemplar", en tanto que se trata de un "caso" de un determinado "tipo" (por ejemplo, cuando se habla de 5 ejemplares de un mismo libro); he preferido "muestra", sin embargo, porque creo que fácilmente podría asociarse la palabra "ejemplar" con "ideal" o "modélico", que es, prácticamente, el sentido opuesto al significado que, en nuestro caso, se le está dando al término.]

hecho, es la contrapartida sonora del tipo de texto escrito del que 1 y 2 son muestras.

La situación de los textos mentales es más difícil de comprender, pero no debería diferir, sustancialmente, del caso de los textos escritos y hablados. El texto mental no está compuesto de marcas escritas sobre alguna superficie que sirva para tal efecto, ni tampoco de sonidos emitidos por medio de los órganos vocales de una persona, sino que está compuesto de ciertos pensamientos o imágenes presentes en una mente. El texto-muestra mental es un fenómeno mental, una imagen o pensamiento que alguien, por ejemplo un psicólogo interesado en la naturaleza de los fenómenos mentales, investiga o piensa mientras que lleva a cabo ciertas investigaciones. Además, cuando los fenómenos mentales que son la contrapartida de textos-muestra escritos o hablados son semejantes, se constituyen entonces en instancias de un tipo de fenómeno mental del cual los textos-muestra mentales son también instancias, a saber, el texto-tipo mental.

La pregunta que surge en este momento es si puede haber una distinción entre los textos mentales muestra y tipo, por un lado, y las ideas que los sujetos piensan cuando comprenden los textos. Esta pregunta surge porque, si dichas ideas son también mentales, entonces parece difícil distinguir entre un texto mental y las ideas que éste transmite. La pregunta es importante porque, si no hay diferencia entre los textos mentales y las ideas, entonces un texto sólo puede ser escrito o hablado. Creo, sin embargo, que la distinción a la que me he referido antes entre un texto y su significado puede ayudarnos a entender también la distinción entre textos mentales e ideas.

Un texto, sea escrito, hablado o mental, es un grupo de signos que se utilizan para transmitir un significado determinado. El significado del texto es lo que el texto nos dice, aquello en lo que nos hace pensar, o se supone que nos haga pensar. El texto es un grupo de marcas sobre una página, o un grupo de sonidos emitidos, o un grupo de constructos mentales que funcionan como signos que expresan su significado. Como tal, el texto y su significado no son lo mismo, aun cuando el texto también sea un fenómeno mental y no físico. Lo que un texto filosófico significa son determinadas ideas que son distintas del texto. Ahora bien, que existe un texto mental distinto de su significado, es decir, de las ideas que se supone que transmite, debería estar claro a partir del hecho de que podemos pensar en el texto mental como una entidad separada de las ideas que transmite. Esto se ilustró anteriormente cuando introduje la distinción entre textos mentales y físicos, pero quizás otro ejemplo nos aclare mejor este asunto.

Tomemos el texto-muestra escrito número 1. Dicho texto consiste en las marcas que, realmente, se hacen en el papel; es el dibujo real que se ofrece allí, compuesto de marcas de tinta dibujadas y dispuestas de una determinada manera. Pero el significado de ese texto es algo que no es ni material ni está compuesto de marcas hechas de tinta sobre ese determinado papel. El significado de los textos-muestra 1-5 es uno y el mismo. Es más, el texto-tipo es tal no porque posea el mismo significado que los textos 1-5: de ser así, habría tan solo un texto-tipo de todos aquellos textos-muestra, lo cual vimos que no era el caso. Un texto es un texto-tipo porque es la suerte de composición de la cual los textos-muestra son instancias. En 1-5 hay sólo cuatro textos-tipo, como ya se ha advertido.

Ahora bien, lo mismo puede decirse de los textos-muestra mentales y de su significado. Por ejemplo, supongamos que un texto-muestra mental es una imagen del texto-muestra escrito número 1. Podemos pensar en ese texto-muestra mental sin pensar en lo que significa, pues, cuando pensamos en él, podríamos estar pensando en ciertas marcas o signos, y no en lo que el texto expresa. No estoy afirmando que todos los textos-muestra mentales o los textos-tipo mentales sean imágenes de textos escritos muestra o tipo. Podrían, sin duda, ser imágenes de textos sonoros tipo y muestra, por ejemplo. De hecho, es posible que no sean imágenes en absoluto. Pero ésta es una cuestión que, aquí, no nos concierne directamente y, por tanto, no la vamos a abordar. El punto preciso que deseo señalar es que, en primer lugar, existe un texto mental que es diferente del texto físico (sea escrito o hablado) y, en segundo lugar, que el texto mental es distinto del significado del texto mental, del mismo modo como los textos hablados o escritos son diferentes del significado de esos textos. El significado de un texto filosófico, como se ha señalado, consiste en las ideas que el texto nos ayuda a comprender, de manera que puede ocurrir que el significado de los textos mentales, de los textos hablados o de los textos escritos, sean éstos muestra o tipo, sea el mismo, aun cuando los textos no sean del mismo tipo.

B. *Textos convencionales y naturales*

Una vez que hemos establecido que los textos pueden ser escritos, hablados o mentales, tenemos que determinar si son convencionales o naturales. Con el fin de hacer esto, debemos establecer, en primer lugar, si los signos de los que se componen los textos son naturales o convencionales y, en segundo lugar, si la disposición de esos signos en un texto es, a su vez, natural o convencional. Si los signos de los que se componen los textos se clasifican como convencionales o naturales, depende muchísimo de lo que quiera darse a entender por *convencional* y por *natural*. Si se entiende por *natural* algo que ocurre en la naturaleza sin el instrumental ni el diseño humanos, por decirlo así, y si se entiende por *convencional* algo que ha sido hecho específicamente por los seres humanos, es decir, el resultado del arte humano, entonces es claro que un texto podría componerse, bien de objetos convencionales, o bien de naturales, porque, aunque es posible que muchos signos se deban completamente a la fabricación humana, es perfectamente posible emplear objetos naturales como signos. Por ejemplo, un texto podría estar compuesto por una pila de rocas utilizada para indicar una dirección que los viajeros de un camino deben tomar. En este caso, el texto está compuesto de objetos naturales. Del mismo modo, una determinada disposición natural de piedras encontradas en la playa podría utilizarse como un texto. En este caso, se le asignaría a cada piedra un determinado significado que, al combinarlo con el significado de las otras piedras que forman parte de la disposición en cierto contexto, ofrecería un significado global que resulta, a la vez, del significado de las piedras individuales y de su disposición en dicho contexto.[3] Para que

---

[3] En los casos de una pila de piedras, la disposición, presumiblemente, fue el resultado de la actividad humana. En este caso, los objetos son, claramente, naturales, pero la disposición es un asunto de diseño humano.

algo sea un texto, no es necesario que esté compuesto de signos o dibujos completamente creados o diseñados y dispuestos por los seres humanos. Por otro lado, si "natural" y "convencional" se refieren a la conexión particular entre la cosa que se utiliza como un signo y el significado al que se supone que se refiera, entonces es claro que todos los textos se componen de signos convencionales, pues ninguna cosa, esté hecha por los seres humanos o no, está, de hecho, conectada necesariamente con un significado particular. La conexión con un significado es el resultado del diseño, intención o actividad humanos, y puede estar sujeta a cambios de acuerdo con dicho diseño, intención o actividad.

Sin embargo, hay filósofos que han mantenido un punto de vista diferente al sostener que, efectivamente, hay signos naturales, en el sentido de que poseen una conexión necesaria con un significado determinado. Sin duda, el partidario más conocido, y uno de los primeros defensores de esta idea, es Agustín, que consideraba la totalidad del mundo natural como un signo de la realidad sobrenatural. De acuerdo con esta postura, que se aceptó ampliamente en la Edad Media, todo es, a la vez, lo que es en sí mismo y, además, un signo de algo más: una verdad superior y más profunda.[4]

Esta postura no es ni contradictoria ni incoherente, pero descansa sobre ciertas concepciones que no pueden apoyarse sobre la base de una razón que no esté asistida por la fe y, por tanto, es perfectamente posible mantener la concepción contraria; pero, si tal es el caso, entonces se debilita la concepción, puesto que es posible que no haya ninguna conexión necesaria, como afirma esta postura, entre los signos y su significado.

Empero, los partidarios de este punto de vista podrían replicar a esta objeción que la dimensión sobrenatural o religiosa de su postura no es necesaria y, por tanto, tampoco es necesario que la opinión se apoye en la fe: puede ofrecerse una interpre-

---

[4] Para Agustín, véase *De magistro*. Para una versión posterior de la idea agustiniana, véase Buenaventura, *Retracing the Arts to Theology*, en Emma Thérèse Healy, *St. Bonaventure's "De reductione artium ad theologiam", A Commentary with an Introduction and Translation*, Saint Bonaventure College, San Buenaventura, Nueva York, 1939.

tación puramente natural.[5] Tomemos, por ejemplo, el caso de una hoja que cae de un arce: ¿no es éste un signo natural de la llegada del otoño? ¿Y no es el trueno un signo natural de una tormenta inminente?

Aunque la expresión "signo natural" se utiliza frecuentemente en el discurso ordinario para referirse a casos tales como éstos, incluso en dichos casos me gustaría afirmar que tenemos una conexión convencional entre el signo y su significado. La caída de una hoja de arce es un signo del otoño y el trueno es un signo de una tormenta inminente porque hemos establecido una conexión entre ellos sobre la base de ciertas observaciones y, por tanto, utilizamos los fenómenos en cuestión para indicar algo de interés para nosotros. Una cultura diferente, por ejemplo, podría ver en la caída de la hoja de arce o en el trueno signos de otros acontecimientos o, incluso, indicios de la voluntad divina de castigarlos o recompensarlos. Que haya una conexión causal o cualquier otra clase de conexión natural entre los fenómenos naturales no implica que los fenómenos en cuestión se relacionen, necesariamente, como signo y significado. Esa conexión se hace sólo por una convención que depende de la intervención humana.

El mismo razonamiento que hemos aplicado a los signos que componen los textos, con respecto a su carácter convencional o natural, también puede aplicarse a la disposición de esos signos y, por tanto, no es necesario repetirla: basta con señalar que la disposición, aun en los casos en los que ocurre naturalmente, se conecta con un significado sólo como resultado del ingenio y el diseño humanos. En resumidas cuentas, aun cuando los textos se compongan de objetos naturales y se dispongan de forma natural, la conexión de un texto con un determinado significado es el resultado de la actividad humana, lo cual hace que los textos sean convencionales en este sentido.

Por último, la importancia del contexto a la hora de determinar el significado de los textos enfatiza aún más su naturaleza convencional, pues, de hecho, es el contexto, determinado por

---

[5] Parece que Peirce ha sostenido dicha opinión. *Cfr.* D. Greenlee, *Peirce's Concept of Sign*, Mouton, La Haya y París, 1973.

la atención humana, el que puede hacer textos de objetos naturales.

C. *Textos lingüísticos y no lingüísticos*

Esto me lleva a otra cuestión que ya se ha traído a colación, indirectamente, en lo que se ha dicho: que los textos no se componen, necesariamente, de signos que pertenecen a lenguajes naturales. Un texto podría estar compuesto perfectamente de dibujos que representan objetos naturales, como, de hecho, lo eran algunos textos antiguos. Es más, el significado de los signos de los que se compone un texto podría establecerse por estipulación, incluso si los signos se toman de un lenguaje natural, como cuando digo que, de ahora en adelante, voy a utilizar el término *vaca* para referirme a una oveja, aunque todos los hispanoparlantes lo utilizan para referirse a las vacas. Lo que es inevitable, sin embargo, es el carácter lingüístico de los textos, porque los signos son fenómenos lingüísticos en la medida en que poseen un significado y sirven para comunicar. Sin embargo, no deberían confundirse los textos con el lenguaje: existen distinciones importantes entre los dos que, seguramente, se verán claras por medio de las siguientes consideraciones.

Los textos se componen de elementos lingüísticos, pero los lenguajes no se componen de textos. Un lenguaje consiste en: (1) un conjunto de términos con significados y funciones específicos; y (2) un conjunto de reglas que rigen las relaciones mutuas entre esos términos, además de la disposición que pueden adoptar dichos términos. Los textos también se componen de términos, que he llamado *signos*, pero, a diferencia de los lenguajes, los textos no contienen reglas, aunque sea preciso conocer las reglas de acuerdo con las cuales se han colocado juntos, con el fin de comprenderlos. Un lenguaje, por tanto, es mucho más que los textos que se han escrito, hablado o pensado en dicho lenguaje. Un texto es un producto que los seres humanos componen, mientras que un lenguaje es un instrumento que los seres humanos utilizan para producir textos. Como resultado, un texto posee una estructura única y rígida, que es la que se ofrece y que no puede alterarse sin alterar el texto. El lenguaje, sin embargo, es flexible, y está pensado para utilizarse según diversas combinaciones. Aunque existen reglas generales a las que se tiene que adherir el lenguaje y que rigen la disposición de los términos de los que se compone, el lenguaje es un instrumento flexible que puede modificarse de acuerdo con los propósitos del momento. Por consiguiente, aunque los lenguajes posean un número relativamente limitado de términos y reglas, éstos se pueden combinar en un número virtualmente infinito de formas para crear textos. Los textos, por el contrario, poseen una suerte de resistencia a las alteraciones que no es característica del lenguaje y que, creo, es el resultado, en parte, de su peculiar *status* ontológico. Digamos un par de cosas sobre dicho *status* ontológico de los textos antes de proseguir.

D. *Textos universales e individuales*

A lo que me refiero cuando hablo del *status ontológico* de los textos es a la cuestión de si éstos son individuales o universales. Como se ha señalado en otro lugar, considero que algo es individual si, y sólo si, es una instancia no instanciable de un instanciable, mientras que considero que los universales son capaces de instanciación, es decir, que son instanciables.[6] "Pedro", por ejemplo, es individual, porque es una instancia no instanciable, mientras que "ser humano" es un universal, porque puede ser instanciado: de hecho, está instanciado en Pedro. Lo mismo podría decirse de "este color blanco" (una instancia no instanciable) y "el color blanco" (un instanciable). La pregunta que debemos abordar, en relación con el *status* ontológico de los textos, es si son instancias no instanciables o si son capaces de instanciación. Si se trata de lo primero, entonces deben considerarse individuales; si se trata de lo segundo, entonces son universales.

El tema del *status* ontológico de los textos surge porque, a primera vista, no está claro si los textos son individuales o universales. A diferencia de los ejemplos de universal y de individual que se han ofrecido antes, los textos comparten algunas de las características asociadas con los individuos y algunas de las características asociadas con los universales. Por un lado, los

---

[6] Gracia, *Individuality*, pp. 43 y ss.

textos son entidades históricas, al igual que Pedro o que este color blanco y, por tanto, parecería que son individuales; pero, por otro lado, parece que son capaces de una instanciación múltiple: de hecho, parece que existe toda suerte de instancias del mismo texto, como muestra la existencia de múltiples copias de un libro. En tanto que, a primera vista, parece que son, a la vez, individuales y universales, los textos se asemejan bastante a las obras de arte, pues parece que éstas son individuales y, al mismo tiempo, están sujetas, no sólo a una sino, incluso, a múltiples instanciaciones.[7] El original del *Guernica* de Picasso, por ejemplo, está en El Prado, pero existen reproducciones del mismo en diversos lugares, incluyendo una en mi oficina, en donde tengo una tarjeta postal que he clavado en mi tablón de anuncios. En la medida en que algunas de estas reproducciones son completamente indiscernibles del original, ¿no podríamos decir que son instancias de ese original y, por tanto, que el *Guernica* de Picasso es instanciable y, por consiguiente, universal? Sin embargo, el original del *Guernica* es un artefacto histórico que existe sólo en un lugar a la vez y que posee otras características que se asocian, normalmente, con individuos.

El caso de los textos trae aún mayores quebraderos de cabeza, pues la impresión original de un texto y las impresiones subsiguientes del mismo son, realmente, indiscernibles;[8] y no

---

[7] Nicholas Wolterstorff, "Toward an Ontology of Art Works", *Nous*, vol. 9, no. 2, 1975, pp. 115-142; Joseph Margolis, "The Ontological Peculiarity of Works of Art", *The Journal of Aesthetics and Art Criticism*, vol. 36, no. 1, 1977, pp. 45-50; y Edmund Husserl, "Formale und transzendentale Logik: Versuch einer Kritik der logischen Vernunft", *Jahrbuch*, no. 10, 1929, pp. 1-298 (véanse pp. 17 y ss. en particular), trad. inglesa de Dorion Cairns, *Formal and Transcendental Logic*, Nijhoff, La Haya, 1969. La opinión de Wolterstorff es que las obras de arte son universales; la opinión de Margolis es que son muestras de un tipo que existe encarnado en objetos físicos; para Husserl, las obras de arte son "individuos ideales", que hay que contrastar con "las ideas universales" de las que el triángulo como tal y el color como tal son ejemplos. Como he apuntado en el lugar señalado, el *status* ontológico de una obra de arte depende bastante de lo que se entienda por "obra de arte". Como veremos, algo bastante parecido se aplica a los textos.

[8] Estoy suponiendo que las diferencias en la escritura (por ejemplo, la uncial frente a la gótica) no alteran el texto. Mostrar cómo es esto va más allá de los límites de este escrito.

sólo esto, sino que toda la idea del valor del original, que tanto preocupa al mundo del arte, es completamente irrelevante en el caso de un texto cuyo valor reside, más bien, en lo que dice, y no en la composición material por medio de la cual cumple su objetivo, o en la originalidad histórica de la composición material. Por supuesto, los coleccionistas valoran las ediciones antiguas, pero tal valor encierra otros factores además de la naturaleza del texto, como la rareza de la copia en cuestión. Bajo tales circunstancias, podemos volver a la cuestión original y preguntar de nuevo: ¿es el texto universal o individual?

La respuesta a esta pregunta se aclara si tenemos en mente las distinciones, en primer lugar, entre el texto y su significado, a las que ya me he referido, y, en segundo lugar, entre los textos escritos, los hablados y los mentales. Voy a comenzar repitiendo lo que ya se ha señalado anteriormente, a saber: que no hay ninguna razón por la que signos diferentes no puedan tener el mismo significado o por la que el mismo signo no pueda tener diferentes significados. De hecho, los sinónimos indican, claramente, que diferentes signos pueden tener el mismo significado, y el equívoco muestra que el mismo signo puede tener diferentes significados. Esto no es sólo posible, sino que se trata de algo corriente. Por tanto, podríamos aceptar, en principio, que, aunque podemos tener textos escritos, hablados o mentales, no es necesario que sus significados difieran; pero tampoco tenemos que concluir, por esta razón, que tengan que ser los mismos. Sin embargo, aun cuando posean el mismo significado, esto no debería entrañar que el significado de esos textos sea el universal, del cual son instancias los textos. La situación, de hecho, es bastante diferente.

Antes que nada, tenemos una distinción entre tres *tipos* diferentes de textos: el escrito, el hablado y el mental. Pero dentro de esos tipos, tenemos muchos, de hecho un número potencialmente infinito, de textos individuales: tantos como el mercado pudiera permitirse imprimir, en el caso de textos escritos; tantas lecturas de los textos como las audiencias lo requieran, en el caso de los textos hablados; y tantos textos mentales como personas que, realmente, piensen en él. Esos textos escritos, hablados y mentales son todos individuales en la medida en que ellos mismos no son instanciables. En el caso de los textos escritos, por ejemplo, se podrían quemar, deformar, o lo que fuere; en el caso de los textos hablados, se podrían dejar inacabados, o podrían pronunciarse de una manera inusual, por ejemplo; y en el caso de los textos mentales, podrían encontrarse en mentes diferentes y estar sujetos a diferentes coordenadas temporales. Además, en tanto que instancias individuales, presuponen los correspondientes universales; pero el universal no es el mismo para los tres tipos de textos: para el texto escrito, sería un tipo escrito de universal, aun cuando el universal no sería algo escrito en ningún lugar; para los textos hablados, sería un tipo hablado de universal, que, de la misma manera, no se hablaría en ningún lugar; y lo mismo podría decirse del universal mental correspondiente a las instancias mentales del mismo. En ningún lugar, sin embargo, es el significado de los textos su universal, pues es posible que el significado de todos los textos sea uno y el mismo y que los textos pertenezcan a tres clases naturales diferentes —la auditiva, la visual y la mental—, y, por tanto, que constituyan tres tipos diferentes.

Los textos, por tanto, pueden ser, a la vez, universales e individuales, dependiendo del texto en cuestión. El texto universal es aquél del cual los textos físicos (escritos o hablados) o los mentales son instancias no instanciables. El universal, sin embargo, no es el significado o las ideas que se supone transmitan los diversos textos individuales; más bien, se trata, en realidad, de un tipo correspondiente a los textos individuales físicos o mentales en cuestión. Esto puede ilustrarse fácilmente con los textos 1-5 a los que me he referido antes. El universal de esos textos no es el significado de los textos o las ideas que se supone transmitan, a saber, que dos y dos son cuatro, porque entonces habría solamente un tipo para todos los textos. Pero, como vimos anteriormente, en los textos 1-5 tenemos cuatro tipos diferentes de textos, dos de ellos consisten en símbolos matemáticos, dos en españoles, y uno en ingleses. Y lo mismo podría decirse de los textos hablados o mentales correspondientes. No hay, por tanto, ningún único universal de los textos escritos, hablados o mentales considerados como tales, aun cuando puedan tener el mismo significado.

Podemos decir, resumiendo, lo siguiente: si nos referimos a textos-muestra como los textos 1-5, discutidos anteriormente, y a sus contrapartidas habladas y mentales, los textos son individuales; pero si nos referimos a los textos-tipo o sus contrapartidas habladas y mentales, entonces son universales.

E. *El texto del historiador*

Una vez que hemos presentado las características de los textos, nos podemos preguntar, en este momento, qué texto constituye el objeto inmediato de estudio de los historiadores de la filosofía. La respuesta es que los historiadores de la filosofía no están interesados por los textos-muestra, ya sean escritos, hablados o mentales, ni, por tanto, por los textos individuales, aunque son éstos los textos a los que tiene acceso y sobre los que trabajan directamente. El texto individual es asunto del arqueólogo, paleógrafo y otros interesados en la relevancia cultural e histórica de los artefactos individuales. El interés de los historiadores se centra en el texto-tipo, es decir, el texto universal, aunque su interés no recae en el texto en tanto que es un tipo de material escrito, hablado o mental, sino en tanto que es un conjunto de signos que transmiten cierto significado que surgió de cierto autor y en cierto momento particular. Es el significado aquello por lo que se interesan los historiadores de la filosofía. Lo mismo podría decirse del texto individual que el autor produjo. En tanto que es individual, los historiadores de la filosofía apenas se interesan por él; se interesan sólo por un universal y sólo en tanto que es un vehículo de las ideas, aunque el origen histórico de esas ideas pertenece a la esencia de su tarea: de lo contrario, no estarían actuando como historiadores de la filosofía, sino sólo como filósofos.

Pero esta respuesta no es completamente satisfactoria, aunque a primera vista pueda parecer aceptable. La razón estriba en que presupone, entre otras cosas, que hay uno, y sólo un texto universal, y que el texto revela la mente del autor. Si estos presupuestos son correctos, la tarea de los historiadores se reduciría al estudio de las ideas de un autor; de su obra, por decirlo así; estudio que consistiría en examinar las instancias del texto universal que dicho autor produjo. El texto individual, en tanto que representativo de su tipo, por consiguiente, sería el centro de la investigación de los historiadores y les revelaría la mente del autor.

En realidad, sin embargo, no existe tal cosa como "el texto". Puede haber, por lo menos, cuatro textos diferentes que, debido a su número y a sus diversos grados de accesibilidad, complica enormemente la tarea de los historiadores, pues cada uno de ellos, en principio, podría no sólo ser una instancia de un texto universal diferente, sino que podría, también, ofrecer un conjunto diferente de ideas. Los textos a los que me refiero son los siguientes: el texto que los historiadores tienen; el texto que el autor escribió; el texto que el autor tenía la intención de escribir; y el texto que el autor debería haber escrito. Los llamo, respectivamente, el texto contemporáneo, el texto histórico, el texto intentado* y el texto ideal.

1. El texto contemporáneo

Por *texto contemporáneo* entiendo el texto del que disponen los historiadores cuando se ponen a estudiar la historia de la filosofía, aunque no entiendo por tal alguna traducción del mismo: me refiero al texto tal y como lo historiadores lo tienen en el idioma original. Una de las cosas interesantes acerca del texto contemporáneo es que, en muchos casos, los historiadores, por lo general, no tienen uno, sino varios textos. Esto ocurre especialmente cuando tratan con textos que provienen de periodos de la historia que precedieron a la invención de la imprenta,

---

* [N. del t. En inglés, *intended text*. *To intend* es un verbo que proviene, como nuestro español "intentar", del latín *intendere* (de donde, a su vez, el sustantivo *intentio*). Significa, por tanto, entre otras cosas, tener en mente la intención de realizar o ejecutar algo, es decir, proponerse, proyectar o diseñar algo con el fin de llevarlo a cabo. En este sentido, y aunque el autor dejará aclarado, posteriormente, su significado, traduzco *intended* por "intentado" en el doble sentido de (1) aquello que se ha proyectado en la mente con el fin de realizarlo —se lleve a cabo o no—, es decir, lo proyectado o planeado, y (2) lo que se ha preparado y se ha tratado de llevar a cabo, pero que, al final, no se ha logrado, bien porque se ha abandonado el proyecto, o bien porque algo lo ha impedido (lo intentado, lo comenzado a hacer, por lo menos mentalmente). Este último es el sentido del adjetivo *intended* que subraya explícitamente el autor, pero que, como es obvio, supone el anterior.]

aunque también es el caso de algunos textos que se produjeron después de dicho acontecimiento.

La razón por la que los historiadores pueden poseer diversos textos estriba, normalmente, en que es posible que haya diversas tradiciones textuales de la misma obra, que se remontan a alguna fuente original, quizás el autógrafo, que, posiblemente, se ha perdido; también estriba en que puede que haya, asimismo, varias ediciones que se basan en esas diferentes tradiciones, y que se produjeron en diferentes épocas. Por ejemplo, existen hoy día diversas ediciones de la *Summa theologiae* de Tomás de Aquino, como la de Piana (1570), la Leonina (1888–1903) y la de Ottawa (1941). La diferencia entre éstas y otras ediciones disponibles de la misma obra resultan del hecho de que no hay ningún autógrafo de la obra, y hay más de 200 manuscritos existentes del texto completo (excepto del Suplemento, del que hay sólo 42), y otros 235 fragmentos de diversas partes de la misma.[9] La tarea del editor que se encuentra en esta situación, con un texto de este tipo, es producir un estema o árbol genealógico de los manuscritos y reconstruir el mejor texto posible sobre dicha base.

La noción de "el mejor texto posible", sin embargo, plantea algunas cuestiones serias a las que es preciso responder, pues el mejor texto posible no es, necesariamente, el escrito por el autor, ni el que tuvo el mayor impacto histórico. Una edición crítica que reconstruya el mejor texto posible podría ser una obra hecha de remiendos que nunca existió y que no posee relevancia histórica alguna. Así, por ejemplo, el valor histórico de muchas ediciones críticas decimonónicas de textos medievales y clásicos, que se compusieron con el objetivo metodológico de producir el mejor texto posible, es bastante limitado. Muchos editores posteriores, con el fin de evitar este tipo de problemas, han producido ediciones que se centran en un buen texto, históricamente importante (el llamado texto copia), haciendo sobre el mismo tan pocas correcciones como sea posible, y añadiendo variantes de otros manuscritos para el beneficio de los

---

[9] James A. Weisheipl, *Friar Thomas D'Aquino: His Life, Thought and Work*, Doubleday & Co., Garden City, Nueva York, 1974, p. 362.

historiadores e intérpretes.[10] Sin embargo, la idea de que el mejor texto posible es un compuesto de todos los textos y de todas las tradiciones textuales disponibles sigue viva y saludable. Desde el punto de vista historiográfico, lo que es importante señalar es que incluso el texto contemporáneo no es un texto único. Lo que los historiadores tienen, más bien, es una familia de textos que se relacionan de diversas maneras y que pueden ser más o menos precisos y relevantes, desde el punto de vista histórico, aunque su grado de precisión no es directa ni necesariamente proporcional a su relevancia histórica.[11]

2. El texto histórico

El *texto histórico* es el texto que el autor histórico realmente escribió o dictó.[12] No entiendo por esto los trazos concretos que el autor haya podido hacer sobre un pedazo determinado de papel o pergamino, ni los sonidos concretos que ha emitido al dictar la obra a un copista que los iba transcribiendo. Lo que entiendo es el tipo de trazos que el autor o el copista escribieron, o el tipo de sonidos que se emitieron y que el copista transformó en trazos. Si tuviéramos que entender el texto histórico como los trazos y los sonidos individuales que componen el autógrafo o la primera copia producida del texto, entonces existiría solamente un texto de esta suerte. De hecho, ninguna reproducción del mismo, producida por una fotocopiadora, por ejemplo, podría llamarse texto histórico. Más bien, lo que tengo en mente es lo que, anteriormente, llamé el *texto-tipo* o *universal*, y no el texto-muestra producido por el autor o por un secretario. Hay casos en los que, efectivamente, poseemos autógrafos de los autores, pero yo llamaría al autógrafo, así co-

---

[10] Para la idea de "texto copia" y sus implicaciones, véase Thomas Tanselle, "Greg's Theory of the Copy-Text and the Editing of American Literature", *Studies in Bibliography*, no. 28, 1975, pp. 167–229.

[11] Además, están las memorias mentales de los individuos que pudieron haber oído o leído diversas versiones del texto. Todos éstos son casos de textos mentales que pueden variar de acuerdo con diversos factores.

[12] Como señalo después, el autor histórico puede, realmente, ser más de una persona; pero dejo la discusión de este asunto para la sección "El autor histórico".

mo a cualquier transcripción exacta del mismo, instancias del texto histórico.

Obsérvese también que me he referido sólo a los textos escritos o hablados. La razón estriba en que, aunque los textos mentales son tan históricos como los escritos o hablados, el historiador no tiene ningún acceso a los mismos salvo por medio de los textos escritos o hablados (la única excepción a esto acontece cuando el historiador es también el autor, en cuyo caso la fuente es la memoria). Por tanto, para los efectos, el texto histórico es el texto-tipo escrito o hablado.

Obviamente, a partir de lo que se ha dicho en relación con el texto contemporáneo, queda claro que, sobre todo cuando los historiadores están ocupándose de los textos escritos antes de la invención de la imprenta, el texto histórico rara vez es el mismo que el texto contemporáneo. Existen excepciones, por supuesto. Si hay algún autógrafo o una copia exacta del mismo, parecería que los historiadores poseen, efectivamente, el texto histórico. Es más, si los historiadores saben que tienen un texto que fue corregido por el autor poco después de que se compusiera, aunque no estuviera escrito originalmente por el autor, también podrían decir que poseen el texto histórico. El procedimiento según el cual un autor revisaba las notas tomadas originalmente por un estudiante era común en la Edad Media, por ejemplo. Las notas revisadas se llamaban *ordinatio*; y las notas sin revisar, *reportatio*. En algunos casos, las obras se conocían por dichos nombres, quizás con el fin de subrayar su grado de fidelidad histórica. Esto ocurrió con el *Opus oxoniense* de Duns Escoto, que se conocía como la *Ordinatio*, y con otra versión de su *Comentario a las "Sentencias" de Pedro Lombardo*, que se conocía como *Reportata parisiensia*.

En muchos casos, sin embargo, la situación no es tan simple, pues es posible que haya, no uno, sino, en realidad, varios textos históricos. Es lo que acontece con algunas de las obras de Tomás de Aquino. En algunos casos, escribió un autógrafo de la obra, pero entonces hacía que un secretario le copiara la obra e introducía cambios en la copia, y no en el autógrafo. De hecho, existe evidencia que apunta a cambios posteriores que se hicieron en diferentes momentos durante su vida. En tal situación, no hay ningún texto histórico único de una obra particular: lo que tenemos son varios textos que corresponden a los diversos momentos en los que el autor hizo modificaciones.

3. El texto intentado

El *texto intentado* es un texto diferente, incluso, del texto contemporáneo y del texto histórico. Como sugiere su nombre, se entiende que es el texto que el autor tenía la intención de escribir pero que no escribió. La idea de un texto intentado distinto de un texto histórico surge cuando comienzan a considerarse los errores inintencionados que los autores cometen cuando están produciendo un texto: pueden decir o escribir algo que no se propusieron; pueden emplear palabras que, puesto que no pueden pensar en otras mejores en el momento, no son, exactamente, las que quieren; pueden, por error, omitir palabras o frases; pueden confundirse con la puntuación, etc. Son muchas las maneras en que los autores pueden equivocarse y producir textos que difieren de los que ellos pretendían producir. Todavía más importante, hay siempre asuntos que tienen que ver con la diferencia entre lo que los autores quieren decir o escribir y los medios de que disponen para decirlo o escribirlo. Una vez que han utilizado una determinada expresión, ésta se convierte en parte del texto, pero los autores, a veces, hubieran preferido decir lo que dijeron de otra manera, aunque, en el momento de componer el texto, la expresión que andaban buscando no les viniera a la mente. Esto es especialmente claro cuando utilizan expresiones ambiguas, porque entonces, si uno les pregunta después: "¿Querías dar a entender P o Q, cuando dijiste R?", el autor, a veces responderá P, a veces Q, y, en ocasiones, R. Sólo cuando el autor responde R es que podemos sospechar que la ambigüedad es intencionada, aunque, ni siquiera en este caso, podremos, alguna vez, estar completamente seguros de que el autor está consciente de la misma en el momento de elaborar el texto.

Como otra prueba más de la noción de texto intentado y su distinción de la del texto histórico, los historiadores señalan el hecho de que los autores, con frecuencia, corrigen el texto después de que se ha elaborado. Como en el caso de Tomás de Aquino, que se trajo a colación anteriormente, vuelven y cambian cosas aquí y allá, modificando, en ocasiones, significativamente el sentido. Se considera que lo que esto significa es que los textos no reflejan exactamente lo que los autores intentaban en el momento de elaborarlos, aunque, una vez más, nunca podamos estar seguros de si los autores intentaron algo diferente de lo que escribieron o dijeron en primer lugar, o simplemente cambiaron de opinión al respecto posteriormente.

Todo esto suena bastante razonable, pero puede argumentarse también que no existe tal cosa como el texto intentado, por la sencilla razón de que los autores nunca tienen en sus mentes textos claros y completos antes del momento en el que, realmente, los elaboran. A lo más, es posible que tengan ideas más o menos vagas de lo que quieren hacer; quizás un bosquejo mental de cómo debería estructurarse el texto; pero el texto real sólo se produce en el momento de escribirlo, hablarlo o pensarlo.

El proceso mediante el cual un autor compone un texto podría concebirse como el del artista que quiere producir una escultura. Éste tiene una idea general de lo que quiere hacer: por ejemplo, producir una composición que conmemore una determinada victoria bélica. También tiene una idea del número de personas que quiere en la escultura; si las quiere vestidas o desnudas; y una idea general de la postura que deberían adoptar. Es más, ha decidido que utilizará como material el mármol, y que las figuras deben ser de tamaño real. Pero todo esto es bastante vago. Si le fuéramos a pedir que nos describiese la escultura, sólo nos daría generalidades. Sobre la base de dichas generalidades podríamos, posiblemente después de muchos años, escoger, entre muchas esculturas, algunas entre las que se encuentre, quizás, la que, finalmente, hizo; pero nunca podríamos estar seguros de cuál fue la que hizo si nos encontráramos con esculturas en cierto modo semejantes. La razón estriba en que la descripción del escultor es demasiado general, y no identifica aquellos rasgos de la escultura que la distinguen de otras. Ahora bien, la razón por la que su descripción es demasiado general es que no posee una idea completa y detallada de cómo se verá la escultura cuando la termine, aunque posea bocetos tentativos de lo que desea producir. Y no la tiene, ni la puede tener, porque la escultura concreta no es el resultado de su idea solamente, sino que también supone el material con el que trabaja, así como el proceso creativo mismo que la produce. Expliquemos esto. Una vez que el escultor posee una idea de lo que quiere hacer, pasa a ver qué bloque de mármol puede conseguir. Posee un presupuesto, por lo que sus alternativas no son ilimitadas. Es más, cuando va a la cantera a buscar un bloque adecuado de mármol, se encuentra con que sólo se dispone de cinco o seis bloques, todos de colores, formas y tamaños ligeramente diferentes. Él quería mármol blanco, pero casi todo el mármol posee vetas de una u otra clase, y ahora tiene que decidir si elige el que tiene vetas grises, verdes o rosas. Si elige el gris o el verde, se ve limitado en cuanto al tamaño y a la forma de esas piezas, mientras que si escoge el rosa, tendrá más libertad de trabajo, debido al tamaño del bloque. Pero, de todos modos, decide quedarse con el gris: no puede imaginarse cómo un tema serio y sobrio como la guerra, aun en el caso de la victoria, puede representarse en algo que no sean grises y blancos. Una vez que el artista posee el mármol, necesita los modelos, por lo que va a una agencia de modelos y pide echar un vistazo a las fotografías de los modelos que tienen y que podría utilizar. No sabe, con exactitud, qué está buscando, salvo que necesita seis hombres. Cuando ve una cara o un cuerpo, a veces descarta la fotografía inmediatamente; a veces la mira un rato y la descarta igualmente; pero otras veces la retiene. Después de un rato, ha reunido un grupo de más de veinte modelos posibles que cree que podría utilizar según las fotografías que ha visto. Entonces pasa a entrevistar a los modelos personalmente y, después de examinarlos, se decide por los seis que piensa que necesita. Finalmente, reúne a los seis en su estudio y hace que se coloquen en la pose que había imaginado, pero encuentra que la disposición no funciona. En primer lugar, parece que hay muchas figuras y, en segundo lugar, algunos de ellos no sirven para la composición. Sus cuerpos parecían apropiados cuando se los consideró por separado, pero juntos no van bien. Uno es demasiado alto y otro es demasiado bajo, por ejemplo. Entonces están los rostros. En particular, necesita un rostro que exprese una emoción determinada; pero ninguno de los rostros de los modelos seleccionados la expresa adecuadamente. Desencantado, el artista rechaza a dos de los modelos y pide a los otros que regresen en alguna fecha posterior. Está atormentado y preocupado por el rostro que necesita, en especial porque no logra hacerse una idea del mismo en detalle. Pero se encuentra con suerte. Su hija trae a casa un amigo nuevo esa noche y se da cuenta de que el amigo tiene el rostro que necesita. Puesto que el joven está dispuesto a congraciarse con la familia, accede a posar para el escultor, y nuestro artista logra su grupo. Pero, una vez más, le vienen las dudas sobre la pose, etc. De hecho, el proceso de repensar y redisponer no concluye hasta que la obra está terminada. Cada decisión elimina ciertas alternativas, pero también abre áreas en las que se requieren otras decisiones.

Podría continuar describiendo el proceso creativo, pero pienso que no es necesario. La cuestión que quiero ilustrar es que una obra de arte es el resultado de algo que va mucho más allá que una simple idea: es el efecto de muchos factores. No hay, de hecho, ninguna obra intentada como tal, sólo una idea más o menos vaga que, lentamente, va tomando forma y se va modificando y transformando en una obra real de arte por medio de un complejo proceso. En el caso del artista de nuestro ejemplo, éste tuvo que transigir en lo que se refería al color y al tamaño; hubo elecciones sobre la composición, los modelos y las poses; y todo esto estaba determinado, en parte, por circunstancias que van más allá de su control. Efectivamente, el artista eligió, pero su elección estaba restringida y moldeada por las circunstancias reales en las que tenía que hacer su elección.

Esta conclusión se aplica también a un texto. No hay ningún texto antes de que el autor se ponga a producirlo y antes de que, realmente, produzca uno. El autor tiene, al comienzo, una idea vaga de lo que quiere hacer, pero sólo cuando se pone a producir el texto, ya sea en su mente o en un pedazo de papel o en una grabadora, es que comienza el texto a tomar forma, pues, entonces, se siente forzado a tomar decisiones semejantes a aquellas que tiene que tomar el artista. Es verdad que los materiales con los que trabajan el autor y el artista son diferentes. Los artistas trabajan con cosas tales como mármol, pintura, modelos, e intentan transmitir una determinada forma plástica; mientras que los autores trabajan con lápices, papeles, computadoras y lenguaje, y tratan de transmitir cierto significado. Sea como fuere, los materiales que el autor emplea, incluyendo el lenguaje, no son diferentes significativamente de los materiales de que dispone el artista, pues incluso el lenguaje se compone de elementos que son muy parecidos al mármol, su color, y a los rostros, los cuerpos y las expresiones de los modelos utilizados por el escultor. Dicho lenguaje se compone de elementos, algunos de los cuales poseen significado, lo mismo que, en un rostro, un determinado ademán puede sugerir tristeza; otros elementos poseen significado sólo en el contexto en el que se encuentran, del mismo modo que el mármol adquiere sentido sólo cuando se esculpe de determinada forma.

Muchos factores, entonces, influyen sobre los autores mientras están elaborando los textos, y cumplen un papel causal en varios aspectos de la composición. El texto, al igual que una obra de arte, no es causado solamente por el autor: éste es sólo una de las causas que lo produce. Como Aristóteles diría, el autor es, meramente, la causa eficiente del texto; pero, además de ésta, hay otras causas que desempeñan también un papel clave a la hora de producir el efecto.

No tiene mucho sentido, entonces, hablar de los textos que los autores "intentan" producir, en vez de los que, realmente, producen. No existen, en verdad, tales textos intentados que preceden a la producción de los textos históricos. Hay casos, por supuesto, en los que podría afirmarse que había planes para completar una obra que se dejó incompleta debido a la muerte del autor o a cualquier acontecimiento inesperado de este tipo. Pero esto no va en contra de las conclusiones a las que se ha llegado, por dos razones. La primera es que cuando existen bosquejos, notas y planos, la producción del texto ya ha comenzado. De hecho, alguien podría afirmar, aunque no estoy presto para hacer tal cosa aquí sin pensarlo mejor, que esas notas, planes y bosquejos son ya versiones tempranas de un texto. La segunda razón es que, hasta que la obra se ha producido realmente, los bosquejos y las notas existentes sobre cómo hay que completarla son meras guías que el autor se siente con la libertad de modificar o, incluso, descartar conforme progresa la obra. Así, aun cuando una obra se ha interrumpido por alguna razón, sería difícil afirmar, convincentemente, que hay realmente una obra particular propuesta. La obra de arte, al igual que el texto, es lo que se produce; el resto es sólo más o menos vaga especulación.[13]

Podrían citarse muchos ejemplos, tanto de textos como de obras de arte, para ilustrar este punto. Un caso bastante elocuente son los planes que dejó Gaudí para la Sagrada Familia de Barcelona, una iglesia que ha estado en construcción cerca de un siglo. Gaudí dejó muchos bocetos e instrucciones sobre el modo como tenía que conformarse el edificio, y él mismo, incluso, completó algunas partes antes de su muerte. Pero los arquitectos que han estado luchando con el edificio desde la muerte de Gaudí, se han encontrado con que tienen que tomar infinidad de decisiones sobre qué hacer conforme avanza el proceso de construcción, a muchas de las cuales no se anticipó y, quizás, no se habría podido anticipar Gaudí.

La distinción entre el texto intentado y el texto histórico surge, como gran parte de lo que tiene que ver con hermenéutica, a partir de diversos presupuestos. El primero tiene que ver con la exégesis de las Escrituras, que está guiada por el principio de que hay un ser divino que revela sus ideas perfectas a través de un medio imperfecto. Así, aunque el texto que la divinidad se propone revelar es infalible y perfecto en todos los sentidos, el texto efectivamente revelado puede estar equivocado debido a la intervención instrumental humana. Esta idea se aplica a los textos que no están revelados por la divinidad, con el resultado de que se presupone que un autor, al igual que Dios, tenía un texto intentado en mente antes de que se produjera el texto.

El segundo presupuesto detrás de la idea del texto intentado es que las ideas que los autores se proponen comunicar son textos, aunque es posible que no sean lingüísticos. Así, un conjunto

[13] Ésta es la razón por la que el significado del texto no se puede reducir a las intenciones del autor, como afirma, correctamente, P.J. Juhl en "The Appeal to the Text: What Are We Appealing To?", *Journal of Aesthetics and Art Criticism*, vol. 36, no. 3, 1978, pp. 277-287. La clásica defensa de la identidad del significado de un texto con la intención de su autor se encuentra en Eric Donald Hirsch, *Validity in Interpretation*, Yale University Press, New Haven, 1967. En el otro extremo de la disputa se encuentra Monroe Beardsley, que sostiene que el texto, por sí mismo, determina su significado, y que la intención del autor es irrelevante para determinar tal significado. Véase su *The Possibility of Criticism*, Wayne State University Press, Detroit, 1970.

de ideas que un autor pueda tener en mente expresar se consideran textos intentados que se traducen en un texto lingüístico,
ya sea en su mente o fuera de ella. El conjunto no lingüístico de
ideas es lo que el autor se propone traducir en un texto lingüístico, aunque es posible que las ideas se deformen en el proceso
de traducción.

En tercer lugar, se cree también que la causa debe precontener, explícita y efectivamente, todo lo que está presente en el
efecto. Por tanto, el autor, en tanto que actúa como causa de
un texto, debe tener un texto completamente real que tiene la
intención de producir antes de que se ponga a producir el texto
histórico.

El tercer presupuesto se torna particularmente fuerte cuando
se empareja con el cuarto, que ya he discutido: que el autor es
la única causa de un texto. Si hay sólo una causa, y la causa
debe precontener, efectivamente, todo lo que está presente en
el efecto, es claro que el autor, que es la única causa del texto,
debe tener un texto real que pretende producir antes de que
produzca el texto histórico.

Pero estos cuatro presupuestos andan bastante errados. Con-
siderémoslos uno por uno. Por lo que se refiere al primero,
supongamos que Dios, efectivamente, reveló las Escrituras y tenía un texto en mente que los escritores bíblicos pusieron por
escrito lo mejor que pudieron, aunque es posible que cometie-
ran errores en alguna ocasión. Aun cuando tal fuera el caso,
esto no nos diría nada sobre cómo procede un autor humano
y, sin duda, no supone que los autores posean en la mente un
texto intentado como el que hemos discutido, antes de que, efectivamente, produzcan un texto histórico. Es verdad que, según
parece, algunos autores (por ejemplo, Russell), al igual que algunos artistas (por ejemplo, Mozart) poseen un texto completo
en sus mentes antes de que lo pongan por escrito, por ejemplo.
Pero esto es un contraejemplo que lleva a la confusión, porque,
en tales casos, lo que ellos tienen en sus mentes es un texto
mental que ya se ha producido y se ha consignado en la memoria. No tienen que pasar por el proceso de corrección, etc., por
el que pasan otros autores con sus borradores escritos u orales, porque esperan a que el texto mental esté completo antes
de que lo pongan por escrito. En casos como los de Russell,

esto es, a menudo, el resultado de hábitos adquiridos después de haber pasado por un sistema educativo en el que se supone que no se escriba o diga nada que no esté presentable. Pero nada de esto apoya la tesis de que los autores poseen un texto intentado antes de que, efectivamente, produzcan uno, ya sea mentalmente, oralmente, o por medio de la escritura.

El segundo presupuesto descansa en una o dos confusiones. La primera consiste en confundir las intenciones de un autor con el texto. Que un autor tiene la intención de transmitir ciertas ideas cuando se pone a construir un texto me parece indiscutible.[14] Pero esto no supone que el autor tiene un texto en mente que se propone transmitir, porque las intenciones del autor no tienen por qué ser textos. De hecho, los fenómenos mentales que corresponden a las intenciones de un autor no poseen las características que se asocian con un texto. Por ejemplo, la intención de seguir un curso de acción no es la imagen mental del texto "seguir un curso de acción". La segunda confusión desdibuja la distinción entre las ideas de un autor y un texto. Que los autores poseen algunas ideas que se proponen transmitir cuando se ponen a producir un texto no es muy controvertida. Pero esto no quiere decir que esas ideas constituyan un texto. Por ejemplo, la idea de "dos" no es una imagen mental del número arábigo "2" o de cualquier otro de los signos que se emplean para transmitirlo. Como se ha señalado anteriormente, no debería confundirse un texto con su significado, es decir, con las ideas que presenta. Y son esas ideas las que se proponen y las que el texto histórico puede o no transmitir efectivamente, aun cuando el autor, sin duda, se propuso que el texto las transmitiera.

La condición del tercer presupuesto es, una vez más, controvertida, y no puede esperarse que determinemos su validez aquí. Lo que podemos hacer, sin embargo, es señalar que, puesto que el autor no es la única causa del texto, como afirma el cuarto presupuesto, aunque aceptáramos que una causa debe precontener, efectivamente, todo lo que está en el efecto, de ahí no se sigue que el autor tenga que precontenerlo. Todo lo que

---

[14] Véase Monroe C. Beardsley, *Aesthetics: Problems in the Philosophy of Criticism*, Macmillan, Nueva York, 1980, pp. 17-28.

está en el texto histórico completado debe estar precontenido, efectivamente, en el conjunto total de causas del efecto, y no sólo en el autor. Por tanto, la conclusión de que el autor debe poseer un texto completo y efectivo que se propone producir antes de que produzca el texto histórico es gratuita.

Voy a terminar, entonces, repitiendo que la distinción entre el texto intentado y el texto histórico no está garantizada. Lo máximo que podría aceptarse es, en primer lugar, una distinción entre el texto histórico y un determinado conjunto vago y fragmentario de ideas que el autor tiene antes de la producción del texto histórico; y, en segundo lugar, una distinción entre un texto histórico en tanto que producido, y el texto histórico purgado de cualesquiera errores mecánicos o de pluma que se hayan introducido, subrepticiamente, durante el proceso de producción. La distinción entre los últimos dos es, de hecho, la distinción entre un texto que se ha elaborado o corregido cuidadosamente y uno que no lo ha sido, y no debería servir como base para argumentar en favor de la idea enigmática de un texto intentado.

4. El texto ideal

El *texto ideal* es el texto que el autor debería haber escrito, no el texto que el historiador tiene, el texto que el autor efectivamente escribió o el texto que se presupone que el autor tenía la intención de escribir. Puede considerarse ideal por dos razones: primera, porque nunca ha existido realmente, sino que es una mera construcción, postulada especulativamente por alguien diferente del autor; segunda, porque se supone que sea un modelo perfecto de la copia, más o menos mala, que el autor histórico produjo. El segundo sentido de *ideal*, por tanto, es platónico.

El texto ideal es postulado por un filósofo o alguien interesado en un texto, quien lo mira como un formulación textual imperfecta de una determinada concepción o argumento. La noción de un texto ideal, en este sentido, se basa en la postura que afirma que las formulaciones textuales que hace un autor de sus opiniones siempre son copias más o menos imperfectas de alguna formulación textual perfecta de esas opiniones.

Así, cuando adoptamos una postura filosófica sobre la justicia, por ejemplo, la expresamos textualmente de una manera que, necesariamente, es imperfecta e inadecuada, aunque hay una manera perfecta y adecuada de expresarla. Es más, obsérvese que hay aquí una diferencia importante con el platonismo ortodoxo. Para éste, hay ideas, solamente, de aquello que es absolutamente perfecto y verdadero; mientras que la noción de un texto ideal implica que puede haber formulaciones textuales perfectas de opiniones falsas incluso y, por tanto, imperfectas. Así, aunque el utilitarismo sea falso y, por esta razón, imperfecto en algún sentido, existe una formulación textual perfecta de la postura, con respecto a la cual, la formulación de Mill quedó imperfecta.

El texto ideal, si consideramos que nunca existió y que aquellos que lo postulan lo aceptan como tal, funciona, de hecho, como una suerte de noción reguladora que se emplea para comprender, interpretar y evaluar un texto histórico. Sirve para subrayar dónde es posible que los autores se hayan equivocado y dónde no, ya que compara lo que hicieron con lo que deberían haber hecho. También sirve para construir lo que los autores han querido decir pero no lograron decir adecuadamente. La noción de un texto ideal descansa sobre el presupuesto de que los autores están tratando de lograr formulaciones perfectas de las opiniones que estaban tratando de describir en sus textos.[15] El texto ideal, como tal, es una herramienta hermenéutica e historiográfica útil, aunque su empleo puede llevar a abusos.

El principal desafío para aquellos que intentan reconstruir un texto ideal, tal como se ha entendido aquí, consiste en plantearles la pregunta de hasta qué punto pueden separarse del texto histórico en su fantasía especulativa, pues si las modificaciones introducidas en el texto histórico son demasiado drásticas, existe el peligro de que el texto ideal no pueda ser nunca más la formulación textual perfecta de una opinión imperfecta, cuya copia imperfecta es el texto histórico, sino simplemente la formulación textual perfecta de una opinión perfecta, de la que el texto histórico debería ser la copia. Esto me lleva a una pregun-

---

[15] Me estoy refiriendo aquí a lo que Richard A. Watson llama "estructuras formales". Véase su "Method in the History of Philosophy", pp. 9–10.

ta importante acerca de los criterios que han de usarse para la selección de los componentes del texto ideal y para la modificación del texto histórico de acuerdo con el mismo: ¿deberían los criterios incluir principios personales, culturales, o sólo filosóficos? El texto ideal se vería muy diferente, de hecho, según el tipo de criterios que se empleen, y no es ni mucho menos obvio, a primera vista, que debería utilizarse un conjunto de criterios antes que otro.

Existen motivos para afirmar que el texto ideal debería determinarse tomando en consideración elementos personales y culturales, por ejemplo. Después de todo, un texto siempre está producido por una determinada persona individual, en un determinado medio cultural, y él mismo es un producto cultural. Por tanto, parecería apropiado que las consideraciones culturales entraran en su determinación. Un texto ideal de tal o cual época y de tal o cual lugar debería reflejar esa época y ese lugar. Por el contrario, alguien, sin duda, dirá que las consideraciones personales y culturales no tienen nada que ver con la producción de un texto ideal: puesto que el propósito de los filósofos es filosófico, los criterios que han de emplearse para construir el texto ideal y, consiguientemente, modificar el texto histórico, deberían ser estrictamente filosóficos.

Pero, ¿qué significa "filosófico" en este contexto? ¿Significa "lógico"? Si tal es el caso, entonces la tarea de producir un texto ideal consiste en ir a lo largo del texto histórico, corrigiendo cualesquiera errores lógicos que podrían haberse introducido, subrepticiamente, en las ideas que se supone que transmita. Supondría, también, descartar todos los *non sequitur* y colocar todas las conclusiones que se dejaron fuera por descuido; pero que son conclusiones e implicaciones lógicas de las premisas y de los presupuestos de las opiniones descritas en el texto.

Pero "filosófico" puede querer decir algo más que "lógico". Puede querer decir no sólo depurar la lógica y hacer explícitas las premisas y conclusiones entimemáticas, sino también aclarar las formulaciones que se encuentran en el texto, pero que permanecen oscuras. Este procedimiento podría suponer la sustitución o la ampliación de determinadas definiciones con el fin de aclarar diversas ideas y opiniones, por ejemplo; o puede interpretarse también que "filosófico" supone la añadidura de argumentos que son más convincentes que los que ofrece el texto; e incluso, la corrección de ciertas ideas expresadas por el texto, sobre la base de nuestra propia experiencia y conocimiento.

Cuando vamos más allá de la lógica e incluimos en la tarea de construcción del texto ideal procedimientos tales como la aclaración, la adición, la sustitución y la corrección, creo que vamos mucho más allá de la tarea de construcción de la formulación textual perfecta de las opiniones más o menos perfectas que el texto histórico trató de expresar: estamos, de hecho, tratando de construir el texto ideal, del cual *todos* los textos que se ocupan del objeto específico de estudio del que se ocupa el texto histórico particular, son copias. En este sentido, no estamos buscando las mejores formulaciones textuales de las opiniones imperfectas sino, más bien, el texto que mejor expresa la verdad. En resumidas cuentas: hemos vuelto al platonismo ortodoxo.

De todo esto debería quedar claro que, como en los otros casos de textos discutidos, el texto ideal resulta ser más de uno: puede ser el texto personal y culturalmente exacto; puede ser el texto lógicamente correcto; puede ser el texto claro y completo; y, por último, puede ser el texto que expresa la verdad. Hay, entonces, por lo menos, cuatro textos ideales diferentes, dependiendo del criterio que se aplique, aunque, en cada caso, es un texto, y sólo uno, el que se supone que mejor cumple con los criterios en cuestión.

Téngase en cuenta también que el texto ideal no debería confundirse con el significado de los textos históricos o cualesquiera otros que hemos discutido. Como hemos señalado anteriormente, los textos no son lo mismo que sus significados. El significado de un texto histórico es un conjunto de ideas, y el significado de un texto ideal es también un conjunto de ideas. Ahora bien, el presupuesto que hay detrás de la noción de un texto ideal es que las ideas a las que se refiere el texto histórico son sólo copias, más o menos imperfectas, de las ideas a las que se refiere el texto ideal. Pero, incluso como copias imperfectas (si alguien fuera a aceptar este supuesto), no puede considerarse que éstas son lo mismo que las ideas a las que se refiere el texto ideal. Los significados del texto histórico y del texto ideal *no son*, por consiguiente, los mismos, aun cuando el del primero *debería ser* el mismo que el del segundo.

II. EL AUTOR

Si hay un texto, hay un autor, pues el autor es el creador del texto. Pero, puesto que hay más de un texto, entonces no puede haber sólo un autor.[16] De hecho, si nos fijamos bien en los diversos textos que acabamos de discutir, podemos ver el problema correlativo de identificar y caracterizar a los diversos autores que dieron lugar a dichos textos.[17] Me gustaría distinguir cuatro autores diferentes: el autor histórico, el autor pseudo-histórico, el autor compuesto* y el autor interpretativo. Estos cuatro autores, como veremos, no se corresponden, exactamente, con los cuatro textos que hemos discutido anteriormente.

A. *El autor histórico*

El *autor histórico* es la persona que produjo el texto histórico. Puede ocurrir que esta persona sea, de hecho, varias personas, puesto que no es extraño tener a varios individuos cooperando para la composición de un texto. Este procedimiento es bastante frecuente en las ciencias, pero se ha seguido también en algunas obras literarias. El caso de la cooperación voluntaria de diversas personas en la producción de un texto debería distinguirse de los casos en los que se somete un texto a modificaciones llevadas a cabo por personas diferentes al autor original, y sin su conocimiento ni consentimiento. En estos casos, aquellos que modifican el texto original son, también, "autores históricos",

---

[16] Para recientes discusiones sobre autoría, véase Michael L. Morgan, "Authorship and the History of Philosophy", *Review of Metaphysics*, vol. 42, no. 2, 1988, pp. 327-355; y Alexander Nehamas, "Writer, Text, Work, Author", en Anthony J. Cascardi (ed.), *Literature and the Question of Philosophy*, Johns Hopkins Press, Baltimore, 1987, pp. 267-291.

[17] En lo que sigue voy a ignorar completamente la compleja relación entre el autor y el texto. Para un ensayo enriquecedor sobre este asunto, véase Michel Foucault, "What Is an Author?", en Donald F. Bouchard (ed.), *Language, Countermemory, Practice*, Cornell University Press, Ithaca, 1977, pp. 113-138.

* [N. del t. Tomo la palabra "compuesto" (que utilizo para traducir el inglés *composite*) en el sentido estricto de "aquello que consiste en un agregado de varias cosas que componen un todo".]

pero no son los autores del texto histórico original, sino sólo de los textos históricos originales modificados. Para la consideración de tales casos, por tanto, es útil introducir una distinción entre "el texto histórico original" y "los textos históricos derivados". Al autor del primero podría llamársele, entonces, *el autor histórico*; a los autores de los segundos, *autores históricos subsiguientes*.

Aunque puede resultar que el autor histórico sea, más bien, un grupo de personas y no una única persona, éste (me voy a referir a él en masculino singular para evitar la confusión) no puede confundirse con el autor compuesto, del que va a hablarse enseguida: él es sólo uno de los autores o grupo de autores que forman al autor compuesto. El autor histórico no sólo es el autor del texto histórico sino, también, del texto que se presume intentó producir pero nunca lo hizo. Nótese que este autor existió: era una persona real, que vivió en un momento determinado de la historia; sin embargo, aunque vivió realmente, no lo conocemos exactamente tal como era por varias razones.

En primer lugar, hay muchas cosas de él que no conocemos, hecho que da lugar a la controversia histórica. Consideremos a Aristóteles, por ejemplo: ¿conocemos qué era lo que pensaba de Alejandro?; ¿sabemos si prefería comer cordero o pescado?; ¿cómo iba vestido el día que huyó de Atenas para evitar que la ciudad pecara por segunda vez contra la Filosofía?, etc. Es más, lo que sabemos de él ha sido filtrado a través de muchas especulaciones y tradiciones. Está, también, teñido por las ideas que tenemos de su pensamiento. Puede parecernos más afable y con más sentido común que Platón, ¿pero era, en verdad, de esta manera? ¿Acaso no está moldeada de una determinada manera la percepción que tanto de él como de su personalidad tenemos, debido a una tradición interpretativa que comenzó incluso durante su vida? No trato de sugerir que no conocemos nada de Aristóteles o que todo lo que conocemos de él es cuestión de conjeturas; y mucho menos estoy sugiriendo que dichas conclusiones se aplican a todos los autores. Lo que estoy sugiriendo es que el autor del "texto histórico" es una figura histórica real, pero que nuestro conocimiento de dicha figura histórica es, en el mejor de los casos, una aproximación a lo que el autor, en verdad, era. La figura compuesta que conocemos o que creemos conocer es lo que llamo el *autor pseudo-histórico*. El autor histórico se nos presenta, solamente, bajo el personaje del autor pseudo-histórico.

B. *El autor pseudo-histórico*

El *autor pseudo-histórico*, a diferencia del autor histórico, nunca existió. Es una composición a partir de lo que conocemos o creemos conocer acerca del autor histórico. Muchos historiógrafos preferirían, más bien, referirse al autor pseudo-histórico como al autor histórico, pues quieren restringir el significado de historia a una relación de acontecimientos, y eliminar la noción de historia en tanto que referida a los acontecimientos de los que se puede dar cuenta. Pero esto, como se indicó en otro lugar de este libro, parece que es una postura contradictoria que sólo confunde el asunto. Si sostenemos la distinción entre historia como una serie de acontecimientos e historia como la relación que ofrece el historiador de dichos acontecimientos, entonces podemos hablar del autor histórico como la figura que es parte de la historia en el primer sentido, y del autor pseudo-histórico como la figura que es parte de la historia en el segundo sentido. El autor pseudo-histórico, por tanto, es el autor que pensamos que escribió el texto histórico. Lo conocemos por las descripciones que sus contemporáneos y otros historiadores nos han dejado, así como por las pistas que encontramos de él en el texto que se supone ha elaborado. Es completamente posible que el autor histórico se ajuste a todas, o a la mayor parte de las descripciones que conforman al autor pseudo-histórico, aunque siempre quedará algo fuera: por ejemplo, el color exacto de su hígado en el momento en que escribió la palabra *saraballae* en su tratado *De magistro*. Pero también es posible que el autor histórico no se ajuste a bastantes o, incluso, a ninguna de las descripciones que tenemos de él, salvo la atribución de su autoría del texto en cuestión. De hecho, puede que, incluso, esto pueda ponerse en duda.

Un buen ejemplo del tipo de problemas que origina la cuestión a la que me estoy refiriendo es el caso notorio del Pseudo-Dionisio. *Pseudo-Dionisio* es el nombre que los historiadores le han dado al autor de un grupo de cuatro tratados importantes, escritos a comienzos de la Edad Media: *De los nombres divinos, De la teología mística, De la jerarquía celestial* y *De la jerarquía terrenal.* A lo largo de la Edad Media se lo identificó con Dionisio, a quien se supone que San Pablo convirtió al cristianismo en Atenas, de acuerdo con los *Hechos,* 17:34. Y, ciertamente, no fue hasta el Renacimiento que Lorenzo Valla discutió la identidad de Dionisio. Hoy sabemos que él no pudo haber sido el hombre convertido por San Pablo, puesto que sus obras se basan en Proclo, que se sitúa 400 años después, por lo menos, de la fecha en que se supone que tuvo lugar su conversión en Atenas. ¿Quién es, entonces, el autor de estos textos? Por más de mil años fue Dionisio, pero hoy creemos que fue, probablemente, un religioso de Siria, que vivió aproximadamente en el siglo v d. de C. La persona medieval es, claramente, un autor pseudo-histórico, pero incluso la imagen que hoy tenemos de él no puede considerarse demasiado como la figura histórica real que escribió los textos mencionados y que se llamó a sí mismo Dionisio, con el fin de otorgarle a sus obras el peso de la autoridad necesario para asegurar su supervivencia e influencia. De hecho, el autor histórico de los tratados tuvo que haber tenido un agudo sentido de la importancia de la persona pseudo-histórica.

La discusión de las varias descripciones que conforman al autor pseudo-histórico me lleva a tres consideraciones. La primera es que entiendo que, cuando los historiadores describen las características del autor pseudo-histórico, actúan de buena fe con el fin de comunicar información del autor histórico; es sólo por mala fe, en algunos casos aislados, o por errores inintencionados que cometen los historiadores, por lo que no describen, con precisión, al autor histórico. Es el Voltaire histórico al que quieren describir los historiadores cuando describen al autor de *Cándido,* aunque pueden cometer errores en dichas descripciones, debido a una información incompleta o defectuosa, o a una metodología histórica defectuosa. Por supuesto, no es extraño que los historiadores, a sabiendas, distorsionen el informe histórico con el fin de presentar una figura con buenos o malos ojos por razones que no son históricas. Por ejemplo, la imagen de Stalin que ofrecen muchos historiadores norteamericanos raras veces es halagüeña, mientras que los historiadores rusos, hasta hace bien poco, tendían a enjalbegar muchas de las acciones de Stalin y a considerarlas como *peccata minuta*. Tales distorsiones voluntarias producen tantos autores pseudo-históricos convincentes como las descripciones que presentan los historiadores que actúan de buena fe. De hecho, a veces son más convincentes, porque los historiadores que los producen sacan ventajas de ciertos deseos y aspiraciones existentes en la audiencia para la que producen las relaciones históricas. Pero esto no debería oscurecer el hecho de que, en la mayor parte de los casos, los historiadores actúan de buena fe.

La segunda consideración que deseo traer a colación es que, hablando en sentido estricto, hay tantos autores pseudo-históricos como versiones hay del autor histórico. Cada historiador, de hecho cada persona que tiene una idea de quién era Stalin o Voltaire, ha construido un autor pseudo-histórico que puede ser o no el mismo que la imagen construida por algún otro. La misma persona puede tener diferentes opiniones sobre la misma figura histórica en diferentes momentos. El número de los autores pseudo-históricos, por tanto, es potencialmente infinito, aunque, en la práctica, se reduce a un conjunto, bastante restringido, que refleja el conocimiento y el interés en boga.

La tercera consideración consiste en que, puesto que el autor pseudo-histórico nunca existió, podría no haber escrito ninguno de los textos que se le atribuyen. Podría no haber escrito, por supuesto, ni los textos contemporáneos ni los históricos; y tampoco podría considerarse el autor del texto intentado, porque ese texto es poco más que un fantasma postulado por aquellos historiadores que encuentran ciertos errores o impropiedades en el texto del que se ocupan. Por supuesto, a menudo, sobre la base de la idea del autor histórico que tienen, es decir, sobre la base del autor pseudo-histórico, los historiadores defenderán determinada lectura de un texto antes que otra, y tratarán de descubrir la intención del autor a partir de un análisis de la idea que ellos tienen de ese autor (el autor pseudo-histórico). Pero todo esto es una construcción que se basa en conjeturas en las que pueden estar equivocados los historiadores. En realidad, por tanto, no puede afirmarse, convincentemente, que el autor pseudo-histórico es el autor del texto intentado.

Pero tampoco puede afirmarse convincentemente que el autor pseudo-histórico es el autor del texto ideal, porque se supone que el texto ideal sea el texto que el autor histórico debería haber escrito, y el autor pseudo-histórico es la propia concepción que el historiador tiene de lo que el autor histórico era realmente. El texto ideal no puede ser el producto de un autor que se supone sea histórico y que se entiende que, realmente, ha producido el texto histórico.

C. *El autor compuesto*

El *autor compuesto* es el autor del texto contemporáneo. Como vimos anteriormente, el texto contemporáneo es la versión, o versiones, del texto histórico que tenemos, y que es el resultado de las vicisitudes a las que ha estado sujeto el texto histórico. Los actores en la composición del texto contemporáneo son tres: el autor histórico, que produjo el texto histórico; los diversos copistas o tipógrafos implicados en la transmisión del texto histórico desde el momento de su producción hasta el presente; y los editores, que han tratado de reunir una versión definitiva del texto o, por lo menos, históricamente exacta. Cada uno de estos actores, o grupo de actores, posee un papel importante en la construcción del texto contemporáneo y, por tanto, debe considerarse autor parcial del texto. El texto contemporáneo no es el resultado de una persona, sino más bien de los esfuerzos acumulados de todos los individuos mencionados.

El papel del autor histórico es producir el texto histórico, ya sea original o derivado, pero éste es sólo el comienzo del proceso que nos da el texto contemporáneo. Los diferentes copistas o tipógrafos que copiaron el texto histórico, a partir del cual otros copistas y tipógrafos hacen otras copias, etc., son también responsables de parte de la configuración que adquieren los textos contemporáneos. En el proceso de copiar, éstos cometen errores, se saltan palabras, leen incorrectamente las expresiones, añaden o eliminan signos de puntuación y, en algunos casos incluso, añaden glosas y aclaraciones. Este tipo de cosas era más frecuente antes de que se inventara la imprenta (de hecho, era un procedimiento corriente entonces), cuando los textos se copiaban a mano y cada proceso de copiar entrañaba la posibilidad de cambios sustanciales. Pero incluso después de que existiera la imprenta, los tipógrafos continúan cometiendo errores frecuentes, y algunos autores no tienen la oportunidad, la paciencia, la disposición o incluso la habilidad de corregirlos.[18] De esta forma, incluso por lo que se refiere a textos recientes, la distinción entre el texto histórico y el texto contemporáneo es significativa, y, por tanto, también la distinción entre el autor histórico y el autor del texto contemporáneo. Debido a los errores y modificaciones entre diversas versiones del texto, surge la necesidad del trabajo de un editor, quien cumple el papel del tercer autor que comprende al autor compuesto. El papel del editor consiste en elegir entre diversas lecturas de un texto, reunir las diversas versiones y decidir la que considera que mejor se ajusta a los criterios establecidos por él mismo o por la tradición editorial en la que trabaja.

La labor editorial que comprende la producción moderna de textos antiguos y medievales es extraordinariamente importante, porque sólo algunas veces sobrevive, efectivamente, la versión autógrafa de un texto. En la mayor parte de los casos, lo que tenemos son muchos manuscritos que contienen lecturas de un determinado pasaje, y que difieren ampliamente. En tales circunstancias, el editor construye el árbol genealógico (estema) de los manuscritos, y determina cuál rama es la mejor, con el objetivo último de reconstruir la mejor versión posible del texto. Esto supone no sólo un conocimiento enorme del lenguaje, pensamiento y estilo del autor en cuestión, sino también un conocimiento del tema de estudio discutido por el autor. El editor se ve instado a elegir entre diversas lecturas de un texto, a corregir errores, a rectificar pasajes ininteligibles o adulterados, y, en general, a ofrecernos una versión razonable y creíble de un texto. Con el fin de hacer esto, el editor tiene que actuar, en muchos casos, como el autor del texto, pensando lo que considera que es la lectura y la expresión apropiadas. El papel editorial es especialmente importante en los

---

[18] Peter Hare trajo a mi atención uno de los mejores ejemplos de esta actitud y de las consecuencias desafortunadas que se siguen de ella: Alfred North Whitehead y el pobre estado en que dejó *Process and Reality*. Véase el prefacio del editor a la edición corregida del libro, por D.R. Griffin y D.W. Sherburne, The Free Press, Nueva York, 1979, pp. v-x.

casos en los que hay sólo un manuscrito existente, porque entonces el editor se convierte en el único árbitro acerca de cómo hay que leer el texto. Todo esto indica que, de los tres autores que conforman al autor compuesto, el editor es el segundo en importancia, tras el autor histórico.

Antes que dejemos al autor compuesto, me gustaría afirmar algo que parece bastante obvio pero no debería quedarse sin decir: es muy improbable que el autor compuesto exista como una única persona. Sin embargo, está justificado que hablemos de este autor, porque en el texto contemporáneo tenemos un texto que no es el resultado de los esfuerzos de un solo individuo. Por supuesto, es posible, lógicamente hablando, que el autor compuesto resulte ser una persona: el autor histórico (si el autor histórico es también una persona). Un autor histórico podría haber hecho copias del autógrafo y, más tarde, haber tratado de reunirlas con la idea de producir una versión exacta del texto original que compuso pero que, desde entonces, se perdió. Pero esta situación, aunque es posible lógicamente hablando, no es probable que ocurra. Es más, aunque ocurriera, se podría seguir diciendo que, cuando resulta que el autor histórico es la misma persona que también copia y edita el texto, cumple diferentes papeles cuando está copiando y editando que cuando está componiendo. Por tanto, aunque en este caso hay una sola persona, el autor del texto contemporáneo sigue siendo un compuesto de tres papeles diferentes.

D. *El autor interpretativo*

El *autor interpretativo* es el autor del texto ideal. Llamo a este autor *interpretativo* porque el texto ideal existe sólo en la mente del intérprete, es decir, del filósofo o historiador que, sobre la base de los criterios que se han discutido anteriormente, reconstruye cómo debería haberse leído el texto. El texto ideal, por tanto, es un constructo en la mente de alguien, y esa mente es su autor, porque dicha mente lo produce mientras escudriña el texto contemporáneo que está examinando.

Debería advertirse, sin embargo, que el autor interpretativo no siempre tiene en mente la construcción del texto ideal. Lo más frecuente es que su propósito sea reconstruir el texto histórico. En tales casos, funciona, simplemente, como editor, aunque, a menudo, y debido a los criterios que emplea, termina más bien por construir un texto ideal, y no por reconstruir el histórico. Con el fin de mantener separados los papeles de editor y de autor del texto ideal, reservo el término "autor interpretativo" para el segundo.

Los platónicos afirmarán, sin duda, que no son los intérpretes del texto los que crean el texto ideal. Los intérpretes, simplemente, se sirven ellos mismos del ideal: no lo crean, sino tan sólo lo descubren por medio de una especie de dialéctica mental.

Prima facie, no tengo ninguna objeción en entender el texto ideal de esta manera y sostener que el intérprete no es el autor del texto ideal, sino sólo una especie de transmisor del mismo. De hecho, el *status* del texto ideal y la relación entre el texto y el intérprete plantean una multitud de cuestiones filosóficas interesantes, que precisan discusión, pero que se relacionan sólo marginalmente con los problemas que nos preocupan en este momento. Para nuestros propósitos actuales, voy a ignorarlos y a dejar abierta la posibilidad de que el intérprete no sea, realmente, un autor, sino meramente un transmisor del texto ideal. Por supuesto, si tal es el caso, surge entonces la cuestión de la identidad del autor del texto ideal, y si, de hecho, dicho texto requiere un autor. Platón nos hablaría del texto sin un autor; Agustín propondría a Dios como el autor del texto; y otros seguirían derroteros diferentes. Pero todo esto nos es irrelevante en este momento.

Una vez que hemos discutido sobre el texto y el autor, voy a pasar a la audiencia. Aquí, de nuevo, vamos a encontrar una multiplicidad de personas y de tipos.

III. LA AUDIENCIA

La audiencia es el grupo, real o imaginario, de personas que, de hecho, lee o se espera que lea un texto. Etimológicamente, el término "audiencia" se refiere a un grupo de oyentes. Este significado del término se remonta a la época en la que la forma principal de entrar en contacto con la obra de un autor era por medio de la palabra hablada. Después que se inventó la imprenta, sin embargo, y hasta la época en que se extendió el uso de la radio, los textos escritos llegaron a ser la principal forma de aprender de la obra de un autor, y aunque los medios contemporáneos han cambiado bastante, en las ciencias y en la filosofía sigue siendo verdad la afirmación de que la audiencia de la obra de un autor consiste, fundamentalmente, en los lectores. En cualquier caso, para los propósitos actuales, la distinción entre los lectores y los oyentes no es esencial y, por tanto, voy a hablar de audiencia como grupo de lectores, aunque, lo que diga de éste se aplica también, *mutatis mutandis*, al de los oyentes.

Debería mencionarse, en este momento, que hay autores que sostienen que su tarea no se relaciona, en absoluto, con una audiencia. Los que practican el *nouveau roman*, como Alain Robbe-Grillet, creen que, para un escritor, el objetivo es escribir, y si un autor es leído o no, carece, realmente, de importancia. (La tercera novela de Robbe-Grillet vendió sólo 300 copias en el primer año, aunque ya era famoso.) Por tanto, desde este punto de vista, parecería que una audiencia no es necesaria, ni importante, para el autor; si tal es el caso, entonces no sería necesario ni importante tenerla en cuenta para comprender lo que es un texto y su interpretación.

Estas observaciones, sin embargo, se basan en la idea de una audiencia que excluye al autor como parte de la audiencia de un texto. Pero, como vamos a ver inmediatamente, el autor, aunque sea un practicante del *nouveau roman*, funciona como audiencia, por lo menos en parte: de aquí que haya siempre una audiencia de un texto, aun cuando el autor no tenga en mente ninguna audiencia convencional en el momento de la composición.[19]

Lo que caracteriza a una audiencia es que se espera que comprenda el texto. El autor, por el contrario, cuando actúa como autor, está relacionado con un texto como su creador y, por tanto, tiene la intención de componerlo y moldearlo de alguna manera. Esto no quiere decir que la audiencia deba conside-

---

[19] Hay una excepción a esta regla. Ocurre cuando un autor compone un texto en una especie de flujo de conciencia, en donde nunca vuelve a lo que ha producido ni lo considera en absoluto.

rarse pasiva, como solían pensar algunos historiógrafos. Por el contrario, la audiencia se acerca al texto de un modo activo; pero su relación con el texto y el propósito que tiene, *qua* audiencia, son diferentes de aquellos que caracterizan a un autor. El carácter activo de la audiencia se manifiesta en dos niveles: primero, la interpretación de los signos que componen el texto, porque esto supone la actividad de relacionar un signo con su significado; segundo, la audiencia debe llenar las lagunas que caracterizan a todos los textos. Los textos son retóricos; son como mapas en los que sólo se registran los principales accidentes geográficos, y cuando se los considera por sí mismos, proporcionan, en el mejor de los casos, una imagen general del terreno conceptual que describen, y, en el peor de los casos, son ininteligibles. Es tarea de la audiencia llenar las lagunas en el texto, suplir los detalles que se han dejado al margen, sin los cuales permanecería oculto el significado completo del texto.

En definitiva, por tanto, la audiencia no es pasiva, pero esto no significa que su actividad deba equipararse a la de los autores, como parece que piensan algunos filósofos.[20] El péndulo de la opinión filosófica contemporánea parece que se ha movido demasiado lejos en favor del papel activo de la audiencia. Una audiencia es activa en la comprensión y la interpretación de un texto, pero no lo crea. El texto es, siempre, una realidad conclusa, aunque incompleta y sujeta a diversas interpretaciones, antes de que la audiencia se encuentre con él; y el papel de la audiencia no es cambiar, sino aprehender su sentido y significado. En este caso, la distinción entre la audiencia y el autor no puede anularse. Sin embargo, a pesar de esto, el autor puede desempeñar, y de hecho lo hace, el papel de audiencia, como vamos a ver inmediatamente.

La audiencia de un texto puede dividirse en cinco categorías diferentes, por lo menos. Para facilitar su discusión las denomino de la siguiente manera: el autor como audiencia,

[20] Ecos de esta opinión se encuentran en la mayor parte de los posmodernistas y deconstruccionistas. Para una defensa extensa de la opinión contraria, véase Louise M. Rosenblatt, *The Reader, the Text, the Poem: The Transactional Theory of the Literary Work*, Southern Illinois University Press, Carbondale y Edwardsville, 1978, cap. IV, pp. 48-70.

la audiencia intentada,* la audiencia coetánea, la audiencia intermediaria y la audiencia contemporánea.

A. El autor como audiencia

Desde el momento en que un *autor* ha puesto algo por escrito, ha dicho algo o incluso ha pensado en las partes que ya están establecidas del texto que está componiendo, aunque sólo sea provisionalmente, y vuelve al mismo, se convierte en una audiencia del texto. Si el texto está escrito, éste adquiere un *status* que es más independiente del autor que en el caso de un texto hablado o pensado. Pero incluso un texto hablado o uno pensado podría ser examinado por un autor de la misma manera que una audiencia lo examina. Cuando es hablado, podría haber sido grabado en una cinta magnetofónica o en la memoria de un autor; y cuando es pensado, podría estar grabado en la memoria del autor. En todos estos casos, el autor que se aproxima al texto puede funcionar como audiencia en la medida en que se dirige al mismo con el propósito de comprenderlo. Todo el proceso de composición de un texto supone que el autor pase continuamente del papel de autor al de audiencia y viceversa, ya sea como escritor y lector, hablante y oyente, o pensador y recordador. Con el fin de ver el efecto de lo que dice y cómo lo dice, necesita fijarse en él como observador, antes que como compositor. En muchos aspectos, la eficacia de los autores depende, en gran medida, de su destreza en este intercambio de papeles y de su comprensión de las necesidades de la audiencia. Los buenos escritores, por ejemplo, dicen sólo lo que necesita decirse para la transmisión de un determinado significado; utilizan lo que la audiencia ya conoce con el fin de determinar qué escribir; son económicos y eficaces. Los malos escritores, en cambio, repiten lo que la audiencia ya conoce y no dicen lo que es necesario para que ésta comprenda. Por tanto, la habilidad del autor de convertirse en audiencia y de ver su

---

* [N. del t. *Intended audience* en inglés. Aunque parezca un tanto extraño en español, utilizo la palabra "intentada" por conservar la misma expresión que el autor utilizó cuando, anteriormente, nos hablaba de una de las clases de texto: el "texto intentado" (*intended text*). Recuérdese la justificación que he ofrecido del término "intentado" en nota al calce, después de la n. no. 8.]

trabajo como lo vería una audiencia es muy importante. No hay nada paradójico o extraño en considerar al autor como audiencia; aunque él no es la audiencia precisamente en la medida en que desempeña el papel de autor. Pero sólo un contacto y una identificación con las necesidades de la audiencia lo podrán ayudar en su papel de autor en sentido estricto.

Aun en los casos en los que el autor no compone un texto teniendo una audiencia en mente, como es el caso de los que practican el *nouveau roman*, los procesos de composición, revisión y corrección lo fuerzan al papel de audiencia. La diferencia es que, en tales casos, el autor no busca ponerse en el lugar de ningún otro que no sea él mismo, a quien él identifica, consciente o inconscientemente, como la audiencia de la obra. Con todo, la actitud crítica que lo lleva a hacer cambios indica que se ha separado de la obra y ha adoptado el papel de audiencia.

Sin embargo, no es sólo en el proceso de composición cuando un autor funciona como audiencia. Después que se ha completado una obra, el autor vuelve a menudo a ella, la interpreta y la juzga, adoptando, de esta manera, el papel de una audiencia en un sentido distinto. El ejemplo clásico, en la filosofía contemporánea, es Wittgenstein, quien se ocupó, al final de su carrera, de atacar algunas de las tesis que había defendido en su obra más temprana.[21] Un ejemplo más común es aquél del autor que, después de escribir un libro, pasa parte de su tiempo aclarando o defendiendo lo que dijo en él.

B. *La audiencia intentada*

La *audiencia intentada* es la persona o grupo de personas para quienes el autor compone el trabajo. Es posible que el autor, a veces, dedique explícitamente el trabajo a alguien. En tal caso, es probable que tenga la intención de que dicha persona lo lea, si se trata de un trabajo escrito, y de que se beneficie de él o que haga algo para el autor. Muchos libros famosos de filosofía,

[21] Kenneth Barber trajo a mi atención un caso más reciente. Edwin B. Allaire habla del autor de un artículo que escribió años atrás y de dicho artículo como si él no fuera el autor del mismo. Véase "Berkeley's Idealism Revisited", en Colin M. Turbayne (ed.), *Berkeley: Critical Interpretative Essays*, University of Minnesota Press, Minneapolis, 1982, p. 197.

y no pocos infames, estuvieron dedicados a figuras poderosas de quienes los autores buscaban alcanzar fortuna, protección y otros favores.

Aparte de las personas a quienes una obra pueda estar dedicada explícitamente, los autores, a menudo, tienen en mente a grupos específicos de personas como audiencia. Los filósofos, generalmente, escriben para otros filósofos; los científicos, para los científicos, etc. Sólo los autores literarios, por lo general, se dirigen a una audiencia más amplia, pero incluso en tales casos, existen restricciones con respecto a la audiencia, que tienen que ver con la educación, la cultura y el lenguaje, entre otras.

Lo que distingue a la audiencia intentada de las otras tres que todavía quedan por discutir es que la audiencia intentada no tiene por qué estar consciente del texto en cuestión. Es posible que la audiencia intentada nunca entre en contacto con la obra y, de hecho, puede que no sea más que una ficción de la imaginación del autor. Es posible que no haya persona alguna que sea del tipo que el autor pretende como su audiencia, y si la hay, no existe ninguna seguridad de que entre en contacto con el texto.

De igual modo, en algunas situaciones, una comprensión de la audiencia intentada ayuda a los historiadores en la interpretación de un texto, porque les presenta el grupo de personas que el autor cree serían las más influenciadas por su trabajo. En este sentido, la audiencia intentada revela algunas de las ideas del autor sobre la intención del texto y sobre cómo debería abordarse. Si, por ejemplo, los historiadores saben que un texto está pensado para filósofos profesionales que trabajan dentro de una determinada tradición filosófica y comparten determinados presupuestos metodológicos, estarán en una posición más favorable para interpretarlo y evaluarlo. Tratarán, entonces, de suplir aquellos presupuestos metodológicos que el autor daba por hecho que la audiencia supliría.

Debería advertirse, además, que la audiencia intentada por un autor no tiene por qué ser coetánea al autor. Es posible que los autores pretendan que sus textos se lean en un futuro, como ocurre cuando algo se escribe y se coloca en una cámara sellada con la intención de que sea leído solamente en una fecha futura. Por tanto, no habría que entender que esta categoría, la de audiencia intentada, excluye las categorías que siguen a continuación; es posible que las traslape.

C. *La audiencia coetánea*

La *audiencia coetánea* se compone de todas aquellas personas que son coetáneas del autor histórico y han estado en contacto, o podrían haberlo estado, con el texto. Comparten con el autor más de lo que otras audiencias posteriores comparten. Vivir durante el mismo periodo de tiempo, aunque sea en un país o cultura diferentes, parece que entrañará algunos elementos básicos y comunes, aunque es posible que éste no sea siempre el caso. Los tibetanos iletrados, por ejemplo, tendrán muy poco en común con el premio Nobel de literatura, aunque sean coetáneos, y es probablemente cierto que, desde el punto de vista teórico, un aristotélico contemporáneo tendrá más en común con Aristóteles que con un tibetano iletrado.

Por audiencia coetánea, sin embargo, no trato de referirme a personas que están demasiado alejadas, en cuanto a la cultura y la educación, del autor histórico. Me refiero a miembros de su grupo social y de otros semejantes que poseen las herramientas educativas y culturales básicas que les permiten entender el texto en cuestión. Bajo tales condiciones, esta audiencia está mejor preparada para comprender el texto que las audiencias posteriores.

D. *La audiencia intermediaria*

La *audiencia intermediaria* consiste en el grupo de personas que han entrado en contacto, o que es posible que lo hicieran, con el texto, pero que no son ni coetáneas del autor ni contemporáneas del historiador. Están, por tanto, separadas del autor, no sólo por las idiosincrasias individuales, sino también por el tiempo. Al vivir en un tiempo diferente y bajo condiciones diferentes, el contexto dentro del cual entran en contacto con el texto es diferente de aquél de la audiencia coetánea al autor histórico, y es diferente también del contexto en el que los contemporáneos del historiador podrían leerlo. Cuán diferente sea el contexto dependerá, no sólo de la distancia temporal entre la audiencia intermediaria y el momento en el que se produjo el texto histórico, sino también del grado en que los presupuestos y el clima ideológicos de la época hayan cambiado. La distancia temporal no es directamente proporcional a la distancia conceptual. Algunas épocas muy distantes temporalmente puede que estén más cerca, conceptualmente hablando, que otras épocas que están, temporalmente, más próximas.

E. *La audiencia contemporánea*

La *audiencia contemporánea* está compuesta por el grupo de personas que han entrado, o podrían haber entrado, en contacto con la obra y que son contemporáneas del historiador, pero que no son ni el autor ni sus coetáneos. En algunos casos consistirá, simplemente, en la generación de personas que viene después de la generación coetánea. Si tal es el caso, entonces no habrá ninguna audiencia intermediaria entre la coetánea y la contemporánea. Pero en todos los casos, excepto en éste, habrá, por lo menos, una generación de personas que ha entrado en contacto con el texto entre la audiencia coetánea y la audiencia contemporánea, dando lugar, por tanto, a una audiencia intermediaria entre ambas.[22]

La dificultad para la audiencia contemporánea no estriba sólo en la distancia temporal o ideológica entre el texto y ella, sino también en el hecho de que dispone de interpretaciones del texto, ofrecidas, tanto por la audiencia coetánea, como por la intermediaria, y, a menudo, incluso, por el mismo autor. Es más, el número de interpretaciones aumenta conforme pasa el tiempo. Estas interpretaciones pueden ser, a la vez, beneficiosas y perjudiciales para la audiencia contemporánea a la hora de comprender el texto. Pueden ayudar en la medida en que tienden puentes entre la audiencia contemporánea y el texto histórico, como ya he advertido en el capítulo I; pero pueden

[22] Por supuesto, el asunto no es tan simple, porque la audiencia coetánea puede estar compuesta de individuos de diferentes edades, y alguien podría alegar que es posible que algunos de éstos lleguen a formar parte de la audiencia intermediaria o de la audiencia contemporánea. Esta posibilidad subraya, una vez más, el carácter artificial de las categorías históricas. Sea como fuere, creo que esto no socava seriamente las observaciones que he hecho aquí.

ser también obstáculos en la medida en que es posible que
estén equivocadas y, por tanto, conduzcan a la audiencia contemporánea por derroteros que la alejen, en vez de acercarla,
al significado del texto histórico.[23]

IV. LA INTERPRETACIÓN DE TEXTOS

Una vez que he hablado de los textos, sus autores y sus audiencias, puedo pasar a su interpretación, que es el principal objeto
de interés de este capítulo. Las cuestiones que suscitan mayores
desacuerdos entre los historiógrafos en relación con el tema de
las interpretaciones tienen que ver con lo siguiente: con su naturaleza y objeto; con los factores que están implicados en ellas
y el papel que desempeñan; y con su propósito. Comencemos,
entonces, con su naturaleza.

El término "interpretación" es la traducción española* del
latín *interpretatio*, de *interpres*, que, a su vez, etimológicamente,
significaba "esparcir aquí y allá". De acuerdo con esto, *interpres*
vino a significar un agente entre dos partes, un intermediario o
negociador y, por extensión, aquel que explica, expositor, y traductor. El término latino *interpretatio* desarrolló, por lo menos,
tres significados diferentes. A veces quiere decir "significado",
de manera que ofrecer una interpretación era equivalente a dar
el significado de lo que se estaba interpretando. *Interpretatio* se
utilizaba, también, en el sentido de "traducción": la traducción
de un texto o de una palabra a un idioma diferente se llama-
ba interpretación. Por último, el término se empleaba también
para significar "explicación", y, en este sentido, una interpretación significaba sacar lo que estaba escondido u oscuro, allanar
lo que era irregular. Todos estos significados apuntan al hecho
de que en una interpretación debe haber tres elementos: lo que
se está interpretando; algo distinto de lo que se está interpretando, que se le añade; y el intérprete o agente que media entre
los dos. Puesto que nuestro interés, en este momento, se centra

---

[23] Bennett, "Response to Garber and Rée", p. 66.

 * [N. del t. En el original, se refiere al término inglés *interpretation*, pero
lo que se dice vale también para el término español "interpretación", por lo
que me he tomado la licencia de sustituir "inglés" por "español".]

en la interpretación de los textos, voy a identificar el objeto de interpretación con un texto.

En una interpretación de un texto, entonces, tenemos: un texto, algo que se le añade al texto, y un intérprete.[24] Ontológicamente, el texto es parte de la interpretación, del mismo modo como el *definiendum* es parte de la definición, pues, para añadir algo a un texto, debe presuponerse el texto. Ahora bien, lo que va a añadirse al texto, al igual que el texto mismo, puede ser mental, escrito o hablado. Para nuestros propósitos, no es relevante si se trata de lo primero, de lo segundo o de lo tercero. Lo que importa es que se trata de algo distinto y algo más que el texto que va a interpretarse.

El texto mismo, ya esté escrito en algún lugar, hablado en algún momento o mentalmente presente en alguna mente, no es una interpretación. La interpretación viene cuando el intérprete comienza a analizar el texto y sus elementos en términos o conceptos que no están explícitos en el texto. Por ejemplo, reproducir la afirmación de Boecio, "*Atque ideo sunt numero plures, quoniam accidentibus plures fiunt*", no es una interpretación.[25] Traducirlo por "Y es por eso, porque son plurales por sus accidentes, que son plurales en número", es un tipo de interpretación, puesto que cambia el original en un conjunto diferente de términos lingüísticos cuyas denotaciones y connotaciones puede que no sean las mismas que las de la oración original latina; pero se pretende que sean equivalentes al texto original en cuanto a su significado, considerado como un todo. Y si vamos más allá y decimos, por ejemplo, que la intención de Boecio con dicho texto es decir que el principio de individuación es un haz de accidentes, estamos, sin duda, ofreciendo una interpretación del texto de Boecio, pues el texto no contiene tal formulación de la doctrina de Boecio.

[24] Para una relación de las teorías contemporáneas de la interpretación, véase Svante Nordin, *Interpretation and Method: Studies in the Explication of Literature*, Akademisk Avhandling, Lund, 1978. Algunos nombres clave en los escritos sobre este tópico son Monroe C. Beardsley, Joseph Margolis, Charles Stevenson y Morris D. Weitz. Véase la bibliografía al final de este libro para los trabajos correspondientes.

[25] Boecio, *De Trinitate* I, en *The Theological Tractates*, trad. H.F. Stewart y E.K. Rand, Harvard University Press, Cambridge, Mass., 1968, p. 6.

Las interpretaciones de textos, por tanto, suponen: textos, algo añadido a los mismos, y un intérprete. Sin embargo, como vimos anteriormente, el historiador puede tratar con cuatro textos diferentes, por lo menos, suponiendo que, a diferencia de lo que se dijo anteriormente, cada categoría contenga sólo uno: el contemporáneo, el histórico, el intentado y el ideal. Por tanto, debemos preguntar cuál de estos textos debería ser el objeto de interpretación del historiador de la filosofía.

La respuesta a esta pregunta es que el texto a cuya interpretación deberían dirigirse los esfuerzos de los historiadores es el texto histórico. Sin embargo, ya que es posible que los historiadores no tengan, necesariamente, ese texto sino, más bien, un texto contemporáneo, su interpretación debe basarse en el texto contemporáneo, aunque teniendo en cuenta que el propósito definitivo es proporcionar interpretaciones del texto histórico. No hay nada extraño en esto. Los historiadores, a menudo, poseen malas ediciones de un texto que se apartan, en aspectos esenciales, del texto histórico, pero que deben emplear en la medida en que no se disponga del texto histórico. De hecho, en muchos casos, no hay ninguna esperanza de recuperar alguna vez el texto histórico, como ocurre con las obras de la mayor parte de los filósofos presocráticos, y tenemos que conformarnos con lo que tenemos. Es más, en los casos en que existen diversos textos históricos que reflejan la evolución del pensamiento de un autor a lo largo de un periodo de tiempo, los historiadores deben tomarlos todos en consideración, teniendo en mente el proceso evolutivo que reflejan.

Por otro lado, la función de los textos intentado e ideal en el proceso de interpretación debería ser, principalmente, regulativa e instrumental. El propósito de los historiadores no es la reconstrucción de un texto ideal independientemente de su exactitud, pues esto debería quedar fuera de la tarea histórica. Los historiadores se ocupan del pasado tal como existió, no del pasado tal como debió haber existido. Pero tampoco deberían procurar los historiadores la reconstrucción del texto que el autor, presumiblemente, tenía la intención de producir pero nunca produjo, porque, como vimos, dicho texto nunca existió, ni siquiera en la mente del autor. El objeto de los historiadores es el texto que, realmente, se produjo: el texto histórico. Sin embargo, en la medida en que el texto histórico no está siempre disponible, los historiadores pueden beneficiarse de la consideración de lo que ellos pueden presumir acerca de los dos: el texto intentado y el texto ideal. Estos textos son reconstrucciones de lo que los historiadores creen que el autor histórico estaba tratando de hacer o debería haber estado tratando de hacer. Como tales, permiten a los historiadores corregir lo que parecen ser errores y suplir los elementos que faltan y que ayudan a comprender el texto. Pero los historiadores deben tener en mente que la tarea histórica implica el desarrollo de una interpretación del texto histórico, y tienen que resistir la tentación de considerar esa tarea como la reconstrucción del texto intentado o ideal. Caer en esta última trampa conduce, sin duda, a la distorsión de la historia. Pero esto no tiene por qué ocurrir si el intérprete tiene en mente la función meramente regulativa e instrumental del texto intentado y del ideal.

En la tarea interpretativa, los historiadores se ven también ayudados, y a menudo impedidos, sin duda, por su conocimiento del autor y de la audiencia. Por lo que concierne a los diversos autores que hemos discutido, los únicos dos que le proporcionan información útil son, en primer lugar, los dos miembros del autor compuesto de los que, posiblemente, tengan alguna información los historiadores, a saber, el editor y el copista, y, en segundo lugar, el autor pseudo-histórico. Ellos no tienen una imagen completa y directa del autor histórico, y, como se mencionó anteriormente, el autor interpretativo es el historiador.

El conocimiento de la audiencia debería ser especialmente beneficioso debido al carácter elíptico de los textos. Salvo raras excepciones, los textos están pensados para ser leídos u oídos por una audiencia y, por tanto, presuponen un determinado contexto que permite atajos y lagunas que han de ser completados por los presupuestos y las opiniones de la audiencia. El conocimiento de la audiencia intentada es especialmente útil porque revela algunos de los presupuestos que hace el autor histórico en la composición del texto. El conocimiento de la audiencia coetánea es de ayuda también porque revela, de una manera indirecta, algo sobre el autor histórico y pone en perspectiva cualquiera de las interpretaciones coetáneas del texto que se produjeron. Este último punto también se aplica al conocimiento de la audiencia intermediaria. Por último, no menos importante que el conocimiento de las otras, es el de la audiencia contemporánea, especialmente el autoconocimiento de los historiadores, pues tal información ayuda a tornar explícitos los presupuestos y prejuicios de los historiadores y evita que éstos distorsionen su visión del pasado. Como veremos en el próximo capítulo, es esencial que la metodología que empleen los historiadores de la filosofía haga acopios para asegurar, tanto como sea posible, la neutralización de esos prejuicios y presupuestos.

Hasta el momento, he discutido el texto, el autor y la audiencia, y he indicado cómo éstos se relacionan y cómo debe utilizarlos el intérprete, esto es, el historiador de la filosofía. Ahora debo decir algo sobre lo que la interpretación añade al texto.

Lo que la interpretación añade a un texto es, de hecho, otro texto. El texto añadido puede ser mental, hablado o escrito, pero no son ni el texto contemporáneo ni el histórico. Es un nuevo texto añadido por el intérprete para lograr que el texto contemporáneo (o el histórico, dependiendo de cuál se disponga) tenga sentido (significado), para traducirlo, o para explicarlo. Tampoco debería confundirse este texto con el texto intentado o con el texto ideal. De hecho, aun cuando la interpretación se presentara como una reconstrucción del texto ideal o del texto intentado, no sería ninguno de los dos. No podría ser el texto ideal, porque se supone que el texto ideal ocupe el lugar del texto histórico o del contemporáneo en aquellos lugares en donde los textos están corrompidos o carecen de un buen sentido filosófico; no se supone que los aclare o los explique, como debiera hacer una interpretación. Pero tampoco podría ser el texto intentado porque, al igual que el texto ideal, se supone que ocupe el lugar del texto histórico y, por tanto, no se tiene la intención de que lo aclare. La función real del texto intentado y del texto ideal es puramente regulativa, como se ha dicho anteriormente: estos textos ayudan al historiador a lograr una interpretación en los casos en los que hay dudas sobre el significado del texto, y en los que la evidencia disponible no es definitiva; pero no son lo que se añade al texto en una interpretación del mismo.

Una interpretación de un texto, por tanto, se reduce al texto con su comentario. Si no se dispone del texto histórico, el intérprete trata de reconstruirlo y explicarlo sobre la base de los textos disponibles; si está disponible, entonces el intérprete, simplemente, trata de explicarlo. Pero podemos preguntar, ¿acaso las adiciones a un texto presentes en una interpretación no cambian el texto original y, por tanto, destruyen la posibilidad de comprender su significado original y de recuperar la historia tal como fue? ¿Puede el historiador, realmente, añadir algo a un texto y, con todo, comprender el texto histórico tal como debió haberse comprendido? ¿Podemos ir más allá del texto original y añadirle algo sin cambiarlo realmente? Alguien podría argumentar que la única vía que tenemos para comprender un texto sin distorsionarlo es la de reproducir el texto, convirtiéndonos en unos Pierre Menard y nada más, pues cualquier adición transformaría el texto, eliminando, por tanto, la posibilidad de comprenderlo en su dimensión histórica.[26]

Esto me lleva a lo que llamo el *dilema del intérprete*: o bien el intérprete simplemente reproduce el texto (en su mente, por ejemplo) sin añadirle nada en absoluto, o bien lo glosa. Si no le añade nada, como desearían los anticuarios, no puede, realmente, afirmar que lo entiende en su dimensión puramente histórica, pues él no es el autor del texto, ni siquiera un miembro de la audiencia coetánea del mismo; audiencia que, al estar al tanto del significado de los signos utilizados en el texto, conocía el significado de éste. Pero si le añade algo, como favorecen los anacronistas, entonces distorsiona claramente el texto y, de nuevo, se pierde el acceso a su significado histórico. ¿Puede el intérprete escapar de este dilema y evitar, tanto el anticuarismo, como el anacronismo? Creo que puede, porque el dilema, como la mayor parte de los dilemas, se basa en un malentendido de la situación.

[26] Pierre Menard es un personaje del cuento de Jorge Luis Borges ("Pierre Menard, autor del *Quijote*", en *Ficciones*, Biblioteca Ayacucho, Caracas, 1986, pp. 17-22), que trata de reescribir la novela de Cervantes. El cuento sugiere que incluso la recomposición de un texto por alguien que no sea el autor histórico va más allá del texto histórico y constituye una interpretación, aunque no difiera del mismo en nada.

Con el fin de explicar cómo puede escaparse del dilema del intérprete, voy a comenzar por señalar que el propósito del intérprete es el de re-crear, en primer lugar, los actos mentales del autor del texto, no como creador del texto, sino como audiencia. La razón por la que el intérprete no quiere re-crear al autor, en tanto que creador, es que el creador *qua* creador estaba inmerso en muchos actos mentales diferentes que eran sólo propedéuticos para la producción del texto que, finalmente, produjo. Y tales actos, puesto que implicaban el rechazo de algunas opciones sobre cómo construir el texto, por ejemplo, son completamente irrelevantes; de hecho, podrían distraer el desarrollo de una comprensión del texto histórico.

El intérprete podría también tener en mente la re-creación, en segundo lugar, de los actos de comprensión que la audiencia a la que iba dirigido el texto experimentó o se esperaba que experimentara. Recuérdese que el autor, por lo general, tiene en mente a una audiencia, y que el intérprete se tiene que volver hacia dicha audiencia, compuesta por el autor y sus coetáneos, con el fin de comprender un texto en su historicidad.

Al tratar de re-crear los actos del autor como audiencia y los de la audiencia coetánea para sí mismo y su propia audiencia contemporánea (porque el propósito de un historiador no es sólo comprender él mismo el texto histórico, sino también hacerlo accesible a sus propios contemporáneos), el historiador necesita crear un complejo causal que producirá, en la audiencia de su interpretación, actos de entendimiento semejantes a aquellos actos que el autor histórico y la audiencia coetánea tuvieron cuando entraron en contacto con el texto. Pero con el fin de hacer esto, es necesario añadir al texto original elementos que hagan posible re-crear tales actos u otros semejantes. La razón de esto último estriba en que la distancia en tiempo, cultura, etc., que separa a la audiencia contemporánea del texto histórico sería la responsable de que, en el caso de que la audiencia tuviera acceso al texto tal como era históricamente, desarrolle actos de comprensión que, seguramente, serían diferentes de aquellos que el autor y su audiencia coetánea desarrollaron. Esto es semejante a lo que ocurriría si el autor histórico y su audiencia coetánea tuvieran acceso a un texto contemporáneo al historiador, pues, en tal caso, lo entenderían de una manera diferente a como lo entenderían el historiador y su audiencia contemporánea, a no ser que se proveyera de una glosa del mismo. La función de las adiciones que suple el intérprete, por tanto, es asegurar que se reproduzcan en la audiencia contemporánea unos actos de comprensión semejantes o similares a aquellos actos que se esperaban de los que eran coetáneos al texto histórico. La idea que he propuesto puede compendiarse en lo que llamo el *principio de comprensión proporcional.* De acuerdo con este principio:

> Una interpretación de un texto (compuesto por el texto histórico y por las adiciones interpretativas de un intérprete) debería ser para la audiencia contemporánea, con respecto a la producción de sus actos contemporáneos de compresión, lo que el texto histórico es para la audiencia histórica (compuesta por el autor como audiencia y por la audiencia coetánea) con respecto a los actos de comprensión de la audiencia histórica.

Este principio, seguramente, se comprenderá más fácilmente si lo descomponemos como sigue:

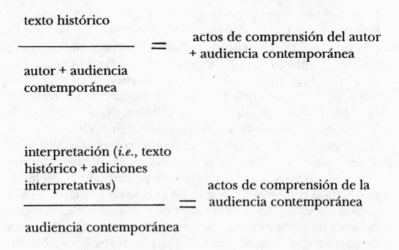

$$\frac{\text{texto histórico}}{\text{autor} + \text{audiencia contemporánea}} = \text{actos de comprensión del autor} + \text{audiencia contemporánea}$$

$$\frac{\text{interpretación (i.e., texto histórico} + \text{adiciones interpretativas)}}{\text{audiencia contemporánea}} = \text{actos de comprensión de la audiencia contemporánea}$$

Lo que el principio de comprensión proporcional establece es que, con el fin de que una interpretación de un texto histórico sea precisa, la razón entre la interpretación y la audiencia contemporánea (esto es, los actos de comprensión que produce en tal audiencia) debe ser semejante a la razón entre el texto histórico y el autor y la audiencia coetánea (esto es, los actos de comprensión que produce en el autor y en esa audiencia).

El propósito de un intérprete, por tanto, es crear un texto que produzca en su audiencia (la audiencia contemporánea) actos de comprensión semejantes a aquellos producidos por el texto histórico en el autor, cuando funciona como audiencia, y en la audiencia coetánea del texto histórico. El intérprete crea el objeto textual que produce el tipo de pensamientos y juicios en la audiencia contemporánea que el autor y su audiencia tenían e hicieron.

Ahora podemos apreciar de un modo más claro por qué la interpretación es una parte integral de la tarea histórica de comprensión de textos: porque su propósito es salvar el abismo conceptual y cultural que separa el texto histórico de un tiempo posterior en el que se lee, se oye o, incluso, se recuerda. También explica por qué las interpretaciones no necesitan ser anacrónicas meramente por el hecho de que se añaden al texto original, pues la función de sus añadidos es, precisamente, producir actos de comprensión en la audiencia contemporánea semejantes a aquellos que el texto histórico produjo, o debería haber producido, en la audiencia coetánea.

También debe quedar claro, sin embargo, que la tarea del historiador de la filosofía va más allá de la del intérprete textual. La tarea del historiador no consiste solamente en producir una interpretación textual, sino, además, una relación histórica de las ideas del pasado, como se dejó establecido en el capítulo I; y esto supone mucho más que una interpretación textual. Con el fin de que quede claro lo que trato de dar a entender, me gustaría introducir una distinción entre interpretaciones "textuales" e interpretaciones "históricas". Una interpretación textual es, precisamente, el tipo de interpretación de la que he estado hablando: se trata de una interpretación de un texto que lo hace accesible a la audiencia contemporánea a costa de añadirle todo lo que sea necesario con el fin de lograr en las mentes contemporáneas resultados similares a los fenómenos mentales presentes en el autor y en la audiencia coetánea cuando pensaron en el texto.

Una interpretación histórica, sin embargo, es mucho más que una interpretación textual, pues busca reconstruir la intrincada maraña de pensamientos e ideas y de relaciones no registradas en el texto; reconstrucción que convierte la historia de la filosofía en algo más que una mera serie de textos discretos a la manera de unidades atómicas. El propósito definitivo de los historiadores de la filosofía es producir una relación de las ideas del pasado, y dicha relación incluye no sólo las interpretaciones textuales, sino también: la reconstrucción de un contexto más amplio en el que se produjo el texto; las ideas que el autor no puso por escrito o no pronunció en el discurso; las conexiones entre varios textos del mismo autor y de otros autores; las conexiones causales entre las ideas y los textos, etc. Los historiadores buscan algo más que la reproducción de los actos de comprensión del autor y de la audiencia coetánea de un texto: quieren producir también otros actos de comprensión que ni el autor ni la audiencia coetánea tuvieron o pudieron haber tenido precisamente por sus limitaciones históricas (temporales, culturales y espaciales), pero que, sin embargo, sí pueden tenerlos el historiador y su audiencia contemporánea debido a su diferente localización y perspectiva históricas.

En definitiva, la interpretación textual es sólo el principio y sólo un elemento de la interpretación histórica. La tarea de los historiadores de la filosofía va mucho más allá que ofrecer interpretaciones de textos, pero si han de llegar a algún sitio con su tarea, deben comenzar con dichas interpretaciones.

Supongamos, por tanto, que adoptamos el principio de comprensión proporcional y que aceptamos la distinción entre interpretación textual e interpretación histórica; podemos preguntar todavía: ¿existe una o muchas interpretaciones textuales?

La respuesta a esta pregunta, tal como se ha formulado, dependerá de cuántos comentarios de un texto se han hecho, y tendría que precisarse sobre la base de la evidencia empírica. Si preguntáramos, por ejemplo, si hay una o muchas interpretaciones de la *Metafísica* de Aristóteles, estaría claro, incluso tras una ligera ojeada a la bibliografía, que hay muchas. Pero ni este tipo de respuesta, ni la pregunta a la que responde, son de especial interés para el historiógrafo. Antes bien, lo que le gustaría conocer es si hay, y puede haber, sólo una interpretación *definitiva* de un texto, o si existe espacio para más de una. Por supuesto, si se entiende que por "texto" nos estamos refiriendo, genéricamente, a todos los textos que hemos discutido, es claro que puede haber tantas interpretaciones como textos. Lo mismo se aplica al texto contemporáneo, que resulta ser múltiple, y no único. Para que la pregunta posea algún interés filosófico e historiográfico, ésta debe referirse, o bien a un texto histórico único, o bien a una de sus versiones contemporáneas. Entendido de esta manera, el problema que plantea la pregunta se dirige al núcleo de la investigación historiográfica y se relaciona, en muchos aspectos, con otros problemas semejantes que pueden plantearse en relación con la ciencia y con la filosofía. En ciencia, la pregunta plantea si lo que el físico, por ejemplo, produce o intenta producir son, más o menos, aproximaciones a la *única* interpretación *definitiva* de la naturaleza, o si lo que el físico produce son diversas versiones de interpretaciones, *igualmente correctas*, de la naturaleza. Con respecto a la filosofía, podría plantearse una pregunta semejante: ¿hay una única filosofía correcta, o hay muchas?

Una manera de abordar esta pregunta es observando el éxito de diversas interpretaciones. Pero esto, por supuesto, no puede darnos una respuesta afirmativa porque, hasta el presente, no hay ninguna interpretación en ciencias, en filosofía o en la historia de la filosofía que no sea cuestionable; y las extraordinarias dificultades envueltas a la hora de ofrecer una interpretación textual, a las que me he referido anteriormente, tampoco permiten augurar predicciones optimistas sobre las futuras interpretaciones en la historia de la filosofía. De hecho, muchos de los esfuerzos filosóficos, desde Kant, se han centrado en mostrar, de uno u otro modo, que no tenemos ninguna manera de llegar a una interpretación final y definitiva en ciencias, en filosofía o en historia de la filosofía.

Pero esta cuestión puede observarse bajo un ángulo diferente. Si lo que he afirmado en relación con la naturaleza y función de las interpretaciones es correcto, entonces no es posible pensar que puede haber una interpretación definitiva de un texto, en la medida en que existen diferencias culturales y conceptuales entre la audiencia coetánea del texto histórico y la audiencia contemporánea al historiador, pues cada nueva audiencia requerirá una nueva interpretación que salve las distancias entre ella y la audiencia coetánea del texto histórico. La única manera en que podría haber una interpretación definitiva de un texto sería si su audiencia tuviera siempre el mismo carácter cultural y conceptual, pero tal cosa, aunque no es lógicamente imposible, no es realista. Por supuesto, no hay ninguna razón por la que no pueda haber una interpretación definitiva de un texto en un tiempo y en un lugar determinados, es decir, una interpretación que es la que mejor ayude a salvar la distancia entre el texto y la audiencia de esa época y lugar. Tampoco hay ninguna razón por la que no pueda haber interpretaciones que sean más duraderas que otras. Es posible que algunas interpretaciones sean de tal manera, que puedan salvar la distancia entre el texto histórico y no sólo una, sino varias audiencias subsiguientes. Más aún: la noción de una posible interpretación definitiva única es relevante metodológicamente hablando, pues esta noción sirve de acicate para continuar con los esfuerzos de la interpretación, evitando así la complacencia, y, además, impulsa el espíritu crítico que debería animar cualquier búsqueda interpretativa. Se debe tener cuidado, sin embargo, para que la adhesión a esta idea no se convierta en algo dogmático ni ideológico. Su función, como la del texto ideal, es más bien regulativa, no sustancial. Si se mantiene en este nivel, sus efectos pueden ser muy útiles; de lo contrario, pueden ser nefastos.

Para concluir, voy a regresar al comienzo del capítulo. Allí señalé que los historiadores de la filosofía se enfrentaban con un problema serio en la tarea histórica: ni tenían, ni podían tener acceso empírico directo al objeto que se supone que estudien. En la discusión que siguió he tratado de mostrar que hay que encontrar la solución a este problema en el desarrollo de interpretaciones textuales, cuyo propósito es salvar la distancia que separa la comprensión de textos en diferentes periodos históricos. También señalé los factores implicados en el desarrollo de esas interpretaciones y en la naturaleza de los textos, que es aquello sobre lo que se supone que se basen dichas interpretaciones. Más aún, puesto que las interpretaciones suponen elecciones y dichas elecciones sólo pueden hacerse sobre la base de valoraciones, se hace claro que las relaciones históricas entrañan, tanto los juicios interpretativos, como los valorativos del tipo discutido en el capítulo I. De esta manera, nos encontramos aquí con otra confirmación de la tesis general que me propuse defender en este estudio: que la tarea del historiador de la filosofía es filosófica, y que supone juicios valorativos. Queda todavía por determinar, sin embargo, cómo puede llevarse a cabo una historia filosófica de la filosofía sin hacer que peligren su objetividad y su precisión. La respuesta a esta pregunta se encuentra en el próximo capítulo, en donde me voy a ocupar de la cuestión de la metodología filosófica.

V

UNA HISTORIA FILOSÓFICA DE LA FILOSOFÍA: USOS Y ABUSOS DE LA HISTORIA DE LA FILOSOFÍA

Los enfoques metodológicos utilizados por los historiadores de la filosofía varían ampliamente, y los historiógrafos no han dejado de advertir las diferencias entre ellos. De hecho, se han realizado varios intentos, algunos bastante recientes, de clasificar y examinar los principales enfoques metodológicos empleados por los historiadores. Sin embargo, la mayor parte de esos intentos han sido inadecuados. Sus problemas varían desde la omisión de algunos métodos obvios, hasta la ausencia de claridad en su descripción. En este capítulo deseo poner remedio a la situación, hasta cierto punto, y voy a hacerlo proponiendo una taxonomía nueva, más completa, de esos enfoques metodológicos, y un examen preliminar de sus fortalezas y debilidades. No cabe duda que aquellos que estén familiarizados con la bibliografía pertinente observarán semejanzas entre las categorías que empleo para la clasificación y aquellas que se emplean en otras clasificaciones; espero, sin embargo, que adviertan también los elementos nuevos que propongo aquí por primera vez. En los casos en los que las categorías que propongo recuerden a las categorías ya propuestas o en aquellos casos en los que, de hecho, he utilizado ideas que surgen de otros autores, identifico las fuentes correspondientes.

La tarea de ofrecer, a la vez, una taxonomía y una evaluación de los diversos métodos empleados en el estudio de la historia de la filosofía podría parecerle a alguien de escaso valor teórico y, quizás, incluso, irrelevante para los temas filosóficos que surgen en la historiografía filosófica. Sin embargo, la cuestión del método no sólo se encuentra ligada inextricablemente a los temas filosóficos surgidos en la historiografía filosófica, sino que es, también, especialmente importante en este libro, pues no podemos apoyarnos en una mera justificación general de su tesis principal: que la historia de la filosofía debe hacerse filosóficamente. Para respaldar esta tesis adecuadamente, debemos presentar también un plan detallado y específico de cómo ha de hacerse.

Me gustaría comenzar señalando que he podido identificar, por lo menos, trece enfoques metodológicos diferentes, empleados por los historiadores de la filosofía en el ejercicio de su disciplina. Aunque estos enfoques son fáciles de distinguir desde el punto de vista lógico, en la práctica raras veces se encuentran aislados. Los historiadores de la filosofía mezclan, con frecuencia, dos o tres enfoques, y a menudo, incluso, más, aunque en la mayor parte de las veces puede notarse fácilmente el predominio de un enfoque sobre otro. Sólo raras veces, sin embargo, están conscientes los mismos historiadores de los presupuestos y los procedimientos metodológicos bajo los que operan. Lo más frecuente es que sus intereses estén dirigidos hacia su trabajo histórico y no hacia la cuestión metahistórica de la metodología adecuada de la historia.

Los trece enfoques metodológicos en cuestión caen bajo dos categorías principales. Tres de ellos se ocupan de la historia de la filosofía desde un punto de vista no filosófico, y los restantes mantienen una perspectiva principalmente filosófica. Todos pretenden ofrecer una relación de ideas, pero los tres primeros enfoques proporcionan una relación esencialmente no filosófica. Lo hacen cuando ofrecen explicaciones de cómo ocurren las ideas en términos que no son de interés para el filósofo *qua* filósofo: las relaciones se basan en consideraciones que no son intrínsecas a la naturaleza de las propias ideas filosóficas. Por el contrario, los otros diez enfoques metodológicos dan cuenta de las mismas ideas en términos de la auténtica naturaleza y carácter de las propias ideas filosóficas, de sus conexiones, y de la manera como el filósofo se ocupa de tales ideas.

Voy a proceder presentando, en primer lugar, aquellos modos de abordar la historia de la filosofía que no son filosóficos. Su discusión es relativamente breve puesto que, teniendo en cuenta el carácter y el propósito fundamentalmente filosóficos de este libro, una discusión extensa de los mismos estaría fuera de lugar. La discusión de los enfoques no filosóficos va seguida de una discusión más detallada de los otros diez enfoques metodológicos. Considero que todos los enfoques, sean o no filosóficos, son impropios si se los considera por separado, pero su discusión va a ayudarnos a formular, en la sección del capítulo que sigue a su discusión, los requisitos que debería poseer un enfoque correcto. Por último, presento e ilustro lo que considero que es el enfoque metodológico más fructífero.

Antes de entrar en la discusión de los diversos modos de hacer historia de la filosofía, sin embargo, me gustaría aclarar que los diversos enfoques metodológicos discutidos aquí no pretenden ser ni exhaustivos ni exclusivos. No son, ciertamente, exhaustivos, pues estoy seguro que hay más enfoques de los que enumero, y tampoco son exclusivos porque, como ya he advertido, a menudo nos encontraremos con varios de ellos en el trabajo de un mismo historiador. Es precisamente por esta falta de exclusividad en particular que raras veces, si es que alguna, nos encontramos con un ejemplo puro de los mismos. Las caracterizaciones que ofrezco, por tanto, pretenden ser, más bien, como abstracciones, caricaturas benignas, si se quiere, que, como tales, y precisamente por su exageración, permiten que nos demos cuenta de factores que, de otro modo, se nos habrían escapado.

I. ENFOQUES NO FILOSÓFICOS

Voy a llamar a los tres *enfoques no filosóficos* de la historia de la filosofía que deseo discutir de la siguiente manera: cultural, psicológico e ideológico. Su denominador común estriba en que ofrecen relaciones no filosóficas de las ideas filosóficas del pasado. Debería añadir que voy a limitar la discusión a los tres mencionados, pero hay muchos otros de naturaleza semejante que se emplean en la práctica o, por lo menos, que son posibles en principio. Un ejemplo que, de hecho, se emplea pero que no discuto es el sociológico. Este tipo de enfoque supone un dar cuenta de las ideas del pasado en términos de fenómenos sociales. Así, por ejemplo, el escepticismo de Voltaire podría explicarse en términos de su origen francés, y la causa del empirismo de Hume podría encontrarse en los fenómenos sociológicos prevalecientes en la sociedad británica en la época en que vivió. Del mismo modo, podríamos también intentar explicar sus ideas en términos de su configuración genética y biológica, aunque poco se ha hecho en esta área hasta el momento, debido, probablemente, a nuestro conocimiento, todavía rudimentario, de biología y genética. Pero puedo vislumbrar un futuro en el que haya intentos de explicar las diferencias entre las ideas que sostuvieron diferentes filósofos en términos de su configuración biológica y de su herencia genética. Al fin y al cabo, está ampliamente aceptado que los talentos especiales, como las capacidades musicales o matemáticas, tienen que ver con la biología. Por tanto, no hay razón alguna por la que no debiéramos encontrarnos, en determinado momento, con estudios que pretenden explicar el talento filosófico en términos biológicos y genéticos. Alguien podría llegar hasta el punto de mostrar cómo X sostiene que P debido a cierta configuración o fenómeno biológico descriptible, como, por ejemplo, una determinada estructura neuronal o una configuración genética particular.[1]

Empero, todo esto, por lo menos en el área de la biología y la genética, no es posible todavía y, por tanto, no hay ninguna necesidad de considerar este enfoque en este momento. Con la sociología, por el contrario, la situación es diferente pero, con todo, tampoco hay ninguna necesidad de discutir un enfoque sociológico aquí, por dos razones: porque no está extendido y, también, porque los enfoques culturales y psicológicos que discutimos, y que son los que están más difundidos, ilustran bien, aunque indirectamente, el tipo de procedimiento que supondría un enfoque sociológico.

Por último, he de añadir que tanto los enfoques culturales como los psicológicos son útiles para el historiador de la filosofía en la medida en que ayudan a determinar lo que pensaron los filósofos del pasado. Mi crítica de estos enfoques, como se

---

[1] Estudios recientes sobre gemelos idénticos ya han intentado apuntar semejanzas en áreas tales como la vocación, la personalidad, los gustos y los hábitos.

verá claro, no se basa en el hecho de que no sean útiles, sino en que no ofrecen una relación filosófica de las ideas filosóficas del pasado.

A. *El culturalista*

El enfoque cultural de la historia de la filosofía está dominado por un interés: la comprensión de las opiniones filosóficas del pasado en tanto que expresiones de la compleja matriz cultural de donde surgen tales opiniones. El énfasis de este enfoque no recae en la comprensión de ideas filosóficas en tanto que únicas y distintas, *qua* ideas filosóficas, que se ocupan, o intentan ocuparse de cuestiones y problemas específicamente filosóficos, planteados por personas particulares. Por el contrario, este enfoque concibe las ideas filosóficas como partes y productos de una cultura, como fenómenos representativos de una época y de un periodo. La consecuencia inmediata de este interés principal es el hecho de que los historiadores que adoptan este enfoque se concentran en la descripción y, hasta cierto punto, en la interpretación, pero se oponen, generalmente, a la valoración. Los culturalistas quieren comprender las filosofías del pasado en tanto que formando parte del recuento general del desarrollo cultural, pero no tienen interés alguno en el valor de tales filosofías. El interés por vincular las ideas filosóficas a otros aspectos de la cultura, como el arte, la literatura, la ciencia y la religión, los lleva también a tratar dichas ideas en términos generales.

Es más, el culturalista está interesado en la imagen global y, por este motivo, rechaza a menudo los detalles. Esto lo lleva, entonces, al rechazo de los argumentos y de las opiniones más idiosincrásicas. Las relaciones culturalistas no sirven mucho para un examen detallado o incluso sumario de los argumentos del pasado y de las ideas de filósofos aislados. Están interesadas, más bien, en las conclusiones generales que puedan relacionar con otros fenómenos culturales: su perspectiva es, fundamentalmente, interdisciplinaria.

Por último, las explicaciones que ofrecen los culturalistas de cómo y por qué surgió esta o aquella idea, por ejemplo, tienen que ver con fuerzas culturales externas a la filosofía y a lo que los filósofos consideran que es su tarea *qua* filósofos. Por ejemplo, si están tratando de explicar por qué los autores medievales sostenían que el alma humana es inmortal, apuntarían, más bien, a las creencias religiosas medievales, y no a las razones filosóficas que dieron para mantener dicha posición. De hecho, tales razones se considerarían sin valor alguno, a menos que se pudieran utilizar para arrojar alguna luz sobre el "espíritu" o la "mentalidad de la época". La filosofía y las ideas filosóficas se consideran síntomas de algo mucho más importante y que debe aprehender el historiador. Bréhier señaló muy bien el rasgo fundamental de los culturalistas cuando describía el enfoque de Comte:

> Comte entiende, pues, por filosofía no tanto los sistemas técnicos de los especialistas en filosofía, sino un estado mental difundido a todo lo largo de la sociedad, el cual se manifestará en las instituciones jurídicas, en las obras literarias o en las obras de arte tan bien o mejor que como lo hace en los sistemas de los filósofos. Un sistema filosófico determinado podría, desde luego, mostrar con especial claridad este estado del espíritu, porque reúne rasgos dispersos por doquier y los sitúa a plena luz; pero, aun así, no será estudiado sino a título de símbolo y de síntoma.[2]

Este énfasis en lo que el francés ha venido a llamar *faits de mentalité* llegó a convertirse en esencial para el método histórico favorecido por la escuela historiográfica de los *Annales*. De acuerdo con los miembros de esta escuela, el objeto de toda historia es revelar la mente o espíritu colectivo de los tiempos. Como tal, "la mentalidad de un individuo, aunque pueda ser un gran hombre, consiste en lo que él tiene en común con otros hombres de su época".[3] La importancia del estudio de los grandes escritores y filósofos, por tanto, estriba en que nos revela

---

[2] Émile Bréhier, *Histoire de la philosophie*, F. Alcan, París, 1948–1951, vol. 1, p. 24. [N. del t. He utilizado la versión española de Demetrio Náñez, aunque con ligeras modificaciones: E. Bréhier, *Historia de la filosofía*, 4a. ed., 3 vols., Sudamericana, Buenos Aires, 1962, vol. I, p. 70.]

[3] Roger Chartier, "Intellectual History or Sociocultural History? The French Trajectories", en LaCapra y Kaplan (eds.), *Modern European Intellectual History*, p. 22.]

la conciencia general de un grupo cultural y social del que forman parte.[4] Lucien Febvre, uno de los fundadores de la escuela de los *Annales*, ofrece una crítica mordaz al método empleado por algunos historiadores de la filosofía, quienes se olvidan del contexto cultural de las ideas:

> De todos los trabajadores que retienen, esté o no calificado por algún epíteto, el término genérico de historiadores, no hay ninguno de ellos que no se justifique ante nuestros ojos en algún aspecto, excepto, a menudo con bastante frecuencia, aquellos que se dan a la tarea de repensar para su propio uso sistemas que, a veces, tienen muchos siglos de antigüedad, sin el menor cuidado por tomar nota de las relaciones de esos sistemas con las otras manifestaciones de la época que le dieron nacimiento; al hacer esto se encuentran, precisamente, haciendo exactamente lo contrario de lo que exige el método del historiador; y quienes consideran estas producciones de conceptos que nacen de intelectos desencarnados y, por tanto, viven sus propias vidas, al margen del espacio y del tiempo, forjan cadenas extrañas cuyos eslabones son, al mismo tiempo, irreales y cerrados.[5]

Y alaba *La philosophie du moyen âge* de Étienne Gilson precisamente por situar las ideas en lo que él considera el contexto adecuado:

> No es cuestión de infravalorar el papel de las ideas en la historia; ni es cuestión, mucho menos, de subordinar ese papel a la acción de las partes interesadas. Es cuestión de mostrar que una catedral gótica, los mercados de Yprés, las víctimas de la gran barbarie y una de esas grandes catedrales de ideas tal como Étienne Gilson nos describe en su libro, eran hijas de una única era, hermanas que crecieron en la misma familia.[6]

La tarea de los historiadores de la filosofía, por tanto, no consiste en juzgar las ideas ni considerarlas como aconteceres

---

[4] *Ibid.*, p. 28.

[5] Lucien Febvre, "Leur histoire et la nôtre", publicado originalmente en *Annales d'histoire economique et sociale*, y reimpreso en *Combats pour l'histoire*, 2a. ed., Librairie Armand Colin, París, 1953, p. 278.

[6] Lucien Febvre, "Doctrines et sociétés. Étienne Gilson et la philosophie du xive siécle", publicado originalmente en *Annales d'histoire economique et sociale*, y reimpreso en *Combats pour l'histoire*, p. 288.

idiosincrásicos producidos por personas aisladas. Más bien, su tarea consiste en sacar a la luz las conexiones entre esas ideas y la mentalidad cultural de la que son representaciones. Y la razón, como les gusta señalar a Ortega y sus seguidores, es que las ideas no están causadas por nociones abstractas, pues no son abstracciones desencarnadas, sino actos que los seres humanos ejecutan en determinadas circunstancias con miras a objetivos definidos.[7] De este modo, una historia de la filosofía que habla de las ideas sólo de una manera abstracta, como entidades separadas de las circunstancias que las originaron, no es ni historia ni filosofía. La tarea de la historia de la filosofía, por tanto, consiste, precisamente, en hacer explícitas las relaciones entre las ideas, consideradas como respuestas y reacciones humanas concretas a las circunstancias que las propulsaron, y que nos revelan, por tanto, los cimientos conceptuales de la cultura en la que surgen.

Todo esto es muy interesante y útil, y, en muchos casos, las conclusiones y explicaciones que nos proporcionan los culturalistas no sólo son absolutamente correctas, sino también iluminadoras. De hecho, es bastante claro que la principal razón por la que los autores medievales creían que el alma humana es inmortal era, precisamente, porque eran cristianos y vivían en una sociedad en donde regían los valores y las ideas cristianas. Pero esto, para el filósofo, posee sólo un interés limitado: por esta razón, tiene poco valor filosófico y, por tanto, poco interés. Sin duda, esta explicación mostraría cómo los factores no filosóficos cumplen un papel en la filosofía, pero no nos diría nada sobre las razones filosóficas que dieron los medievales para creer en la inmortalidad del alma. Desde el punto de vista filosófico, lo que es importante no es que los medievales creyeran en la inmortalidad del alma porque eran cristianos, sino más bien las razones filosóficas que daban para apoyar la opinión de que el alma humana es inmortal, así como el valor de dichas razones. El tipo de explicaciones causales que favorecen

[7] José Ortega y Gasset, "Ideas para una historia de la filosofía", en Émile Bréhier, *Historia de la filosofía*, Prólogo, Sudamericana, Buenos Aires, 1942; reimpreso en *Obras Completas*, vol. 6, Revista de Occidente, Madrid, 1947, pp. 379-419.

los culturalistas, por tanto, los sitúa aparte de aquellos que desean emprender una investigación filosófica de la historia de la filosofía. Pero esto no es todo porque, como se ha afirmado en otro lugar de este libro, los historiadores no pueden esperar comprender a los filósofos del pasado a menos que asuman ellos mismos el papel de filósofos, comprendan qué es lo que están buscando los filósofos y las consideraciones que tienen peso en su discurso. De hecho, como ha señalado Passmore, los historiadores culturales tienden a caer en crasos errores cuando describen el pasado filosófico, precisamente porque no comprenden la práctica de la filosofía.[8] Por tanto, al rechazar una comprensión filosófica del pasado filosófico, los culturalistas lo malinterpretan.

B. *El psicólogo*

El desarrollo de la psicología como una ciencia social independiente y las controversias iniciales que rodeaban el psicoanálisis en la última parte del siglo XIX y comienzos del XX han promovido un interés general por la psicología, que se ha extendido a otros campos. La historia de la filosofía no se ha escapado a este impacto, con el resultado de que algunos historiadores de la filosofía gastan un tiempo y un esfuerzo considerables en el intento por mostrar cómo los factores psicológicos afectan, de diversas maneras, las ideas. Llamo a este tipo de enfoque de la historia de la filosofía "psicológico", y a sus practicantes, "psicólogos".

Existen elementos muy interesantes en los resultados alcanzados por la aplicación de este procedimiento. Después de todo, la mayoría de nosotros tiene alguna curiosidad por saber algo acerca del funcionamiento interno de las mentes de aquellos cuyas ideas admiramos. En particular en filosofía, parecería, *prima facie*, bastante apropiado investigar tales fenómenos, teniendo en cuenta que las nociones de "filósofo" y "sabio" han ido a la par tradicionalmente. Nos gustaría saber, por tanto, no

[8] John A. Passmore, "The Idea of a History of Philosophy", *History and Theory*, suplemento no. 5, 1965, p. 14.

sólo sobre las ideas de Sócrates, sino también cómo llegó a sostener esas ideas y cómo las puso en práctica. Es más, establecer las razones psicológicas por las que Sócrates sostuvo las ideas que sostuvo, por ejemplo, nos podría esclarecer por qué, probablemente, alguna otra persona de estructura mental diferente no las hubiera sostenido, etc. Todo esto es, de hecho, importante para la reconstrucción precisa del registro histórico. La pregunta que se plantea, sin embargo, es si tales consideraciones poseen algún valor filosófico y contribuyen, por tanto, a una comprensión filosófica de la historia de la filosofía.

Mi respuesta a esta pregunta es que no veo claro cómo pueden contribuir tales consideraciones psicológicas y explicaciones causales a una auténtica historia filosófica de la filosofía. Si aceptamos el principio de que la tarea de la historia de la filosofía consiste en producir una relación de las ideas filosóficas del pasado y que, como se afirmó en el capítulo I, una relación de este tipo debe ser filosófica y, por tanto, incluir no sólo la descripción sino también la interpretación y la valoración filosóficas, entonces me parece bastante claro que los factores psicológicos son, en gran medida, irrelevantes para una relación de esta clase. Tales factores, sin duda, nos ayudarían a reconstruir el marco causal que dio origen a las ideas filosóficas de un autor, pero sólo ofrecerían una comprensión psicológica de su aparición, y dejarían sin explicar las razones filosóficas por las que el autor en cuestión ha podido sostener las ideas que sostuvo. Una tal relación, por tanto, sería útil para el historiador especializado que está interesado en la historia psicológica, o para el historiador general que desea tener una relación completa de los acontecimientos del pasado. Pero el historiador de la filosofía no está, por lo general, interesado, *qua* historiador de la *filosofía*, en otros factores que no sean filosóficos: se espera que provea interpretaciones y valoraciones filosóficas, y no sólo descripciones del pasado.

No se trata de que todos los factores no filosóficos sean irrelevantes. Puesto que los historiadores de la filosofía se interesan por las conexiones entre las ideas de diferentes autores y de diversos periodos de tiempo, consideraciones tales como la localización espacio-temporal y otras semejantes son importantes para ellos. Por ejemplo, con el fin de establecer las relaciones entre Kant y Hume es importante conocer cuándo vivieron, los idiomas que conocían, el contacto directo o indirecto que haya podido tener Kant con los escritos de Hume, los libros que Kant leyó que hayan podido hacer referencia a Hume, etc. Ninguno de estos factores es, estrictamente hablando, filosófico, pero es claro que poseen una relevancia significativa en cualquier reconstrucción de la relación que las ideas de Kant guardaban con las de Hume y, por tanto, deben ocuparse de ellas los historiadores de la filosofía.

El caso de los fenómenos psicológicos es diferente, sin embargo. Los fenómenos históricos que acabamos de mencionar son importantes porque esclarecen las circunstancias locales dentro de las cuales tienen lugar las ideas, y sirven para establecer, entre otras cosas, un contacto entre los filósofos; sin embargo, no explican las razones filosóficas por las que un filósofo sostuvo una opinión determinada. Por esta razón, no pueden convertirse en rivales de la lectura filosófica de la historia de la filosofía. El enfoque psicológico, por el contrario, hace exactamente lo opuesto: presenta como razones por las que un filósofo sostuvo esta o aquella opinión algún factor psicológico u otros factores distintos de cualesquiera razones filosóficas que los filósofos dieron para sostenerla. En este sentido, existe una diferencia radical de perspectiva entre el historiador psicológico y el historiador filosófico: el psicólogo identificará como una razón por la que un filósofo del pasado sostuvo una determinada opinión el hecho de que era paranoico, por ejemplo, mientras que el filósofo dirá que infirió esa opinión de ciertos presupuestos sobre la naturaleza de la realidad, por ejemplo.

Quizás un ejemplo concreto nos aclarará este punto. Hace unos pocos años, W.W. Bartley escribió un libro sobre Wittgenstein que causó bastante revuelo. El revuelo se produjo porque Bartley afirmaba en el libro que Wittgenstein no sólo no era psicológicamente homosexual sino que, además, mantenía, efectivamente, relaciones homosexuales, y con sujetos bastante vulgares. Dado el caso de que se trataba de alguien de la talla de Wittgenstein, de su reputación como persona de moralidad íntegra y de exquisita sensibilidad y gusto culturales, y teniendo en cuenta los devotos seguidores que había tenido, la reacción contra el libro fue inmediata y feroz. Las protestas se

centraron, casi exclusivamente, en la defensa de la persona de
Wittgenstein, y se acusó a Bartley de imprecisión histórica y de
pésima erudición. Hay, sin embargo, un hecho muy interesante,
y es que de lo que menos se hablaba en la controversia era de
las implicaciones del procedimiento de Bartley: que, de alguna
manera, una comprensión de los detalles de la vida de Wittgenstein, incluyendo su homosexualidad, nos ayuda a aprehender
mejor algunas de sus ideas filosóficas.[9] Desde un punto de vista
historiográfico, por supuesto, es esta tesis lo que interesa, pero en el calor de la controversia quedó prácticamente olvidada
por casi todos.[10] Para nuestro propósito, la importancia de este
ejemplo estriba en que ilustra el presupuesto fundamental de
un enfoque psicológico: que el conocimiento de la psicología
de los filósofos nos permite una comprensión de su filosofía.

Ahora bien, si entendemos que una comprensión conlleva
una explicación causal, este tipo de tesis se reduciría a la opinión de que la homosexualidad de Wittgenstein fue la causa de
algunas de sus ideas filosóficas y, de hecho, es esto precisamente
lo que A.W. Levi afirma en relación con la ética de Wittgenstein:
su opinión es que la homosexualidad de Wittgenstein y el sentimiento de culpa por causa de la misma son los responsables
de su opinión de que la ética excluye todo lo que puede tener
que ver con hechos, pues su concepción de la ética le permitía
escapar de la condena del discurso racional.[11]

---

[9] Hablo de las implicaciones de este procedimiento porque Bartley lleva
cuidado en no afirmar, explícitamente, que, en efecto, los detalles de la vida
de Wittgenstein nos ayudan, de hecho, a esclarecer su filosofía; se limita a
afirmar explícitamente que ellos nos ayudan a comprender mejor al hombre.
Véase W.W. Bartley, III, *Wittgenstein*, 2a. ed. rev. y aumentada, Open Court, La
Salle, Illinois, 1985, p. 13. Bartley discute y aclara, explícitamente, su tesis sólo
en el Epílogo, añadido al libro en 1985, en el que denomina "expresionismo
epistemológico" a la opinión que sostiene que la obra de una persona es la
expresión de sus estados internos o de su personalidad. Sin embargo, su tesis
la manifiesta, explícitamente, Arthur W. Levi en "The Biographical Sources
of Wittgenstein's Ethics", *Telos*, no. 38, 1978–1979, pp. 63–76.

[10] Bartley afirma que la misma fue planteada, explícitamente, por George
Steiner en *New York Times* (23 de julio de 1973), p. 77, y en *The Listener*, con
Anthony Quinton (28 de marzo de 1974), pp. 399–401.

[11] Véase Levi, "The Bibliographical Sources".

Pero, ¿podemos afirmar que logramos una mejor comprensión de las razones filosóficas que sustentan la concepción de Wittgenstein sobre ética, o que éste pensó que la sustentaban, a partir del hecho de que conocemos que era homosexual y que es posible que haya estado psicológicamente predispuesto o determinado a sostener tales opiniones? Si Levi está en lo correcto, algo que hemos dejado al margen de la discusión, seguro que nos habremos instruido psicológicamente con su análisis; pero incluso en tal caso, no podemos extraer ninguna lección filosófica del mismo. Por tanto, este tipo de análisis psicológico posee poco valor para el historiador de la filosofía, cuyo propósito es producir una historia filosófica en la que, lo esencial, es la comprensión, interpretación y valoración *filosóficas.*

En resumidas cuentas, aunque pudiéramos encontrar una conexión causal entre algunos fenómenos psicológicos y algunas ideas filosóficas, algo que no es fácil de establecer, dicha conexión continuaría siendo bastante irrelevante para la historia de la filosofía, pues ésta requiere una relación histórico-filosófica de las ideas, no una relación histórico-psicológica. Las diferencias entre estas dos relaciones pueden mostrarse por el hecho de que, como se estableció en el capítulo I, la historia de la filosofía incluye juicios de valor acerca de las ideas, pero la psicohistoria no. El psicohistoriador está interesado solamente en describir qué factor psicológico produjo tal idea filosófica, y no en el valor filosófico de esas ideas. Hay, por tanto, un profundo abismo entre un enfoque psicológico de la historia de las ideas filosóficas del pasado y la historia de la filosofía.

C. *El ideólogo*

La característica principal del enfoque ideológico de la historia de la filosofía es que entraña un compromiso con algo que no es la comprensión de la historia de la filosofía. La historia de la filosofía se estudia porque se piensa que es el camino para alcanzar algún otro objetivo con el cual se encuentra, en definitiva, comprometido el ideólogo. En algunos casos, el objetivo es altruista y digno de admiración, pero en otros casos es egocéntrico y cínicamente egoísta. La mayor parte de las veces es una mezcla de los dos, que resulta de la ausencia, por parte de

326   LA FILOSOFÍA Y SU HISTORIA

aquellos que adoptan este enfoque, de una conciencia clara de dónde se encuentran y cuáles son sus propósitos. Los ideólogos, a diferencia de los filósofos y los historiadores, no están buscando la verdad o el descubrimiento: ellos ya han alcanzado las conclusiones que desean. Hacen uso de la historia de la filosofía sólo por razones retóricas, es decir, para convencer a una audiencia de lo que ellos ya han alcanzado. Como resultado, existe en este enfoque un fuerte énfasis en la defensa, y nos encontramos con un recurso frecuente a fórmulas que, después de un tiempo, se convierten en clichés carentes de significado. También nos encontramos en este enfoque con una susceptibilidad excesiva a la crítica, así como con una notable beligerancia en contra de cualquier observación que se pueda considerar, incluso remotamente, como una crítica.

Un caso muy interesante de fenómeno ideológico tuvo lugar entre los intelectuales latinoamericanos durante el siglo XIX.[12] En aquel entonces, como sigue siendo el caso hoy día, América Latina estaba plagada de inestabilidad política, desigualdad social y serios problemas económicos. Preocupados por la solución de estos problemas, los intelectuales latinoamericanos importaron de Europa un conjunto de ideas que llamaron *positivismo*. Se suponía que estas ideas señalarían el camino hacia una solución exitosa de los problemas políticos, sociales y económicos de América Latina. El positivismo era una mezcolanza formada por el pensamiento de autores tan diversos como Comte, Spencer, Haeckel, Mill y otros. Sus énfasis principales eran dos: (1) en el área del conocimiento, un énfasis en la ciencia "positiva", entendiendo por tal la ciencia empírica, en tanto que opuesta a la filosofía y a la metafísica; y (2) en la esfera política, un énfasis en el orden con el fin de promover un progreso global. Las ideas positivistas se propagaron por América Latina y fueron estudiadas, diseminadas y defendidas no sólo por los intelectuales, sino también por los gobiernos. La bandera

[12] Para otros ejemplos, véanse los textos del marxista M.N. Pokrovsky y de los nazis Walter Frank y Alexander von Müller, en Fritz Stern (ed.), *The Varieties of History: From Voltaire to the Present*, World Publishing, Nueva York, 1956, pp. 330-346. No es ninguna sorpresa que la mayor parte de los que practican este enfoque florezca bajo regímenes totalitarios.

brasileña tiene hoy en día el lema "Orden y progreso", una reminiscencia de la influencia positivista. En México, el positivismo se convirtió en la "filosofía oficial" del gobierno del dictador Porfirio Díaz. Algunos de aquellos que se unieron a la nueva ideología y estudiaron las ideas de Comte, Spencer y otros autores a los que apoyaban los positivistas hicieron tal cosa debido a que estaban convencidos de que el programa positivista era la única vía para acabar con la inestabilidad política y el retroceso económico en América Latina. Éste era, claramente, un motivo encomiable. Otros, sin embargo, tenían beneficios personales en mente: la perpetuación del *statu quo* que les permitía ocupar y preservar una posición privilegiada en la sociedad. El suyo, por supuesto, no era un motivo altruista. Independientemente del motivo, sin embargo, el objeto del compromiso de los positivistas latinoamericanos era externo a las ideas que adoptaron para llevar a cabo tal objetivo. Las ideas que adoptaron, estudiaron, defendieron y discutieron eran simples medios para algo más: en este caso, el desarrollo de la sociedad latinoamericana.[13] El interés de los positivistas latinoamericanos por la historia del pensamiento que los precedió era ideológico.

El propósito no filosófico del enfoque ideológico permite el empleo de medios no filosóficos para diseminar ideas filosóficas. No se excluye el proselitismo ni, incluso, la fuerza. Es más, se da también la posibilidad de un propósito cínico en la ideología y de que no exista una creencia real y verdadera en las ideas que se adoptan y estudian. Para el ideólogo, lo que es importante es el objeto del compromiso, y éste no es ni la filosofía ni la historia.

Las razones para el desarrollo de un enfoque ideológico son bastante comprensibles: todos podemos entender fácilmente la tentación de utilizar y endosar las ideas para lograr beneficios personales; y la mayor parte de nosotros, sin duda, puede favorecer el empleo de ideas con el fin de lograr cambios necesarios en la sociedad. Pero no parece que los beneficios de este enfoque se relacionen con la historia de la filosofía: tienen

[13] Para una discusión del positivismo en América Latina, la fuente clásica es Leopoldo Zea, *Positivismo en México*, Fondo de Cultura Económica, México, 1968.

que ver con el provecho social y práctico, no con la comprensión más profunda de las ideas del pasado. De hecho, es difícil ver cómo pueden comprenderse realmente las ideas cuando el propósito general de aquel que las estudia es algo distinto de su comprensión. Por lo que se refiere a la historia de la filosofía, no existen ventajas claras, por tanto, en el enfoque ideológico, y sus desventajas parecen, todas, demasiado obvias.

Quizás la más seria de las desventajas asociadas con la ideología y, sin duda, la que se cita más a menudo, sea la pérdida de objetividad implicada en este enfoque. El énfasis en resultados útiles, ya sea para el grupo social o para el individuo, lo desvía de la comprensión objetiva de las ideas en sí mismas, y lo conduce a interpretaciones y valoraciones viciadas por consideraciones mercenarias, derivadas del valor que poseen para alguna otra cosa. La perspectiva desde la cual se examinan dichas ideas, por tanto, impide la objetividad requerida para comprenderlas y describirlas. Esta actitud, en muchos aspectos, es un retroceso a la época que precedió al descubrimiento de la ciencia, llevado a cabo por los presocráticos, pues se caracteriza por una comprensión no liberal del conocimiento y de la historia del pensamiento, en donde éstos sólo poseen valor en la medida en que pueden ser utilizados para algún propósito práctico. Es posible que esta devaluación de la objetividad resulte no sólo en una distorsión inintencionada del pasado, sino que, a veces, conduce a unas revisiones intencionadas del mismo con el fin de ajustarlo a las opiniones que requieren para lograr los fines deseados. Debería quedar claro, sin embargo, que el enfoque ideológico no implica el revisionismo. No es necesario que los ideólogos tengan que revisar la historia con el fin de llevar a cabo su programa: pueden utilizar lo que conocen del pasado exactamente como lo conocen, o también, como otra alternativa, pueden hacer un uso selectivo de dicho conocimiento. En ambos casos, difícilmente puede alguien afirmar que tal uso implica la revisión del registro histórico: implica un propósito no histórico, pero no un propósito revisionista.

Otra desventaja del enfoque ideológico es la imposibilidad de mantener un verdadero diálogo con aquellos que lo adoptan. El propósito global práctico con el que se comprometen los ideólogos interfiere el camino de la comunicación. El verdadero diálogo entraña un intercambio de ideas con miras a una comprensión mutua y más profunda. Está implicada en el diálogo la posibilidad de un cambio de perspectiva, como ya se ha advertido en el capítulo III. Pero los ideólogos no dejan espacio para tal posibilidad. Sus intereses descansan en la indoctrinación, con vistas al logro de resultados prácticos. Si terminan por envolverse en un diálogo, lo hacen sólo como un medio para lograr su objetivo predeterminado, y sólo en la medida en que no interfiere con dicho objetivo. No hay, para ellos, ningún toma y daca; los ideólogos son tomadores: toman todo lo que pueden coger, a cualquier costo.

Es precisamente esta actitud cerrada y esta suerte de doblez con la que algunos ideólogos participan en el diálogo lo que les ha hecho merecedores de la descalificación y el desdeño por parte de los historiadores serios de la filosofía, pues el empleo consciente y deliberado de la historia de la filosofía para propósitos extraños a dicha historia repugna al espíritu histórico: revela una actitud cínica y sofista hacia el conocimiento histórico, o un compromiso iluso, cuasi religioso, a una causa, y esto constituye un obstáculo insalvable para hacer historia de la filosofía. Como se observó en el capítulo I, la historia de la filosofía entraña la descripción, además de la interpretación y la valoración, pero los ideólogos están interesados sólo por estas dos últimas; es más, incluso: los juicios interpretativos y valorativos a los que llegan se basan en consideraciones no filosóficas, lo que convierte, a su vez, las relaciones históricas que producen en relaciones no filosóficas.

II. ENFOQUES FILOSÓFICOS

La característica principal de los *enfoques filosóficos* de la historia de la filosofía es que, a diferencia de los no filosóficos, intentan ofrecer relaciones filosóficas de las ideas filosóficas del pasado. Hay diez enfoques filosóficos de la historia de la filosofía que me gustaría examinar de una manera especial. Con el fin de facilitar la discusión, le he dado los siguientes nombres a sus practicantes: nostálgicos de la Edad de Oro, románticos, eruditos, doxógrafos, apologistas, críticos literarios, diletantes, idealistas, problemistas y escatologistas. El propósito de estos nombres es sugerir la principal fuerza del procedimiento empleado en cada caso, pero se debe tener cuidado y evitar algunas de sus connotaciones inapropiadas.

Estos diez enfoques diferentes pueden reunirse en dos grupos generales, dependiendo de su propósito y del carácter de la metodología que emplean para conseguirlo. Un grupo, compuesto por los nostálgicos de la Edad de Oro, los románticos, los eruditos y los doxógrafos, lo denomino *histórico*. El otro grupo, compuesto por los apologistas, los críticos literarios, los diletantes, los idealistas, los problemistas y los escatologistas, lo llamo *polémico*. Comencemos con el grupo histórico.

A. *Enfoques históricos*

El propósito de aquellos que adoptan un enfoque histórico es, fundamentalmente, histórico, como su nombre indica, aunque esto se debería entender en un contexto filosófico. Todos los enfoques dentro del grupo de los enfoques filosóficos intentan ofrecer una relación filosófica de la historia de la filosofía, una relación en donde se considera como algo esencial la identificación y el interés por las ideas y las razones filosóficas. Esto diferencia estos enfoques de los enfoques no filosóficos que discutimos antes. Pero en el grupo histórico, ese objetivo es secundario, y se persigue sólo en la medida en que sirve para un propósito predominantemente histórico. Hay un énfasis fundamental en la precisión histórica, la fidelidad a las fuentes y la construcción de una relación precisa del pasado filosófico. La comprensión y el enriquecimiento filosóficos son sólo secundarios y, cuando se dan, se consideran, precisamente, como una consecuencia de la comprensión correcta del pasado. La fuerza recae más bien en la descripción, antes que en la interpretación y la valoración, aunque, como veremos, algunos de estos enfoques fallan precisamente porque su entusiasmo y su reverencia excesivos por el pasado les impide tratarlo y describirlo con algún grado de objetividad. De hecho, algunos de aquellos que favorecen el enfoque romántico llegan hasta tal punto, que rechazan la posibilidad de cualquier objetividad y descripción, invirtiendo de este modo el mismo objetivo que buscaban alcanzar en un principio. De los cuatro enfoques metodológicos mencionados que caen en este grupo, aquellos que emplean los nostálgicos de la Edad de Oro y los románticos muestran, e incluso alientan, encarecidamente, una involucración emocional con el pasado. Los otros dos tienden a favorecer una actitud objetiva y no emocional hacia el mismo.

1. El nostálgico de la Edad de Oro

El *enfoque del nostálgico de la Edad de Oro* posee algunas características en común con el enfoque ideológico, pero sus diferencias son mayores y más fundamentales que sus semejanzas. El rasgo más característico del enfoque ideológico, y que lo distingue de los nostálgicos de la Edad de Oro, es su carácter no histórico: su principal interés por estudiar la historia de la filosofía no es establecer, comprender y valorar dicha historia sino, más bien, defender y promover ciertas ideas con el fin de lograr determinados objetivos que son no históricos. Su actitud para con la historia de la filosofía supone una suerte de desdén hacia la misma, pues los que practican este método se sienten libres de utilizar la historia por motivos extraños a la misma. Pero esto no es cierto en el caso del enfoque de los nostálgicos de la Edad de Oro. De hecho, aquellos que favorecen este último enfoque contemplan algún pasado distante en la historia como el momento en el que la filosofía alcanzó su cenit. Convencidos del valor de los logros del pasado, buscan recuperar el pasado en su "antiguo esplendor".

Con todo, esta misma actitud de reverencia excesiva por el pasado, que puede llegar a extremos extraordinarios y se convierte, a menudo, en casi religiosa, los lleva a concebir el periodo de la historia de la filosofía que admiran sólo en términos positivos, distorsionando, de esta manera, la realidad que buscan comprender y conservar. Cualquier otro momento que no sea dicho periodo se interpreta, o bien como propedéutico para el mismo, si lo precede, o como un deterioro del mismo, si lo sigue: un hecho que establece semejanzas entre este enfoque y el enfoque escatológico que vamos a discutir más tarde. El optimismo exagerado que caracteriza esta perspectiva excluye el análisis, la comprensión y la crítica de las deficiencias del periodo considerado como la Edad de Oro. Como consecuencia, se pierde la objetividad necesaria para el estudio de la historia de la filosofía. Esta pérdida no es el resultado de una decisión maliciosa consciente, en la que se rechaza, a propósito, la objetividad; más bien, es un corolario que se sigue indirectamente, pero que, con todo, se sigue efectivamente, del entusiasmo excesivo de los nostálgicos de la Edad de Oro. En el enfoque de la Edad de Oro se trastoca, implícitamente, la objetividad.

Aquellos que adoptan este enfoque contemplan el pasado con reverencia; pero podemos preguntarnos: ¿por qué lo hacen? La respuesta evidente es que están impresionados por él, y encuentran en él lo que no ven entre sus contemporáneos. Por lo general, esta actitud no se reduce a la filosofía, y en el caso de la filosofía, no se dirige al pensamiento de una persona aislada. La actitud se adopta, por lo general, hacia toda una era en todas o la mayor parte de sus expresiones culturales: arte, arquitectura, literatura, teoría política, etc. Se ha dado el caso, a menudo, de que este enfoque caracterice todo un periodo histórico, el cual considera una época histórica previa como una Edad de Oro. El caso más claro al respecto es el Renacimiento, en donde se glorificó y se imitó la cultura clásica hasta en el último detalle.

Podemos ver claramente en el Renacimiento tanto las ventajas como las desventajas de este enfoque. Entre las ventajas, quizás la más importante sea la posibilidad de comprender y apreciar aspectos del pasado que se les han escapado a otros. La devoción y reverencia características del enfoque nostálgico, la simpatía manifiesta que entraña, conducen a una apreciación de los resortes internos que componen la máquina intelectual de una edad pasada, haciendo inteligibles las ideas y razones que, de otro modo, se les escaparían al observador que no estuviese involucrado. La imitación de los clásicos, que tan a menudo acompaña a este enfoque, descubre no sólo sus ideas, sino los obstáculos que encontraron y las técnicas que perfilaron para vencerlos. Por último, esta actitud conduce a nuevos descubrimientos de diversas clases, tales como conexiones previamente desconocidas, influencias escondidas y logros sutiles; descubrimientos que sólo podrían esperarse del admirador devoto.

Todo esto está ejemplificado, de una manera excepcional, en los humanistas renacentistas, con su admiración por el pensamiento clásico y su devoción por su estudio. De hecho, gracias a los humanistas se han recuperado muchos textos antiguos y se han tomado en serio, de nuevo, sus ideas.[14] Fue como resultado de la sensibilidad extraordinaria de los humanistas hacia la naturaleza del pensamiento y los escritos antiguos que se pudo determinar la autoría exacta de textos que, previamente, se habían asignado, por error, a otros autores, y se pudieron también descubrir falsificaciones. Los destinos de la *Donatio Constantini* y del *Liber de causis* se sellaron para siempre durante el Renacimiento, por citar sólo dos de los textos más conocidos que se vieron afectados por el enfoque metodológico practicado por los humanistas.

Pero del mismo modo que el enfoque nostálgico tiene sus ventajas, también posee serios inconvenientes. En primer lugar, tiende a ahogar la creatividad y el progreso; y, en segundo lugar, como ya se ha advertido, tiende a distorsionar el valor de todo aquello que no pertenezca al periodo considerado como Edad de Oro. Ambos puntos pueden ilustrarse fácilmente por referencia al Renacimiento. Consideremos el segundo, por ejemplo. Es bien conocido que, en su devoción por la antigüedad, los humanistas renacentistas llegaron a menospreciar el periodo entre la antigüedad y su propia época, al que consideraban barbárico, incivilizado, tosco y carente, en absoluto, de cualquier valor filosófico y artístico. Expresaron claramente su actitud al denominarlo la *Edad Media*, es decir, la edad entre las dos edades gloriosas: el Renacimiento y la Antigüedad clásica. Pero ahora, después de que el prejuicio renacentista en contra del periodo medieval se ha desgastado y que los estudiosos no renacentistas han realizado nuevos descubrimientos textuales, conocemos la riqueza, variedad, originalidad y alto nivel filosófico, por no decir artístico, que caracterizó la cultura de esas edades "del medio". De hecho, desde el punto de vista filosófico, el consenso general hoy día es que la Edad Media era mucho más original, compleja e interesante de lo que fue el Renacimiento. El pensamiento de los humanistas se nos muestra, hoy día, carente de originalidad, artificial y, en cierto modo,

---

[14] El retrato más convincente que conozco del humanista es el que aparece en *Romola*, de George Eliot.

superficial si lo comparamos con el de los escolásticos del siglo XIII y XIV, por ejemplo. Irónicamente, algunos historiadores de la filosofía hoy en día consideran el Renacimiento como un periodo transitorio entre la Edad Media y la filosofía moderna, de una manera en cierto modo semejante a como los humanistas renacentistas consideraban la Edad Media.

Pero no olvidemos la primera desventaja que hemos advertido: la ausencia de originalidad que tiende a caracterizar la obra de aquellas personas y épocas dominadas por el enfoque nostálgico. Sin embargo, dicha carencia de originalidad no siempre, ni necesariamente, caracteriza todos los productos de los periodos a los que uno se acerca bajo un enfoque predominantemente nostálgico. En el caso del arte, por ejemplo, el Renacimiento, a pesar de su admiración por las obras de la antigüedad y su imitación de éstas, fue capaz de lograr nuevas cotas de expresión artística que no se alcanzaron en ningún periodo histórico previo. Con todo, en muchos casos la admiración excesiva conduce a la imitación esclava y al sacrifico de la creatividad. Este resultado es bastante evidente en la mayor parte de la filosofía renacentista, en donde el intento por re-crear el estilo literario y las ideas de los antiguos ahogó, con frecuencia, la originalidad.

2. Los románticos

El enfoque romántico tiene muchas cosas en común con el enfoque de los nostálgicos de la Edad de Oro. Al igual que éstos, se involucran emocionalmente con el pasado, al que contemplan como un objeto de amor y devoción. Sin embargo, los románticos tienden a centrarse en autores individuales, que son tratados como héroes, mientras que los nostálgicos, generalmente, centran su atención en un periodo pasado de la historia, al que considera la Edad de Oro. El romántico está interesado, más bien, por el individuo y su vida, y no tanto por sus ideas, como vimos en el texto de Jonathan Rée citado en el capítulo I.[15]

[15] Jonathan Rée, "History, Philosophy, and Interpretation", p. 44. El enfoque romántico parece que es una versión del culto al héroe, que se encuentra

El romántico considera la interpretación del pasado como una especie de actuación artística en la que la identificación sentimental, la creatividad y la forma literaria son más importantes que la objetividad, la fidelidad y el contenido. La lectura de un texto se convierte en algo personal, en donde, como ocurre con la lectura de novelas, de poesía y de otras obras de literatura, vamos en busca de emociones y experiencias, antes que de comprensión lógica convencional. Este procedimiento tiene sentido, de acuerdo con aquellos que lo siguen, pues nunca se puede lograr la pura objetividad; y tampoco es posible mantenerse completamente fieles a una fuente. La clave para la lectura de la historia de la filosofía estriba, más bien, en la inventiva y en la creatividad:

> Ningún pensamiento, y menos aún los filosóficos, se puede representar definitivamente, dado el caso que ningún sistema de representación es definitivo; o, a la inversa, todos los pensadores, especialmente los filosóficos, pueden estar conscientes de que sus pensamientos pudieran estar mejor representados en formas que nunca pudieron imaginar. Ésta es la razón por la que las interpretaciones anacrónicas, ya sea en arte o en teoría, pueden revelar aspectos de una obra que las interpretaciones históricamente auténticas pueden encubrir.[16]

Esto no implica que sea imposible fidelidad alguna; lo que quiere decir es que los historiadores de la filosofía pueden y deberían dejar que la identificación sentimental guíe sus interpretaciones, y deberían sentirse libres de abrirse a la creatividad.

De nuevo es Rée quien nos ofrece un buen ejemplo del modo como trabaja el enfoque romántico cuando se aplica a una obra histórica de la filosofía, como es el caso de la *Ética* de Spinoza:

a lo largo de la historia. *Cfr.* Thomas Carlyle, *On Heroes, Hero-Worship, and the Heroic in History*, Everyman's Library, Londres, 1940, pp. 239 y ss. Detrás de los enfoques más románticos se esconde la figura de Friedrich Nietzsche, que estaba convencido, tanto de la imposibilidad de lograr la objetividad histórica, como del carácter artístico de la misma. Véase *The Use and Abuse of History*, en Oscar Levy (ed.), *The Complete Works of Friedrich Nietzsche*, Russell & Russell, Nueva York, 1964, vol. 5, p. 51.

[16] Rée, "History, Philosophy, and Interpretation", p. 56.

Los románticos [...] ven el mundo de la *Ética* controlado por un autor que no es [...] un miembro sensato, civilizado y sociable de una comunidad intelectual democrática, dispuesto a permitir que se pongan a prueba sus opiniones, como ocurre con cualquier otro. Su Spinoza es un místico complaciente, un santo absorto en sí mismo, a quien le agradecemos por comprender nuestras dificultades y al que nunca acusamos por ser, ante todo, el causante de las mismas. Los románticos no esperarán que su interpretación de la *Ética* atraiga a alguien que no sienta simpatía por tal figura y que crea que los pensamientos filosóficos debieran estar representados siempre en un lenguaje que no esté entremezclado con complejidades tales como la metáfora, la narración o la ironía. Pueden, incluso, afirmar que la buena filosofía siempre apela a formas de representación que entrañan ficciones, y que puede tener éxito sólo para los lectores que están dispuestos a controlar su incredulidad. Y puede que admitan que las ficciones necesarias (el concepto de Spinoza de conocimiento intuitivo, por ejemplo) sean, posiblemente, incoherentes, pero insistirán en que hay verdades importantes que sólo pueden ser aprehendidas si se procede *como si* fueran verdaderas.[17]

Sin duda, el enfoque romántico aporta algo diferente a la historia de la filosofía: una empatía emocional con los filósofos del pasado que ningún otro enfoque parece ofrecer hasta tal extremo. La tarea histórica exige la capacidad de identificarse y compartir emocionalmente con el fin de llegar a las profundidades de un pensamiento filosófico. Debemos interiorizar dicho pensamiento y, en cierto sentido, apropiárnoslo con el fin de descubrir todas sus conexiones y resortes escondidos. Es más, los románticos entienden que la creatividad tiene un papel que desempeñar en la historia de la filosofía. Los historiadores tienen que ser también creativos, pues el estudio de la historia supone introducirse en un mundo esencialmente diferente, en donde es posible que no funcionen los modos de pensar y los conceptos a los que están acostumbrados. El descubrimiento supone la inventiva, la habilidad de vislumbrar nuevas posibilidades, de escapar de patrones establecidos de pensamiento e intentar otros nuevos. Puesto que la línea entre la objetividad y la fidelidad, por un lado, y la subjetividad y la creatividad, por el

[17] *Ibid.*, p. 58.

otro, no es ni mucho menos clara, no hay ninguna duda de que el enfoque romántico enfatiza elementos importantes en la tarea histórica. El problema es que no los mantiene en equilibrio con otros énfasis que son esenciales para dicha tarea, yendo, de este modo, demasiado lejos.

De hecho, el romántico extremo dirá que la tarea descriptiva de la historia de la filosofía es imposible, y que la valoración no puede separarse de la interpretación. Pero, bajo tales condiciones, nos quedamos en el aire, sin un anclaje que asegure nuestra creatividad especulativa respecto del pasado. ¿Puede sernos posible, en tal caso, separar la historia real de la historia ficticia? ¿No estamos condenados por el romántico a tratar todas las historias románticas como igualmente válidas, puesto que expresan las perspectivas particulares de los diferentes románticos, y un romántico es tan bueno como cualquier otro? ¿O existen criterios que nos puedan ayudar a distinguir entre las verdaderas y las falsas historias románticas, o entre las historias románticas que son precisas y las que carecen de precisión? Y puesto que el romanticismo es una cuestión personal, ¿sobre qué bases puede alguien argumentar que una historia es romántica y que otra no lo es, o que una es más romántica que la otra? De acuerdo con lo que nos dicen algunos románticos, el mejor ejemplo de una historia no romántica es la noción que posee Bennett del pensamiento de Spinoza como un sistema hipotético-deductivo. Pero, por todo lo que sabemos, ¡Bennett escribió el libro con lágrimas en los ojos por lo impresionado que estaba de la grandeza del sistema y del ingenio de Spinoza! ¿Convertiría esto a su libro en un ejemplo de historia romántica?

Excluir obras como las de Bennett sobre Spinoza de entre las historias románticas, de acuerdo con aquellos que están en favor de éstas, muestra otra deficiencia importante del enfoque romántico: la identificación sentimental y el impulso emocional favorecido por los románticos parece que están fuera de lugar. ¿Tiene sentido apreciar a un perro porque se parece a un gato? Del mismo modo, parece que no tiene mucho sentido para el historiador de la filosofía, *qua* historiador de la filosofía, simpatizar con los filósofos y apreciarlos por alguna otra cosa que no sea su filosofía. ¿Qué importancia tiene, realmente, para los historiadores de la filosofía que un filósofo particular fuera alto o bajo, guapo o.feo, fraudulento u honesto? Del mismo modo que lo que es importante de los físicos para otros físicos son sus opiniones sobre la naturaleza, igualmente lo que es importante de los filósofos para otros filósofos y también para los historiadores de la filosofía es su filosofía. Su carácter, apariencias o cualquier otra cosa son meramente curiosidades que no tienen por qué considerarse componentes esenciales de una relación histórica de sus ideas filosóficas.

El énfasis de los románticos en las vidas y carácter de los filósofos muestra que su interés por el pasado no es, realmente, filosófico. El historiador romántico se parece mucho a una persona enamorada, pero el amor no es una condición necesaria ni suficiente para que el filósofo o el historiador de la filosofía lleven a cabo sus tareas: de hecho, podría funcionar como una distracción inoportuna y un obstáculo en el camino hacia la verdad. El historiador de la filosofía tiene que tener una mente fría y un intelecto agudo, y no la pasión del amor.

En resumidas cuentas, la historia romántica parece que es, o bien una mala historia, o simplemente una historia con una propensión sentimental. Los aspectos buenos de su enfoque se encuentran ya en otros enfoques de la historia de la filosofía, y los malos son tan serios, que es poco recomendable este enfoque, considerado en sí mismo.

3. El erudito*

El *enfoque del erudito* es fuertemente histórico, más incluso que cualquier otro de los enfoques históricos. Su propósito es descubrir y comprender la historia de la filosofía, proporcionar, en palabras de Rorty, "una reconstrucción histórica" del pasado, en donde la historia es la idea clave.[18] De este modo, el enfoque erudito no incluye en la historia los elementos indeseables característicos del enfoque ideológico. Su principal ventaja sobre el enfoque de los nostálgicos es que no comparte con éste la reverencia excesiva y la devoción características de aquellos que estudian "la Edad de Oro". Esto libera a aquellos que adoptan la perspectiva erudita de las restricciones de

---

* [N. del t. *Scholar* en inglés.]
[18] Rorty, "The Historiography of Philosophy", p. 49.

juicios de valor predeterminados, y les permite apreciar de un modo más objetivo las conexiones entre las ideas históricas. La devoción y la lealtad de los eruditos no van dirigidas hacia un pensador o hacia una época determinados, sino a la historia, al pasado como un todo. Lo que desean es comprender el pasado tal como era, sin mezclarlo con impurezas anacrónicas introducidas en el mismo, como los juicios de valor, los prejuicios, las nociones preconcebidas y cualesquiera otros elementos que empañarían la objetividad necesaria para los estudiosos de la historia, impidiéndoles observar, comprender y presentar el pasado tal como era, en sus propios términos. Esto los diferencia de los románticos, pues aquello con lo que éstos se identifican emocionalmente es con una persona. El erudito no se identifica emocionalmente con las figuras históricas, sino con el procedimiento histórico mismo. La tarea que conciben como propia los historiadores que adoptan el enfoque erudito consiste en la descripción; una descripción completamente objetiva, purgada de cualquier elemento de interpretación y, en especial, de valoración. De hecho, como un defensor reciente de esta postura ha afirmado:

> La cuestión de la verdad o de la falsedad definitivas de las doctrinas no se pone, sencillamente, en tela de juicio: lo único importante es si nuestra relación ha hecho inteligibles las creencias o si no. A veces, esto exigirá un juicio en el que, *en sus propios términos*, es posible que alguna premisa o inferencia que emplee un filósofo ya no esté a su alcance, propiamente hablando. [Pero] si estamos interesados en la reconstrucción histórica [. . .], la falsedad de una premisa aceptada universalmente entonces, no es una parte relevante de la historia.[19]

La tarea del historiador de la filosofía consiste en describir lo que el pasado pensó, sobre la base de lo que dicho pasado dijo y de lo que está revelado en los documentos y en los acontecimientos del periodo. Todo lo que vaya más allá de esto no es historia de la filosofía sino literatura, filosofía, o algo por el estilo. La creatividad, un elemento esencial en la literatura, el arte y la filosofía, favorecida también por los románticos, no va

---

[19] Daniel Garber, "Does History Have a Future?", p. 33.

a desempeñar ningún papel en la tarea histórica, excepto para diseñar nuevos métodos y tecnologías que permitan descubrir el pasado. Obsérvese entonces que, a diferencia de los nostálgicos de la Edad de Oro, el respeto y la devoción del erudito no es hacia el *pensamiento* y las *ideas* determinados de una época o un periodo, ni tampoco, a diferencia del romántico, hacia una figura histórica. Por lo que se refiere a los historiadores que adoptan la perspectiva erudita, el valor de las ideas que estudian es irrelevante para su tarea. Su respeto y devoción se dirigen, más bien, hacia el *documento* y su verificación exacta. El texto que revela dicho documento se convierte en el centro de atención y en la única base para conocer y estudiar el pasado. Cualquier alejamiento del texto, cualquier interpretación no respaldada explícitamente por él, cualquier juicio que no se halle en él, debe eliminarse de la relación histórica. Por esta razón, se ha acusado a aquellos que favorecen este enfoque de anticuarismo: un interés estrecho y exclusivo por el pasado, como vimos en el capítulo I. Y sus críticas apuntan al hecho de que esta actitud restringe sustancialmente la libertad de movimientos del historiador, y la limita, normalmente, a la producción de ediciones críticas, traducciones y biografías, y a la resolución de los problemas textuales y las cuestiones de autoría.

Son muchos los argumentos que se ofrecen para apoyar el enfoque erudito. Algunos son dialécticos, en la medida en que tratan de establecer lo correcto de este enfoque a costa de atacar otros enfoques que están en pugna con él. Pero otros argumentos razonan directamente en favor de esta postura. Uno de tales argumentos, ofrecido recientemente, señala, como se observó en el capítulo I, que la importancia de la historia de la filosofía no estriba en que pueda conducir a verdades filosóficas, sino en que pueda conducir a las interrogantes filosóficas de las que es posible que no hayamos estado conscientes. Ahora bien, prosigue el argumento, con el fin de llegar a esas interrogantes, debemos adoptar un enfoque "desinteresado", es decir, un enfoque en el que se elimine completamente la valoración y en el que la interpretación se reduzca, incluso, a la descripción, pues ésta es la única manera de entender las figuras históricas en sus propios términos y, por tanto, de penetrar en las interrogantes y los temas por los que estaban interesados.[20] Cuando los estudios históricos están infectados por el "interés", tendemos a mirar selectivamente y, por tanto, a distorsionar la comprensión del pasado. La única manera de beneficiarnos del estudio del pasado es comprenderlo tal como era. Al confrontarnos con cuestiones que nos son extrañas, dicho estudio nos ofrece una perspectiva inapreciable sobre los temas y problemas de nuestro propio tiempo.

Esta actitud conduce a la creación de un método historiográfico en el que el trabajo del historiador se reduce a tres tareas: la traducción conceptual, la reorganización de los textos y un rastreo en busca de las influencias. De hecho, gran parte de la historia de la filosofía producida hasta el momento cae, precisamente, en una o más de estas categorías. Entiendo por traducción conceptual no sólo la transcripción, palabra por palabra, de un texto en un lenguaje diferente de aquél en el que estaba escrito, sino también las paráfrasis aproximadas del texto original en un nuevo idioma o en una versión moderna de una lengua antigua. La tarea del historiador, en este caso, consiste simplemente, por decirlo así, en modernizar el idioma del texto con el fin de hacerlo inteligible a aquellos que no están versados en el lenguaje o vocabulario y en el uso, presentes en el texto. La paráfrasis es necesaria para hacer posible esta modernización, puesto que muchas palabras no poseen sus respectivas contrapartidas en el vocabulario moderno, y también para facilitar las conversiones, ausentes a menudo en los antiguos escritos criptográficos. Un amplio número de obras históricas en filosofía caen en esta categoría. Sólo tenemos que echar una ojeada a las fuentes originales para encontrar que lo que muchos historiadores han hecho en sus estudios de éstas es parafrasear de la forma más precisa posible la fuente, y nada más.

Obviamente, la traducción conceptual de textos, tal como lo hemos entendido, es una tarea valiosa y se debería seguir animando encarecidamente. Además, tampoco puede cualquiera entender los textos históricos, puesto que no todo el mundo

[20] *Ibid.*, p. 15.

posee las herramientas necesarias para hacer tal cosa, y la adquisición de tales herramientas requiere un tiempo y un esfuerzo considerables. Los historiadores que se dedican a la traducción conceptual de las obras rinden un servicio valioso a la comunidad filosófica, puesto que nos ponen a disposición materiales que, de otro modo, serían inaccesibles. Es más, también debería quedar claro que hacer este tipo de trabajo requiere no sólo una profunda preparación en filología, sino también en filosofía, puesto que la traducción exige el conocimiento y la comprensión de los conceptos, y no meramente el uso de las palabras. Sin embargo, la cuestión de hasta qué punto debería llegar el traductor es un tema de controversia entre los historiógrafos de la filosofía. Aquellos que adoptan la perspectiva erudita tienden a favorecer un enfoque conservador de la traducción, en donde el énfasis recae, más bien, en tratar de capturar el marco conceptual del pasado, antes que en apropiárselo y traducirlo a terminología contemporánea. Entienden que la traducción conceptual es la que mejor ofrece una paráfrasis cercana, en la que se conservan, en la medida de lo posible, los conceptos principales del original, e incluso el lenguaje.

Por la *reorganización* de textos entiendo una manera un tanto más libre de abordarlos que la paráfrasis directa que he llamado *traducción conceptual*. En este caso, los historiadores no se limitan a hacer el texto inteligible al lector moderno; también buscan presentar interpretaciones del texto y responder a las interrogantes filosóficas que no ha planteado explícitamente el autor, pero que, sin embargo, son del interés de los filósofos modernos. La manera de hacer esto es mirando otros textos que responden a aquellas interrogantes o interpretando los pasajes que se pretenden comprender. Éste ha sido el método tradicional favorito de los teólogos. Puesto que tratan con escrituras sagradas, que se consideran revelación divina, no piensan que pueden "poner palabras en el texto". Bajo tales condiciones, la única alternativa es interpretar el texto por medio de otros pasajes que se encuentran en la misma obra o en otras obras del mismo autor. Este método exegético también les permite a los historiadores responder a cuestiones que el autor histórico no ha planteado explícitamente, pero que se han convertido en objeto de discusión. Así, es posible que alguien quiera saber cuál era, según Platón, el principio de individuación, aunque no parece que haya planteado, explícitamente, el problema de la individuación. Puede ocurrir, por supuesto, que no diga nada que pueda revelar su opinión sobre este asunto. De hecho, es posible que no haya tenido una opinión sobre el tema, e incluso que no haya estado consciente del problema en absoluto. Pero también es posible que dijera algo de pasada que revele que estaba consciente del problema y que sostuvo una opinión al respecto. Este tipo de situación no plantea ningún problema a aquellos que adoptan este enfoque, puesto que, cualquiera que sea el resultado de la investigación, el procedimiento siempre conlleva referencias al texto. Los historiadores que siguen este método se toman ciertas libertades e incurren en determinados peligros, puesto que siempre existe la posibilidad de citar fuera de contexto, pero el peligro se compensa con un inmenso respeto al texto y a su contenido.[21]

Por último, el método erudito también permite seguir el rastro de las influencias en la historia de la filosofía. Las preguntas acerca de quién, qué y de dónde alguien tomó algo constituyen un interés primario para los historiadores que adoptan el enfoque metodológico erudito. Sin embargo, aquellos que se adhieren estrictamente al mismo aceptarán solamente los datos fehacientes. No consideran las semejanzas de doctrina y estilo como evidencia de que ha habido influencia. Están dispuestos a considerar sólo las referencias explícitas internas o externas que señalan una conexión directa entre los autores.

El enfoque erudito favorece la inmersión total. Los historiadores que proceden de este modo intentan sumergirse en sus textos hasta tal punto, que representan a sus autores y hablan sólo sus palabras. Ésta es la quintaesencia de la actitud erudita,

---

[21] Un excelente ejemplo, relativamente reciente, de este enfoque se encuentra en Donald W. Sherburne (ed.), *A Key to Whitehead's "Process and Reality"*, en el que reorganiza el texto de acuerdo con lo que llama un patrón "lineal" (en contraste con el propio patrón "entrelazado" de Whitehead) de tópicos, y en el que añade, de vez en cuando, breves comentarios. El propósito de la reorganización es hacer accesible el pensamiento de Whitehead, no defender o criticar a Whitehead, y, por tanto, el autor se abstiene de la valoración crítica. Véase el libro mencionado (University of Chicago Press, Chicago, 1966), pp. 2-3.

y que ha sido ridiculizada por Jorge Luis Borges en un pequeño cuento conocido al que ya me he referido, en donde Pierre
Menard, un experto sobre la época de Cervantes, se propone reescribir *Don Quijote*.[22] El historiador perfecto, de acuerdo con
este punto de vista, es aquel que puede reproducir cualquier
texto que el autor en cuestión escribió alguna vez, manipularlo
a su gusto tal como el autor lo hubiera hecho si estuviera vivo.
El historiador se convierte, en cierto sentido, en una computadora que contiene las obras completas de un autor y que puede
reproducir cualquier texto o cualquiera de sus partes.

Es claro que son muchas las ventajas del enfoque erudito.
Ante todo, su confiabilidad, su precisión y su objetividad histórica. El erudito va por lo que los autores dijeron, no por lo que
podrían haber pensado y pensamos que han querido decir. Y
tales palabras se internalizan hasta tal punto, que se convierten
en el propio marco conceptual del historiador. Supongamos,
entonces, que poseemos una comprensión perfecta del pasado,
si por comprensión del pasado se entiende pensar exactamente como pensó el pasado; cabría, empero, preguntarse: ¿es de
esto de lo que se trata en historia de la filosofía? ¿Deberían limitarse los historiadores de la filosofía a reorganizar textos y
repensar los pensamientos, y a nada más? ¿Puede un procedimiento de este tipo resultar en una comprensión auténtica? La
comprensión filosófica supone elementos de interpretación y
valoración, discutidos en los capítulos I y IV, y el erudito puro tiene que rechazar ambos. La inmersión textual, por tanto,
incluso en el mejor de los casos, no sirve si se considera por sí
misma, en la medida en que no nos ofrece una relación completa del pasado filosófico.

Éstos son ataques serios en contra del enfoque erudito, pero
hay todavía otro, por lo menos, que es aún más serio: incluso el
enfoque más estrictamente erudito supone elementos que son
incompatibles con el programa explícito de dicho enfoque metodológico. Discutí esta dificultad en el capítulo I, pero en el
contexto actual se pueden mostrar fácilmente las bases de esta
acusación si nos referimos a las tres tareas del erudito que hemos mencionado anteriormente: traducción, reorganización

---

[22] Borges, "Pierre Menard, autor del *Quijote*", citado en el cap. IV, n. 26.

de textos y rastreo en busca de influencias. En una primera impresión, estas actividades parecen inocuas y acordes, perfectamente, con el propósito erudito de la descripción pura, sin mezcla de interpretación o valoración alguna. Pero tras una consideración más detenida, se hace claro que estas tres tareas suponen, por lo menos, un elemento de interpretación. Esto es bastante claro en la búsqueda de influencias y en la reorganización de los textos, pues reorganizar algo supone seguir un orden diferente del que posee, y esto no es menos cierto de los textos de un autor que de cualquier otra cosa. Una tarea puramente descriptiva no podría sino reproducir el orden original: cualquier otra cosa supone la interpretación. De hecho, podría incluso afirmarse que esto también supone un elemento valorativo, puesto que claramente favorece un orden sobre otro, y uno nuevo frente al que ya tenía el texto originalmente. Los elementos de interpretación y valoración son, incluso, más evidentes a la hora de buscar influencias, pues decir que un autor determinado tomó prestada alguna idea de algún otro autor supone la comparación de los textos y las ideas, amén de su interpretación, con el fin de poder establecer las semejanzas y diferencias. Existe también un elemento de valoración cuando los historiadores juzgan, como hacen inevitablemente aquellos que están entregados a esta tarea, que el autor malinterpretó o, por el contrario, se mantuvo fiel a la fuente, pues esos juicios entrañan valores de precisión, exactitud, etcétera.

No son sólo, sin embargo, la reorganización de los textos y el rastreo en busca de influencias los que no se ajustan al propósito puramente descriptivo del erudito. Incluso la traducción, y en especial la traducción "conceptual", requiere de la interpretación, como vimos en el capítulo I. El empleo de cualquier otro signo lingüístico distinto al original entraña una posible modificación en el significado, que puede cambiar el sentido del texto. Si queremos mantenernos absolutamente fieles a una fuente, tenemos que reproducirla tal como es, sin alteraciones de cualquier tipo. Como ha señalado Graham:

> Un extremista que no admitiera los conceptos modernos en sus explicaciones terminará, por ejemplo, teniendo que explicar a Aristóteles en términos aristotélicos [. . .] Pero incluso esto no es

suficiente, puesto que los términos ingleses no serán sino versiones imperfectas del griego. Por tanto, para ser fieles al programa, debemos explicar a Aristóteles en griego. Pero no servirá cualquier griego: tendrá que ser el griego ático del siglo IV, escrito por un hablante nativo de un dialecto jónico, etcétera.[23]

El historiador, aún más, tendrá que evitar cualquier "explicación" en absoluto, puesto que cualquier elaboración supondría, ciertamente, el empleo de términos que no se encuentran en el original o, por lo menos, una reorganización de dichos términos cuando se dé el caso de que todos los términos empleados se encuentran en el original.

El enfoque del erudito, por tanto, no sólo es inapropiado para el historiador de la filosofía, sino, de hecho, inconsistente con el propio programa del erudito. Es por esta razón por la que muchos historiadores de la filosofía han concebido y favorecido enfoques de carácter diferente.

4. El doxógrafo

La principal característica compartida por todos los enfoques doxográficos es su énfasis en la descripción acrítica. A diferencia del carácter más documental y crítico de los enfoques polémicos que se van a discutir más tarde, la doxografía intenta presentar opiniones e ideas de una forma descriptiva, sin intentar valorarlas críticamente. De hecho, en consonancia con su énfasis histórico, la doxografía desalienta a menudo la interpretación. A diferencia de los eruditos, los doxógrafos no intentan ofrecer relaciones en absoluto, sino que se contentan con describir las filosofías del pasado.

En los escritos especializados sobre historiografía nos encontramos con dos maneras bastante diferentes de entender el enfoque doxográfico. Una de ellas es la manera tradicional de

---

[23] Daniel W. Graham, "Anachronism in the History of Philosophy", p. 140. Incluso en tales casos, como lo sugiere Borges, existe un elemento de interpretación, puesto que la "reproducción" acontece en una época diferente de la del original. Ésta es la razón por la que, como se señaló en el capítulo IV, las reproducciones son versiones históricamente imprecisas del pasado; las interpretaciones son esenciales para la comprensión precisa del pasado.

entender la doxografía, expuesta claramente por Passmore en un artículo relativamente reciente.[24] Denomino este enfoque *la doxografía de la vida y el pensamiento*. La segunda manera es una nueva interpretación de la doxografía propuesta por Rorty.[25] La denomino *la doxografía de la pregunta unívoca*. A éstas les añado un tercer tipo de doxografía, que llamo *la doxografía de la historia de las ideas*. Comencemos con la interpretación tradicional de la doxografía.

a. El doxógrafo de la vida y el pensamiento. La característica fundamental de *la doxografía de la vida y el pensamiento* es que se concentra en las vidas y en lo que se considera que son las ideas fundamentales de diversos autores, que se discuten *seriatim*.[26] No se hace ningún intento por discutir los argumentos que los filósofos utilizan como base de sus conclusiones, y tampoco abundan demasiado la interpretación o la valoración sutiles de sus posturas. Es más, aunque el propósito del doxógrafo de la vida y el pensamiento es histórico, en la medida en que su interés es ofrecer una información precisa sobre el pasado, tratan a los filósofos y las ideas, en gran medida, como acontecimientos atómicos, desconectados entre sí. Pasan por alto, generalmente, las circunstancias históricas que han podido tener relevancia para el pensamiento del filósofo, y sus ideas son tratadas como ocurrencias individuales que se han de poner en una lista como formando parte de una especie de credo al que se supone que se han adherido los respectivos filósofos. Es cierto que, como ha señalado Passmore, los practicantes de este enfoque metodológico también agrupan a los filósofos en "escuelas" o los reúnen por grupos, pero esto se hace de una manera bastante mecánica y sirve, más bien, para separarlos que para revelar las conexiones históricas entre diversos filósofos en particular.

---

[24] Passmore, "The Idea of a History of Philosophy", pp. 19–22.

[25] Rorty, "The Historiography of Philosophy", pp. 61–67.

[26] Paul Oskar Kristeller excluye de la doxografía la información biográfica. Dicha información, de acuerdo con él, pertenece a una tradición historiográfica diferente, a la que identifica con el sello de "biográfica". Véase "Philosophy and Its Historiography", p. 620. La manera como Kristeller entiende la doxografía se encuentra en la línea de la etimología de la palabra, que, literalmente, significa la descripción de los conceptos y las opiniones, pero difiere de gran parte de la práctica doxográfica y de la opinión historiográfica.

Así, por ejemplo, se reúne a Locke, Berkeley y Hume y se los estudia bajo el grupo de los "empiristas británicos", porque todos ellos se adhirieron a una opinión determinada en relación con el entendimiento humano; y se reúne a Descartes, Malebranche y Leibniz y se los estudia bajo un grupo aparte, el de los "racionalistas continentales", porque todos ellos sostuvieron una opinión común del conocimiento humano que difería de la de los empiristas; sin embargo, y al mismo tiempo, se pasan por alto las conexiones individuales entre los miembros de los dos grupos. Un factor muy importante en las doxografías de la vida y el pensamiento es la sucesión temporal: se ordenan los autores de acuerdo, más bien, con una cronología, y no en un orden que exprese las interrelaciones históricas entre ellos.

Uno de los primeros y mejores ejemplos de este tipo de doxografía lo constituye la obra *Vidas y opiniones de los filósofos ilustres*, de Diógenes Laercio. Este libro consiste en una serie, ordenada cronológicamente, de breves descripciones de los principales hechos y opiniones de los antiguos filósofos griegos. El libro comienza con un breve prefacio en el que Diógenes defiende el origen griego de la filosofía. De hecho, llega incluso a afirmar que la raza humana misma comenzó con los griegos. Pero también ofrece en el mismo una clasificación muy sumaria y vaga de las ramas de la filosofía (física, ética y lógica), de los filósofos (dogmáticos y escépticos) y de las escuelas filosóficas de la época (los megarenses, los epicúreos, etc.). Después del prefacio, pasa a discutir los filósofos *seriatim*. Estas discusiones son, principalmente, informativas, y están dominadas por los datos biográficos. Por ejemplo, casi la mitad del capítulo dedicado a Aristóteles se ocupa de los hechos de su vida, incluyendo una reproducción y discusión de su testamento, y la otra mitad ofrece una lista de las obras de Aristóteles y los dichos que se le atribuyen. La discusión de la filosofía de Aristóteles, propiamente hablando, ocupa menos de una sexta parte del capítulo, lo que hace que dicha discusión sea claramente insuficiente. Piénsese en el hecho de que los únicos comentarios que hace Diógenes en relación con los *Primeros* y *Segundos analíticos* son como los siguientes: "Como una ayuda para el juicio dejó los *Primeros* y los *Segundos analíticos*. Las premisas se juzgan en los *Primeros analíticos*; el proceso de inferencia se examina en los *Segundos*."[27] Tales afirmaciones no sólo son insuficientes, sino, además, erróneas, pues lo que Aristóteles hace en los *Primeros analíticos* no es juzgar las premisas, sino más bien ofrecernos una clasificación y valoración de las estructuras argumentativas.

Todo esto parece bastante deficiente; y lo es hasta cierto punto. No hay duda de que este tipo de historia de la filosofía no revela las conexiones históricas existentes entre los filósofos del pasado y sus ideas. De hecho, este enfoque distorsiona nuestra visión del modo como surgen y se desarrollan las ideas filosóficas, porque no las presenta como soluciones a los problemas que los filósofos intentaban resolver. Una relación histórica precisa de las ideas filosóficas debe presentar las ideas en su propio contexto, en tanto que soluciones a los problemas si, de hecho, fue con esa intención con la que se concibieron. Como tal, el enfoque de la vida y el pensamiento puede considerarse no sólo ahistórico sino, incluso, algo que distorsiona la historia. Más aún, este enfoque es también filosóficamente superficial, puesto que no profundiza en las ideas y argumentos, y evita, a la vez, el tipo de interpretación y de valoración que, como he dicho en los capítulos I y IV, son requisitos esenciales para la historia de la filosofía.

Por otro lado, no deberíamos ser demasiado estrictos con este enfoque. En primer lugar, debería ser comprensible que algunos de aquellos que lo han adoptado tuvieran un propósito muy específico en mente. No han estado intentando reconstruir la historia de la filosofía o presentar una relación de la misma en el sentido en el que lo hemos establecido aquí. Su propósito ha sido, más bien, ofrecer alguna información básica sobre los filósofos del pasado y sus ideas. Estaban redactando fuentes informativas, el tipo de cosas que todavía se encuentra hoy día en las enciclopedias y otras obras de referencia semejantes. Además, sin duda, dicha información es útil, y la tarea de recopilarla no sólo es perfectamente legítima, sino también históricamente relevante: necesitamos tener obras de referencia

---

[27] Diógenes Laercio, *The Lives and Opinions of Eminent Philosophers*, libro 5, cap. 1, trad. R.D. Hicks, The Loeb Classical Library, 2 vols., W. Heinemann y G.P. Putnam's Sons, Londres y Nueva York, 1925, vol. 1, p. 477.

en donde podamos ir a buscar datos, títulos de libros, resúmenes de las ideas de alguien e información biográfica. Y esto es, de hecho, lo que encontramos en algunas obras clásicas doxográficas, como la que he mencionado de Diógenes Laercio y la de Walter Burleigh, *De vita et moribus philosophorum*. Estas obras sirvieron como modelos para otras obras semejantes en los siglos posteriores, obras que funcionaron, básicamente, como enciclopedias biográficas de filosofía.

El problema con la doxografía de la vida y el pensamiento no está en lo que lleva a cabo, sino en el hecho de que puede tomarse por más de lo que es, y los historiadores se pueden considerar satisfechos con ello. Y se trata de un problema porque la historia de la filosofía supone mucho más de lo que este tipo de doxógrafo ofrece: requiere el análisis filosófico de las ideas y sus razones, así como unas relaciones históricamente precisas de las conexiones entre los autores y sus opiniones. Como ha señalado acertadamente Passmore, "la información doxográfica constituye, por decirlo así, los márgenes de nuestro conocimiento, y ninguna cantidad de dicha información nos ofrecerá algún tipo de comprensión";[28] pero, añadiría yo, ésta sí tiene cabida, con todo, en el *corpus* histórico.

b. El doxógrafo de la pregunta unívoca. El segundo enfoque doxográfico es lo que denomino *la doxografía de la pregunta unívoca*. Aquellos que lo adoptan tienen algunas cosas en común con los escatologistas, de quienes vamos a hablar más tarde. Ambos grupos se aproximan a la historia de la filosofía con cierto punto de vista en mente, y ninguno cree en una historia completamente desinteresada. Pero existe una distinción fundamental entre estos dos tipos de enfoque. Los escatologistas, por lo general, consideran su propio punto de vista como el producto final de un proceso continuo del desarrollo filosófico, y tienen en mente un propósito autojustificatorio. Por el contrario, los doxógrafos de la cuestión unívoca no tienen en mente ningún propósito autojustificatorio, ni tampoco conciben su pensamiento como la culminación de un proceso histórico de desarrollo. Su enfoque metodológico, por tanto, no

---

[28] Passmore, "The Idea of a History of Philosophy", p. 22.

es tan interesante, filosóficamente hablando, como el de los escatologistas. Debido en parte a esto, poseen un mayor sentido de la objetividad histórica que los escatologistas, puesto que no hay ningún interés velado, por decirlo así.

La característica peculiar más importante de la doxografía de la pregunta unívoca es su insistencia en hacer que el pasado responda a preguntas y que se plantee temas que se hicieron evidentes sólo en los periodos históricos subsiguientes. Por lo común, como ha señalado Rorty, suelen plantear una pregunta, como, por ejemplo, "¿qué pensó tal persona que era el bien?", y entonces proceden a sustituir ese "tal persona" por los diversos filósofos del periodo que están estudiando.[29] Su relación histórica consiste en las respuestas que les arrancan a la fuerza a todos los filósofos que examinan. Las listas que resultan (X pensaba que el bien era M; Y pensaba que el bien era N; Z pensaba que el bien era O, etc.) carecen, por lo general, de interés, y apenas contribuyen a la comprensión de la dinámica que conduce a los filósofos a adoptar sus posturas, de los argumentos que emplean para apoyarlas, o incluso del carácter de las mismas respuestas.

El principal presupuesto de este procedimiento, obviamente, es que todos los filósofos, en todas las épocas, están ocupados en las mismas cuestiones, y que éstas no se ven afectadas por las circunstancias históricas que las rodean. Hay que considerar las preguntas filosóficas, de acuerdo con esta clase de doxógrafos, *sub specie aeternitatis*. Ésta es la razón por la que he empleado la expresión *pregunta unívoca* para describir este enfoque metodológico, puesto que, de acuerdo con esta perspectiva, se considera que todos los filósofos se ocupan de las mismas preguntas filosóficas, considerando esta "mismidad" de un modo unívoco.

Nótense, además, las diferencias importantes entre el enfoque de la vida y pensamiento, y el enfoque de la pregunta unívoca. En el primer caso, el énfasis prevaleciente recaía en los datos, biográficos y filosóficos, dispuestos en orden cronológico y por escuela. En el enfoque de la pregunta unívoca, el interés sistemático se vuelve más importante, y empieza a vislumbrarse

---

[29] Rorty, "The Historiography of Philosophy", p. 62.

el comienzo de un interés por los problemas, reducidos, de un modo simplista, a preguntas.

La doxografía de la pregunta unívoca ha sido criticada duramente por algunos historiógrafos, pero debería tenerse en cuenta que no todo lo que hay en ella es malo. De hecho, en muchos aspectos se trata de un enfoque histórico más objetivo que el utilizado por muchos otros historiadores. Su falta de interés por defender un punto de vista determinado y la ausencia de una perspectiva "progresiva" quieren decir que los practicantes de este tipo de enfoque metodológico pueden examinar el pasado de una manera desapasionada, lo cual les permite una imagen más exacta del mismo. Por medio de este método podría ser más fácil llegar al pasado tal como era, y no como nos hubiera gustado que fuera. Los peligros de la doxografía de la pregunta unívoca radican, más bien, en su insistencia por obtener respuestas del pasado a preguntas y cuestiones que es posible que le sean extrañas, distorsionando, de este modo, el marco conceptual en el que trabajaban las figuras del pasado. Téngase en cuenta que es posible que no haya nada de malo en plantearle preguntas al pasado sobre la base de preocupaciones posteriores. Lo que es erróneo es insistir en que el pasado tiene que responderlas, y hacerlo dentro de los parámetros establecidos actualmente. Por tanto, no hay nada de malo en preguntar si Platón tenía un principio de individuación, por ejemplo. Lo que es malo es exprimir, de los textos de Platón, dicho principio, y entonces considerar que dicha respuesta es la de Platón, aunque éste no haya pensado nunca en la individuación ni haya propuesto nunca un principio de la misma.

La insistencia del doxógrafo de la pregunta unívoca en plantearle preguntas al pasado y en introducir cierto orden e inteligibilidad en su vasta extensión por medio de tales cuestiones es digno de elogio. Los aspectos objetables del procedimiento estriban en que se abusa del mismo y no se respeta la integridad del pasado, en parte porque se simplifica demasiado y, en parte, porque se niegan las circunstancias idiosincrásicas dentro de las que surgen y se abordan los temas filosóficos. Es justo considerar si uno puede pasar un cubo de madera a través de un agujero circular cuyo radio es igual a la mitad del lado del cubo, pero es estúpido insistir en tratar de hacer pasar el cubo a través del agujero.

Deberíamos tener cuidado, por tanto, en no reaccionar enérgicamente en contra de la doxografía de la pregunta unívoca, rechazando, como hizo Collingwood, la posibilidad de que varios filósofos, de diferentes épocas, hayan abordado la misma cuestión o, por lo menos, una parecida.[30] Esto nos haría caer en el tipo de historicismo que haría imposible la historia de la filosofía, y en contra de lo cual he discutido en el capítulo II.[31] Pero para rechazar la doxografía de la pregunta unívoca no se necesita llegar a tales extremos. Es suficiente con indicar la necesidad de tomar en cuenta el contexto histórico local en la historia de la filosofía y reconocer que los problemas filosóficos son enormemente complejos y, a menudo, se resisten a la simplificación.

c. El doxógrafo de la historia de las ideas. Existe, todavía, un tercer enfoque doxográfico, y es el del, así llamado, *historiador de las ideas.* Quizás la mejor manera de describir las características fundamentales de este enfoque sea en palabras de Philip P. Wiener, uno de los principales practicantes y proselitistas del mismo. En el Prólogo a su monumental *Dictionary of the History of Ideas,* del que fue editor, deja clara la contribución especial del historiador de las ideas: "El historiador de las ideas realiza su contribución particular al conocimiento rastreando las raíces culturales y las ramificaciones históricas de los intereses principales y secundarios de la mente."[32] El propósito de esta clase de estudio, además, "es ayudar a establecer algún sentido de unidad del pensamiento humano y de sus manifestaciones culturales en un mundo de incesante especialización y enajenación".[33]

---

[30] Robin George Collingwood, *An Autobiography,* Oxford University Press, Londres, 1939, pp. 59 y ss.

[31] Passmore, "The Idea of a History of Philosophy", pp. 11 y ss.

[32] Philip P. Wiener (ed.), *Dictionary of the History of Ideas,* Charles Scribner's Sons, Nueva York, 1973, p. vii. Para una formulación actualizada del propósito de la historia de las ideas, así como el de su historia, véase Donald R. Kelley, "What Is Happening to the History of Ideas?", *Journal of the History of Ideas,* vol. 51, no. 1, 1990, pp. 3–25.

[33] Wiener, *ibid.,* vol 1, p. viii.

Este propósito se lleva a cabo, concretamente, como en el *Dictionary of the History of Ideas*, intentando "exhibir la fascinante variedad de modos en los que las ideas de un dominio tienden a migrar hacia otros dominios. La difusión de estas ideas puede buscarse en tres direcciones: horizontalmente, a través de las disciplinas en un periodo cultural dado; vertical o cronológicamente, a través de las épocas; y 'en profundidad', por medio del análisis de la estructura interna de las ideas predominantes y axiales".[34]

A partir de esta descripción del procedimiento que sigue el historiador de las ideas, debería quedar claro que éste difiere, de forma importante, de los procedimientos seguidos por los otros dos enfoques doxográficos discutidos anteriormente. El practicante de la doxografía de la historia de las ideas va bastante más allá del mero registro de las ideas de autores particulares, y trata, especialmente, de ver la continuidad de estas ideas en la historia, así como de investigar sus orígenes y desarrollo. Del mismo modo, puede distinguirse este enfoque del enfoque de la doxografía de la pregunta unívoca en dos aspectos. En primer lugar, los historiadores de las ideas no tienen en mente, necesariamente, una pregunta determinada que plantear a cada uno de los autores que estudian. Su interés no recae tanto en las preguntas como en los conceptos, aun cuando su interés por éstos los llevará, sin duda, a investigar y discutir las preguntas que hayan podido dar lugar a las ideas particulares. En segundo lugar, como señala Wiener, por lo menos un modo de la investigación de la historia de las ideas busca examinar estas ideas en profundidad, y lo hace analizándolas en detalle con el fin de entender su estructura interna y, quizás podríamos añadir, su fuerza y atractivo. En este sentido, los historiadores de las ideas van mucho más allá del procedimiento, bastante mecánico, seguido por los doxógrafos de la pregunta unívoca. Por último, es importante advertir que el interés en las conexiones interdisciplinarias salvaguarda, en teoría, este enfoque del tipo de insularismo cultural de los otros dos enfoques doxográficos, en donde las cuestiones de las circunstancias culturales e históricas tienden a ser ignoradas.

[34] *Ibid.*, p. vii.

Estas características positivas hicieron que este enfoque tuviera bastante aceptación a comienzos de este siglo. En las manos de un maestro como Arthur Lovejoy, cuyo *The Great Chain of Being: A Study of the History of an Idea* (1933) se considera como un modelo de la aplicación del método, este enfoque alcanzó un nivel tan elevado, que ayudó a difundirlo entre los historiadores intelectuales. Es más, su énfasis en la continuidad y en la comprensión de las influencias ayudó a traer el tipo de orden y sentido a la historia intelectual que durante tanto tiempo habían deseado ardientemente muchos historiadores.

Por otro lado, como ocurre con otros enfoques doxográficos, existen problemas con este enfoque. La mayor parte de los problemas surge porque se tratan las ideas como ciertas unidades atómicas que se supone que se pasan, enteras o en parte, de un autor a otro, sin experimentar en sí mismas cambios sustanciales. Y este tratamiento constituye un problema porque, aunque parezca que algunas ideas son de este tipo, hay otras que no lo son. Cuando uno se enfrenta con la doxografía de la historia de las ideas y la manera como ésta tiende a considerar las ideas, no se puede evitar el recuerdo de la concepción de Platón de las ideas como algo absoluto, inmutable y eterno, y de cómo éste confinaba lo relativo, el cambio y el tiempo a un mundo diferente e inferior a aquél ocupado por las ideas. Aunque el historiador de las ideas estudia, sin duda, su desarrollo histórico, en el trasfondo existe siempre la sensación de que estos desarrollos históricos son meras ocurrencias accidentales que no afectan a las ideas en sí mismas. Las ideas afectan a aquellos que las sostienen; pero parece que ellas mismas son inmunes a cualquier clase de influencia, y poseen una vida propia.[35] Este

[35] Este aspecto es evidente en el siguiente pasaje de Lovejoy: "Existen, he sugerido, muchas 'ideas-unidades' —tipos de categorías, pensamientos acerca de aspectos particulares de la experiencia común, presupuestos implícitos o explícitos, fórmulas sagradas y tópicos, teoremas filosóficos específicos, o las hipótesis más amplias, las generalizaciones o los presupuestos metodológicos de varias ciencias— que poseen una larga historia viva por sí mismas, se pueden encontrar actuando en las regiones más variadas de la historia del pensamiento y del sentimiento humanos, y ante las cuales las reacciones intelectuales y afectivas de los hombres —personas aisladas y las masas— han sido enormemente diversas [. . .] Hasta que esas unidades no se han delimitado por primera vez, hasta que cada una de aquellas que ha realizado algún papel importante en la

tipo de "antropomorfismo", por utilizar un término de Huizinga, está bastante extendido entre los doxógrafos de la historia
de las ideas.[36]

Existe también la tentación en este enfoque, a raíz de su énfasis en la continuidad, de no considerar las diferencias que
marcan el pensamiento de la mayor parte de los autores y, en
particular, de aquellos que emplean las mismas fórmulas lingüísticas para expresarse. Este problema se puede agravar por
el relativo poco interés que ponen los que practican este método
en el análisis filosófico de las ideas. Bien es verdad, como señala
Wiener, que el análisis "en profundidad" de la estructura interna de las ideas es una de las maneras como puede practicarse
la historia de las ideas. Curiosamente, sin embargo, lo relega al
tercer lugar de la lista de los tres modos diferentes de practicar
la disciplina, y no hace de dicho análisis un requisito de los otros
dos. De hecho, es propio de muchos practicantes de la historia
de las ideas omitir este tipo de análisis en profundidad, razón
por la que, a menudo, pasan por alto el verdadero significado
de dichas ideas.[37] En parte, este problema surge por el hecho
de omitir, como ya se ha dicho, las preguntas y los problemas

historia se ha buscado por separado a lo largo de las regiones en las que ha
entrado y en las que ha ejercido influencia, cualquier manifestación de la misma en una simple región de la historia intelectual, o en un escritor individual
o en un escrito aislado, será, en tanto que regla, entendida imperfectamente,
y, a menudo, pasará completamente desapercibida", Arthur O. Lovejoy, *Essays
in the History of Ideas*, The Johns Hopkins University Press, Baltimore, 1948,
p. 9. Obsérvese que parece que las ideas, aunque desempeñan su papel en la
historia, ellas mismas no cambian. La resistencia al cambio sugiere el modelo
platónico.

[36] Johan Huizinga discute el antropomorfismo histórico en "Die Historische Idee", en *Verzamelde Werken*, vol. 7, H.D. Tjeenk Willink, Haarlem, 1950,
pp. 136 y ss.

[37] Como señala Russell en el Prefacio a la primera edición de *The Philosophy of Leibniz*, 2a. ed., George Allen & Unwin, Londres, 1937, p. xi: "Existe una
tendencia [...] a prestar tanta atención a las *relaciones* entre las filosofías, que
no se presta la debida atención a las filosofías mismas. Se pueden comparar
las filosofías sucesivas como comparamos las sucesivas formas de un patrón
o diseño, sin considerar apenas, e incluso sin considerar en absoluto, su significado; se puede establecer una influencia sobre la base de una evidencia
documentada, o por la identidad de la frase, sin comprender en absoluto los
sistemas cuyas relaciones causales se están discutiendo."

que hicieron que las ideas pasaran a ocupar un primer lugar, y también por tratar las ideas como fenómenos autocontenidos. Por estas razones, he clasificado el método utilizado por los historiadores de las ideas como una especie de doxografía, cuyo énfasis principal recae más bien en la descripción acrítica, y no en el análisis. Con todo, la importancia y el valor de este procedimiento no se debería infravalorar. Todo lo que hay de bueno en él, y hay mucho de ello, como ya hemos visto, debería encontrar su espacio en cualquier procedimiento que pretende ser mejor.

Vamos a pasar, ahora, a un conjunto diferente de enfoques metodológicos, en donde se enfatiza menos la dimensión histórica de las relaciones históricas que la filosófica. Me refiero a los enfoques polémicos.

B. *Enfoques polémicos*

A diferencia del propósito del grupo histórico, el del grupo *polémico*[38] no es, principalmente, histórico. El interés filosófico prevalece sobre el histórico. Como consecuencia, los métodos que emplea este grupo para tratar las figuras y las ideas históricas tienden a enfatizar el sentido y el valor de esas ideas, antes que su historicidad. Su enfoque tiende a ser, principalmente, interpretativo y valorativo, mientras que los enfoques históricos tienden a ser puramente descriptivos o, por lo menos, intentan serlo. El grupo polémico se compone del apologista, el crítico literario, el diletante, el idealista, el problemista y el escatologista.

1. El apologista

El foco principal del método empleado por el *apologista* es la defensa: la defensa de ciertas ideas o de ciertos pensadores. Este énfasis es tan fuerte, que, con frecuencia, la defensa de esas ideas y pensadores sobrepasa la principal tarea histórica de comprender el pasado. A menudo, las ideas y las opiniones de los

[38] Estoy adoptando aquí la terminología de Passmore, pero lo que él entiende por *polémico* no es, exactamente, lo que yo trato de dar a entender cuando empleo el término. Para su opinión, véase "The Idea of a History of Philosophy", pp. 5 y ss.

pensadores en cuestión son presentadas bajo fórmulas estándar que se repiten como si fueran artículos de fe. De hecho, se omite el análisis de lo que las fórmulas significan, porque el propósito hacia el que se dirigen todos los esfuerzos es la defensa eficaz de dichas ideas y autores, en contra de lo que se consideran ataques hostiles. Aquellos que adoptan este enfoque en el estudio de la historia de la filosofía se vuelven extremadamente susceptibles a la crítica, de manera que incluso las cuestiones de aclaración se consideran, por lo general, como desafíos hostiles y se tratan como objeciones que han de ser respondidas, antes que como requerimientos de elaboración y análisis. Parece que están preocupados sólo en encontrar en la historia de la filosofía los medios de defensa que necesitan para proteger la idea o al autor que apoyan contra aquellos que los desafían.

Con bastante frecuencia, la actitud apologética, característica de este enfoque, se asocia con un filósofo determinado, cuyo pensamiento se considera tan refinado y verdadero, que se encuentra más allá de toda mejora. Esta actitud va mucho más allá de lo que se ha venido en llamar el *principio de caridad*. Este principio establece que debería ofrecerse siempre la mejor interpretación posible de un autor o un texto. Descansa, a su vez, en otros dos principios. El primero es la suposición de que los filósofos del pasado eran tan sagaces y tan perspicaces, filosóficamente hablando, como los filósofos actuales y, por tanto, que la mayor parte de ellos, probablemente, estaba consciente de cualquiera de los problemas y dificultades de los que están conscientes los filósofos actuales. Así, si un filósofo actual encuentra dificultades con ciertos temas, se supone que el autor histórico también estaba consciente de tales dificultades: siendo éste el caso, por supuesto, debería ser leído desde la perspectiva más favorable, de manera que se puedan resolver, o evitar, las dificultades en cuestión.

El segundo principio es la regla metodológica que consiste en que siempre es preferible ofrecer la interpretación más sólida posible de un argumento o de una opinión, especialmente si el argumento o la opinión socava una postura que sostenemos hoy día. Si nuestro propósito es ver nuestra postura completamente probada, la mejor manera de hacerlo es enfrentándola cara a cara y respondiendo a las objeciones más fuertes que se podrían apelar en contra de ella. Esto supone algo más que seguir el dicho: "conoce a tus enemigos"; implica sostener que debería presentarse batalla a las fuerzas más poderosas que se puedan atropar en contra de uno mismo, de manera que la victoria sea decisiva, y no pírrica. Además, existe siempre la posibilidad de que pudiéramos estar equivocados y, por tanto, que el desarrollo del caso más sólido posible de una postura contraria a la nuestra nos lo pueda hacer ver.

Los apologistas, sin embargo, van mucho más allá del principio de caridad. Se adhieren, más bien, a lo que llamo el *principio de infalibilidad*. De acuerdo con este principio, los autores históricos son considerados infalibles. La posibilidad de que pudieran estar equivocados de alguna forma, de que pudieran haber ofrecido un argumento en el que la conclusión no se sigue, o de que sus opiniones pudieran ser falsas o incoherentes, se descarta de raíz. Cualquier sospecha de un error se interpreta como una falla de parte del historiador, antes que de parte de los autores, y se debe resolver modificando la metodología y el enfoque del historiador.[39] En resumidas cuentas, esta actitud es muy parecida a la de los religiosos, devotos de las sagradas escrituras, razón por la cual le gusta a Peter Hare llamar *sectarios* a los historiadores que adoptan esta actitud. Por supuesto, es ésta una postura extrema y que no todos los apologistas adoptan, pero hay, de hecho, muchos casos de historiadores de la filosofía que, implícitamente, adoptan el principio de infalibilidad.

Uno de los filósofos mejor conocidos que ha tenido la fortuna (o la mala fortuna, dependiendo del punto de vista) de ser el objeto de la actitud apologética es Tomás de Aquino.[40] Durante su vida, tuvo un número considerable de seguidores, que aumentó paulatinamente, a pesar de pequeños contratiempos, durante los 400 años que siguieron a su muerte y, de nuevo,

---

[39] Algunos llegan al punto de negar cualquier desarrollo en el pensamiento de un autor durante todo un periodo de tiempo. Esta actitud es poco usual. Lo más frecuente es la idea de que es posible que el autor no haya cambiado de opinión.

[40] Karl Marx, por supuesto, es otro. El caso de Marx se asemeja al de Tomás de Aquino en que se ha convertido en una autoridad institucionalizada, en este caso para el Partido Comunista y para aquellos países que han adoptado el comunismo como su filosofía oficial.

después de la mitad del siglo xix. Dos factores contribuyeron enormemente al desarrollo y aumento del espíritu apologético entre sus seguidores. El primero consistió en que era miembro de la orden dominica. Después de su muerte, los dominicos lo adoptaron como su portavoz oficial doctrinal, su doctor y maestro, y lo utilizaron en sus batallas contra otros religiosos, como los franciscanos. El pensamiento de Tomás de Aquino acabó identificándose con la misma perspectiva propuesta por los dominicos y, por tanto, un ataque a sus ideas se entendía como un ataque a la propia orden.

El segundo factor que contribuyó al desarrollo de la actitud apologética entre los seguidores de Tomás de Aquino fue que, en 1879, el Papa León XIII declaró que su filosofía poseía valor perenne y, por tanto, compatible, de una manera eminente, con el magisterio católico. Nombró al tomismo *philosophia perennis*. La consecuencia inmediata del pronunciamiento del Papa fue que una buena parte de los amplios recursos de la Iglesia católica se dirigieron al estudio y apoyo de las opiniones de Tomás de Aquino, otorgando a su pensamiento un lugar exclusivo entre los demás doctores de la Iglesia. Como consecuencia, hasta el presente, y a pesar de algunos contratiempos recientes, parece que hay más publicaciones sobre Tomás de Aquino y su pensamiento que sobre cualquier otra figura en la historia de la filosofía, con la posible excepción de Marx.

Incluso antes de que León XIII pronunciara oficialmente que la filosofía de Tomás de Aquino poseía un valor perenne, sin embargo, la actitud de muchos tomistas hacia el Aquinate era abiertamente apologética. Quizás el mejor ejemplo, aunque no uno que terminara en completa esterilidad, es el de Juan de Santo Tomás (1588-1644). En su *Cursus theologicus, Tractatus de approbatione et auctoritate doctrinae d. Thomae*[41] subraya, explícitamente, las cinco señales de un verdadero discípulo de Tomás de Aquino, e identificó como su principal propósito explicar y desarrollar la enseñanza del maestro cuyo nombre había adoptado. El auténtico discípulo de Tomás, de acuerdo con Juan de Santo Tomás, tiene que (1) volver la mirada a la línea continua

---

[41] Juan de Santo Tomás, *Cursus theologicus, Tractatus de approbatione et auctoritate doctrinae d. Thomae*, Disp. II, a. 5, Desclée, París, 1931, vol. 1, pp. 297-301.

de sucesión de los discípulos previos que se adhirieron fuertemente a las doctrinas del maestro; (2) debe estar dispuesto enérgicamente a defender y desarrollar las opiniones de Tomás antes que discrepar cautelosamente de ellas o explicarlas sin mucho entusiasmo; (3) tiene que subrayar la gloria y brillantez de las doctrinas tomistas antes que sus propias opiniones y la novedad de la interpretación; (4) debe seguir a Tomás de Aquino, llegar a las mismas conclusiones, explicar las razones del maestro y resolver cualquier aparente inconsistencia en sus opiniones; y (5) debe buscar un mayor acuerdo y unidad entre los discípulos de Tomás.

Obviamente, Juan de Santo Tomás fue firme en su defensa de Tomás de Aquino y excluyó la posibilidad de desacuerdo con tales opiniones. Si se observa la filosofía de Juan de Santo Tomás, nos encontramos con que trató con bastante empeño de adherirse a aquellos principios debido a que su admiración por las opiniones del maestro no tenía límite. Desafortunadamente, los resultados de esa actitud no eran siempre tan ortodoxos como le hubiera gustado, ni tan exitosos, filosóficamente hablando, como los resultados que hubiera obtenido una aproximación no apologética a las opiniones de Tomás de Aquino, como veremos en breve.[42] Pero estos fracasos no han desalentado a muchos tomistas modernos, no sólo para seguir los pasos de Tomás, sino también para adoptar la actitud apologética subrayada por Juan de Santo Tomás.

El caso de Tomás de Aquino es bastante extremo; pero muchos otros filósofos del pasado han sufrido un destino semejante, aunque en un menor grado: Platón, Aristóteles, Hegel, y, más recientemente, Wittgenstein, por ejemplo. De hecho, la lista podría ser muy larga.

Las razones por las que se desarrolla la actitud apologética son bastante comprensibles. Después de todo, las figuras que disfrutan de tan fieles seguidores son, por lo general, filósofos de primer rango, quienes, sin duda, han descubierto verdades importantes y se nos han presentado con síntesis conceptuales

---

[42] *Cfr.* Jorge J.E. Gracia y John Kronen, "John of St. Thomas", en Jorge J.E. Gracia (ed.), *Individuation in Scholasticism: The Later Middle Ages and the Counter Reformation*, SUNY Press, Albany, Nueva York, 1994.

que han tenido una relevancia universal y un valor para todos los tiempos. En gran medida, el poder de su pensamiento y de sus ideas engendra el tipo de lealtad que hace de sus partidarios unos apologistas. Además, se siguen algunas ventajas al adoptar la actitud apologética en el estudio de las figuras históricas. En primer lugar, la lealtad y el compromiso hacen posible una comprensión que, de otro modo, podría pasarse por alto. No se debe infravalorar la estrecha relación entre la voluntad y el intelecto. Conocer y querer son dos cosas diferentes, y no siempre es la voluntad de conocer un requisito para conocer. Pero en algunos casos la voluntad de conocer es un requisito del conocimiento y, en otros, es, por lo menos, beneficiosa. Así, el deseo por entender a un autor porque se simpatiza, de antemano, con sus opiniones o porque existe un compromiso con ellas debería ser beneficioso en el logro de dicha comprensión. En este sentido, la actitud apologética disfruta de ventajas semejantes a las de los enfoques de los nostálgicos de la Edad de Oro y de los románticos.

Además, y éste es, quizás, el aspecto más importante y beneficioso de este enfoque, los partidarios apologistas tratan a sus héroes como filósofos contemporáneos; y sus ideas, como alternativas conceptuales vivientes. Los involucran en los problemas contemporáneos que tienen que ver con su propia época, y extienden el pensamiento de los pensadores del pasado a campos y áreas en los que ellos no se aventuraron. Ésta es una ventaja importante, porque si la historia de la filosofía incluye enunciados filosóficos interpretativos y valorativos, como he sostenido en el capítulo I, entonces es esencial que trate a sus figuras como filósofos vivos y sus ideas como alternativas intelectuales viables.

Sin embargo, las desventajas de este enfoque pesan más que sus ventajas, y han contribuido a la creación de una mala reputación en aquellos historiadores y filósofos que lo adoptan abiertamente. Estas deficiencias surgen de la excesiva preocupación por la valoración y la interpretación, en detrimento de la dimensión descriptiva de la tarea histórica. La desventaja más obvia de este enfoque estriba en que su firme compromiso hacia determinadas ideas desmejora cualquier apreciación crítica equilibrada: de hecho, la impide, viciando la perspectiva del historiador desde el principio e impidiendo la objetividad requerida en cualquier empresa histórica. Además, su fiel adhesión a fórmulas firmemente establecidas, unida a su énfasis en la defensa, antes que en el análisis y la comprensión críticos, conducen a menudo a la ausencia de una verdadera comprensión del significado y alcance de las mismas fórmulas defendidas.

Otra consecuencia no deseada del firme compromiso de los apologistas es la ausencia de una consideración, y aún menos de una apreciación serias, de opiniones distintas a las propuestas por los autores que favorecen. Esta actitud se agrava, especialmente, cuando aquellas ideas parecen contradecir las opiniones del autor favorecido.

Por último, una actitud predominantemente apologética excluye la posibilidad de un diálogo real y serio con otros filósofos. No puede haber diálogo alguno entre dos partes, una de las cuales sabe que tiene la verdad y cuyo único propósito es defenderla o hacer proselitismo con aquellos que discrepan de ella. El diálogo, como se ha señalado en el capítulo III, se fundamenta en la posibilidad de que aquellos que participan en él puedan lograr una mejor comprensión, corregir sus errores, o cambiar su posición. De lo contrario, lo único que hay es un aparente intercambio de opiniones sin un intento efectivo de comunicarse, es decir, de comprender las respectivas posiciones y de promover la verdad. Lo que más ha pesado, tradicionalmente, en contra de aquellos que adoptan un enfoque apologético ha sido su actitud, cerrada al diálogo; esto los ha aislado de otros historiadores y filósofos, quienes llegan a la conclusión, después de un intento por comunicarse con ellos, de que cualquier intercambio real de opiniones con éstos resulta imposible.

Un buen ejemplo de la mayor parte de estos problemas del enfoque apologético lo tenemos en la exposición que hace Juan de Santo Tomás del principio de individuación de Tomás de Aquino; pero voy a limitar mi discusión al hecho de que dicha exposición distorsiona la opinión de Tomás de Aquino. Esto debe servir como un ejemplo suficiente de lo que quiero dar a entender.

La discusión de Juan de Santo Tomás del principio de individuación explícitamente establecido por Tomás de Aquino, esto es, la materia designada por la cantidad, refleja su deseo por encontrar una interpretación de la opinión del Aquinate que salga inmune del tipo de objeciones que surgen de la violación de dos principios importantes: el primero es que, en una metafísica de la sustancia y el accidente, el principio de individuación debe ser sustancial; el segundo es que el principio de individuación no podría ser algo formal, porque lo que es formal no es individual. La opinión de Tomás parece que viola ambos principios, puesto que la cantidad es, a la vez, formal y accidental. De manera que, con el fin de hacer de la opinión del maestro algo indisputable, Juan de Santo Tomás modifica la fórmula de Tomás de la siguiente manera: "materia radicalmente designada por la cantidad".[43] Añadiendo "*radicalmente*" a la fórmula, se intenta responder a estas objeciones, al hacer que la designación de la materia se acerque más a la sustancia y sea menos formal (la palabra *radicaliter* en latín, al igual que su contrapartida en español,* provienen de una palabra que significa "raíz"). Sin embargo, un estudio detenido de Tomás de Aquino, como han indicado algunos estudiosos, muestra que su opinión no sólo se formuló de un modo diferente, sino que la fórmula provista por Juan de Santo Tomás podría, en realidad, haber sido inaceptable para Tomás,[44] puesto que, a lo largo de su obra, parece que Tomás de Aquino ha pasado de entender por materia designada las dimensiones indeterminadas, a entender por ella las dimensiones determinadas, es decir, ha pasado de una concepción sustancial de la designación de la materia a una concepción accidental.

A pesar de las limitaciones del enfoque apologético, se debería considerar completamente filosófico y, por tanto, distinto de los enfoques no filosóficos discutidos anteriormente. Aunque este enfoque enfatiza la defensa, tanto este tipo de defensa

---

[43] Juan de Santo Tomás, *Cursus philosophicus thomisticus secundum exactam, veram, genuinam Aristotelis et Doctoris Angelici mentem*, B. Reiser (ed.), 3 vols. Marietti, Turín, 1933, vol. II, p. 784.

* [N. del t. Como es obvio, el autor se refiere al correspondiente inglés (*radically*) de la palabra *radicaliter*, pero lo mismo se aplica al español "radicalmente": por eso me he tomado la licencia de sustituir "contrapartida inglesa" (*english counterpart*) por "contrapartida en español".]

[44] Véase Umberto Degl'Innocenti, "Il principio d'individuazione dei corpi e Giovanni di S. Tommaso", *Aquinas*, no. 12, 1969, pp. 59–99, y Gracia y Kronen, "John of St. Thomas".

como la relación del pasado que ofrece son filosóficos, en la medida en que las razones que se discuten sobre las opiniones de los filósofos del pasado son razones filosóficas y no psicológicas, culturales, etc. El apologista anda en busca de la defensa, pero una defensa entendida en términos filosóficos.

Es cierto que el apologista comparte con el ideólogo, por ejemplo, el fuerte énfasis en la defensa, pero los apologistas no están orientados con tanto empeño hacia el proselitismo como lo están los ideólogos. Además, los apologistas se entregan a la defensa partidista porque están comprometidos, más bien, con cierta idea o sistema de pensamiento propuesto por un autor, y no por factores ajenos a tales ideas, como es el caso del ideólogo. Por último, el compromiso de los apologistas hacia las ideas principalmente, y sólo secundariamente al autor que descubrió o propuso tales ideas, los separa, por lo general, de los románticos.

2. El crítico literario

Los historiadores de la filosofía que se aproximan a la historia de la filosofía como *críticos literarios* comparten un interés por mirar los textos históricos como producciones literarias en los que la forma literaria es fundamental, mientras que el contenido es, puramente, una función de la forma.[45] La razón fundamental que está detrás de esta postura es que los escritores de textos filosóficos, consciente o inconscientemente, utilizan la forma y el estilo literarios para transmitir todo el mensaje que desean comunicar, pues la forma y el contenido nunca pueden darse completamente separados: todo contenido tiene que transmitirse por medio de un lenguaje, y el lenguaje siempre presenta una articulación determinada. De este modo, es a través de la forma, en cuanto texto literario, como debería abordarse el escrito filosófico. Aquellos historiadores que no adoptan este enfoque, afirman los críticos literarios, pasan por alto el peso

---

[45] Entender los textos filosóficos como literatura ha recibido una atención considerable en el pasado reciente. Véase Arthur C. Danto, "Philosophy as/and/of Literature", en Anthony J. Cascardi (ed.), *Literature and the Question of Philosophy*, Johns Hopkins University Press, Baltimore y Londres, 1987, pp. 3-23.

estructural de las obras filosóficas, dejando a un lado completamente su verdadero significado.

Este enfoque se ha difundido bastante entre algunos círculos filosóficos contemporáneos, especialmente entre los filósofos que pertenecen a lo que llamo en la Introducción la "tradición poética" en filosofía. En tanto que poetas, consideran una obra filosófica como algo fundamentalmente retórico y, por tanto, entienden que la tarea del historiador de la filosofía es la del crítico literario que descubre la estructura estilística y literaria de la obra con el fin de revelar todo su significado y alcance.

Por supuesto, existe un mérito considerable en esta postura. Los textos filosóficos son producciones literarias de algún tipo, y los autores transmiten sus ideas a través de la forma literaria. No cabe duda de que el contenido de los textos está ligado muy estrechamente, y quizás inextricablemente, a su forma, y que parte de la tarea del historiador de la filosofía consiste en estudiar dicha forma con el fin de comprender mejor, tanto lo que los autores tienen en mente, como lo que crearon al margen de lo que pensaron. De hecho, parte del argumento de aquellos que favorecen este enfoque consiste, precisamente, en que los textos, una vez que se escriben, son entidades independientes que pueden tener un sentido y significado que van mucho más allá de lo que sus autores pretendieron, o de lo que fueron conscientes cuando los estaban escribiendo.[46]

Todo esto, por supuesto, tiene sentido, como vimos en el capítulo IV. Parece válido que se ponga énfasis en la conexión entre la forma y el contenido en particular, así como que se hable de la independencia de los textos una vez que se han completado. Hay muchos filósofos cuya obra no puede entenderse adecuadamente sin prestar especial atención a la forma que emplearon para transmitir sus opiniones. El caso más claro en este aspecto es Platón, cuyos diálogos están llenos de artificios literarios que, si se malinterpretan o se pasan por alto, pueden confundir al historiador. Considerar una ironía como algo no irónico puede bastar para socavar la interpretación completa de un diálogo

[46] Véase, por ejemplo, Michel Foucault, "What is an Author?", pp. 116 y ss.

platónico.[47] También los personajes de los diálogos están, con frecuencia, muy bien desarrollados y tienen su importancia para la comprensión del texto. De hecho, el estudio de Platón sin la consideración de la forma literaria que utiliza llevará, ciertamente, a un desastre interpretativo. Por lo demás, lo mismo puede decirse de muchos otros filósofos, como es el caso de Nietzsche, quien se expresó en complejas formas literarias.

Del mismo modo, y por lo que respecta a la independencia de una obra una vez que se ha completado, no habría que caer en la llamada *falacia intencional*, que confunde el sentido y significado de los textos con lo que sus autores intentaron, pues es posible que los autores hayan intentado decir o escribir algo que no dijeron o escribieron. Pero incluso mucho más que eso, es posible que los autores hayan empleado un lenguaje que, de hecho, no transmite exactamente una determinada idea que andaban buscando a tientas. Por estas y otras razones discutidas anteriormente en este libro, tiene sentido, por tanto, mirar los textos y su estructura independientemente de lo que sus autores hayan podido decir en otro lugar sobre lo que tenían en mente. De hecho, puesto que sólo podemos tener acceso a las intenciones de los autores por medio de los textos, éstos deberían constituir el centro de atención del historiador de la filosofía.

La consideración de la forma literaria de un texto, por tanto, parece que tiene una gran relevancia en la historia de la filosofía. De hecho, incluso en aquellos casos en los que la forma literaria parece que no ha desempeñado ningún papel importante deliberado, es preciso tener en cuenta la naturaleza del texto que se tiene a la mano y su estructura para cualquier relación histórica seria de las ideas de un autor, pues ¿acaso no nos ayuda conocer la estructura de la *Metafísica* de Aristóteles para la comprensión de lo que estaba tratando de hacer en sus diversos libros, así como del impacto que dichos libros tuvieron en el desarrollo posterior de la filosofía? Y acaso no nos ayuda entender la *quaestio* medieval para identificar mejor las posturas que están defendiendo los escolásticos del siglo XIII?

[47] Véase la Introducción de Stanley Rosen a su *Plato's "Symposium"*, 2a. ed., Yale University Press, New Haven y Londres, 1987, p. xlviii.

Existe un mérito considerable en el enfoque metodológico del crítico literario, pero si se emplea aislado, exactamente como se ha descrito, posee también algunas deficiencias importantes. La mayor parte de éstas surgen de la creencia de que es imposible la descripción, y de que la tarea del historiador de la filosofía consiste, exclusivamente, en la interpretación y la valoración. Una de las desventajas más claras de este enfoque es que el crítico literario tiende a aislar la obra de su autor y su contexto. De hecho, algunos posmodernistas descartan, conscientemente, cualquier tipo de conexión histórica que puedan tener los textos, y favorecen que se los considere aisladamente, como piezas independientes cuyo significado debería lograrse a partir de sus propios rasgos y no de las circunstancias históricas en las que se produjeron. Pero tal aislamiento parece que va en contra de una comprensión histórica adecuada de un texto y en contra del propósito principal de los historiadores de ofrecer una relación del pasado. Después de todo, se supone que los historiadores anden en busca del significado histórico de la obra, y no de qué sea lo que quiere decir independientemente de lo que quiso decir en el momento en que se compuso. Arrancar la obra de su situación histórica, rompiendo sus lazos con su autor y contexto, subvierte la empresa histórica en su totalidad. No se trata de que debamos caer, de nuevo, en la falacia intencional, o pensar que las descripciones completamente objetivas del pasado son posibles. Lo que quiero dar a entender es que debe considerarse el texto como producto del intento del autor por transmitir ciertas ideas a una determinada audiencia, y no como una entidad atómica, aislada, que ha de interpretarse al capricho del historiador. Comprender a un autor, a la audiencia a la que se dirigía y el contexto en el que se creó un texto nos puede ofrecer claves inestimables sobre el sentido de un texto, como se ha sugerido en el capítulo IV. En la medida en que los críticos literarios rechazan o niegan tales consideraciones, se los debe clasificar, junto con los apologistas, en el grupo de aquellos que no le tienen el respeto debido a la historia.

Pero esto no es todo. Aunque para la interpretación del sentido y significado de algunos textos lo más importante es la forma literaria en la que se presentan, y para todos los textos es un factor que debería ser tenido en cuenta, muchos textos en la historia de la filosofía son lo suficientemente directos y desprovistos de adornos y complejidades literarias, que es posible entender su principal fuerza conceptual sin demasiado conocimiento de crítica literaria. Por decirlo más llano: muchos filósofos no se han preocupado principalmente, ni siquiera de una manera distante, por el estilo y la forma literarios. Han dejado que su pensamiento adoptara la forma más efectiva para transmitir su significado. No han buscado crear una impresión en el lector, como hacen el retórico o el escritor literario, sino, más bien, presentar y defender, explícitamente, un punto de vista con argumentos tan claros e inequívocos como fuera posible. Por supuesto, no siempre han tenido éxito. El escrito filosófico es, con frecuencia, abstruso y tosco, aunque esto no es, por lo general, resultado del artificio, sino algo accidental. Toda la empresa filosófica está fundada en la búsqueda de la verdad y de la comprensión, y desde su mismo principio y en su mayor parte, dicha búsqueda ha supuesto un compromiso por la simplicidad, la claridad y la ausencia de adornos. Sócrates mismo lo dijo cuando señalaba que el discurso del filósofo carece de las gracias a las que la gente está acostumbrada generalmente, por lo que a ésta le parece extraño y raro. Toda la idea de emplear, ante todo, los artificios retóricos para expresar las propias ideas, y no el lenguaje llano, implica que el propósito último del discurso es persuadir, y ningún filósofo que se precie de serlo estará dispuesto a afirmar tal cosa, a menos que haya perdido toda la fe en la objetividad filosófica. Pero si lo dicho hasta el momento es correcto, entonces es posible que el análisis de la forma literaria de un texto no sea tan importante para la comprensión del texto como afirma el crítico literario.

3. El diletante

El *enfoque del diletante* de la historia de la filosofía no es histórico: su objetivo, como el de los tres últimos enfoques que hemos discutido, es filosófico, pero, a diferencia de éstos, el suyo lo es exclusivamente. De este modo, la descripción precisa se pone a un lado en favor de la interpretación y la valoración. Los autores que adoptan este enfoque no están interesados en el alcance, la relevancia o el significado históricos de los textos que utilizan, o en las opiniones históricas de los autores que estudian. Su interés se centra, exclusivamente, en la idea, el argumento o el problema filosóficos que, según entienden, revelan esos textos o son aquellos con los que se ocupan esos autores. No tienen ninguna razón, por tanto, para prestar atención al contexto histórico, y pasan por alto las objeciones de aquellos historiadores de la filosofía que los critican por su distorsión anacrónica de la historia. Su respuesta más contundente es que no están distorsionando la historia, por la simple razón de que su propósito no es histórico. No están interesados por lo que los textos que citan querían decir a aquellos que los leían en el momento en que fueron escritos, ni tampoco por lo que los autores mismos querían decir por medio de ellos. Después de todo, sea lo que fuere lo que los autores querían decir, se expresaron de una determinada forma, y esta forma determinada parece decir*nos* algo, que es, en definitiva, lo relevante para nosotros *qua* filósofos. Dejemos a los historiadores de las ideas y a los eruditos preocuparse por el significado histórico de los textos. Para los filósofos, lo importante es lo que tales textos nos dicen. Los que proponen esta postura se acercan a la historia de la filosofía para recoger y escoger lo que responde a sus propias necesidades. Se podrían describir, en una frase que pertenece a Bennett, como "alguien que busca preciosos guijarros para ordenarlos según un patrón preciso".[48] De este modo, no tiene sentido criticarlos por no hacer lo que no consideran que es de su incumbencia.[49]

El ejemplo que ofrece Passmore de alguien que emplea lo que llamo el enfoque diletante es Platón, y, de hecho, éste es un buen ejemplo, porque el interés de Platón por los filósofos que discute apenas es histórico. No sólo los trata como si fueran sus contemporáneos, poniéndolos a dialogar con figuras contemporáneas, sino que es laxo en sus citas, mezcla la cita con la glosa, y su actitud hacia ellos es irreverente, humorística e irónica.[50] El *Protágoras* histórico no le preocupa a Platón; ni siquiera su verdadera doctrina. Platón anda en busca de la

---

[48] Bennett, "Response to Garber and Rée", p. 64.

[49] Passmore, "The Idea of a History of Philosophy", p. 7.

[50] G.S. Kirk, y J.E. Raven, *The Presocratic Philosophers*, Cambridge University Press, Cambridge, 1957, p. 1.

opinión bien formulada, de manera que pueda, por medio de la dialéctica, ponerla a prueba y hacer que progrese su conocimiento de la verdad, no de la historia. En esto, el diletante no se diferencia demasiado del idealista, cuya actitud discutiremos enseguida.

Un ejemplo más reciente de esta opinión puede encontrarse en el artículo bastante conocido de Plantinga, "The Boethian Compromise". En él afirma, sobre la base de un texto muy breve de la segunda edición de Boecio del *Comentario al "De interpretatione"* (que encontró traducido en "Individuation and Non-Indentity: A New Look", de Castañeda),[51] que para Boecio los nombres propios expresan la esencia.[52] Pero esto es impreciso en varios aspectos. En primer lugar, Boecio no propone una teoría de los nombres propios en su texto. Sus comentarios sobre los nombres propios (la expresión "nombres propios" ni siquiera aparece en el texto citado por Plantinga) son secundarios para su propósito, que tiene que ver con la individualidad. Por lo tanto, es inapropiado poner demasiado énfasis en lo que parece decir sobre el lenguaje. En segundo lugar, Boecio no dice que los nombres propios expresan la esencia. Dice solamente que ellos apuntan a una sustancia y a una propiedad definidas, y esto concuerda con la función que les asigna en otro lugar. Tercero, no es posible que Boecio haya sostenido que los nombres propios expresan la esencia, puesto que, para él, la esencia tenía que ver precisamente con aquellas características de una cosa que son comunes a los miembros de la especie. En ningún caso hubiera afirmado que existe tal cosa como una esencia individual, que es la única manera como tendría sentido la interpretación de Plantinga. La descripción imprecisa que hace Plantinga de la opinión de Boecio no supone, por supuesto, que su propia opinión (o la opinión que le atribuye a Boecio) sobre los nombres propios esté equivocada; significa solamente

---

[51] El artículo de Plantinga apareció en el *American Philosophical Quarterly*, no. 15, 1978, pp. 129–138; el de Castañeda, en la misma revista, no. 12, 1975, pp. 131–145; y el texto de Boecio se puede consultar en *Patrologia latina*, no. 64, pp. 462–464. Para una discusión de este texto, véase mi *Introducción al problema de la individuación en la alta Edad Media*, Instituto de Investigaciones Filosóficas, UNAM, México, 1987, pp. 122 y ss.

[52] Plantinga, *loc. cit.*, p. 132b.

que no debería tomarse en serio la dimensión histórica de sus observaciones.

Plantinga se confundió debido, sencillamente, a su falta de conocimiento de la filosofía de Boecio, a la brevedad del texto que toma en consideración, y a su principal interés por el problema filosófico que intentaba resolver. El peso valorativo de su interpretación era tan fuerte, y su preocupación por la descripción tan débil, que, como consecuencia, se vio afectada su interpretación.

Dado el peso filosófico del enfoque de los diletantes, podríamos preguntarles: ¿por qué molestarse, en definitiva, por hacer referencia a los textos históricos? Si lo que es importante son las posturas filosóficas, y tales posturas pueden expresarse en formulaciones contemporáneas, ¿por qué molestarse en citar o referirse a textos y autores que es posible que se ocupen de algo muy diferente? ¿Cuál es el propósito de las citas y las referencias históricas?

Los diletantes no ofrecen respuestas convincentes a tales interrogantes. De hecho, no tienen respuestas convincentes, porque cualquier respuesta los forzaría a reconocer la situación paradójica en la que se encuentran. Supongo que —seamos honestos— algunos de ellos citan a otros autores porque desean darle algún peso a sus propias ideas. El argumento de autoridad no está, ni mucho menos, muerto en filosofía, y las notas a pie de página y las citas son una manera sutil y elegante de aplicarlo. Y además, por supuesto, existe en todos los intelectuales el deseo natural de encontrar espíritus afines entre aquellos que los precedieron: eso le añade cierta validez y legitimidad a sus inquisiciones y las reafirma. Hay algo de curiosidad y orgullo, también: curiosidad por saber algo del pasado, y orgullo por mostrar cierto conocimiento del mismo, puesto que vivimos en una sociedad cuyos intelectuales se enorgullecen de su conocimiento histórico y, en cierta medida, lo enfatizan y valoran. En tercer lugar, es posible que también esté envuelto un motivo nefario, aunque inconsciente: demostrar una brillantez por encontrar fallas en las posturas y argumentos de los gigantes del pasado. ¿Cuántas veces no he presenciado, dando apenas fe a lo que escuchaba, a los filósofos contemporáneos rechazar las opiniones de Aristóteles, Platón o Agustín sobre la base de lo que consideran como "contradicciones abiertas", surgidas, por lo general, de la manipulación artificial de los textos y las ideas, sin una consideración adecuada de su integridad? Lo más probable, sin embargo, es que los diletantes citen a otros filósofos porque han aprendido filosofía leyéndolos. Provienen de un sistema educativo en el que la filosofía se enseña por medio de la crítica de lo que se han considerado las obras filosóficas maestras del pasado. Han adquirido el hábito de filosofar reaccionando en contra de los textos; y es difícil que los hábitos bien arraigados mueran pronto. De manera que si se refieren al pasado, no es porque tengan un interés por la historia, ni tampoco porque se sientan en la necesidad, desde el punto de vista teórico, de hacer tal cosa: lo citan simplemente por hábito.

Puede haber, por tanto, una variedad de razones por las que los diletantes se ocupen de los textos históricos. A veces, los utilizan como punto de partida de una discusión; otras, utilizan los textos para llamar la atención sobre la notoriedad de una opinión; con frecuencia, los emplean para formular, claramente, una postura; y otras veces los utilizan como apoyos para sus propias teorías. En todos los casos, sin embargo, los emplean por un propósito que es esclavo de la tarea principal que los diletantes tienen en mente, sea la que fuere.

Desde un punto de vista histórico, es difícil encontrar muchas cosas buenas que decir acerca del enfoque del diletante. Parecería, sin embargo, que hay en el mismo, por lo menos, un elemento positivo que se sostiene: este enfoque subraya la continuidad de la empresa filosófica a través de la historia. De hecho, es casi milagroso observar que un pensador contemporáneo, separado de otros filósofos por siglos y por enormes diferencias culturales, pueda desarrollar sin demasiada reflexión y estudio algún interés por el pasado. Esto parecería suficiente para restaurar la propia fe en la empresa filosófica y en la historia de la filosofía. Mas, por el contrario, por todo lo que sabemos de la tarea del diletante, tal interés se puede basar en un malentendido del pasado, puesto que el diletante no se preocupa por descubrir lo que el pasado pensó realmente, y no tiene ninguna herramienta para hacer tal cosa ni criterios para determinar si se ha logrado el éxito. Bajo tales condiciones, es posible que

los fundamentos del interés del diletante no sean más que anacronismos y falsas analogías, en cuyo caso parece que la única
ventaja de este enfoque se desvanece.

4. El idealista

El carácter fundamental del *enfoque idealista* de la historia de la
filosofía, y aquello que lo distingue, es que busca reconstruir
una realidad que no existe y que es posible que nunca haya
existido. De acuerdo con esto, el enfoque idealista está guiado
por consideraciones valorativas e interpretativas que tienden a
dejar al margen las consideraciones históricas de la descripción
precisa y objetiva. Sobre todo por estas razones, este enfoque
no puede considerarse histórico, estrictamente hablando, puesto que los enfoques históricos intentan reconstruir y ofrecer una
relación del pasado tal como existió.[53] Las relaciones históricas
que reconstruyen el pasado sobre la base de lo que los historiadores piensan que ha debido existir se llaman, generalmente,
revisionistas: ellos cambian, conscientemente, el pasado para
adaptarlo a alguna opinión o programa que tienen en mente.
Obsérvese que es imprescindible, para el revisionismo, que se
esté consciente. La alteración inconsciente e inintencionada del
pasado no es revisionista: es meramente descuido o incorrec-
ción. Para que tenga lugar el revisionismo, se tiene que dar un
esfuerzo por reorganizar lo que sabemos que es el caso acerca
del pasado, con el fin de ajustarse a otro propósito que se está
persiguiendo explícitamente (o, lo que es más probable, implícitamente). Este elemento de distorsión consciente en aras
de unos objetivos específicos establece semejanzas entre este
enfoque y el ideológico. De hecho, el ideólogo adopta, frecuentemente, un enfoque revisionista.

El enfoque idealista no es, con frecuencia, revisionista, porque aquellos que están intentando hacer una reconstrucción
ideal del pasado, o bien están conscientes de lo que están haciendo, o bien no lo están. Aquellos que no lo están no se
pueden clasificar como revisionistas, puesto que no intentan

---

[53] Éste es el tipo de opinión que tendría el "autor real" de Morgan. Véase
Michael L. Morgan, "Authorship and the History of Philosophy", p. 331.

distorsionar el pasado para su propio uso; y aquellos que están conscientes de lo que están haciendo no se pueden clasificar como revisionistas, porque su intención es, explícitamente, ideal. Su preocupación por el pasado es, por decirlo así, accidental: lo utilizan como una manera de ayudarse a sí mismos a construir una estructura determinada que encuentran atractiva o que, por el contrario, intentan atacar. De esta manera, aunque pudieran estar preocupados con las opiniones de un autor determinado, su interés por esas opiniones se extiende sólo en la medida en que pueden ayudar a la comprensión de una determinada opinión filosófica particular, y en donde la opinión del autor histórico en cuestión es un ejemplo de la misma. Es por este objeto ideal, entonces, aquello por lo que están interesados ante todo. Su interés por la opinión del autor histórico se mantiene en la medida en que lo puede conducir a la comprensión del objeto ideal. Éste es el tipo de enfoque que Russell describe en el Prólogo a la primera edición de su libro sobre Leibniz:

permanece siempre una actitud puramente filosófica hacia los filósofos previos —una actitud en la que, sin considerar datos o influjos, buscamos, simplemente, descubrir cuáles son *los grandes tipos de filosofías posibles*, y guiarnos en la búsqueda por medio de la investigación de los sistemas favorecidos por los grandes filósofos del pasado [. . .] Cuando estamos investigando las opiniones de un filósofo realmente eminente, es probable que dichas opiniones formen, sobre todo, un sistema estrechamente conectado y que, al aprender a entenderlas, adquiramos conocimiento de verdades filosóficas importantes. *Y puesto que las filosofías del pasado pertenecen a uno u otro de los escasos grandes tipos –tipos que, en nuestros propios días, son perpetuamente recurrentes—* es posible que, a partir del examen del mayor representante de cualquier tipo, aprendamos cuáles son las bases de tal filosofía [. . .] Cuál sea el proceso de desarrollo por el que [el filósofo que se estudia] llegó a esta opinión, aunque en sí mismo sea una cuestión importante e interesante, es lógicamente irrelevante para investigar en qué medida la opinión misma es correcta. Y entre sus opiniones, cuando éstas han sido descubiertas, se hace deseable que se eliminen aquellas que parezcan inconsistentes con sus doctrinas principales, antes de someter esas doctrinas a un escrutinio crítico. Es la verdad filosófica y la falsedad, en resumidas cuentas, antes que el hecho histórico, lo que demanda, principalmente, nuestra atención en esta investigación.[54]

En el esquema idealista, la perspectiva histórica ocupa, en muchos aspectos, un lugar semejante al que ocupaba el mundo de la percepción sensible en la ontología de Platón, y la perspectiva ideal es la contrapartida de la idea platónica. Empero, no se debería subestimar la diferencia entre el esquema platónico y el de los idealistas historiográficos. De acuerdo con su método, Platón descartaba la importancia del mundo de la percepción sensible, mientras que los idealistas historiográficos consideran importantes las perspectivas históricas para lograr el objetivo que tienen en mente. Las perspectivas históricas antes ayudan que impiden, como vemos que observa Russell, a sugerir el tipo de opiniones, argumentos, etc. con los que los idealistas desean ocuparse.

Este interés metodológico por la historia es lo que separa, en parte, a los practicantes de este enfoque de los diletantes, puesto que estos últimos no tienen interés alguno por la historia *qua* historia. Para los diletantes, la precisión histórica puede constituir más bien un obstáculo que una ayuda: utilizan la historia como una oportunidad para hilar sus propios relatos filosóficos. Por el contrario, aquellos que utilizan el enfoque idealista tienen como objetivo la reconstrucción de un esquema ideal basado en una situación histórica. Su interés descansa en lo que un autor determinado debería haber sostenido, aunque la documentación textual no parezca apoyarlo. Como Russell señala respecto de lo que considera que es su tarea en el libro sobre Leibniz: "Lo que se requiere, ante todo, de un comentador es que intente una reconstrucción del sistema que Leibniz debía haber escrito."[55] Por tanto, siguen siendo el autor histórico y sus opiniones lo que les interesan. Los diletantes, por el contrario, no se interesan en cuál sea la opinión que debía haber mantenido el autor histórico: su interés se centra en la postura con la que quieren entrar en contacto, independientemente de su historicidad real o normativa.

---

[54] Russell, *The Philosophy of Leibniz*, pp. xi–xii. El subrayado es mío.
[55] *Ibid.*, p. 2.

Filosóficamente hablando, las ventajas de la postura idealista deberían quedar claras: siempre parecería mejor tratar con las posiciones ideales, purgadas de sus imperfecciones incidentales, que tratar con las opiniones reales, imprecisas e implícitas. La postura ideal, esté de acuerdo con nosotros o se nos oponga, debería sernos extremadamente beneficiosa. Si coincide con nosotros, nos apoya y ayuda a perfeccionar y fortalecer nuestra opinión. Si se opone a la nuestra, nos fuerza a encontrar una defensa que, realmente, ayudaría a establecer nuestra propia opinión sobre una base más sólida. De cualquier modo, parecería que la filosofía sale ganando si persigue el ideal.

Las ventajas del enfoque idealista no sólo son filosóficas. Históricamente, también tiene sentido buscar el ideal, en la medida en que su búsqueda nos puede ayudar a alcanzar la posición real sostenida por la figura histórica, ya que nos permite descartar errores y confusiones incidentales presentes en un texto corrompido, por ejemplo. Al utilizar el principio de caridad y al tratar de pensar en la mejor posición que se le podría atribuir a un autor, podemos, realmente, aproximarnos al intento original, aunque no llevado a cabo, del autor, mucho más que si permaneciéramos esclavos de los datos históricos de que disponemos. Al fin y al cabo, los filósofos del pasado estaban, como nosotros, tratando de descubrir la verdad, y deberíamos pensar que ellos han avanzado tanto como sea posible pensar que pudieron haberlo hecho en el tiempo en que vivieron.

A pesar de todas estas ventajas, sin embargo, el enfoque idealista es, fundamentalmente, ahistórico y, por tanto, puede conducir a imprecisiones históricas. Por supuesto, si se le controla cuidadosamente y se utiliza sólo como una actitud metodológica que ha de emplearse bajo circunstancias específicas, entonces puede ser muy útil para los historiadores. Por circunstancias específicas me refiero a aquellas en las que tenemos información limitada sobre las opiniones de una figura histórica y, por tanto, nos vemos forzados a reconstruir parte del documento. Como ya se ha afirmado en los capítulos I y IV, en tales circunstancias es claro que necesitamos apelar a la que constituye la mejor reconstrucción posible. Y lo mismo ocurre cuando tenemos dos o más interpretaciones posibles de la evidencia disponible, y parece que no hay ninguna manera de que podamos, sobre la base de dicha evidencia, decidir en favor de una. Pero esto es lo máximo que nos permite el método idealista. En tal contexto, la construcción de una opinión ideal se pone al servicio de la historia, en donde el objetivo de la investigación es dar cuenta de lo que ocurrió, no de lo que debería haber ocurrido.

La actitud que encontramos expresada en el pasaje de Russell citado antes es la contraria: la historia se pone al servicio de la filosofía. El resultado, como de hecho ocurre con la interpretación que hace Russell de Leibniz, puede ser filosóficamente esclarecedor; pero históricamente impreciso. Por ejemplo, la idea de Russell de presentar la filosofía de Leibniz como un sistema completo y terminado va en contra del *modus operandi* de Leibniz, como el propio Russell reconoce.[56] La obra de Leibniz es asistemática, y sus ideas están esparcidas a lo largo de múltiples escritos, siempre motivadas por circunstancias incidentales. De este modo, intentar sistematizarlas, presentándolas a la manera como Wolff, por ejemplo, presentó sus opiniones, es distorsionar su carácter ocasional y fragmentario, lo que hace que se pierda su significado relativo. Russell mismo cae en esta trampa porque, para poder completar su objetivo sistemático, se ve forzado a rechazar las primeras opiniones de Leibniz, limitándose al estudio de lo que considera sus "opiniones maduras", es decir, aquellas que Leibniz sostuvo entre enero de 1686 y 1716, el año en que murió.[57] Como consecuencia, Russell nos ofrece una relación unilateral, que enfatiza sólo las últimas formulaciones de la posición de Leibniz y omite, tanto el sentido del desarrollo histórico, como la relevancia circunstancial. Además, la relación de Russell pasa por alto el estudio adecuado de las ideas filosóficas que influyeron en Leibniz durante sus primeros años. La imagen de Leibniz que obtenemos, por tanto, es filosóficamente enriquecedora, como ya se ha advertido, pero históricamente inapropiada.

[56] *Ibid.*, p. 1.
[57] *Ibid.*, p. 3.

5. El problemista

El enfoque empleado por el *problemista*[58] se caracteriza por concebir las posturas filosóficas del pasado como respuestas a problemas filosóficos que conciernen a todos los filósofos y, por tanto, son útiles en la búsqueda de la solución de dichos problemas. Este enfoque no difiere, significativamente, del enfoque adoptado por el diletante, en la medida en que ambos se interesan, principalmente, por el desarrollo de la filosofía, y no por el estudio de su historia como tal: ambos utilizan la historia de la filosofía para propósitos filosóficos, y no históricos. Los dos andan buscando soluciones a los problemas filosóficos y, por tanto, tienden a poner énfasis en la valoración y la interpretación, antes que en la descripción. La diferencia entre las dos posiciones consiste en el grado y el énfasis. El diletante, casualmente, utiliza los textos históricos, sin considerar su significado histórico exacto; mientras que el problemista los considera seriamente y toma en cuenta su carácter histórico. Aunque la actitud problemista es una actitud en la que el contexto histórico no es el principal objetivo, sin embargo los practicantes de este enfoque toman en serio a las figuras históricas y, como consecuencia, prestan más atención al contexto, tratan de evitar sacar los textos de su lugar, y, por lo general, respetan su integridad y la de sus autores.

Paradójicamente, las diferencias entre los diletantes y los problemistas surgen del hecho de que los problemistas, al igual que los diletantes, desean mirar a las figuras históricas y sus ideas como contemporáneas a ellos mismos, antes que como piezas en un museo conceptual, algo que, *prima facie*, llevaría a pensar que no van a respetar la integridad histórica de aquellos autores y sus ideas. A ellos les gustaría tratarlos como tratan a sus contemporáneos, discutiendo con sus afirmaciones y argumentando con sus posiciones. Aristóteles y Hegel, en el enfoque problemista, se convierten en figuras vivientes dignas de atención. Pero precisamente por esta razón, los problemistas creen, a diferencia de los diletantes, que a las figuras históricas se les tiene que

---

[58] Estoy adaptando aquí una de las categorías de Passmore. Véase Passmore, "The Idea of a History of Philosophy", pp. 27–32.

guardar el mismo respeto que se le guardaría a la figura contemporánea. Tiene que haber un esfuerzo por familiarizarse con lo que las figuras históricas realmente dijeron, antes que con testimonios de segunda mano de lo que dijeron. También se deben estudiar y analizar cuidadosamente sus escritos para evitar distorsionar su intención y su alcance, puesto que es lo que los autores realmente pensaron lo que es valioso e instructivo, no lo que creemos que pensaron, como sostiene el diletante, ni tampoco lo que deberían haber pensado, como sostiene el idealista. Bennett expresa muy claro este asunto: "Cuando tratamos con un genio, siempre es más probable obtener ideas esclarecedoras descubriendo lo que realmente pensó, que forzándole a pensamientos que no tuvo; por tanto, desde el punto de vista de mi tipo de trabajo, existen fuertes razones probabilísticas para desear llegar al autor correctamente, es decir, para descubrir lo que realmente quiso decir."[59] Para el problemista, por tanto, es muy importante llegar al autor correctamente, puesto que tal cosa es más útil para hacer filosofía y alcanzar la verdad. De hecho, Bennett afirma que es precisamente el valor instrumental de tal conocimiento lo que lo lleva a buscarlo.

Los problemistas afirman, por lo demás, que su énfasis en los problemas es necesario para llegar correctamente a las figuras históricas, ya que sus opiniones se desarrollaron como respuestas a problemas. De este modo, con el fin de ofrecer una relación adecuada de tales opiniones, su génesis y sus conexiones, es esencial identificar los problemas que intentaban resolver. Como afirma Collingwood:

> no puede descubrirse lo que un hombre quiere decir estudiando, simplemente, sus afirmaciones habladas o escritas, aun cuando haya hablado o escrito con un dominio perfecto del lenguaje y con una intención perfectamente honesta. Con el fin de descubrir lo que quiere decir, debe conocerse también cuál era la pregunta (una pregunta presente en su propia mente, y que supuso que estaría en la nuestra) a la que intentaba responder aquello que dijo o escribió.[60]

[59] Bennett, "Response to Garber and Rée", p. 9.
[60] Collingwood, *An Autobiography*, p. 31.

Para los problemistas, la identificación y la comprensión de los problemas por los que se interesaban los filósofos del pasado es una condición necesaria para comprender sus ideas y para ofrecer una relación correcta de los mismos. Con todo, precisamente porque el énfasis del problemista recae en la contemporaneidad de las figuras históricas, aquellas figuras no se tratan históricamente y, a menudo, se pasa por alto su contexto cultural y temporal. El objetivo de los problemistas es ofrecer una "reconstrucción *racional*" de sus ideas, es decir, una reconstrucción que tenga sentido, de manera que la puedan utilizar para elaborar su propio punto de vista contemporáneo.

Aquellos que favorecen el enfoque problemista afirman que éste es, a la vez, inevitable y deseable. Es inevitable porque las tareas relacionadas con el enfoque erudito no son tan desinteresadas como pretenden aquellos que se oponen al enfoque problemista. Consideremos, por ejemplo, la traducción conceptual. La pretensión de que pueden comprenderse los marcos conceptuales del pasado por medio de la mera paráfrasis, libre de interpretación y valoración, carece de sentido. De acuerdo con esto, Bennett afirma que "sólo comprendemos a Kant en la medida en que podemos decir, claramente y en términos contemporáneos, cuáles fueron sus problemas, cuáles de ellos continúan siendo problemas y cuál fue la contribución de Kant a su solución".[61] Y Rorty se hace eco de este punto: "Traducir una expresión significa adaptarla a *nuestras* prácticas."[62] La traducción conceptual sin la interpretación e, incluso, sin la valoración es imposible. Aquellos que creen en el enfoque erudito, excluyendo el problemista, se están engañando, al pensar que han logrado el tipo de objetividad y distanciamiento que, de hecho, es imposible en la comprensión de marcos conceptuales del pasado. Y del mismo modo que la traducción conceptual entraña la interpretación y la valoración, así también ocurre con la reorganización de los textos. En efecto, la reorganización de los textos de la manera como se ha descrito anteriormente supone, en primer lugar, separarlos de su contexto original y

---

[61] Bennett, *Kant's Analytic* (Cambridge, 1966), contraportada. Citado por Michael Ayers, "Analytical Philosophy and the History of Philosophy", p. 54.
[62] Rorty, "The Historiography of Philosophy", p. 52.

utilizarlos para propósitos ajenos a la intención original de sus autores; también supone, en segundo lugar, hacer juicios de valor que, implícitamente, están presentes en todo el proceso de selección implicado por cualquier reorganización, ya que, sin duda, hay maneras "buenas" y "malas" de agrupar tales textos. Pero esto no es todo. Aquellos que apoyan este punto de vista afirman que el enfoque problemista no sólo es inevitable sino, también, deseable, por lo menos para los filósofos, porque el filósofo está interesado por la historia de la filosofía *qua* filósofo, es decir, como una parte interesada cuyo propósito es la búsqueda de la verdad. El enfoque problemista de la historia de la filosofía, por tanto, se adapta perfectamente al propósito principal filosófico, mientras que el enfoque erudito, aunque fuera posible, sólo sería apropiado para aquellos cuyo propósito fuera exclusivamente histórico, es decir: la verificación del documento.

El enfoque problemista posee, especialmente en nuestros días, bastante aceptación, pero puede encontrarse a lo largo de la historia de la filosofía. De hecho, es posible que constituya el más común de los enfoques utilizados para ocuparse de la historia de la filosofía y, sin duda, fue el procedimiento usual en la filosofía occidental antes del desarrollo, durante el siglo XVIII, de una comprensión más profunda de la historia. Un ejemplo excelente de este enfoque se encuentra en las *Disputationes metaphysicae* de Francisco Suárez. Esta obra monumental es el primer tratado sistemático de metafísica producido desde la antigüedad, y en sus 54 disputaciones cubre todos los temas principales de metafísica conocidos en la época de Suárez.

Siguiendo la tradición escolástica, Suárez discute las principales posturas filosóficas relacionadas con cada uno de los tópicos que explora, y atribuye tales posturas a sus respectivos autores, citando o haciendo referencia a los textos pertinentes. En las *Disputationes*, por tanto, tenemos un compendio del conocimiento histórico metafísico de gran valor, puesto que Suárez conoce bien cada uno de los principales pensadores que lo precedieron. Además, la discusión que lleva a cabo de los diversos autores y posturas es sutil, filosóficamente interesante, y, con frecuencia, sus interpretaciones resultan ser históricamente correctas. Con todo, sus intereses no son históricos, y trata a los autores y los textos de un modo ahistórico. Las *Disputationes* no es una obra histórica, y cualquiera que sea el valor histórico que pueda tener, es algo incidental al propósito filosófico del tratado. Suárez trata a Aristóteles, Averroes y Tomás de Aquino como contemporáneos, aunque le separaban cerca de 2 000 años del primero, la mitad de un milenio del segundo, y 300 años del tercero. Y si no fuera suficiente el tiempo, las diferencias culturales entre los primeros dos autores y Suárez eran significativas, ya que las diferencias entre la sociedad ateniense en la época de Aristóteles y la España musulmana en la época de Averroes, por un lado, y la España de la Contrarreforma en la época de Suárez, por el otro, debieron haber sido bastante drásticas. Con Tomás de Aquino tuvo que haber, seguramente, unas bases culturales más comunes, pero, con todo, el París del siglo XIII y la Salamanca del siglo XVI no tuvieron que haber tenido muchas cosas en común. A pesar de todo, no vacila Suárez en ocuparse de estos autores: discute con los escritores antiguos y medievales como si fueran sus colegas en Salamanca.

Estas consideraciones pueden ilustrarse con la discusión que desarrolla Suárez sobre la individuación, y que se lleva a cabo en la Disputación V de las *Disputationes metaphysicae*. El título de la disputación, "Unidad individual y su principio", nos identifica el tema; su división en nueve secciones, que se ocupan, respectivamente, de cinco subtemas específicos, revela su carácter sistemático. Sólo dentro de este marco general sistemático se lleva a cabo la discusión de las opiniones de los autores históricos. Por ejemplo, la concepción de Tomás de Aquino de que el principio de individuación es la materia designada se presenta en la sección III. El interés prevaleciente, sin embargo, no es la descripción precisa de la opinión de Tomás, sino los méritos y desméritos de una postura atribuida a Tomás. El hecho de que Suárez presente, primero, una formulación de la postura, y que sólo después la identifique con su supuesta fuente es una muestra de sus prioridades. Además, aunque ofrece referencias a los textos pertinentes, no los cita completos, ni intenta, tampoco, comprobar cuidadosamente su interpretación con los textos tomistas. De hecho, ofrece varias interpretaciones de la postura de Tomás de Aquino y las trata con el mismo respeto, y aunque, finalmente, rechaza estas posturas en la solución a la cuestión porque no reflejan exactamente el pensamiento de Tomás de Aquino, sus razones tienen que ver, exclusivamente, con la inadecuación de las opiniones y, por tanto, con la improbabilidad de que Tomás las hubiera mantenido, antes que con la evidencia histórica o textual.[63]

¿Cuáles son los peligros del enfoque problemista? En primer lugar, está el anacronismo, es decir, situar fuera de su contexto cultural a las personas y los textos, con el resultado de que se malinterpretan sus ideas. El anacronismo surge, en parte, del presupuesto, compartido por el doxógrafo de la cuestión unívoca, de que existe un conjunto de problemas que es común a lo largo de la historia de la filosofía. En segundo lugar, está la omisión de parte de la historia de la filosofía, y esto por dos razones: la primera estriba en que si sólo se considera la historia de la filosofía desde un punto de vista instrumental, entonces gran parte de ésta posee sólo un interés marginal para el filósofo;[64] la segunda consiste en que si sólo se presta atención a las ideas que resultan de la formulación explícita de los problemas filosóficos, entonces se pasan por alto muchas ideas que surgen como resultado de otros factores. Ambos aspectos, el anacronismo y la omisión de aspectos de la historia de la filosofía, conducen a malinterpretaciones históricas. Pero si hay malinterpretación histórica, entonces el historiador de la filosofía ha fracasado en las tareas de descripción, interpretación y valoración, que forman parte esencial de la relación histórica. El enfoque problemista, por tanto, corre el riesgo de fracaso, aunque esto no debería implicar que no pueda contribuir en nada a la tarea histórica.

De todas formas, no debería enfatizarse demasiado el riesgo de fracaso en el enfoque problemista. Consideremos, por ejemplo, la primera dificultad. No es ni mucho menos necesario para el problemista suponer, como lo hace el doxógrafo de la pregunta unívoca, que existe un conjunto constante de problemas filosóficos común a toda la historia de la filosofía.

---

[63] La "Disputatio metaphysica V" aparece en *Opera omnia*, Carolo Berton (ed.), Vivès, París, 1861, vol. 25, pp. 145b–201a. Para una traducción en inglés de la sección III, véase mi trabajo *Suárez on Individuation*, Marquette University Press, Milwaukee, 1982, pp. 74–101, especialmente las pp. 99–100.

[64] Garber, "Does History Have a Future?", p. 4.

El problemista necesita, solamente, suponer que ciertos tipos de interrogantes y problemas son recurrentes. Por ejemplo, las preguntas epistemológicas que Platón planteó pueden ser diferentes, en algunos aspectos, de las que preguntamos hoy en día, ya que surgieron con motivo de intereses y matrices históricos diferentes. Sin embargo, comparten algunos rasgos que nos ayudan, a la vez, a entender a Platón y a profundizar nuestra comprensión de las preguntas que nosotros mismos hemos formulado. Que los problemas del pasado y del presente no sean exactamente los mismos, por tanto, no socava el enfoque problemista; en muchos casos lo refuerza.

Por lo que se refiere a la segunda dificultad, tampoco es necesario que acabe en un desastre completo porque, aunque los problemistas están interesados en los problemas y su solución, no es preciso que se acerquen a la historia de la filosofía con una lista preestablecida de temas que necesitan resolver ni con una mente dispuesta a pasar por alto todo lo que no sea directamente relevante para ellos. Es posible que el historiador que adopta el enfoque problemista, por el contrario, se acerque a la historia de la filosofía con una mentalidad abierta, unida a una comprensión aguda del tipo de problemas que atrae la atención filosófica. No hay que confundir a los problemistas con los diletantes, ni tampoco es su interés, necesariamente, ideológico o pernicioso. Como ha señalado Passmore, el problemista es, esencialmente, una persona que está metida de lleno en la resolución de un problema: "La primera pregunta que se hará el historiador problemista sobre cualquier filósofo es ésta: ¿cuál es el problema que éste está tratando de resolver? Y entonces pasará a hacerse otras preguntas como, por ejemplo: ¿cómo le surgió dicho problema?; ¿qué nuevos métodos empleó para abordarlo?"[65]

Por otro lado, un énfasis excesivo en los problemas puede llevar al problemista a pasar por alto las ideas que no surgen de las formulaciones explícitas de los problemas pero que, con todo, son importantes; sin embargo, esto no tiene, necesariamente, que ser así. El problemista puede, con todo, advertirlas y ocuparse de ellas porque influyeron en otras ideas que, a su

[65] Passmore, "The Idea of a History of Philosophy", p. 29.

vez, eran respuestas a problemas explícitamente formulados, o porque es posible utilizarlas para ocuparse de problemas que, aunque no explícitos, pueden, con todo, plantearse.

La contribución del enfoque problemista al estudio de la historia de la filosofía descansa en el hecho de que considera, seriamente, a las figuras históricas como filósofos, sin caer en las aberraciones del diletante. En este sentido, aquellos que adoptan este enfoque perciben dichas figuras desde la perspectiva adecuada, en tanto que pensadores activos que batallan con las ideas. Además, dado que los filósofos mismos se hallan involucrados en tales ideas, se encuentran en mejor posición que los que no son filósofos para interpretar lo que las figuras históricas estaban tratando de hacer y para juzgar su éxito. Los filósofos comprenden cómo se relacionan las ideas, cuáles son los problemas y las cuestiones con los que se enfrentan los filósofos en general, así como el objetivo del filósofo. Por esta razón, se encuentran en una mejor posición para comprender lo que otros filósofos, aunque de una época diferente, estaban intentando expresar y hacer, amén de los logros y los fracasos que tuvieron. Naturalmente, la debilidad del enfoque problemista surge de una falta de atención al contexto histórico. Además, aquellos que adoptan esta perspectiva también se encuentran en peligro cuando no están conscientes de las posibles trampas que puede acarrear su procedimiento ni del método adecuado para evitarlas. Sin embargo, los problemistas se encuentran en el camino adecuado, porque entienden que el conocimiento de la filosofía es esencial para el estudio de la historia de la filosofía. Además, están en condiciones de emplear la filosofía y las herramientas filosóficas que poseen para juzgar los méritos de las realizaciones del pasado y para comprender cómo fueron vistas por aquellos que las lograron, por sus contemporáneos, y por las épocas posteriores.

6. El escatologista

Los escatologistas se ocupan de la historia de la filosofía de una manera semejante a la de los problemistas. Poseen un genuino interés por lo que los filósofos del pasado tenían que decir, tomándolo en serio y sometiéndolo a un cuidadoso análisis y escrutinio. Al igual que los problemistas, sus objetivos son, fundamentalmente, filosóficos: la búsqueda de la comprensión y de la verdad. Por último, también muestran un serio interés por los problemas filosóficos, tanto los pasados como los presentes, y consideran que su tarea consiste en encontrar y ofrecer soluciones a tales problemas.

El escatologista más notorio de todos los tiempos es Hegel, aunque las raíces de la lectura escatológica de la historia se remontan hasta Agustín y sus fuentes cristianas y judías.[66] Hegel no sólo pensó que toda filosofía conducía hasta su filosofía, sino que, además, sostuvo que su pensamiento era la culminación definitiva de la comprensión filosófica, más allá del cual no sería posible ningún desarrollo ulterior: el Absoluto se reveló en la filosofía de Hegel. Una afirmación tan extraordinaria como ésta es difícil de tomarla en serio, especialmente después de un siglo de que se propusiera, cuando sabemos: (1) que Hegel no estaba consciente de muchos temas, ideas y descubrimientos que, desde entonces, se convirtieron en un lugar común; y (2) que con frecuencia mezclaba confusamente cosas de una manera que no ha sido beneficiosa para el avance del pensamiento claro. Pero no todos los escatologistas adoptan esta posición.[67] Muchos se han contentado con mostrar que ellos han mejorado

[66] Estos dos pensadores, de hecho, representan dos formas de escatología diferentes. Ambos entienden que la historia se mueve hacia un punto final de desenlace, pero el punto difiere en cada caso. Para Agustín, es el fin del mundo, mientras que para Hegel es su propio pensamiento. El marxismo favorece el modo agustiniano de escatología, aunque para el marxismo no existe ningún fin del mundo sino que, en su lugar, se encuentra el establecimiento de una sociedad perfecta. La discusión que lleva a cabo Aristóteles sobre los presocráticos, como veremos enseguida, es otro ejemplo de la variante hegeliana de escatología. Se debe advertir que la forma agustiniana de escatología se aplica, frecuentemente, a la historia como un todo, antes que a la historia de la filosofía o de las ideas. La variante hegeliana, por el contrario, se adapta, generalmente, a las ideas. Ésta es la razón por la que mi descripción refleja la variante hegeliana, antes que la agustiniana. También es preciso aclarar que no estoy afirmando que Agustín ofreció, o pensó que podía ofrecer un esquema detallado o un calendario del desarrollo de la historia. Su opinión no es escatológica en este sentido apocalíptico.

[67] De hecho, algunos afirman que ni siquiera Hegel mismo sostuvo esta opinión. Una interpretación más moderada y razonable sostiene que su tesis consiste en que el pensamiento de cada generación o época es la culminación

con respecto a sus predecesores y que muchas de las ideas de tales predecesores pueden considerarse como pasos en la dirección de la concepción que los escatologistas vienen a defender. Este enfoque no es objetable en tanto que, de hecho, ocurre con frecuencia que los descubrimientos y las ideas posteriores han sido considerados como respuestas a anteriores interrogantes y problemas.

Un defensor reciente de este enfoque lo describe de la siguiente manera:

> El hecho es que componer una historia esquemática [es decir, una historia compuesta según el enfoque escatológico] consiste, en parte, en crear una estructura secuencial en la que la secuencia está condicionada por la etapa final. La historia tiende a hacer evidente cómo hemos llegado desde allí hasta aquí, es decir, cómo los acontecimientos entre el primer capítulo y el último constituyen una progresión que posee una explicación lógica. El relato, en tanto que es algo contado, tiene que tener sentido filosófico. De este modo, la historia esquemática comprende una estructura teleológica en la que los episodios pueden considerarse como etapas de la trama. Por consiguiente, no es, simplemente, accidental que cada episodio pueda parecer como un paso a lo largo del camino. El relato mismo impone dicho orden de acontecimientos. Lo que el historiador esquemático hace entonces no es, simplemente, pasar por alto las intenciones originales, sino construirlas sistemáticamente en función del acto final del drama. El relato posee su propia lógica, una dialéctica del desarrollo, y de acuerdo con dicha lógica pueden postularse las intenciones relevantes.[68]

Este pasaje identifica, claramente, la principal característica del enfoque escatológico: el elemento teleológico que gobierna la lectura y la interpretación de las ideas. Cada idea está condicionada por el lugar que ocupa en el esquema histórico.

Uno de los primeros ejemplos, y de los más conocidos, del tratamiento escatológico de la historia de la filosofía se encuentra en la discusión que lleva a cabo Aristóteles sobre la causalidad. En la *Metafísica* nos ofrece un panorama histórico de lo que los

---

del pensamiento previo y, por tanto, la filosofía de un periodo debería considerarse como un producto del pasado que conduce a ella inexorablemente.

[68] Graham, "Anachronism in the History of Philosophy", pp. 142–143.

filósofos que lo precedieron tenían que decir acerca de la causalidad, y muestra que muchas de sus ideas eran precursoras tempranas y tentativas de su propia teoría de las cuatro causas. Aristóteles ve la historia del pensamiento que lo precede como algo que conduce hasta su propia concepción, e intenta mostrar también que ninguno de sus predecesores tenía una teoría tan completa y elaborada como la suya. Es posible que el núcleo principal de la interpretación que hace Aristóteles de sus predecesores sea, en definitiva, correcto, pero eso no quiere decir que no puedan plantearse dudas legítimas sobre la interpretación de autores particulares, así como la verdad de sus afirmaciones sobre los presocráticos. Considerando la escasa información que tenemos sobre tales autores, sería absurdo pensar de otro modo; pero, dado lo que tenemos, parece como si los predecesores de Aristóteles estuvieran tratando sobre cuestiones acerca de la causalidad bastante similares a las que él plantea, y parece como si las ideas de Aristóteles, en algunos casos, fueran como las ideas anteriores, pero mejoradas; aunque, en otros casos, parece que son completamente originales. Sin embargo, el carácter sumamente organizado de la descripción que hace Aristóteles de las opiniones de sus predecesores necesariamente levanta sospechas. Si Aristóteles tiene razón, y hasta qué punto la tiene, es asunto que tienen que decidir, más bien, los historiadores de la filosofía antigua, y no nos corresponde discutirlo con detalle aquí. Nuestro interés es ofrecer un ejemplo del enfoque escatológico y sus problemas, y parece que la discusión que lleva a cabo Aristóteles de las teorías presocráticas sobre la causalidad responde a dicho enfoque.

Para que se clasifique a un historiador como escatologista, no es necesario, sin embargo, que el historiador considere que su propia filosofía se encuentra al final de un proceso de perfeccionamiento continuo, como lo hacen Hegel o Aristóteles. Algunos filósofos consideran que lo que se encuentra en dicho fin es la filosofía de algún otro. Tampoco es necesario que el filósofo cuya filosofía se considera como la culminación de un proceso escatológico sea coetáneo al historiador. Por ejemplo, para muchos tomistas, como Étienne Gilson, la filosofía de Tomás de Aquino es el mayor logro filosófico de cualquier época y, por tanto, consideran que toda la filosofía antes de Tomás consiste en unos pasos progresivos que conducen a su pensamiento, y que toda la filosofía posterior consiste en unos pasos regresivos que se van alejando de su pensamiento (exceptuando, por supuesto, la filosofía posterior que esté comprometida con el restablecimiento y la comprensión de dicho pensamiento). Y, por último, ni siquiera es necesario que haya progreso en absoluto. Hay escatologistas que consideran que la historia, antes retrocede que progresa. Lo que es fundamental para el enfoque escatológico no es la estructura temporal presente en el proceso histórico, la identidad de la figura o figuras que desempeñan un papel en él, o el carácter progresivo o regresivo del proceso, sino la dirección teleológica hacia o desde el pensamiento de una figura histórica.

El enfoque escatológico posee algunas ventajas específicas. En primer lugar, posee un fuerte sentido histórico. De hecho, podría decirse que los escatologistas poseen un sentido histórico excesivo, en la medida en que no sólo describen lo que tiene lugar y lo interpretan y valoran, sino que están también extremadamente atentos a su desarrollo. El problema con este enfoque es que su énfasis en la interpretación y la valoración es tan fuerte, que es posible que la descripción del pasado se distorsione. Es decir, es probable que los escatologistas, en su celo por atender el progreso y el desarrollo que conducen a una posición filosófica que, con frecuencia, es la suya o, por lo menos, se trata de una posición con la que se identifican, impongan al pasado una estructura de desarrollo que no esté presente en el mismo. De este modo, es posible que se pasen por alto los verdaderos problemas que abordaron las figuras históricas; y también es posible que se distorsionen y malinterpreten sus ideas. En definitiva, puede que la estructura que el escatologista lee en la historia no sea la que ésta posee: quizás no sea sino una imposición injustificada sobre la misma. Dicha sobreimposición es el resultado de una lectura excesivamente interesada de la historia. Los escatologistas son partes sumamente interesadas, en el sentido de que es algo personal lo que está en juego: hay algo más allá de un mero interés por el desarrollo de una relación histórica. Su interés puede reflejar el tipo de actitud perniciosa e ideológica descrita en el capítulo I. Es este conflicto de intereses, si se puede llamar así, el que conduce a los abusos en este enfoque, socavando aquello que tenía de prometedor: lo que el enfoque gana en precisión conceptual, riqueza y profundidad filosóficas, y comprensión, lo puede perder en objetividad.

III. REQUISITOS DE UN ENFOQUE ADECUADO

He descrito trece enfoques usuales que se adoptan a la hora de hacer historia de la filosofía; con todo, se ha hecho evidente que ninguno de ellos es completamente aceptable si se considera por sí mismo. Algunos son inaceptables bajo cualquier circunstancia, mientras que otros son aceptables en ciertos aspectos, pero son insuficientes en otros. La mayor parte de los enfoques discutidos poseen claras ventajas, pero todos ellos poseen serias debilidades si se consideran aisladamente. Bajo tales condiciones, nos podemos preguntar: ¿existe algún enfoque que supere las dificultades de los enfoques que hemos citado, a la vez que comparta sus ventajas? Y si existe, ¿de qué tipo de enfoque se trata? En definitiva, ¿cómo debería escribirse la historia de la filosofía?

Una respuesta frecuente a esta tercera pregunta, que encontramos en la bibliografía contemporánea sobre el tema, tal como la expresa Rorty, es que "no hay [...] nada general que pueda decirse para responderla".[69] La razón que se da usualmente ante esta respuesta descorazonadora es que la historia de la filosofía no es una clase natural y, por tanto, no deberíamos esperar encontrarnos con un conjunto de condiciones necesarias y suficientes de la misma. Obviamente, si no se puede identificar ningún tipo de condiciones necesarias y suficientes, constituye una pérdida de tiempo, de hecho un sinsentido, intentar encontrar *la* manera de hacer historia de la filosofía. No existe *un* enfoque metodológico para abordar la historia de la filosofía; sólo existen enfoqu*es*, como resulta claro a partir de la discusión precedente.

Sin embargo, es bastante curioso que incluso aquellos autores que están en favor de este razonamiento encuentran que hay maneras "buenas" y "malas" de hacer la historia de la filosofía, y no tienen ningún reparo en rechazar completamente

[69] Rorty, "The Historiography of Philosophy", p. 38.

algunos enfoques. Por ejemplo, Rorty mismo no duda en condenar, con palabras muy duras, el enfoque que hemos llamado aquí *doxografía de la pregunta unívoca*.[70] Pero, por supuesto, si hay grados de adecuación entre los modos de hacer la historia de la filosofía, y algunos son inaceptables, entonces existe siempre la posibilidad lógica y la esperanza real de que podamos determinar el mejor modo de hacer historia de la filosofía entre aquellos modos que conocemos. Adviértase que no estoy sacando a relucir el viejo argumento platónico de que si existe algo mejor, entonces debe existir lo absolutamente óptimo. Lo que estoy afirmando es que los grados entre los miembros de un grupo suponen el grado más elevado entre tales miembros, aun cuando dicho grado esté compartido por varios de los miembros del grupo o éstos lo logren en combinación. No hay ninguna razón, por tanto, por la que no podamos aspirar a producir un modelo de hacer la historia de la filosofía que sea el mejor de todos los que hemos citado, o quizás mejor que todos ellos, aun cuando dicho modelo pueda ser desplazado, con el tiempo, por otros de los que todavía no sabemos nada.

En resumidas cuentas, creo que existe una respuesta afirmativa a la primera de las tres preguntas que planteé al comienzo de esta sección, es decir, creo que existe un enfoque de la historia de la filosofía que disfruta de las ventajas de los enfoques discutidos anteriormente, a la vez que evita sus dificultades y, por tanto, es mejor que todos los otros que hemos descrito. Pero para responder a la segunda pregunta y determinar cuál es este enfoque, debemos volver primero a los requisitos que tienen que imponerse a un enfoque de este tipo para que sirva apropiadamente a la tarea histórica.

Por nuestra discusión anterior, en el capítulo I, acerca de la naturaleza de la historia de la filosofía, sabemos que ésta consiste en una relación de las ideas filosóficas del pasado, y que dicha relación entraña la descripción, la interpretación y la valoración. Un enfoque apropiado de la historia de la filosofía, por tanto, debería conducir a la descripción, interpretación y valoración precisas de las ideas filosóficas del pasado. En otras

[70] *Ibid.*, p. 62.

palabras, debe ofrecer respuestas a las preguntas acerca de lo que dichas ideas son, cómo llegaron a ser lo que son, por qué llegaron a ser lo que son y cuál es su importancia. Esto debería estar claro. También debiera estarlo que, con el fin de ofrecer una descripción precisa, debemos ser objetivos y, con todo, con el fin de ofrecer interpretaciones y valoraciones, debemos abandonar la objetividad requerida en la descripción, esto es, debemos convertirnos en partes interesadas. Por tanto, no sólo necesitamos formular una manera de lograr descripciones, interpretaciones y valoraciones precisas, sino que debemos también encontrar una manera de resolver el conflicto aparente entre la descripción, por un lado, y la interpretación y la valoración, por el otro.

El conflicto al que nos estamos refiriendo es una de las razones por las que los historiadores de la filosofía prefieren el enfoque erudito, en el que se supone que la tarea del historiador se restrinja a la descripción, dejando al margen tanto la interpretación como la valoración. Pero vimos en el capítulo I que la historia de la filosofía también requiere de la interpretación y la valoración, y en el presente capítulo hemos advertido las limitaciones del enfoque erudito, si se lo considera por sí mismo. De hecho, en el capítulo IV observamos que incluso la comprensión de textos requiere la añadidura de aquellos textos sin los que sería imposible producir actos de comprensión semejantes a los del autor y la audiencia coetánea y, por tanto, lograr una comprensión precisa del pasado. De ahí que un enfoque metodológico estrictamente descriptivo, que rechace la interpretación y la valoración, está excluido para nosotros. Debemos encontrar una vía, por consiguiente, para reconciliar los objetivos descriptivos, interpretativos y valorativos de la historia de la filosofía y, de esta manera, resolver esta dificultad.

La dificultad que conlleva la reconciliación de estos objetivos no es, sin embargo, la única con la que se encuentra el historiador de la filosofía. Una dificultad quizás más seria es la de comprender y encontrar una base común para la diversidad presente en la historia de la filosofía, pues ésta se nos muestra con una variedad increíble de lenguajes, conceptos, temas, autores, tradiciones y culturas. ¿Cómo van a salvar el abismo los historiadores de la filosofía, no sólo el abismo que se da entre ellos y los filósofos del pasado, sino entre los mismos filósofos del pasado? ¿Qué base común puede encontrarse entre las diferentes tradiciones y autores filosóficos? Si es tan difícil, como cualquier historiador sabe, determinar el significado conceptual exacto de un término en la filosofía de un único autor, ¿qué esperanza cabe de que podamos extender dicha comprensión a otros términos y filosofías dentro del periodo e, incluso, a otros periodos? Consideremos el término "sustancia": ¿podemos estar seguros de que entendemos el respectivo término griego en Aristóteles? Y, entonces, ¿cómo lo entendemos en el caso de Plotino, Platón, Tomás de Aquino, Descartes y Locke, por ejemplo? Sin embargo, la historia de la filosofía debe hacer eso y mucho más si ha de ser lo que hemos dicho que debería ser. Pero esto no es todo, porque las mismas figuras históricas en filosofía toman prestados los términos y las ideas de sus predecesores. Además, también tienen opiniones sobre esos términos e ideas, sobre su precisión, sobre lo que querían decir en la filosofía de la que los tomaron prestados, así como lo que quieren decir en su propia filosofía. Y, por supuesto, es posible que estén completamente errados en sus juicios históricos.

La historia de la filosofía parece, y suena, de hecho, como una torre de Babel. ¿Es posible reducir esta estridencia de ideas, de modo que podamos entenderla? ¿Podemos encontrar una manera de ofrecer una descripción precisa del pasado filosófico acompañada de interpretaciones inteligibles y de valoraciones que tengan sentido? Creo que la solución a este problema hay que encontrarla en lo que llamo "el enfoque desde un marco conceptual".

IV. EL ENFOQUE DESDE UN MARCO CONCEPTUAL

El *enfoque metodológico desde un marco conceptual* sostiene que, para hacer historia de la filosofía, es necesario comenzar estableciendo un mapa conceptual de las cuestiones de la historia de la filosofía que el historiador se propone investigar. Este mapa conceptual se compone de cinco elementos básicos: primero, el análisis y las definiciones de los principales conceptos implicados en las cuestiones bajo investigación; segundo, la formulación precisa de tales cuestiones, junto con una discusión de sus interrelaciones; tercero, la exposición de las soluciones que pueden ofrecerse de tales cuestiones; cuarto, la presentación de los argumentos básicos en favor y las objeciones en contra de tales soluciones; y, por último, la articulación de los criterios que han de emplearse en la valoración de las soluciones a los problemas bajo investigación y de los argumentos y objeciones ofrecidos que tienen que ver con las mismas. En definitiva, el marco conceptual es un conjunto de: conceptos cuidadosamente definidos, problemas formulados, soluciones establecidas, argumentos y objeciones articulados, y principios de valoración adoptados. Todos estos elementos están relacionados con las cuestiones que el historiador se propone explorar en la historia de la filosofía. En el caso, por ejemplo, de una investigación sobre la doctrina de Tomás de Aquino acerca de la individuación, el marco conceptual consistiría en lo siguiente: (1) la definición y el análisis de términos tales como "individuación", "individualidad", "individuo", "diferencia numérica", etc., que se utilizan muy a menudo o que el historiador piensa que deberían usarse en la discusión sobre la individuación; (2) una formulación del problema de la individuación y una discusión de problemas afines; (3) la presentación de varios tipos de teorías de la individuación (formal, material, etc.); (4) el examen de los argumentos en favor y en contra de tales teorías; y (5) un conjunto de criterios que han de utilizarse para valorar las teorías de la individuación y los argumentos que se emplean en favor o en contra de tales teorías. En (5) pueden incluirse las reglas generales que tienen que ver, por ejemplo, con la coherencia; pero son mucho más eficaces las reglas específicas que el historiador piensa aplicar a la individuación en particular, como, por ejemplo, la regla que afirma que un principio adecuado de individuación de las sustancias debe ser sustancial, y así por el estilo. La manera como todo esto funciona se aclarará mejor cuando, más tarde, presente un ejemplo más detallado de la aplicación del enfoque desde un marco conceptual.

La función del marco es servir como un mapa conceptual para determinar el lugar y la relación que las ideas y las figuras de la historia de la filosofía poseían entre sí y respecto a nosotros. No pretende eliminar la complejidad de las cuestiones, posiciones o figuras por medio de una simplificación arbitraria de las mismas. Ni tampoco está el marco conceptual gobernado por la intención teleológica del esquema histórico del escatologista, en el que se describen, interpretan y evalúan los desarrollos filosóficos sólo en la medida en que se ajustan a un esquema de desarrollo que conduce a un objetivo reconocido de antemano. Por último, el marco conceptual no debería pasar por alto ni debería intentar eliminar las diferencias reales entre las opiniones, los autores y las culturas, como hace el doxógrafo. La función del marco conceptual en el enfoque que estoy proponiendo aquí es, más bien, ayudar a establecer las diferencias y semejanzas entre ideas que, de lo contrario, sería muy difícil comparar. No se trata de confirmar una dirección histórica predeterminada o de limar las diferencias existentes. El marco conceptual hace posible la traducción de diversas terminologías y tradiciones en un denominador común que permitirá el desarrollo de una comprensión global. Reduce la disonancia de ideas a ciertos parámetros de acuerdo con los cuales pueden entenderse, de un modo más fácil, las posturas, y presenta las bases para posibles valoraciones y para la determinación del desarrollo a lo largo de la historia. En este sentido, este enfoque satisface la necesidad de objetividad, requerida por la descripción precisa de la historia, y también ofrece los fundamentos para la interpretación y la valoración, que son esenciales para una aproximación filosófica a la historia de la filosofía.

El marco conceptual explícito aclara, además, la manera como el historiador está interpretando las ideas y los autores, amén de los criterios que están siendo utilizados para juzgarlos.[71] La mayor parte de las historias de la filosofía, consciente o inconscientemente, emplea juicios subrepticios que se infiltran como parte de la descripción histórica. Puesto que hay siempre un marco conceptual que está actuando en cualquier discurso,

[71] Esta afirmación debería bastar para dejar claro que el marco al que me refiero no se reduce a los límites conceptuales dentro de los cuales cree el historiador que está trabajando el autor que se estudia, sino que se extiende más allá, al punto de incluir lo que el historiador sostiene. Richard A. Watson ha hablado de un marco más restringido en "A Short Discourse on Method in the History of Philosophy", *Southwestern Journal of Philosophy*, vol. 11, no. 2, 1980, pp. 11-12.

es inevitable que sus categorías afecten cualquier relación que se proponga en dicho discurso. No puede erradicarse completamente el anacronismo de las relaciones históricas, pues los historiadores no son *tabulae rasae*, ni tampoco deberían serlo. Por lo demás, el propósito de una relación histórica es más que la mera re-creación de los actos de entendimiento de los filósofos del pasado. Los historiadores de la filosofía van más allá de esto con el fin de hacer explícitas las conexiones que, posiblemente, no se hubieran hecho explícitas en el pasado, y con el fin de hacer juicios sobre la base de la evidencia de la que no disponían los actores del drama histórico. Por otro lado, la objetividad histórica requiere que la interpretación y la valoración se identifiquen claramente como tales, y se distingan, en la medida de lo posible, de la descripción. De lo que se precisa es de medios prácticos para reconocer lo que es o puede ser anacrónico. La única manera de progresar en la conservación de la objetividad, por tanto, es haciendo que el mapa conceptual presente en la mente del historiador se vuelva tan explícito y claro como sea posible. Esto, obviamente, hace más fácil discrepar de la relación resultante. La claridad invita al desacuerdo, mientras que la oscuridad ayuda al consenso. Ésta es la razón por la que la ambigüedad es tan útil en los documentos políticos y legales. Los retóricos conocen muy bien este hecho y lo llevan muy bien a la práctica. Pero la filosofía y la historia se oponen, por naturaleza, a tales estratagemas. Si los objetivos propuestos son la verdad y la comprensión, tanto en la filosofía como en la historia, entonces la claridad es esencial, y cualesquiera presupuestos escondidos deben ser traídos a plena luz. Por supuesto, no es posible dejar al descubierto todos los presupuestos que uno mantiene. Pero debe hacerse el intento en la medida de lo posible. Ésta es la razón por la que, en las relaciones históricas, se debe desvelar y hacer explícito, desde el mismo comienzo, el mapa conceptual interpretativo y valorativo presente.

Por último, no debería pasarse por alto otra ventaja del enfoque desde el marco conceptual: éste considera esencial para la relación histórica la descripción, interpretación y valoración no sólo de las posturas, sino también de los problemas y argumentos. Algunos de los enfoques que se han descrito anteriormente mantenían una predisposición a concentrarse en ciertos aspectos del pasado. El enfoque problemista, por ejemplo, se concentraba en los problemas y, a veces, en los argumentos. Por el contrario, el enfoque erudito parecía preocuparse casi exclusivamente por las posturas, al punto de olvidarse de los argumentos y problemas. En el enfoque desde el marco conceptual, es el mismo procedimiento el que requiere que se preste atención y se tomen en cuenta los problemas, las posturas y los argumentos. La preparación del marco conceptual empleado para la comprensión del pasado supone distinguir, sistemáticamente, los diversos problemas y cuestiones que son pertinentes, formular las diferentes soluciones alternas, examinar las ideas fundamentales implicadas en las mismas, y analizar el tipo de argumentos empleados en favor y en contra de las soluciones en cuestión. Y todo esto se acompaña con una formulación de los criterios empleados para la selección, interpretación y valoración históricas, además de una clara manifestación de las propias opiniones del historiador acerca de las cuestiones bajo discusión.

Las características que hemos presentado permiten al enfoque desde el marco conceptual recoger e integrar los mejores elementos de los enfoques más prometedores que hemos discutido antes: se apropia la objetividad y el cuidado del erudito al hacer explícito el marco conceptual y los presupuestos del historiador; mejora la precisión interpretativa del problemista por medio de la formulación explícita de los problemas y cuestiones; hace posible el juicio y la identificación de direcciones escatológicas por medio del análisis de soluciones y problemas alternos; deja espacio a las técnicas exegéticas del crítico literario; está abierto a la formulación ideal de diversas opiniones y argumentos; y permite al historiador cubrir un espacio tan amplio como el que cubre el doxógrafo, ya que proporciona un sistema simplificado y coherente de clasificación. Además, todo esto lo hace poniendo énfasis en un procedimiento práctico que puede adaptarse y emplearse fácilmente según circunstancias diversas.

Existe, sin embargo, una consecuencia restrictiva en el enfoque desde el marco conceptual, y que no debería pasarse por alto. Este enfoque funciona mejor cuando se ocupa de una idea o problema, o de un conjunto estrechamente entramado de ideas

o problemas, que cuando se ocupa de una descripción general
y a gran escala de todas las dimensiones filosóficas de un periodo o periodos. La razón de esto estriba en que el desarrollo
y la presentación de un marco conceptual como el que requiere este enfoque no podría realizarse si dicho marco conceptual
tuviera que cubrir todos los aspectos del pensamiento de un
periodo. Acabaría ofreciendo, como Marenbon ha afirmado
acertadamente, "una maraña de discusiones lógicas, científicas
y teológicas [Marenbon está hablando, sobre todo, de la Edad
Media] que no le ofrecería al lector moderno una historia de
la *filosofía*".[72] El enfoque desde el marco conceptual, por tanto,
se enfrenta con limitaciones cuando llega a la producción de
historias comprehensivas de la filosofía. Pienso que tales obras
necesitan tomar como punto de apoyo estudios especializados,
los cuales, precisamente, adoptarían el enfoque desde el marco conceptual, pero ellas mismas no pueden adoptarlo en su
plenitud. Teniendo en cuenta la amplitud que deben poseer las
historias comprehensivas, éstas tienen que ser, necesariamente,
doxográficas. Es éste un corolario importante, porque sugiere
que las historias comprehensivas de la filosofía no pueden llevarse a cabo con el método que, según he sostenido, es el que
mejor se ajusta a la historia de la filosofía. Por tanto, o bien tienen que hacerse empleando unos métodos que, desde el punto
de vista filosófico, son menos apropiados, o bien no tienen que
hacerse en absoluto. Algunos historiógrafos han afirmado que
no tienen que hacerse en absoluto.[73] Creo que hay mérito en las
mismas, cuando sea el caso que se basen en análisis más docu-
mentados, apoyados por el enfoque desde el marco conceptual,
y cuando su propósito sea más informativo que filosófico. En
este sentido, están respaldadas por las conclusiones alcanzadas
por una metodología sólida y, al mismo tiempo, formulan tesis
modestas sobre los datos que presentan.

[72] John Marenbon, *Later Medieval Philosophy (1150-1350): An Introduction*,
Routledge & Kegan Paul, Londres y Nueva York, 1987, p. 90. Con estas palabras, Marenbon describe lo que llama el enfoque del "análisis histórico". Este
enfoque tiene bastante en común con el enfoque desde el marco conceptual
que se ofrece aquí.
[73] Rorty, "The Historiography of Philosophy", p. 65.

Por lo que se refiere a otros géneros de la historia de la filosofía, parece que el enfoque desde el marco conceptual funciona
bien. Es especialmente apropiado para la producción de estudios comprehensivos o especializados de problemas e ideas
particulares, pero también puede ser eficaz a la hora de tratar
con el pensamiento de autores por separado.

Las ventajas del enfoque desde el marco conceptual no son
el resultado de la combinación ecléctica de las metodologías
de todos los enfoques discutidos anteriormente. De hecho, tal
combinación no es posible en la medida en que varios enfoques
poseen diferencias irreconciliables entre sí (sería inútil intentar
reunir a un apologista con un erudito, por ejemplo); y aunque
fuera posible, dicha combinación sería indeseable, en la medida
en que algunos enfoques son poco recomendables: ¿qué hay de
bueno en el enfoque ideológico, por ejemplo? Por último, aun
cuando fuera posible y deseable una combinación, el resultado
ecléctico no constituiría, necesariamente, un método eficaz de
procedimiento en la historia de la filosofía. Para ser así, tendría
que presentar una propuesta concreta de pautas que debería
seguir el historiador de la filosofía, pero esto sólo puede lograrse por medio de una conciencia sensible a la necesidad de
balancear los elementos descriptivos, interpretativos y valorativos que entran en la relación histórica, y no sólo poniendo en
un mismo paquete diversos procedimientos que, por sí mismos,
se ha demostrado que son deficientes.

Quizás la mejor manera de sacar a relucir las virtudes del
enfoque desde el marco conceptual es ofreciendo un ejemplo
de su aplicación a un caso muy particular. Puesto que yo mismo
lo he utilizado, voy a referirme a la aplicación que le he dado
para ilustrar cómo funciona.[74] Deseo dejar claro, sin embargo,
que no considero el estudio al que voy a hacer referencia como
un "modelo" de enfoque desde el marco conceptual. De hecho,
cuando estaba dedicado a dicho estudio, mi preocupación no
era historiográfica y, por tanto, la conciencia que tenía de los
problemas con los que se enfrenta el historiador de la filosofía
era, más bien, intuitiva. Como resultado, ahora que me vuelvo
a dicho estudio encuentro muchas cosas que son incorrectas

[74] Gracia, *Introducción al problema de la individuación en la Alta Edad Media*.

desde el punto de vista del historiógrafo. Sin embargo, y a pesar de todas estas fallas, lo que intenté hacer en aquel momento coincide, a grandes rasgos, con el procedimiento que estoy proponiendo aquí.

Hace varios años, después de revisar la bibliografía medieval sobre el problema de la individuación, me di cuenta de que se había hecho muy poco sobre el desarrollo del problema en la Alta Edad Media. No había ningún libro sobre el mismo, ni encontré tampoco artículos escritos específicamente sobre el desarrollo de este problema en dicho periodo. Con todo, era claro que el origen del problema de la individuación había de encontrarse en la Alta Edad Media. Existía, en primer lugar, una abundante bibliografía sobre el siglo XIII y siguientes, y también algunos textos muy conocidos del periodo anterior discutían la individuación indirectamente, tales como las *Glosas sobre Porfirio*, de Abelardo, y *Sobre la Trinidad*, de Boecio. Pero nadie había realizado un estudio amplio de dichos textos ni de ningún otro sobre el asunto en el periodo que se extiende desde el 500 d. de C. hasta el 1 200 d. de C. Y no es de extrañar, ya que la dificultad de la tarea era enorme. Estaban los problemas corrientes: textos latinos corrompidos, malas ediciones, fuentes no disponibles, etc. Pero la parte más difícil de todo el proyecto era la existencia de diferentes tradiciones conceptuales en el periodo: los neoplatónicos, la patrística griega, los agustinianos y los aristotélicos, entre otros. Todas ellas hablaban diferentes idiomas conceptuales y, a menudo, eran lo suficientemente semejantes en apariencia como para crear confusión. Además, las ideas y los términos técnicos parecían moverse de una tradición a otra sin demasiada dificultad, aunque, por debajo, dichas ideas y su terminología sufrían transformaciones significativas que no sólo las modificaban, sino que influían en otras ideas. Encontré, también, diversos grados de conciencia sobre el problema de la individualidad, diversas interpretaciones del problema de la individuación (algunas, epistemológicas; otras, ontológicas; etc.), y algunos enfoques del mismo sobremanera diferentes. Además, estaba interesado en lograr que, cualquiera que fuesen las conclusiones a las que llegara, deberían ser conclusiones accesibles al lector contemporáneo. No deseaba contentarme con traducir textos latinos al inglés, ofreciendo una paráfrasis aproximada, y dejarla sin más. Tal procedimiento no habría satisfecho al lector moderno, y no hubiera hecho posible formarse un juicio acerca de los desarrollos históricos y las comparaciones entre autores que pertenecen a diferentes tradiciones conceptuales. En definitiva, no habría producido una relación filosófico-histórica del problema.

Con tales problemas y objetivos en mente, decidí que la única manera sensata de proceder consistía en comenzar confeccionando un marco conceptual general y, en la medida de lo posible, neutral, que trazara las diversas cuestiones y posturas básicas relacionadas con la individuación. Esto se hizo sistemáticamente, sin tener en cuenta los detalles particulares que había encontrado o que quedaban por encontrar en los textos de la Alta Edad Media, aunque el mismo desarrollo y configuración del marco conceptual habían surgido de mis lecturas de tales textos, y reflejaba, en muchos aspectos, las opiniones contenidas en los mismos. También intenté utilizar un lenguaje neutral con respecto a las tradiciones filosóficas, y lo suficientemente claro, como para que pueda ser comprendido por el filósofo no especializado. Iba a servir como un vehículo común de comunicación, no sólo entre el pasado y el presente, sino también como un medio de comparación entre diversas opiniones dentro de la misma Alta Edad Media. En el mismo marco conceptual identifiqué, en primer lugar, una serie de cuestiones filosóficas que unas veces se omiten, otras se identifican a propósito, y con frecuencia se confunden. Encontré, por ejemplo, que hay, por lo menos, seis cuestiones implicadas en, o estrechamente relacionadas con, el problema de la individuación. La primera de estas cuestiones tiene que ver con la manera misma de entender la individualidad. La segunda concierne a la extensión de la categoría, es decir, las cosas que son individuales y las cosas que no lo son. La tercera tiene que ver con el *status* ontológico de la individualidad, esto es, se trata de cuestiones acerca de si la individualidad es una propiedad, una sustancia, o alguna otra cosa, y cómo puede distinguirse la individualidad de los individuos. En cuarto lugar, está el problema de la individuación propiamente hablando, que concierne a la identificación de las causas o principios responsables de la individualidad de los individuos. El quinto concierne a la cuestión epistémica de

cómo llegamos a estar conscientes de los individuos como tales
y de los criterios que hacen posible dicha conciencia. Por último, también identifiqué algunas cuestiones relacionadas con
el sentido y la referencia de aquellos signos lingüísticos que empleamos para referirnos a los individuos, esto es: los nombres
propios, los indicativos, y las descripciones definidas.

Una vez que identifiqué algunas cuestiones básicas relacionadas con el problema de la individuación, pasé entonces a ofrecer
algunas formulaciones sencillas de las posturas fundamentales
que pueden adoptarse con respecto a dichas cuestiones, señalando los argumentos más obvios en su apoyo y las objeciones
que se les podrían presentar. Así, por ejemplo, determiné que
hay, por lo menos, cinco formas diferentes de entender la individualidad, según se conciba como indivisibilidad, distinción,
división específica, identidad o impredicabilidad. Y señalé sus
fortalezas y debilidades respectivas, así como la dirección en la
que, según mi opinión, había que buscar la mejor interpretación.

Haber hecho esto con cada una de las cuestiones subrayadas
me permitió hacer explícitas las relaciones, que previamente
habían pasado desapercibidas, entre las soluciones a una cuestión y las opiniones concernientes a algunas de las otras. Por
ejemplo, se hizo claro que aquellos filósofos que entendían la
individualidad como una suerte de diferencia acababan con
frecuencia, en primer lugar, formulando el problema de la individuación en términos epistémicos, como el problema de
cómo el cognoscente llega a ser consciente de los individuos
considerados como tales; en segundo lugar, acababan identi-
ficando el principio de ese conocimiento con la localización
espacio-temporal. Ambos corolarios tienen sentido, porque si
la individualidad tiene que ver con aquello que hace que algo
sea diferente de algún otro, la cuestión de la individuación se
muestra como una cuestión acerca de la diferenciación, y el
principio de individuación como aquel que nos permite diferenciar. Y la localización espacio-temporal es el candidato más
claro a tenerse en cuenta como aquello que nos hace diferenciar
entre dos cosas, aunque parezcan semejantes bajo casi todos
los aspectos. Pero, como se ha advertido, estas conclusiones
se apoyan en una manera peculiar de entender la individuali-

404 LA FILOSOFÍA Y SU HISTORIA

dad. Si, por ejemplo, entendemos la individualidad como la no instanciabilidad, se puede distinguir claramente entre el problema ontológico de la individuación (aquello que hace que las cosas no sean instanciables) y el problema epistémico de la discernibilidad individual (aquello que hace que el cognoscente esté consciente de los individuos). Por lo demás, este paso abre las puertas para otros principios de individuación, puesto que no es necesario que el principio de individuación sea epistémicamente eficiente.

Una vez que se completó el marco conceptual sistemático, la tarea histórica de mi estudio pasó a primer plano. En primer lugar, identifiqué los textos y contextos en los que los autores correspondientes discutieron la individuación o las cuestiones relacionadas con la individuación; entonces, sometí tales textos a técnicas exegéticas usuales y al análisis filosófico, teniendo cuidado en no perder el punto de vista filosófico general de los autores en cuestión. Surgió, lentamente, una imagen de lo que los autores habían dicho y de lo que no habían dicho. Con el empleo de las categorías desarrolladas en el marco conceptual me fue posible establecer y demarcar con precisión la cuestión o cuestiones relacionadas con los autores bajo escrutinio, los enfoques que empleaban, los presupuestos bajo los que trabajaban y el valor de sus contribuciones respectivas. Por ejemplo, se hizo claro que Gilberto de Poitiers es el primer autor del periodo que, explícitamente, hace una distinción entre el problema ontológico del principio de individuación y el problema epistémico que plantea la discernibilidad de los individuos. También se hizo claro que el enfoque de Abelardo de la individuación es, sobre todo, lógico, y que su solución surge, principalmente, del hecho de que entiende la individualidad en términos lingüísticos, en tanto que impredicabilidad. También se hizo posible resumir la postura de cada autor sobre la base del marco conceptual, amén de comparar las posturas y logros de los diversos autores con aquellos otros autores que emplearon una terminología, unos enfoques y unos presupuestos diferentes. Aun cuando, por ejemplo, algunos autores hablaban de particularidad y singularidad, antes que de individualidad, fui capaz de mostrar cómo, en algunos casos, tenían en mente el mismo concepto.

Todo esto dio como resultado una relación del desarrollo del problema de la individuación en la Alta Edad Media que es descriptiva, interpretativa y valorativa. Su objetividad está protegida por el marco conceptual explícito aplicado al periodo, y sus parámetros interpretativos y valorativos deberían quedar claros a cualquiera que lea el texto. Naturalmente, esperaba que algunos historiadores del periodo discreparan de mis conclusiones, pero el hecho de que el marco conceptual estuviera explícito les facilita la tarea de comprender dónde discrepan conmigo y por qué, pues no debía suponerles dificultad alguna separar, en mi estudio, la valoración, la interpretación y la descripción. Baste con esto, entonces, por lo que se refiere a la ilustración del marco conceptual. No creo que sea apropiado continuar con la misma, pues nos desviaríamos demasiado de nuestro curso. Pasemos ahora a las críticas que pueden plantearse en contra de este enfoque.

Se han planteado dos serias críticas en contra del enfoque del marco conceptual. La primera es que son muchas las cosas que da por supuestas. De hecho, puede afirmarse que este enfoque presupone que es posible desarrollar un marco conceptual general y neutral que pueda servir como base de comparación entre puntos de vista e ideas que difieren ampliamente. Pero tal presunción la contradice nuestra experiencia del vasto abismo conceptual que separa el presente del pasado y una cultura de otra. No hay, por tanto, ningún marco general que pudiera emplearse para comparar opiniones de diferentes periodos de la historia. Además, el marco no podría ser neutral, porque sería el producto de una figura histórica sujeta a las mismas presiones y limitaciones culturales que cualquier otro individuo histórico. La idea de un marco conceptual general y neutral, por tanto, no es más que una proyección del deseo de objetividad que posee el historiador, y que nunca puede llevarse a cabo tal como se ha concebido.

Este tipo de objeción no es nueva. Ya la hemos encontrado, de una forma ligeramente diferente, en el capítulo I, cuando tratábamos del problema de la recuperabilidad del pasado, y en aquel momento ofrecí algunas razones por las que pensaba que era inválida en ese contexto. Aquí me gustaría añadir que, para aceptar el enfoque desde el marco conceptual y su aplicación, no es preciso que exista, realmente, un marco conceptual completamente general y neutral. De hecho, si adoptamos un enfoque desde el marco conceptual es, en parte, porque estamos conscientes de la perspectiva prejuiciada y culturalmente orientada de todo historiador de la filosofía. Ningún historiador es una *tábula rasa* que puede volverse a la historia desde un punto de partida completamente neutral. Y es por esta razón por la que es necesario desarrollar procedimientos que promuevan, aunque no la aseguren, tanta objetividad como sea posible. La función del marco en este enfoque es hacer explícitos, en la medida de lo posible, tanto el modo como el historiador entiende estas cuestiones, argumentos y opiniones de los que se ocupa, como sus propias opiniones sobre cómo han de entenderse dichas cuestiones, así como el valor relativo de los argumentos y las opiniones en litigio con respecto a éstas. La generalidad y neutralidad del marco no se conciben como un *fait accompli* requerido en el comienzo de la investigación histórica, sino más bien como una meta metodológica que regula el proceso mediante el cual el historiador trata de comprender y recuperar el pasado filosófico.

A esto debo añadir, sin embargo, que el enfoque desde el marco conceptual supone, efectivamente, alguna unidad disciplinaria que corre a lo largo de la historia de la filosofía. La filosofía, pienso, se ocupa, efectivamente, de ciertas cuestiones y procedimientos básicos y fundamentales. Dichas cuestiones y procedimientos pueden surgir en diferentes épocas y bajo diferentes ropajes, y es posible, incluso, que sea difícil reconocerlos bajo ciertas circunstancias. Además, las cuestiones pueden plantearse desde perspectivas que, en algunos casos, son significativamente diferentes. Con todo, hay hilos que corren a lo largo de la historia del pensamiento, y tales hilos fundamentan la creencia en la idea de un marco conceptual metodológico que es lo suficientemente general y neutral como para servir de base en la comparación de opiniones filosóficas de diferentes épocas y culturas.

La segunda crítica seria al enfoque desde el marco conceptual afirma que éste puede convertirse en un lecho de Procrustes, en el que las ideas que no se ajustan se cortan y se descartan, y otras son alargadas más allá de lo que permite su elasticidad.

En otras palabras, la acusación consiste en afirmar que lo que se tiene es un esquema predeterminado que el historiador establece para verlo confirmado en la historia, como hacían los escatologistas como Hegel y Agustín.

Efectivamente, este tipo de enfoque corre el peligro de convertirse en un lecho de Procrustes, pero no tiene que ser así necesariamente. En primer lugar, el marco debe ser lo suficientemente amplio y general como para incluir tantas alternativas como sea posible; además, debería estar dispuesto a posibles modificaciones. El marco conceptual no es un sistema, un conjunto completo y circular de ideas, sino más bien un conjunto, sin límites fijos, de pautas. Tiene que haber una relación recíproca entre el marco conceptual y el estudio textual. Los desarrollos en el estudio textual deberían promover modificaciones en el marco conceptual, y los desarrollos en el marco conceptual deberían aumentar la capacidad de apreciación de posibles interpretaciones de los textos. Por lo demás, si se mantiene siempre presente el contexto histórico, se vería sustancialmente reducido el peligro de interpretaciones extravagantes y valoraciones fuera de lugar. Por último, el que se haga explícito el marco conceptual debería servir de guardián en contra de interpretaciones y valoraciones implícitas y subrepticias que impregnan la mayor parte de las relaciones históricas.

Teniendo en cuenta todo lo que se ha dicho, considero el enfoque desde el marco conceptual como la mejor manera de estudiar la historia de la filosofía. La integración sincrónica y diacrónica de ideas que permite este enfoque no puede encontrarse en ningún otro. Pero también puede aplicarse incorrectamente este enfoque. Son muchos los obstáculos que necesita superar el historiador para ofrecer una relación precisa de las ideas filosóficas del pasado. Algunos de estos se presentan, precisamente, por la manera en que dichas ideas surgen y se desarrollan. En el próximo capítulo voy a considerar algunos de estos problemas.

VI

EL DESARROLLO DE LAS IDEAS FILOSÓFICAS: ETAPAS, INTERPRETACIÓN Y PROGRESO

Muchos de los factores que dan lugar a considerables malentendidos acerca de las afirmaciones históricas sobre lo que ocurrió en la historia de la filosofía, surgen de una falta de comprensión adecuada de la manera como las ideas y las cuestiones filosóficas se originan y desarrollan. Es bastante corriente, por ejemplo, encontrar a historiadores de la filosofía afirmando que una figura histórica como Platón realmente anticipó la solución de algún otro filósofo respecto a un tema o problema particular. Cada época desea leer en su historia pasada sus propios descubrimientos y logros. Parece como si el argumento de autoridad, que en tanta estima tenían los escolásticos en materias de fe y que con tanta frecuencia lo criticaron los filósofos, no fuera a eliminarse, realmente, en materias filosóficas, convirtiéndose, *de facto*, en una suerte de soporte sin el que no pudieran sostenerse las nuevas teorías. Ésta parece ser una de las motivaciones para este tipo de afirmaciones; y, de hecho, una de las motivaciones para el estudio de la historia de la filosofía, como vimos en el capítulo III, se basa, precisamente, en esta actitud.

Otra de las motivaciones para la afirmación de que el pasado se ha anticipado al futuro proviene de una fuente diferente, y se encuentra entre aquellos que padecen lo que llamo el *síndrome del Eclesiastés*. De acuerdo con esta dolencia, en el mundo de la filosofía no hay nada nuevo bajo el sol. Puede seguirse la pista a todo lo que se halla presente en filosofía en cualquier periodo de su historia y encontrar que siempre tiene su origen en el pensamiento de algún otro periodo. Es ésta una concepción frecuente, sobre todo, entre los que practican la doxografía de la historia de las ideas, quienes, según parece, consideran que su tarea consiste en remontarse hasta encontrar los orígenes de las ideas de los autores que estudian en alguna fuente anterior. Pero esta concepción también está asociada al enfoque nostálgico.

Aquellos que favorecen el enfoque nostálgico y padecen del síndrome del Eclesiastés agotan sus energías en buscar los antecedentes de todo lo que hay de bueno y útil en filosofía, remontándose hasta el pensamiento de una o más figuras que, de acuerdo con ellos, alcanzaron el grado más alto posible de altura y profundidad filosóficas. Los ejemplos más conocidos de este fenómeno en los círculos filosóficos son los seguidores de Tomás de Aquino y Karl Marx. Pero incluso un examen superficial del panorama filosófico actual pondrá de manifiesto la amplitud y profundidad del síndrome del Eclesiastés. Hay kantianos, heideggerianos, russellianos, peirceanos, wittgensteinianos, aristotélicos y, quizás los más recalcitrantes de todos ellos, platónicos. Los nostálgicos que comparten el síndrome pasan su tiempo mostrando cómo su autor o su época preferidos han anticipado todo lo que hay de valioso en lo que los filósofos o las épocas posteriores afirman haber descubierto. El origen de los errores, por supuesto, no puede encontrarse, por lo general, en el pasado. Puesto que la mayor parte de aquellos que padecen del síndrome del Eclesiastés se adhieren también al principio de infalibilidad, lo único en lo que los filósofos posteriores pueden reclamar originalidad es en la cuestión de los errores. Sin embargo, hay algunos nostálgicos que padecen del síndrome e intentan remontar los errores a los filósofos del pasado, pero tan sólo a los enemigos filosóficos del autor que consideran el predecesor de toda o la mayor parte de la verdad. Este procedimiento sirve de apoyo a la opinión de que los autores en cuestión se ocuparon, de hecho, del tema que se está discutiendo, y que sus respuestas no son artificios de los historiadores, sino hechos históricos.

Los resultados del síndrome del Eclesiastés son bastante insatisfactorios, no sólo porque distorsionan el hecho histórico al atribuir a algún autor opiniones e ideas que no sostuvo, sino también porque esto da lugar a un anacronismo considerable. El anacronismo surge debido a que se piensa en una época bajo el prisma de las cuestiones y las categorías que no se aplican a la misma. Ya vimos en el capítulo V las consecuencias desafortunadas de semejantes enfoques del estudio de la historia de la filosofía, por lo que no es preciso ahondar más en este síndrome.

Casi tan extendido como el síndrome del Eclesiastés está su reverso, la opinión de que las ideas actuales son nuevas y que lo que parecen ser ideas semejantes que las precedieron consisten, simplemente, en anticipaciones incompletas e incipientes. Esta dolencia, que llamo *el síndrome primitivo*, es más propia de los enfoques polémicos de la historia de la filosofía que de los históricos. Los historiadores están predispuestos, con frecuencia, a ver semejanzas, antes que diferencias, entre el pasado y el presente, por lo que son especialmente propensos al síndrome del Eclesiastés, antes que a su opuesto. El énfasis de algunos diletantes y problemistas por el presente, en cambio, los lleva a pasar por alto los antecedentes de las opiniones contemporáneas.

Este tipo de errores es el resultado de una falta de conciencia del modo como las ideas y las cuestiones filosóficas surgen y se desarrollan.[1] Su remedio consiste en aclarar cómo se despliegan las ideas y las cuestiones, trayendo al discurso filosófico la percepción adecuada de las diversas etapas de desarrollo por las que atraviesan dichas ideas y cuestiones. El propósito de este capítulo, por tanto, es ofrecer una estructura tentativa que haga explícitas tales etapas. Es tentativa porque estamos ocupándonos de un tema que requiere mucha más reflexión e investigación de lo que he sido capaz de ofrecer. También debería quedar claro que las etapas a las que presto atención aquí raras veces están delineadas de un modo claro y secuencial en

---

[1] Esto es, quizás, adonde Husserl trataba, en parte, de llegar en *Ideas: General Introduction to Pure Phenomenology*, trad. W.R. Boyce Gibson, Collier Books, Nueva York, 1962, p. 225, en donde advierte: "De este modo, no es sino hasta que se ha alcanzado una etapa sumamente desarrollada de la ciencia que podemos contar con terminologías que están completamente fijadas. Es falso y realmente perverso aplicar los patrones formales y externos de una lógica de la terminología a las obras científicas en las primeras etapas del esfuerzo progresivo, y, en sus mismos comienzos, exigirles terminologías del tipo empleado por primera vez para hacer estables los resultados finales de los grandes desarrollos científicos."

la historia de la filosofía. Las categorías históricas no pertenecen al ámbito de los hechos del mundo; se trata, más bien, de
distinciones conceptualmente interpretativas que nos ayudan a
organizar nuestros pensamientos sobre el mundo y, por tanto,
no siempre es posible encontrar una correspondencia exacta
entre ellas y los fenómenos históricos.

La discusión se divide en cuatro partes. La primera presenta
un esquema de las etapas más fundamentales en el desarrollo
de las ideas y las cuestiones filosóficas. La segunda ilustra esas
etapas utilizando como ejemplo el desarrollo de la idea de un
"principio de individuación" en la Edad Media. En tercer lugar,
muestro, muy brevemente, cómo las interpretaciones históricas
necesitan tener en cuenta las etapas del desarrollo filosófico de
las ideas, pues, de lo contrario, caerían en imprecisiones y distorsiones históricas. Por último, planteo la cuestión del llamado
progreso filosófico, que, naturalmente, aparece en cualquier
discusión que se ocupe del desarrollo de las ideas. Comencemos, entonces, con las etapas del desarrollo.

I. LAS CINCO ETAPAS

Considero que son cinco las etapas fundamentales en el desarrollo de las ideas y las cuestiones filosóficas: preanalítica,
definitoria, problemática, textualmente independiente y central.[2] La etapa preanalítica se divide, a su vez, en una etapa
funcionalmente no explícita, y una etapa funcionalmente explícita.

A. *Etapa preanalítica*

Quizás la etapa del desarrollo filosófico de las ideas que más
se malinterpreta es la primera, la *etapa preanalítica*. En esta eta-

---

[2] Hace cerca de treinta años, William A. Christian sugirió tres categorías
de desarrollo que consideraba necesarias para comprender el pasado, dentro
de un marco conceptual whiteheadiano. Las llamó *presistemática, postsistemática*
y *sistemática*. Estas categorías poseen algunos elementos en común, aunque no
muchos, con las primeras tres que he sugerido. Para la opinión de Christian,
véase "Whitehead's Explanation of the Past", en George L. Kline (ed.), *Alfred
North Whitehead: Essays on His Philosophy*, Prentice-Hall, Inc., Englewood Cliffs,
Nueva Jersey, 1963, p. 97.

pa los filósofos utilizan las ideas que han tomado prestadas del discurso ordinario, sin estar conscientes o preocupados por su significado conceptual exacto o por los problemas que plantean. No les prestan ninguna atención porque ésta se centra en otras ideas o cuestiones que ya han identificado y a cuya clarificación o solución se dirigen, explícitamente, todos sus esfuerzos. Consideran que estas últimas ideas y problemas son *centrales* para su propósito. Así, por ejemplo, si están ocupados en establecer si una determinada forma de gobierno es buena, es posible que se limiten, sencillamente, a utilizar una idea de bondad propia del sentido común, sin plantearse exactamente en qué consiste esta idea y qué es lo que implica. En esta etapa del desarrollo filosófico no se hace ningún esfuerzo por definir las ideas de sentido común que están siendo utilizadas, y los filósofos no dan la impresión de que estén conscientes de los problemas que podrían asociarse con las ideas en cuestión, ni están preocupados por explorar las ideas mismas. Sencillamente, no las consideran de interés filosófico. Sus intereses se centran en otras cuestiones e ideas que, según creen, sí requieren su atención inmediata.

Las razones que están detrás de sus intereses tienen que ver, a veces, con cuestiones propiamente filosóficas; otras veces, puede que no tengan nada que ver con la filosofía. Consideraciones políticas, sociales, teológicas o científicas pueden llevar a los filósofos a concentrar su atención en determinadas cuestiones e ideas y a pasar por alto otras. La filosofía, como señala muy bien una idea que se ha convertido en cliché, no se desarrolla en el vacío: surge en un contexto cultural y en una situación histórica. Lo que los filósofos discuten está influenciado, por no decir que está siempre determinado, por su propia época y circunstancias. Esto es bastante evidente cuando se comparan los intereses de los filósofos griegos, los medievales y los modernos. Para Platón, las cuestiones éticas y políticas le proporcionaron sus temas y lo condujeron a la dirección que adoptó. La muerte de Sócrates, el estado caótico de la democracia ateniense y el auge de la sofística ocuparon, claramente, gran parte de su agenda. Por el contrario, la agenda de los medievales estaba determinada por las cuestiones surgidas cuando la fe cristiana se encontró con la filosofía pagana. El programa cambió y pasó de ser un programa motivado por las consideraciones éticas y políticas, en el caso del mundo clásico antiguo, a ser un programa en el que las consideraciones teológicas y apologéticas se hicieron dominantes. Por el contrario, cuando vamos a los inicios de la filosofía moderna, el desarrollo de la ciencia, la conciencia creciente del papel de la experiencia en la adquisición del conocimiento y la aplicación, cada vez con mayor frecuencia, de las matemáticas a la esfera del mundo, estimularon la reflexión sobre el método y el avance de la epistemología.

La etapa preanalítica del desarrollo filosófico es, sin embargo, más compleja de lo que parece a primera vista, y se puede subdividir en dos etapas de desarrollo. La primera, que llamo *etapa funcionalmente no explícita*, ocurre cuando aún no se ha aislado a la idea en cuestión. En un sentido, la idea es funcionalmente operativa —es decir, podría afirmarse que un marco conceptual determinado implica o presupone dicha idea—, pero no existen signos explícitos, ni en lo que dicen ni en lo que escriben los filósofos que se adhieren a la misma, que muestren que están realmente conscientes de ella. Una condición necesaria para que pueda clasificarse una idea como perteneciente a esta etapa del desarrollo es que ningún término o expresión del lenguaje se refiere a ella. Consideremos, por ejemplo, la idea de contradicción, es decir, la de que dos proposiciones no pueden tener el mismo valor de verdad. Esta idea puede estar funcionando en el discurso filosófico antes de que haya alguien que le preste atención o, incluso, que tenga un término o expresión con los que referirse a la misma. Por ejemplo, es posible imaginarse un caso en el que alguien afirme: "no es verdad que P y $\neg P$" ("no es verdad que tú eres, a la vez, el hijo de Claudio y que no eres su hijo"), pero que, sin embargo, no tenga ningún concepto claro de contradicción. Esto es patente cuando la afirmación en cuestión se compara con otras dos afirmaciones. Voy a enumerarlas y a colocarlas por separado para que pueda apreciarse, de modo más claro, cómo se diferencian:

1. No es verdad que P y $\neg P$.

2. Las proposiciones del tipo "P y $\neg P$" no pueden ser verdad.

3. P y $\neg P$ son contradictorias.

La afirmación 1 utiliza la idea de contradicción, pero no revela una conciencia explícita de la naturaleza exacta de la contradicción. La afirmación 2 no sólo utiliza la idea de contradicción sino que también revela una conciencia explícita de dicha idea, aunque no utiliza un signo para referirse a la idea. Por último, en la afirmación 3 tenemos un caso en el que se emplea un signo lingüístico para hacer referencia a la contradicción, aislando claramente la idea de otras, y haciéndola completamente explícita en el discurso. Lo que llamo la *etapa funcionalmente no explícita* del desarrollo de una idea ocurre en casos como el 1, en donde la idea cumple un papel implícito en el discurso pero no se utiliza explícitamente. Esto no ocurre en casos como el 2, en donde la idea se utiliza explícitamente, o en casos como el 3, en donde se la identifica explícitamente por medio de un término o expresión.

En la segunda subetapa de la etapa preanalítica, que llamo la *etapa funcionalmente explícita*, la idea se vuelve explícita. Los autores están, efectivamente, conscientes de la misma en los sentidos ejemplificados por el 2 o por el 3. Poseen una noción vaga de dicha idea, suficiente como para permitirles referirse a ella por medio de algún tipo de circunloquio o de un término en específico. En algunos casos, encontramos verdaderos enunciados de lo que se trata, pero éstos no intentan ofrecer los criterios para el uso del término ni pretenden desarrollar una definición rigurosa del mismo. Tampoco existe nada que indique que se está consciente de los posibles problemas relacionados con las implicaciones de las diversas maneras de entender el término. El concepto en cuestión es explícito, pero no va más allá: no se lo somete a análisis.

B. *Etapa definitoria*

Una segunda etapa, que puede llamarse *definitoria*, va más allá de la etapa preanalítica en la medida en que existe una conciencia de la necesidad de ofrecer una noción clara de la idea que se está utilizando. Así, por ejemplo, el filósofo que se dedica a valorar una forma determinada de gobierno, por ejemplo, puede reclamar o intentar desarrollar una definición de bondad que le permita discutir con mayor precisión el tema por el que está interesado. Pero no se está consciente todavía, en esta etapa, de los problemas que la definición adoptada pudiera acarrear o de las otras cuestiones que pudieran estar implicadas en la idea. El interés en esta etapa se centra, principalmente, en otras cuestiones o ideas y, por tanto, no se plantea ningún otro problema que se entiende que no está directamente asociado con éstas. La necesidad inmediata consiste en desarrollar un concepto más preciso y técnico que el que se encuentra en el discurso ordinario. En esta etapa vamos más allá de los casos 1, 2 y 3, alcanzando un nivel más elevado de conciencia, como cuando se afirma:

4. Una contradicción es una relación lógica entre dos proposiciones que no pueden tener el mismo valor de verdad.

Pero obsérvese que la función de la definición en esta etapa es evitar la ambigüedad y la falta de claridad cuando se emplea el *definiendum* para resolver algún otro problema. No parece que se esté consciente de los posibles problemas que puede acarrear la definición, ni hay ningún intento por ocuparse de posibles definiciones conflictivas. La discusión posee otros objetivos que no están relacionados con aquellos que tienen que ver con la aclaración y comprensión de la idea que se define.

C. *Etapa problemática*

En la tercera etapa, que llamo *problemática*, se desarrolla una conciencia de los problemas relacionados con la idea en cuestión. Es posible que tales problemas tengan que ver con las implicaciones de la definición de dicha idea, o que tengan que ver con otras cuestiones que han surgido como resultado de la atención que se le ha prestado a la idea. Siguiendo con el ejemplo del bien, mencionado anteriormente, en esta etapa los filósofos plantean preguntas acerca de cómo nos hacemos conscientes de lo que es bueno, cuáles son las causas de la bondad en las cosas buenas, y otras por el estilo. Con todo, la cuestión o cuestiones que surgen se abordan en el contexto de la cuestión original que llevó al empleo de la idea de sentido común, y se consideran propedéuticas para la misma. Por ejemplo, la investigación de las causas de la bondad sirve sólo para aclarar qué tipo de gobierno es bueno. En esta etapa podríamos encontrarnos con enunciados de índole diferente a la de 1-4. Podemos encontrarnos con enunciados tales como:

5. La definición de X como m es inconsistente con la definición de Y como n.

6. Si X se define como m, entonces Y debe definirse como r.

7. X es m porque Y es n.

Y otros por el estilo. Es decir, lo que tenemos es una serie de proposiciones que indican que se está consciente de problemas relacionados específicamente con la idea en cuestión, y no tanto con el interés original que condujo a su empleo en un primer momento. Con todo, estas nuevas cuestiones e intereses surgen y se tratan aún en el contexto temático originario, y se consideran todavía como algo propedéutico que forma parte del trasfondo del interés principal que se posee en ese momento: por ejemplo, resolver la cuestión de la forma más apropiada de gobierno, o del valor de verdad de ciertas tesis acerca del mundo, en los ejemplos que hemos estado trabajando.

D. *Etapa textualmente independiente*

En la cuarta etapa, sin embargo, tenemos otro desarrollo importante que se pone de manifiesto no sólo en el contenido de la discusión, sino que se establece en la misma estructura textual de las obras filosóficas. Ahora nos encontramos con que la discusión de la idea y de las cuestiones anejas, que surgieron previamente sólo en el contexto de otra cuestión, se convierte en algo separado textualmente de la discusión de dicha cuestión original. Es decir, encontramos una separación en el texto que no estaba presente antes. Las cuestiones asociadas con la idea que, en un principio, era propedéutica, se plantean y sitúan separadas del contexto, aunque las cuestiones que ofrecía el contexto en un primer momento siguen considerándose centrales. Podemos encontrarnos, de este modo, con un capítulo o con una sección de un capítulo claramente separada, que se ocupa de lo que, en un principio, sólo se trató de un modo marginal. Llamo a esta etapa la *etapa textualmente independiente*.

Es aquí, realmente, donde la etapa problemática se "institucionaliza", por decirlo así. Ahora bien, no sólo se da una distancia conceptual entre el tratamiento de la idea originalmente propedéutica y aquella en cuyo contexto se discutió anteriormente, sino que, más bien, se establecen márgenes textuales entre las mismas, como se pone de manifiesto en los encabezamientos de la obra en la que ocurre la discusión. Así, por ejemplo, podemos hallar, en un tratado sobre el gobierno, un capítulo que se ocupa de la definición de bondad.

E. *Etapa central*

Por último, llegamos a la etapa en la que existe un desarrollo completo, y ocurre cuando las ideas y las cuestiones que, originalmente, se consideraron propedéuticas adquieren vida propia y se convierten en objeto de discusión fuera del contexto de cualquier otra cuestión filosófica. Textualmente, ésta es la etapa en la que nos encontramos con tratados independientes, libros, artículos y monografías sobre el tema. En este momento, las ideas y las cuestiones que, en un principio, se consideraron propedéuticas dejan de ser instrumentales y comienzan a desempeñar un papel central en el desarrollo filosófico: de hecho, en esta etapa comienzan a funcionar de tal manera, que su consideración conduce al empleo de otras ideas de sentido común, a la definición de tales ideas y a la formulación de cuestiones relacionadas. En algunos casos, en efecto, el orden de subordinación entre estas ideas y aquellas que, en un principio, las introdujeron, se invierte, de manera que las ideas que, originariamente, eran centrales, se discuten en el contexto de las que eran propedéuticas. Así, por ejemplo, pueden discutirse los tipos de gobierno en el contexto de un tratado cuyo tema principal de estudio es la naturaleza de la bondad. Alcanzar esta etapa de desarrollo le supone convertirse en *central* en el discurso filosófico.

Obsérvese que decir que una cuestión o problema es central es mucho más que decir que es meramente importante. Hay problemas e ideas importantes, que se consideran realmente centrales, pero que no lo son. Las diferencias entre lo que es importante y lo que es central pueden ilustrarse fácilmente con respecto a las cuestiones.

Son tres, por lo menos, las diferencias que distinguen una cuestión central de una importante. La primera consiste en que la solución de la cuestión central es una condición necesaria para la solución de otras cuestiones, mientras que la solución a una cuestión importante no tiene por qué serlo. La segunda consiste en que una cuestión central funciona como germen para el desarrollo y la creación de otras cuestiones hasta ahora desconocidas. Las cuestiones que son meramente importantes no tienen por qué fomentar la investigación filosófica de este modo. La tercera y última diferencia estriba en que una cuestión central, o bien funciona como una sombrilla bajo la cual se discuten otras cuestiones, o bien es una cuestión cuya discusión viene primero en la organización lógica de un sistema filosófico. Una cuestión importante puede ocupar un lugar prominente en el sistema, pero su discusión no tiene por qué venir primero en la organización lógica del sistema y tampoco tiene por qué funcionar como una sombrilla bajo la que se plantean otras cuestiones. Por lo demás, lo que se ha dicho sobre las cuestiones filosóficas se aplica, *mutatis mutandis*, a las ideas filosóficas.

Antes de que pasemos a mostrar un ejemplo histórico que ilustre estas etapas, debo volver a insistir en mi advertencia de que no hay que considerar estas etapas, a las que me he referido, de un modo demasiado rígido. En efecto, a menudo, tales etapas coexisten en el mismo autor, quien pasa rápidamente de la una a la otra en un progreso continuo. Tampoco se encuentra el orden de progresión ordenado o definido de un modo tan claro como lo he descrito. A veces, las ideas que se han convertido en centrales en el pensamiento de un autor, en un momento determinado posterior pasan a un lugar secundario. Con todo, también es verdad que podemos encontrarnos con autores que se ocupan de ciertas ideas en sólo una o dos de las etapas de desarrollo que he descrito; y otros que, incluso, pasan por alto completamente algunas etapas. En concreto, a menudo es posible determinar, en un autor en particular, si una idea se ha convertido en central o cuándo sigue estando en una etapa preanalítica. Del mismo modo, también es posible, dentro de ciertos límites, identificar las veces en las que una etapa de desarrollo de una idea filosófica particular nunca fue más allá de un nivel preanalítico de desarrollo y cuándo alcanzó un nivel problemático. Por supuesto, la existencia de numerosos filósofos en cualquier periodo particular histórico complica el asunto, puesto que es posible que diferentes filósofos estén trabajando en diferentes etapas de desarrollo con respecto a la misma idea, o que estén trabajando en la misma etapa con respecto a diferentes ideas. Ésta es la razón por la que es más fácil determinar la etapa en la que un filósofo en particular trabaja con una idea en específico que determinar la etapa de un periodo particular histórico con respecto a una idea en específico.

También me gustaría añadir que no todas las ideas filosóficas alcanzan la etapa central, que he identificado como la última etapa en el desarrollo de las ideas filosóficas. No se trata aquí de ningún movimiento inexorable. Muchas ideas permanecen en diversos niveles de desarrollo, ofreciendo, con esto, una oportunidad a las futuras generaciones de filósofos de reflexionar sobre ellas y desarrollarlas. Por lo demás, también debería advertirse que el desarrollo de las ideas filosóficas no termina con la etapa central. Incluso aquellas ideas que alcanzan dicha etapa experimentan cambios después. Los filósofos posteriores olvidan algunas, y otras las relegan a un papel secundario.[3] De hecho, es posible que las futuras generaciones tengan que volver a recorrer los caminos que ya han recorrido las generaciones anteriores. El desarrollo y progreso de la filosofía, como afirmo más adelante en este capítulo, no es lineal. La filosofía avanza y retrocede, vuelve a recorrer sus pasos y se mueve hacia adelante sólo de una manera titubeante y, a menudo, oscura. Por eso, la etapa central del desarrollo no es el final de la historia de las ideas filosóficas: el proceso continúa. Aquí, sin embargo, no voy a tratar de caracterizar el proceso de cambio que sigue al logro de la centralidad. Ni tampoco voy a discutir

---

[3] Newton Garver muestra, de un modo bastante claro, en "Wittgenstein's Reception in America", *Modern Austrian Literature*, vol. 20, nos. 3/4, 1987, pp. 207–219, por ejemplo, cómo varias de las ideas y temas que eran importantes para Wittgenstein las ha omitido, en gran medida, la comunidad filosófica norteamericana.

el destino de las ideas que, después de haber alcanzado una de las etapas mencionadas, retroceden a una etapa anterior. Para mi propósito, que es limitado, es suficiente la caracterización de las etapas que siguen las ideas hasta que alcanzan la etapa central.

A continuación, me gustaría ilustrar las diversas etapas de desarrollo de las ideas filosóficas, pero desearía hacerlo en términos de periodos históricos antes que por autores individuales, a pesar de las dificultades que conlleva tal procedimiento. La razón estriba en que mi propio trabajo histórico me permite este tipo de ilustración de algunos de los temas que deseo apuntar.

Aquellos que conocen mi trabajo ya se habrán imaginado que voy a ocuparme del principio de individuación y su historia en la Edad Media. Mi tesis es que cuando se examinan las discusiones sobre el principio de individuación en el periodo medieval, se torna claro que a finales del siglo XIII y comienzos del XIV esta idea había alcanzado el nivel de centralidad representado por la quinta etapa que acabamos de describir. Además, este nivel de desarrollo contrasta con el de los periodos anteriores, cuando esa idea se discutía sólo de una manera propedéutica o marginal.

II. UNA ILUSTRACIÓN:
EL PRINCIPIO DE INDIVIDUACIÓN EN LA EDAD MEDIA

Voy a comenzar señalando que la idea de un "principio de individuación" se relaciona con las ideas de "individuo" e "individuación", además de con otras ideas como "distinción", "diferencia", "número", "diferencia numérica" e "identidad". Pero voy a limitar la discusión, principalmente, al principio de individuación, aunque en ocasiones, y sólo de pasada, tenga que referirme a otras ideas. En concreto, no me propongo discutir la idea de "individuo", que posee una larga y complicada historia en la Edad Media.[4]

---

[4] Véase Gracia, *Introducción al problema de la individuación en la Alta Edad Media; Suárez on Individuation* e *Individuation in Scholasticism: The Later Middle Ages and The Counter-Reformation.*

Lo segundo que debe aclararse desde el comienzo es que, por lo general, se considera que el principio de individuación significa aquello en virtud de lo cual las cosas individuales son individuales. Así, el principio de individuación de Sócrates (o de la hoja de papel sobre la que ahora estoy escribiendo) es aquello en virtud de lo cual Sócrates (o la hoja de papel) es individual. Pienso que, para comprender la discusión que sigue, no es preciso ofrecer ulteriores aclaraciones de esta idea.

Voy a ilustrar las dos etapas preanalíticas (la funcionalmente no explícita y la funcionalmente explícita), haciendo referencia a la obra de dos autores: Porfirio (n. *ca.* 232), y Boecio (*ca.* 480-525). Además, voy a limitar mi discusión a aquellos textos de Porfirio en el *Isagoge* que fueron traducidos por Boecio al latín y que, por tanto, tuvieron un impacto en el pensamiento medieval posterior sobre el principio de individuación.

En todo el *Isagoge* encontramos sólo un texto de Porfirio que tiene que ver con el principio de individuación. Dice así:

> Sócrates, este blanco y [...] el hijo de Sofronisco [...] se dicen individuos [...] porque cada uno de ellos se compone de una colección de propiedades que nunca puede ser la misma para otro.[5]

Aparece claro en este texto que Porfirio tiene en mente algo así como un principio de individuación, a saber: aquello en virtud de lo cual los individuos como Sócrates son —él dice "se dicen", lo cual plantea la cuestión de si él tiene en mente un principio epistémico o lingüístico, antes que uno metafísico— individuales. Obsérvese, sin embargo, que también podría interpretarse que lo que el pasaje ofrece es una idea de individualidad, y no una identificación de sus principios. Con todo, el pasaje es lo suficientemente ambiguo como para permitir una interpretación

---

[5] En Boecio, *"Isagoge" Porphyrii commentorum editio secunda*, Samuel Brandt (ed.), en *Corpus scriptorum ecclesiasticorum latinorum*, vol. 48, Temsky, Viena, 1905; reimpreso: Johnson Rep. Corp., Nueva York, 1966, pp. 231 y 234-235. La traducción de estos pasajes y los posteriores es mía. [N. del t. Como en todos los casos anteriores, el autor ofrece una versión en inglés de los textos citados. No obstante, para la traducción española de éste y los siguientes textos, he cotejado los originales latinos, que pueden encontrarse en Jorge J.E. Gracia, *Introducción al problema de la individuación en la Alta Edad Media*, citado.]

que sostenga que de lo que se trata aquí es de algo así como un principio de individuación. Pero no hay ningún término o expresión que nos permita identificarlo. Porfirio está demasiado ocupado en su tema de discusión, que es la naturaleza de las especies y cómo funciona la predicación entre las especies y el individuo, como para pensar en el principio de individuación. Sin embargo, puesto que en el texto habla de los universales y los individuos, alude, indirectamente, a lo que parece ser un principio de individuación. Todo esto indica que el pensamiento de Porfirio, con respecto al principio de individuación, es preanalítico y que, aunque parece como si la idea de un principio de individuación estuviera actuando en su pensamiento, está lejos de ser explícita cuál es su función.

Boecio afirma mucho más sobre la individualidad que Porfirio, y en el proceso hace explícita la idea de qué es lo que hace que los individuos sean tales, aunque todavía no emplea un término para referirse a la misma. Por eso, puede considerarse que su discusión es un ejemplo de la etapa preanalítica funcionalmente explícita.

Encontramos tres tipos de pasajes en Boecio que están relacionados, estrechamente, con la individuación. La mayoría de ellos padece la ambigüedad que hemos observado en el texto de Porfirio y, por tanto, no podría llevarnos a creer que él está más consciente del principio de individuación de lo que estaba Porfirio. Por ejemplo, escribe:

> Individuo se dice de muchas maneras. Se dice que es individuo lo que no puede cortarse de ninguna manera, como, por ejemplo, la unidad o la mente; se dice que es individuo lo que no puede dividirse debido a su solidez, como, por ejemplo, un diamante; se dice que es individuo lo que no puede predicarse de otras cosas semejantes a sí mismo, como, por ejemplo, Sócrates.[6]

Este pasaje parece ocuparse, principalmente, de la manera en que se emplea el término "individuo" y de diversos conceptos asociados con él. También otros textos de Boecio parecen estar haciendo el mismo tipo de señalamiento, ocupándose del modo como se está empleando "individuo" o de su connotación. Por

[6] *Ibid.*, p. 195.

otro lado, algunos textos establecen, claramente, una relación
entre lo individual y lo que hace que lo individual sea tal cosa,
de manera que parece que la idea de un principio de individuación está actuando explícitamente en los mismos, aunque no se
emplee el término "principio de individuación". Uno de tales
textos dice lo siguiente:

> Pues éste [blanco] que está en esta nieve no puede predicarse
> de ningún otro blanco, porque está *forzado* a la singularidad y
> está *constreñido* a una forma individual por la participación en un
> individuo [. . .] la humanidad que está en el individuo Sócrates se
> *hace* individual porque Sócrates mismo es individual y singular.[7]

Obsérvese en este texto las referencias a lo que "fuerza" y "cons-
triñe" a que algo sea individual y aquello que lo "hace" individual. Aquí tenemos referencias más explícitas a un principio de
individuación, aunque Boecio no utilice la expresión "principio
de individuación" ni posea ningún término técnico para dicho
principio. Sin embargo, estamos lejos de cualquier intento por
tratar de definir lo que es un principio de individuación, aunque en los ejemplos se han identificado, realmente, instancias
del mismo: para la humanidad, está Sócrates, y para el blanco
de la nieve, está la nieve. Como es obvio, el interés de Boecio se
centra en otros asuntos: todavía está trabajando en una etapa
preanalítica con respecto a la idea de un principio de individuación, aunque la idea de dicho principio posee una función
explícita en su filosofía.

Encontramos ejemplos de la siguiente etapa, la definitoria, a
comienzos del siglo XII, en textos de Thierry de Chartres (m. antes del 1155) y Gilberto de Poitiers (n. *ca.* 1076, m. en 1154). En
Thierry de Chartres encontramos, por primera vez, el empleo
del término "causa" en conexión con la individuación. Una observación: Thierry habla, normalmente, de *pluralidad* y *número*,
cuando lo que hubiéramos esperado es *individualidad*, pero esos
términos se emplean para referirse al hecho de que algo es individual. La diferencia terminológica puede atribuirse a que
Thierry no tenía clara conciencia de la idea de individualidad,

---

[7] *Ibid.*, p. 183. El subrayado es mío.

sus allegados conceptuales y los diversos problemas y cuestiones implicados en la individuación. Afirma:

> Aquellas cosas que difieren numéricamente, difieren por accidentes [. . .] Sólo los accidentes, *i.e.*, la variedad de accidentes, producen el número en las sustancias o los sujetos [. . .] El número y la pluralidad en las cosas sujetas a número proviene de los accidentes.[8]

Y en otro lugar, de un modo más explícito:

> Porque la materia es una causa de la pluralidad, esto es, una causa sin la que ésta no puede producirse. Y la forma también es una causa de la pluralidad.[9]

En Gilberto de Poitiers perdemos el empleo de un término como "causa", lo que indica claramente una etapa todavía temprana del desarrollo de la idea de un principio de individuación. Pero observamos un desarrollo diferente, lo que muestra que existe una conciencia más profunda y se tiene la intención de delimitar y definir el problema del que se supone que el principio de individuación ofrezca una solución. Este desarrollo se revela en dos hechos. En primer lugar, Gilberto trata de distinguir las ideas de individual, singular y persona, que la mayor parte de los autores previos había considerado equivalentes o, por lo menos, no se había preocupado por distinguir. Así, nos dice Gilberto:

> La propiedad [de una persona] se dice "singular" por una razón, "individual" por otra, y "personal" por otra. Pues, aunque todo lo que sea individuo es también singular —y todo lo que sea persona es también singular e individual—, no todo lo singular es un individuo. Ni todo lo singular o individual es una persona.[10]

[8] Thierry de Chartres, *Lectiones in Boethii librum de Trinitate*, en N.M. Häring (ed.), *Commentaries on Boethius by Thierry of Chartres and His School*, Pontifical Institute of Mediaeval Studies, Toronto, 1971, p. 150.

[9] Thierry de Chartres, *Commentum super Boethii librum de Trinitate*, en *ibid.*, p. 82.

[10] Gilberto de Poitiers, *De Trinitate*, en Nikolaus M. Häring (ed.), *The Commentaries on Boethius by Gilbert of Poitiers*, Pontifical Institute of Mediaeval Studies, Toronto, 1966, p. 144.

En segundo lugar, Gilberto distingue en otro lugar entre lo que *hace* a algo numéricamente diverso y lo que *nos prueba* que algo es numéricamente diverso. Es decir, distingue explícitamente entre dos problemas diferentes y sus respectivas soluciones, enfatizando aún más el intento por definir los límites de las cuestiones que entran en juego sobre la individuación y sus respuestas.

> Porque Catón no sería un hombre semejante a Cicerón a menos que las subsistencias, por las que cada uno de ellos es algo, fueran también numéricamente diversas. Y su diversidad numérica hace que [Catón y Cicerón] sean numéricamente diversos. Por lo demás, entre los seres naturales [...] la desemejanza de los accidentes no *produce*, sino más bien *prueba* la diversidad numérica.[11]

Tanto Thierry como Gilberto están conscientes de principios o causas de individuación, y esta conciencia va más allá de la que tenía Boecio. La terminología de Thierry es más explícita, y Gilberto ya está ocupado en formular el problema relativo al principio de individuación, no sólo al identificar cuál es el principio —había muchas opiniones anteriores sobre el mismo—, sino al señalar el único papel que se supone que cumpla. Lo hace al distinguir lo que *produce* la diversidad numérica de lo que *prueba* la diversidad numérica; esto es, distingue entre el problema ontológico y el epistémico. Ni Thierry ni Gilberto, sin embargo, están completamente conscientes del tipo de cuestiones que podrían plantear las opiniones particulares sobre el principio de individuación. Pero en Abelardo (1079-1142) nos encontramos con que se está consciente del tema y, por tanto, nos hallamos en la siguiente etapa del desarrollo.

Abelardo presenta en primer lugar, y sin ambigüedad, la teoría de la individuación con la que discrepa, a saber, la de que los accidentes son la fuente de la individualidad:

> Algunos señalan que los individuos se producen por accidentes [...] los accidentes producen tanto los individuos como también

---

[11] *Ibid.*, p. 77. El subrayado es mío.

aquellas cosas que ellos quieren que se entiendan en el nombre individual.[12]

Entonces pasa a criticar la postura de diversas maneras. Voy a reproducir una de ellas:

> Pero si dijéramos que los hombres individuales, como Sócrates o este hombre, están causados por propiedades accidentales, entonces los accidentes que perfeccionan a los individuos son, por naturaleza, anteriores a los individuos a los que dan el ser [y esta postura es inaceptable].[13]

No nos interesa, en este momento, en qué consiste, realmente, el argumento de Abelardo ni la opinión que critica.[14] Lo que nos conviene advertir es que Abelardo está consciente de ciertos problemas inherentes a la opinión de que la individuación es causada por los accidentes. Es precisamente esta conciencia de la naturaleza problemática de ciertas opiniones concernientes al principio de individuación la que se pasa completamente por alto en los escritores anteriores, pero que Abelardo nos la trae a colación explícitamente. Él está mucho más consciente de la idea de un principio de individuación que la mayor parte de los escritores que lo precedieron, aunque no emplee un término técnico para referirse al mismo. Debería advertirse, sin embargo, que el contexto en el que Abelardo trata el tema de la individuación es el del problema de los universales. Su interés sigue centrado en los universales, y el principio de individuación se trata sólo de manera propedéutica. De hecho, la verdadera razón por la que trae a colación la cuestión de la individuación es porque le proporciona más argumentos en contra de una teoría realista de los universales que está tratando de desmantelar. El principio de individuación, amén de las cuestiones y problemas que éste plantea, todavía depende mucho, por tanto, de otros asuntos más urgentes; y, desde el punto de vista del

---

[12] Pedro Abelardo, *Incipiunt glossae secundum magistrum Petrum Abaelardum super Porphyrium (Logica ingredientibus)*, B. Geyer (ed.), en *Beiträge zur Geschichte der Philosophie des Mittelalters*, t. 20, cuaderno 1, p. 63.

[13] *Ibid.*, p. 64.

[14] Para una discusión de esto, véase mi *Introducción al problema de la individuación en la alta Edad Media*, cap. IV.

contexto, permanece integrado en éstos. Sólo después, en el siglo XIII, tenemos evidencia de que se da una independencia. Abelardo está todavía operando en la etapa problemática.

Un buen ejemplo de un texto en el que el principio de individuación es tratado de una forma en cierto modo independiente, y que revela que el autor está interesado en el mismo como un objeto de estudio filosófico, son las cuestiones de Tomás de Aquino (1225–1274) en su *Comentario al "De Trinitate" de Boecio*. También existen muchos otros textos en los que Tomás hace referencia, de pasada, a un "principio de individuación". Por ejemplo, en *Sobre el ente y la esencia*, 2, 4, escribe:

> Puesto que la materia es el principio de individuación, podría parecer que se sigue que una esencia, que comprehende en sí misma tanto la materia como la forma, es sólo particular y no universal. [Si esto fuera verdad,] se seguiría que los universales no podrían tener definición, dado que la esencia es lo significado por la definición. De lo que tenemos que darnos cuenta es de que la materia que es el principio de individuación no es cualquier materia, sino sólo la materia designada.[15]

Este texto posee todos los indicios de la etapa que llamo *problemática*. En primer lugar, existe un empleo explícito de la expresión "principio de individuación". En segundo lugar, es evidente que se está consciente de los posibles problemas y cuestiones implicados en lo que se identifica como el principio de individuación, hasta tal punto, que se da una breve discusión completa de los mismos. De hecho, la discusión continúa más allá del pasaje citado, y reaparece después en la obra en un contexto diferente, en el capítulo V. Sin embargo, no se da ninguna separación textual entre la discusión del principio de individuación y la discusión de los temas que dieron lugar al mismo. En este sentido, este texto no puede clasificarse bajo la etapa de independencia textual.

La situación es bastante diferente, sin embargo, con el texto del *Comentario al "De Trinitate" de Boecio*. Aquí nos encontramos con mucho más que en *Sobre el ente y la esencia*, porque se da

---

[15] Tomás de Aquino, *De ente et essentia*, M.D. Roland-Gosselin (ed.), J. Vrin, París, 1948, p. 10.

una división textual entre el tema que se ocupa del principio de individuación y otros temas que plantea la doctrina cristiana de la Trinidad que es, de hecho, el tema principal de Boecio, y que se refleja en el comentario de Tomás de Aquino. El comentario se divide en seis cuestiones que tratan, respectivamente, los siguientes temas:

I. Del conocimiento de las [realidades] divinas.

II. De la manifestación del conocimiento divino.

III. De los temas relacionados con la alabanza de la fe.

IV. De los factores relacionados con la causa de la pluralidad.

V. De la división de la ciencia especulativa.

VI. De los métodos de la ciencia especulativa de acuerdo con Boecio.

La cuestión IV es la que trata del principio de individuación. Obsérvese que el término empleado en el título de la cuestión no es *principio de individuación* (*principium individuationis*), sino, más bien, *causa de la pluralidad* (*causa pluralitatis*). La razón de esto estriba en que Tomás está siguiendo muy de cerca el texto de Boecio en lo que se refiere a la identificación general de los temas a tratar y a la terminología. Sin embargo, y en un examen más profundo, es claro que para Tomás los temas que se plantean en esta cuestión tienen que ver con el principio de individuación. De hecho, en el cuerpo mismo de la cuestión intercambia, libremente, "causa" por "principio", y "pluralidad" por "individuación".[16]

Tomás examina con profundidad los temas relacionados con el principio de individuación en la cuestión IV. En primer lugar, subdivide la cuestión en cuatro artículos diferentes:

Artículo 1: ¿Es la otredad la causa de la pluralidad?

Artículo 2: ¿Causa la variedad de accidentes una diversidad en cuanto al número?

---

[16] Tomás de Aquino, *Expositio super librum Boethii de Trinitate*, Bruno Decker (ed.), E.J. Brill, Leiden, 1959, p. 132. Algo parecido ocurre en el capítuo V de *De ente et essentia*, §5, p. 63.

Artículo 3: ¿Pueden existir dos cuerpos, o pensarse que existen, en el mismo lugar?

Artículo 4: La variedad en el lugar, ¿posee alguna relevancia para la diferencia en cuanto al número?

El desarrollo de estos artículos ocupa más de veinte páginas, y la discusión específica del principio de individuación, continuada en el artículo 2, ocupa un tercio de todo el texto. El párrafo con el que concluye el cuerpo principal del artículo 2 dice:

> Está claro, por tanto, que la materia considerada en sí misma no es el principio ni de la diversidad numérica ni de la específica. Pero es el principio de la diversidad genérica en tanto que subyace en una forma común, y asimismo es el principio de la diversidad numérica en tanto que subyace en unas dimensiones indeterminadas. Porque estas dimensiones pertenecen al género de los accidentes, la diversidad en número se reduce, a veces, a la diversidad de la materia y, a veces, a la diversidad de los accidentes, y esto debido a las dimensiones mencionadas arriba. Pero otros accidentes no son el principio de individuación, aunque son la causa de que conozcamos la distinción entre los individuos. En este sentido, la individuación puede ser adscrita, también, a los otros accidentes.[17]

Lo que observamos aquí, *inter alia*, es una distinción cuidadosa entre el principio de individuación, esto es, aquello que hace que algo sea individual, y el principio de discernibilidad, esto es, aquello por lo que somos capaces de conocer algo como individual. Es el mismo tipo de distinción que vimos en Gilberto, pero ahora se nos ofrece una discusión más completa, en donde se dan las razones para la distinción y en donde la diferente terminología nos ayuda a mantener por separado los temas.

No es necesario abundar en el contenido filosófico de este pasaje, ya que nuestra tarea no consiste en dilucidar el principio de individuación, ni en determinar la opinión de Tomás sobre el mismo. Lo importante para nosotros es advertir que la discusión de Tomás es una muestra de que, durante su época,

---

[17] Tomás de Aquino, *Expositio...*, p. 143.

el principio de individuación se había convertido en un tema independiente de discusión *dentro* de los tratados más amplios. No sólo se había convertido en una idea problemática, sino que su independencia se revela por el espacio textual que ocupa en el *Comentario al "De Trinitate" de Boecio*, de Tomás. Sin embargo, todavía no es una idea central en su pensamiento, puesto que sigue estando tratada en el contexto de otros temas. El *Comentario* de Tomás se ocupa, principalmente, del tema central planteado por Boecio: la doctrina cristiana de la Trinidad. El principio de individuación es discutido aquí sólo en la medida en que su dilucidación ayuda a comprender dicha doctrina. No es sino hasta la última parte del siglo XIII y los comienzos del XIV que nos encontramos con tratados completos, independientes, dentro de otras obras o fuera de las mismas, que se ocupan del principio de individuación. Éstos tomaron la forma de opúsculos, completamente independientes, y de subsecciones principales dentro de tratados mucho más amplios, y marcan la etapa de la centralidad de esta idea.

Dos ejemplos bastante conocidos deberían servir para confirmar este punto. Uno es el opúsculo titulado *De principio individuationis*, atribuido a menudo a Tomás de Aquino; las siete cuestiones dedicadas al principio de individuación que se encuentran en el *Opus oxoniense*, de Juan Duns Escoto (n. *ca.* 1265, m. 1308) es el otro.[18]

La importancia del *De principio individuationis* en este contexto es independiente de su autenticidad como obra de Tomás de Aquino.[19] De hecho, su importancia para nosotros aumenta si no es, en efecto, una obra de Tomás, porque en tal caso, quien quiera que fuera el que lo escribió, pensó, claramente,

---

[18] *De principio individuationis* se publica junto con otros tratados breves en los *Opuscula philosophica*. Aparece tanto en la edición Parma como la Vivès de las obras de Tomás de Aquino, y más recientemente ha sido editado por R. Spiazzi en *Opuscula philosophica*, Marietti, Roma, 1954, pp. 147-151. Para el *Opus oxoniense*, de Escoto, véase *Opera omnia*, C. Balić (ed.), *et al.*, vol. 7, Typis Polyglottis Vaticanis, Ciudad Vaticana, 1973, pp. 391-494, la *Lectura*, Luca Modrić (ed.), en *Opera omnia*, vol. 18, 1982, pp. 229-293.

[19] Para los detalles sobre la controversia en torno a la autoría de este tratado, véase I.T. Eschmann, "A Catalogue of St. Thomas's Works: Bibliographical Notes", en Étienne Gilson, *The Christian Philosophy of St. Thomas Aquinas*, Random House, Nueva York, 1956.

que había una laguna importante en los escritos de Tomás sobre la individuación y que el tópico merecía una consideración independiente y detallada. Si nos fijamos en las obras no auténticas escritas en el periodo medieval y que se consideraron auténticas, observaremos que tratan, generalmente, lo que se consideraban temas de especial importancia en esa época. Por el contrario, si el tratado es auténtico, entonces sabemos que Tomás mismo pensó que el tema era lo suficientemente importante y controvertido como para merecer una atención aparte. Cuando se considera que Tomás publicó discusiones independientes sólo de temas que eran especialmente controvertidos en su época, como el de la eternidad del mundo o el de la unidad del intelecto, entonces se nos confirma, aún más, el lugar especial que el principio de individuación había alcanzado.

El que el tema de la individuación fuera central lo corrobora, aún más, el segundo ejemplo citado: las siete cuestiones de Juan Duns Escoto dedicadas al principio de individuación en el *Opus òxoniense*. En este caso, no tenemos un tratado publicado por separado. Las siete cuestiones se presentan como la Parte I de la Distinción III del Libro II de las lecciones de Escoto sobre las *Sentencias* de Pedro Lombardo. Dos puntos sobresalen. En primer lugar, las siete cuestiones constituyen un tratado completo y bastante importante dentro del libro. La discusión es completa, y no parece que Escoto la considerara simplemente propedéutica para alguna otra cosa. Por el contrario, la manera de presentarla sugiere que la consideraba un tema digno de discutirse por sí mismo.[20] Por lo demás, aunque el tema principal de la cuestión es el principio de individuación, dentro de este tema general presenta Escoto algunas de sus afirmaciones más importantes sobre el *status* ontológico de la naturaleza común, lo que convierte a éste en un texto importante también para la solución del problema de los universales. Se trata, en este caso, de un desarrollo extraordinario porque anteriormente,

---

[20] Debería tenerse en cuenta, sin embargo, que la Parte I comprende siete cuestiones, de las cuales sólo las seis primeras se ocupan de la individuación de las sustancias materiales. La cuestión séptima se ocupa de la individuación de los ángeles, y enlaza el tratado sobre la individuación con la sección general del *Opus oxoniense* en donde ocurre, que se ocupa de los ángeles.

durante la Edad Media, el orden de discusión sobre los universales y los individuos era justamente el inverso: los universales constituían el tema central de discusión, y el principio de individuación se discutía sólo en dicho contexto y en la medida en que se requería para resolver la cuestión o cuestiones relativas a los universales. Esto es bastante claro en Boecio y en Pedro Abelardo, por ejemplo, y esta práctica se extendió hasta bien entrado el siglo XIII. Pero en el texto de Escoto tenemos el reverso de esta tradición, lo que señala claramente que, a sus ojos, el principio de individuación había llegado a ser, por lo menos, tan fundamental como el de los universales, o quizás más. Esta tendencia continuó a lo largo de la Baja Edad Media, culminando con Francisco Suárez (1548-1617), quien, en las *Disputaciones metafísicas*, se ocupó primero del principio de individuación, en la Disputación V, antes de que discutiera los universales, en la Disputación VI.

Una última observación sobre las fechas de los dos textos mencionados. Si el *De principio individuationis* es auténtico, entonces se escribió antes de la muerte de Tomás, en 1274, con lo que se demuestra que el principio de individuación había alcanzado una importancia filosófica notable antes del último cuarto del siglo XIII; de hecho, existe alguna evidencia de que tal era, efectivamente, el caso, pues Roger Bacon, por ejemplo, lo discutió en diversos lugares, incluyendo el *Opus maius*, publicado en 1267, y en el *Communia naturalium* se quejaba, indirectamente, de la excesiva atención que se le había prestado a este problema, llamándolo una "cuestión estúpida".[21] Ahora bien, aunque siga siendo dudoso el grado de importancia que el problema había adquirido antes del final del siglo XIII, de lo que no puede dudarse es que a comienzos del siglo XIV se había establecido como un tema filosófico fundamental, como el texto de Escoto, entre otros, demuestra. Por lo demás, el *status* que alcanzó con Escoto y los escritores posteriores era tal, que no sólo se convirtió en objeto de atención aparte, sino, como he mostrado

---

[21] Para el texto de los *Communia*, de Roger Bacon, véase *Opera hactenus inedita Rogeri Baconi*, fasc. 2, *Liber primus Communium naturalium fratris Rogeri*, Robert Steele (ed.), Clarendon Press, Oxford, 1905[?], p. 100.

en otro lugar, abrió las puertas para nuevos temas e intereses filosóficos.[22]

Una vez que hemos ilustrado las diversas etapas de desarrollo por las que atraviesa la mayor parte de las ideas filosóficas, voy a pasar en este momento a la interpretación histórica con el fin de ilustrar la importancia que tiene que se esté consciente de dichas etapas para no distorsionar la relación del desarrollo de las ideas filosóficas.

III. INTERPRETACIONES HISTÓRICAS

La tarea de los historiadores de la filosofía les impone, por lo menos, tres requisitos: primero, la relación y la descripción precisas de las opiniones de los autores que estudian; segundo, la comprensión del desarrollo histórico de las ideas; y tercero, evitar el anacronismo. Ahora bien, mi tesis es que la violación de estos requisitos es el resultado, a menudo, del hecho de que no se está consciente de la naturaleza del desarrollo histórico de las ideas filosóficas, que he ilustrado al referirme a las cinco etapas que se han identificado previamente. Los errores ocurren, en particular, cuando los historiadores, inconscientemente, confunden una etapa con otra, esto es, cuando malinterpretan el nivel del desarrollo histórico de una idea o cuestión. En muchos casos esto es un efecto colateral esperado, aunque indeseable, de la tarea de los historiadores y de su actitud. Su trabajo, como muchos de ellos lo conciben, y como he afirmado en los capítulos I y V, consiste, hasta cierto punto, en hacer explícitas las conexiones no detectadas entre las ideas y los pensadores, sacando a la luz lo que anteriormente había pasado desapercibido. Naturalmente, esto tiende a llevarlos a ver conexiones donde no las hay, y a enfatizar la presencia y la conciencia de ideas que permanecían ausentes o desconocidas. Voy a precisar un poco más este asunto, y lo voy a hacer aplicándolo al contexto de las etapas a las que me he referido antes.

Uno de los errores más frecuentes respecto a esto ocurre cuando los historiadores confunden la etapa definitoria o la

---

[22] Véase mi artículo "The Centrality of the Individual in the Philosophy of the Fourteenth Century", *History of Philosophy Quarterly*, no. 8, 1991.

preanalítica funcionalmente explícita con la etapa preanalítica funcionalmente no explícita. En este caso, los historiadores en cuestión consideran que el autor histórico estuvo consciente de una cuestión o idea cuando, en realidad, nunca lo estuvo. Es cierto, por ejemplo, que algo que el autor haya podido decir puede implicar cierta opinión o idea. Pero son cosas muy distintas sostener una opinión y estar consciente de las implicaciones de dicha opinión. Son muy pocos los que están conscientes de todas las implicaciones de la mayor parte de sus ideas. De hecho, parte de la tarea de la filosofía consiste en ayudar a hacernos conscientes de las mismas y poner cierto orden y consistencia en las opiniones que, conscientemente, sostenemos y en sus implicaciones. Considerar, por tanto, que los autores entendían las implicaciones de sus opiniones, cuando no existe ninguna evidencia de que estaban conscientes de tales implicaciones, constituye una imprecisión histórica.

Por ejemplo, constituiría un grave error que un historiador dijera:

(A) Porfirio sostiene que el principio de individuación es la colección de propiedades que pertenecen al individuo.

Y la razón es clara cuando miramos el único texto, que ya hemos citado, que es el que da pie para que pueda hacerse dicha afirmación:

> Sócrates, este blanco y [...] el hijo de Sofronisco [...] se dicen individuos [...] porque cada uno de ellos se compone de una colección de propiedades que nunca puede ser la misma para otro.[23]

Obsérvese que Porfirio nunca emplea los términos "principio", "causa" o "individuación". Además, afirma que Sócrates, este blanco y el hijo de Sofronisco "se dicen individuos", no que "son individuos". Los historiadores precavidos, por tanto, modificarían, por lo menos, su afirmación, limitándose a decir algo así:

(B) Se podría interpretar que el texto de Porfirio sugiere que la causa o principio de individuación es la colección de

---

[23] Véase la n. 5.

LA FILOSOFÍA Y SU HISTORIA

propiedades que pertenecen al individuo, dado el caso que por "se dicen" se entienda algo que refleja un estado real de cosas, etcétera.

En resumidas cuentas, (A) representa a un historiador que lee demasiado en un texto, y (B) representa a un investigador mucho más cuidadoso.

Pero los historiadores también cometen el error contrario, es decir, es posible que confundan las etapas posteriores del desarrollo con las anteriores y, de este modo, lean demasiado poco en un texto. Esto puede ilustrarse fácilmente con respecto a las ideas de individuo, singular y particular. La mayor parte de los estudios históricos del pensamiento de la Alta Edad Media no hacen ninguna distinción entre las ideas de "individuo", "singular" y "particular". Por ejemplo, los traductores toman y eligen cualquiera de los términos que mejor se ajusta, estilísticamente hablando, al contexto para traducir los casos en los que aparece *individuum, singulare* y *particulare*. Esto es evidente incluso en las traducciones y estudios de especialistas tan conocidos como Richard McKeon.[24] El resultado, por supuesto, es la opinión general de que estas ideas se consideraban equivalentes en la Alta Edad Media, y que sólo en el discurso filosófico contemporáneo se han hecho algunos intentos por distinguirlas. Sin embargo, cuando nos fijamos bien en los textos correspondientes, observamos claramente que algunos de los primeros autores medievales intentaron introducir distinciones entre estas ideas y, en efecto, ofrecieron unos análisis que definían algunos de los términos mencionados. Ya hemos visto en uno de los textos que hemos citado antes de Gilberto que lo que quería decir con *singular* y *singularidad* era algo bastante distinto de lo que quería decir con *individual* e *individualidad*.[25] Y la consecuencia de esto es que sostuvo diferentes opiniones sobre aquello que hacía que algo fuera singular y lo que hacía que algo fuera individual. Por tanto, y con relación a las ideas

---

[24] Véase la traducción de Richard McKeon de Abelardo, por ejemplo, en *Selections from Medieval Philosophers*, 2 vols., Charles Scribner's Sons, Nueva York, 1957, vol. 1, pp. 208-258.

[25] Véase el texto correspondiente a la n. 10.

de individual y singular, Gilberto se está moviendo, por lo menos, dentro de la etapa de la definición y, posiblemente, en la etapa problemática. Con todo, muchos traductores y comentadores, al no estar conscientes de la complejidad de las ideas de individual y singular, así como de las cuestiones que plantean, han tratado sus textos, así como otros textos medievales tempranos, como si sus autores no estuvieran conscientes de tales distinciones y cuestiones. Basados en su propia etapa de desarrollo preanalítica, funcionalmente no explícita, con respecto a ciertas ideas, tales historiadores ofrecen una imagen imprecisa de los autores que están examinando. Todo esto, por lo demás, sirve de apoyo para el empleo del enfoque desde el marco conceptual, que he propuesto en el capítulo anterior.

Lo que se ha dicho sobre las etapas de desarrollo definitoria y preanalítica en relación con la interpretación histórica se aplica, también, a las otras etapas, pero no creo que sea preciso ilustrar más tales aplicaciones. Por lo que se lleva dicho, debería quedar bastante claro que aquel que no preste atención a las etapas en las que las ideas y las cuestiones filosóficas se desarrollan corre el riesgo de imprecisión histórica, al distorsionar las opiniones históricas, malinterpretar sus etapas de desarrollo e introducir anacronismos en las relaciones históricas.

La discusión de las etapas de desarrollo de las cuestiones e ideas filosóficas conduce, naturalmente, al controvertido asunto del progreso filosófico. No quiero dejar pasar la oportunidad de plantear este tema, por lo que voy a discutirlo a continuación.

IV. PROGRESO FILOSÓFICO

La palabra española "progreso"* se remonta al latín *progressus*, un término que, entre otras cosas, significaba un ir hacia adelante, un avance, crecimiento, y aumento. El término siempre ha poseído una connotación fuertemente espacial, y se utilizó en relación con un viaje o expedición en sentido estricto. En todos los casos, el común denominador de su uso es la idea de

---

* [N. del t. Como en casos anteriores, el autor se refiere a la palabra inglesa *progress*. Pero lo mismo vale decir de la española "progreso", por lo que me he tomado la licencia de sustituir "inglesa" por "española".]

avance hacia el logro de algún fin o meta deseable. Esto implica que una etapa posterior de desarrollo añade algo bueno que
no estaba presente en la etapa anterior, a la que reemplaza. Se
entiende también con frecuencia que el término entraña el rechazo o abandono de algo malo o, por lo menos, no tan bueno
como los resultados de los desarrollos posteriores.[26]

Como se ha advertido en el capítulo I, deberían distinguirse claramente las ideas de progreso, desarrollo y cambio. El
cambio supone la introducción de una diferencia, independientemente del tipo de diferencia implicada. Así, puede haber
cambios de color, estilo de vida, actitud y situación. Además,
el cambio tampoco implica dirección o fin alguno. Cuando decimos que ha cambiado el estado del tiempo, esto no implica
que haya cambiado en una dirección determinada: el cambio
podría ser mejor o peor, por ejemplo. Para que haya cambio sólo se necesita que se dé una diferencia entre una situación y
otra que la sigue. El desarrollo, por el contrario, es cambio en
una dirección, ya sea hacia o desde una meta o fin. Si decimos
que hubo algunos desarrollos en el estado del tiempo, esto implica, generalmente, que ocurrieron algunos cambios en una
determinada dirección. Es posible que no estemos seguros de
cuál sea la dirección, ni tampoco significa que sea en una o en
otra: el empleo del término "desarrollo" indica, simplemente,
un contexto en el que hay implícita una dirección, la cual, sin
embargo, no entraña, necesariamente, un cambio mejor. De hecho, hablamos, a menudo, de los "desarrollos desafortunados"
y de desarrollos que dan lugar a la muerte, a la parálisis y a
otros fenómenos indeseables. Con el progreso, sin embargo, la
dirección implícita en el desarrollo se vuelve, generalmente, optimista: el progreso, normalmente, implica cambio y desarrollo

---

[26] Para las discusiones clásicas sobre la idea de progreso, véase J.B. Bury,
The Idea of Progress, Macmillan, Nueva York, 1932 y F.J., Teggart (ed.), *The Idea
of Progress*, ed. rev., University of California Press, Berkeley, 1949. Un trabajo
clave en el desarrollo de la idea de progreso es el libro de Antoine-Nicholas
Marie Jean de Condorcet, *Esquisse d'un tableau historique des progrès de l'esprit
humaine* [1793], Librairie Philosophique J. Vrin, París, 1970. Entre las obras
más recientes, véase John Baillie, *The Belief in Progress*, Oxford University Press,
Londres, 1950; Edward Hallet Carr, *What is History?*, Alfred A. Knopf, Nueva
York, 1962, y Robert E. Wood (ed.), *The Future of Metaphysics*, Quadrangle
Books, Chicago, 1970.

hacia lo mejor.[27] Esto es evidente en la idea, bastante conocida, de Lovejoy del progreso como "una tendencia inherente en la naturaleza o el hombre a pasar por una secuencia regular de etapas de desarrollo en pasado, presente o futuro, siendo las últimas —con, quizás, algunos retrasos o retrocesos menores— superiores a las anteriores".[28]

La creencia en el progreso se extendió en el siglo XVIII, y en el XIX se convirtió en una de las doctrinas favoritas de los positivistas quienes, sin demasiada preocupación, lo aplicaron a la ciencia y a la sociedad. Los extraordinarios logros científicos y sociales del siglo pasado, y del actual, han convertido la palabra en un tópico en el discurso sobre los diversos aspectos del desarrollo humano.[29] Bajo tales condiciones, no debería sorprender que los filósofos también comenzaran a hablar y a discutir sobre la noción de progreso filosófico.[30]

Con respecto a esta cuestión, sin embargo, ha habido un amplio desacuerdo. No se trata de que todo el mundo, y en especial los filósofos, acepten la noción de progreso científico y social.[31] Existen, de hecho, muchos científicos en general, y científicos sociales, en particular, que han rechazado o, por lo

---

[27] Sin embargo, hablamos del "progreso de una enfermedad" y de "un crimen en progreso". Por tanto, existen ejemplos en donde nos referimos a un desarrollo que nos puede afectar de un modo adverso. En estos casos, "progreso" se emplea como sinónimo de "desarrollo". Para otras cuestiones implicadas en la noción de desarrollo, véase Walter Ehrlich, "Principles of a Philosophy of the History of Philosophy", *Monist*, vol. 53, no. 4, 1969, pp. 533 y ss.

[28] Arthur O. Lovejoy y George Boas, *Primitivism and Related Ideas in Antiquity*, Johns Hopkins Unitversity Press, Baltimore, 1935, vol. 1, p. 6.

[29] Como se ha advertido antes, ésta es una de las dos palabras (la otra es "orden") que adornan la bandera brasileña, lo que muestra la amplia aceptación que poseía la idea de progreso en el Brasil del siglo XIX. Para una discusión de la influencia general de esta idea, véase Morris Ginsberg, "Progress in the Modern Era", en Philip P. Wiener (ed.), *Dictionary of the History of Ideas*, vol. 3, pp. 633–650.

[30] Véase Émile Bréhier, "The Formation of Our History of Philosophy", en Raymond Klibansky y Herbert James Paton (eds.), *Philosophy and History*, Evanston y Harper & Row, Nueva York y Londres, 1963, pp. 166 y ss.

[31] *Cfr. The Structure of Scientific Revolutions*, de Kuhn. De hecho, algunos, como Ortega y Gasset, consideran que la idea es perniciosa. *Cfr.* "History as a System", trad. William C. Atkinson, en Klibansky y Paton, *ibid.*, pp. 292–293.

menos, cuestionado toda la noción de progreso. Incluso entre aquellos que la aceptan, existe bastante desacuerdo acerca de qué es lo que, realmente, entraña, de modo que unos enfatizan el rechazo negativo al pasado y otros se concentran en un énfasis más positivo sobre el futuro. Sea cual fuere el caso de los científicos en general, y de los científicos sociales en particular, cuando pasamos a la filosofía se acentúa el escepticismo moderado de los científicos y de los científicos sociales.

Los filósofos son personas a quienes les gusta la polémica, y no han perdido tiempo en tomar partido sobre el asunto y en presentar argumentos desde lados opuestos. La postura en contra del progreso filosófico se ve reforzada por algunos aspectos de la historia de la filosofía.[32] De hecho, aquellos que desean adoptar esta postura pueden señalar, fácilmente, que la mayor parte de los problemas fundamentales de la filosofía siguen sin estar resueltos. ¿Podemos decir, por ejemplo, que hemos resuelto la pregunta que planteó Platón al comienzo de la *República* sobre la naturaleza de la justicia? ¿Tenemos una solución para el problema de los universales y el de la individuación? ¿Podemos apuntar a una definición del bien que sea indiscutible? De hecho, una rápida ojeada a los escritos filosóficos actuales parece indicar que no hay ninguna cuestión de la cual la comunidad filosófica esté convencida que ha alcanzado su solución, y la mayor parte de esas cuestiones que preocupa a dicha comunidad posee una larga historia, que se remonta a veces a cientos y miles de años. ¿Dónde está, entonces, el llamado progreso filosófico? El estudio de la historia de la filosofía no parece mostrar ningún tipo de avance lineal hacia una meta. Estamos hoy en día tan lejos, o tan cerca, de dicha meta como siempre lo hemos estado. El llamado progreso es una ilusión producida por el cambio histórico. Este cambio crea el espejismo de que nos encontramos en camino hacia algún lugar y que, al haber viajado tanto, tenemos sólo otro tanto que viajar. En realidad, sin embargo, no hay tal movimiento hacia adelante sino sólo un

---

[32] Entre aquellos que rechazan el progreso en la filosofía se encuentra Heidegger. Véase la discusión de sus ideas que lleva acabo J.L. Mehta en *Martin Heidegger: The Way and the Vision*, University Press of Hawaii, Honolulú, 1976, p. 364.

proceso cíclico en el que el pasado filosófico se repite y en el que las ideas se ponen y pasan de moda periódicamente.

La razón de este "dar vueltas sobre lo mismo" de la filosofía se remonta a la naturaleza de la disciplina misma, prosigue el argumento. La filosofía no es como la ciencia. La ciencia empírica puede registrar y experimentar progreso porque depende de la recolección de datos de los desarrollos tecnológicos. Cuanto más alta es la tecnología, tanto mayor es el número de datos empíricos que podemos reunir y tanto más abarcadoras, precisas y exactas pueden ser nuestras teorías sobre su organización. Un microscopio sofisticado es lo que marca la diferencia en el estudio de la biología. Antes de que pudiéramos observar las células, no teníamos ninguna idea de la naturaleza compleja de los microorganismos. Y lo mismo ocurre con la química, la física y las otras ciencias que dependen de la observación empírica. Pero la filosofía no depende de los datos empíricos. Los datos que son necesarios para la filosofía ya estaban disponibles para Platón e incluso para Tales. De hecho, están disponibles para todo ser humano pensante. Por tanto, la filosofía no puede, como la ciencia, ganar acceso a nuevos hechos que podrían suponer una diferencia en la manera de organizar su marco conceptual. Ésta es la razón por la que la filosofía no puede hacer progresos.[33] Bien es cierto que algunos filósofos son más perspicaces que otros, y algunas opiniones tienen más sentido que otras. De hecho, podría llegarse al punto, incluso, de afirmar que algunas opiniones son verdaderas y otras falsas. Pero esto no significa que, en efecto, hayamos hecho algún progreso, pues aquellas opiniones no eran el resultado de un proceso que conlleva un

[33] Algunos han afirmado, en un sentido semejante, que la filosofía es más afín a las artes y a las humanidades, en donde lo que se espera es la apreciación antes que el progreso. Mandelbaum lo pone muy bien de manifiesto en "On The Historiography of Philosophy", *Philosophy Research Archives*, no. 2, 1976, pp. 743-744, en donde dice: "No exigimos que deba haber progreso en el drama desde Sófocles hasta nuestros propios días, ni progreso en la escultura o la música. En esos campos, es suficiente la oportunidad de apreciar y disfrutar la herencia acumulada, pero no progresiva, y ¿por qué no debería ocurrir también así en la filosofía?" La respuesta, por supuesto, es sencillamente que la filosofía no es como las artes, porque se ocupa de la verdad y de la comprensión cognitiva, y no sólo de la apreciación y del disfrute.

avance. En el desarrollo histórico de la filosofía, existe la misma probabilidad de que la falsedad siga a la verdad como a la inversa.

Sin embargo, la situación no es tan simple como acaba de dibujarse. Podemos encontrar, fácilmente, apoyo en la historia de la filosofía para sostener la opinión de que existe progreso filosófico. Demos por sentado que en muchas áreas, algunas fundamentales, parece que no hay ningún progreso; pero en muchas otras hay numerosísimos hallazgos que sólo pueden interpretarse como indicadores de progreso, y, además, de progreso sustancial. Dos áreas que pueden citarse como ejemplos son la lógica y la filosofía del lenguaje. Incluso una somera ojeada a la historia de la lógica revela, así podría continuar el argumento, que los últimos cien años de especulación lógica han producido descubrimientos muy importantes. La conexión entre la lógica y las matemáticas, la formulación de lenguajes ideales y el desarrollo de sistemas sofisticados de símbolos son sólo tres áreas en las que la lógica reciente ha hecho enormes logros, frente a la tradicional, esto es, la lógica aristotélica y la escolástica. Y lo mismo podría decirse en relación con la filosofía del lenguaje. En efecto, la misma noción de una filosofía del lenguaje, esto es, la noción de explorar temas filosóficos planteados por el lenguaje, es novedosa y debería considerarse un avance importante en la historia de la filosofía. Podrían multiplicarse los ejemplos, pero no es necesario para mostrar que el progreso no es imposible en la filosofía. Podemos esperar un progreso ulterior, y con la puesta en práctica de metodologías adecuadas podemos esperar avances razonables en la disciplina, pues aunque la filosofía no es una ciencia empírica como la química o la física, puede avanzar en dos aspectos: por un lado, puede desarrollar técnicas y métodos que le permitan aclarar conceptos de tal manera, que evite los errores y confusiones del pasado; por otro lado, puede avanzar en un curso paralelo al avance de la ciencia, pues una de sus principales funciones es la integración de la nueva información desarrollada por las ciencias en una cosmovisión coherente.

Como suele ocurrir con las posturas extremas, hay algo correcto y algo incorrecto en aquellas que están en contra y en favor del progreso. Los ejemplos históricos concretos que pueden ofrecerse en apoyo de las dos posturas aclaran este asunto. Existen ejemplos de avance bastante obvio en la historia de la filosofía, pero, al mismo tiempo, parece que no hay avance en la mayor parte de los temas fundamentales, y, en algunos casos, podría hablarse, incluso, de retroceso. Si tal es el caso, ¿podemos explicarnos esta situación y resolver, de alguna forma, la pregunta de si existe el progreso filosófico y, en caso de que fuera afirmativa la respuesta, en qué medida?

Una manera de intentar resolver este problema consiste en volver a la noción de progreso y considerar si dicha noción es aplicable a la filosofía. Es claro que sobre la base de ejemplos históricos concretos no podemos resolver fácilmente la cuestión; por tanto, quizás la única manera de hacerlo sea planteando dicha cuestión en términos filosóficos, esto es, analizando los conceptos que comprende la noción de progreso filosófico.

Hemos observado anteriormente que el progreso suponía el movimiento hacia una meta o fin, y creo que, para nuestra discusión, es suficiente esta manera general de entender el progreso. Ahora bien, si la noción de progreso implica movimiento hacia una meta, la noción de progreso filosófico debería implicar la noción de movimiento hacia una meta filosófica. Pero, ¿qué es una meta filosófica? Supongo que la respuesta sería: cualquier meta que sirva de instrumento para lograr la meta fundamental (o metas, si es que hay más de una) de la filosofía. Por tanto, debemos determinar la meta fundamental de la filosofía. Por supuesto, existen muchas opiniones sobre cuál es la meta fundamental de la filosofía, y el desacuerdo sobre dicha meta alimentará el desacuerdo sobre el progreso filosófico. No deseo, sin embargo, plantear el problema de la meta o metas fundamentales de la filosofía en este contexto; antes bien, propongo cuatro metas de la disciplina que, según creo, deberían ser aceptables para la mayoría de los filósofos y que nos deberían ayudar a resolver la cuestión que nos ocupa. Las cuatro metas en cuestión son: el descubrimiento de la verdad, el rechazo de la falsedad, la clarificación de conceptos y el logro de una mayor conciencia de la complejidad de los problemas filosóficos.

Estoy bastante consciente de que la opinión que sostiene que una de las metas de la filosofía es descubrir y llegar a la verdad no posee muchos adeptos estos días. Si la verdad se entiende como algo meramente empírico (la correspondencia entre los datos de los sentidos y nuestros juicios sobre los mismos) y la filosofía no se considera una ciencia empírica, entonces es claro que la meta de la filosofía no podría ser el descubrimiento de la verdad. Con todo, deseo dejar un margen amplio a la manera tradicional de entender la filosofía como una búsqueda de la verdad y, de este modo, permitir una noción más amplia tanto de la verdad como de la filosofía.

Algo parecido puede decirse del rechazo de las opiniones falsas. Una de las metas de la filosofía es de carácter crítico: la valoración y el rechazo de las opiniones inadecuadas (inconsistentes o falsas) con el fin de despejar el camino para la verdad. Incluso aquellos que rechazan la posibilidad de la verificabilidad y, por tanto, del conocimiento de la verdad, están dispuestos a aceptar la noción de la falsabilidad. Es posible que no podamos conocer la verdad; pero podemos saber lo que es falso.

La idea de la filosofía como terapia y la de su meta como la clarificación de conceptos está bastante difundida hoy día y no debería plantear ninguna dificultad. De acuerdo con esta postura, una de las metas de la filosofía es la producción de un mapa claro de nuestros conceptos, eliminando las confusiones y restaurándonos la buena salud intelectual.

Por último, deseo mantener también que una de las metas de la filosofía es hacer que estemos cada vez más conscientes de la complejidad de los problemas filosóficos. La meta de la filosofía, por tanto, va más allá de una mera clarificación de los conceptos que ya poseemos, y va más allá también del mero incremento en el número de verdades y falsedades de las que estamos conscientes. Una de sus funciones es desarrollar una mayor concientización de nuevas áreas de interés, de nuevos problemas y cuestiones, y de nuevas perspectivas que podrían cambiar nuestro mapa conceptual del mundo.

Quizás un ejemplo nos ayude a apreciar las distinciones entre estas tres metas de la filosofía. El filósofo es como un hombre al que se le pide que suba a lo alto de una montaña, situada cerca de un valle, con el fin de verificar una descripción por escrito del valle, y que se hizo varios años atrás.[34] Después de que el hombre ha subido a la montaña, pasa a leer la descripción que se le había dado y comprueba que lo que dice está confirmado por lo que ve. Por unos momentos, parece que las cosas están en orden. El texto dice que el valle está rodeado de montañas por todas partes salvo por una; que hay un río que lo atraviesa; y que hay una pequeño pueblo en medio del valle. Todo esto está corroborado por lo que ve. Pero entonces advierte que hay algo en lo que la descripción no concuerda con lo que ve. La descripción dice que hay un gran edificio en el centro del pueblo y que el edificio tiene dos torres. El desacuerdo ocurre porque el hombre puede ver claramente que no hay uno, sino dos edificios grandes, separados por una calle estrecha; que ambos están completamente desconectados; y que cada una de las torres que menciona la descripción pertenece a un edificio diferente. El observador está dispuesto a corregir la descripción cuando se percata, entonces, de otro elemento que no concuerda: los dos edificios que ve no se encuentran exactamente en el centro del pueblo sino un poco hacia el lado. ¿Podría ser que la persona que escribió la descripción fuera tan descuidada? ¿Es posible que hubiera algún tipo de obstáculo que le impidiera ver lo que él mismo ve? Después de pensar el asunto, el observador llega a la conclusión, provisional, de que quizás la posición del observador anterior difería de la suya: quizás había estado mirando desde lo alto de otra montaña. Decide entonces subir a la montaña que se encuentra a su izquierda y fijarse si la vista que se ofrece desde allí se ajusta mejor a la descripción del valle que tiene que comprobar. En efecto: así ocurre por lo que se refiere al edificio de la villa y a su localización. El observador comprende por qué la descripción dice lo que dice; pero también sabe que la descripción es incorrecta en la medida en que afirma que hay un edificio, que el edificio tiene dos torres, y que está localizado en el centro de la villa. Puesto que observa el pueblo desde un ángulo diferente, sabe ahora algo que el observador anterior no sabía. Además, la imagen del pueblo que

[34] Por razón de la simplicidad, se supone a lo largo de este ejemplo que, aunque es posible que hayan pasado varios años entre el momento en el que se describió el valle y el momento en el que se está comprobando la descripción, no ha ocurrido ningún cambio en el valle.

ha podido lograr le permite tener, no sólo más información, sino también una vista más clara de cómo es el valle, y le evita caer en la confusión en la que había caído el escritor de la descripción. Por último, también está consciente de algunas de las dificultades que conlleva la descripción del valle, y de las que ni él mismo, al principio, ni la persona que escribió la descripción que él está comprobando, estaban conscientes. Una de estas dificultades estriba en que la perspectiva desde diferentes montañas influye, enormemente, en lo que uno ve. Por esto, para lograr una imagen completamente exacta del valle, se debería observar desde todas las montañas que lo rodean. Pero esto no es posible, puesto que no hay ninguna montaña por uno de los lados. Además, un pensador perspicaz podría darse cuenta de que una imagen completamente exacta requeriría de vistas aéreas también, esto es, requeriría mirar el valle desde arriba, sea o no técnicamente posible hacerlo, etcétera.

Los filósofos son como los observadores a los que se les ha pedido que comprueben la exactitud de la descripción del valle. Su tarea es comprobar la exactitud de nuestra perspectiva filosófica del mundo. Por tanto, comprueban esas perspectivas con su experiencia y, a menudo, encuentran motivos para añadirles algo y para aclararlas. Pero no sólo eso: se vuelven conscientes de las dificultades de la tarea y de los nuevos problemas que necesitan abordar.

Ahora bien, si, como hemos indicado, el progreso filosófico debería suponer el movimiento hacia el descubrimiento y la comprensión de la verdad y la falsedad, hacia la clarificación de nuestros conceptos y hacia una concientización de las complejidades envueltas en las dos primeras tareas, ¿podemos decir que existe el progreso filosófico? Habría que responder que, en parte, sí y, en parte, no.

Pienso que no hay duda de que la filosofía occidental ha presenciado un progreso filosófico en, por lo menos, dos de los sentidos mencionados. La discusión del principio de individuación que hemos ofrecido antes muestra con claridad, por ejemplo, que entre el 500 (d. de C.) y el 1600 (d. de C.) hubo una progresiva concientización de la complejidad de las cuestiones implicadas, relacionadas con la idea de un principio de individuación. También está claro que, paralela a esta concientización progresiva de la complejidad, existía una mayor riqueza conceptual en la aclaración y análisis de las diversas cuestiones e ideas al respecto. La misma separación del problema epistémico sobre la discernibilidad de los individuos del problema metafísico de la causa de la individuación corrobora este aspecto. Lo que puede no estar completamente claro es si después de 1600 d. de C. la filosofía ha alcanzado un mayor número de verdades que las que había alcanzado en el 500 d. de C. Ésta es, sin duda, una cuestión sobre la que será difícil lograr un consenso en la comunidad filosófica; pero, quizás, dicho consenso no sea necesario, por dos razones. En primer lugar, el logro de una mayor riqueza conceptual en la percepción de las cuestiones e ideas implicadas en la individuación muestra ya, no sólo el logro de alguna verdad, sino también la apertura de áreas que no se habían discutido antes, y en las que existe la posibilidad de descubrimientos. Por tanto, podríamos decir que, en efecto, existe un incremento de lo que podríamos llamar "verdades metodológicas" y del potencial de verdades sustantivas.[35] En cualquier caso, aunque se negara esta conclusión, tenemos todavía dos áreas en las que se ha logrado progreso.

Supongamos, por razón del argumento, entonces, que ha habido progreso filosófico con respecto a la idea de un principio de individuación desde el 500 d. de C. hasta el 1600 d. de C.: ¿significa esto que hay un progreso filosófico general? Porque podría argumentarse todavía que, en realidad, no existe ningún progreso general, sino sólo ciclos que se repiten. Es decir, que aunque pudiera haber progreso con respecto a una cuestión o a una idea durante un periodo determinado de tiempo, no puede hablarse de que la filosofía muestre algún progreso general, puesto que puede haber otras áreas en las que se experimente un retroceso. En efecto, puede señalarse la misma historia de la idea del principio de individuación para mostrar el hecho de que dicho progreso general no ocurre, pues los logros que se alcanzaron en la comprensión de esta idea durante la Edad

---

[35] Por verdades metodológicas no entiendo otra cosa que las verdades que tienen que ver con la metodología y el procedimiento. Todas las otras verdades las considero "sustantivas".

Media parece que se han perdido en la filosofía posterior y sólo han sido redescubiertos en el siglo xx. La historia de la filosofía desde el 1600 hasta el presente está plagada de discusiones del principio de individuación que muestran unas confusiones conceptuales extraordinarias y una falta de percepción de las dimensiones de las cuestiones filosóficas relacionadas con dicha idea.[36] Después de todo lo dicho, ¿puede hablarse, entonces, de progreso filosófico?

La tentación de ofrecer una respuesta negativa a esta pregunta y de volver a una idea cíclica del desarrollo de la filosofía es muy fuerte. Pero dicha respuesta, en realidad, no tiene en cuenta que, incluso con respecto al principio de individuación, las discusiones contemporáneas de los autores que están al tanto de la historia medieval de la idea poseen ventajas sobre las discusiones medievales y, por tanto, no están, exactamente, recorriendo de nuevo el mismo camino. Tampoco hace justicia dicha respuesta a los numerosos elementos novedosos que se presentan en escena en la discusión, derivados de una mayor concientización reciente de la lógica y de la filosofía del lenguaje. Es cierto que, en muchos aspectos, la historia reciente del principio de individuación refleja, en algunos aspectos fundamentales, las discusiones medievales; pero también existen diferencias importantes entre los dos periodos de desarrollo, así como elementos nuevos en la discusión y una concientización de las nuevas complejidades. Esto es suficiente para mostrar que no tenemos una repetición de la dialéctica medieval.

Esto no quiere decir, por supuesto, que sea imposible el retroceso y que, por tanto, todos los desarrollos filosóficos posteriores constituyan una mejora frente a los desarrollos previos. Pero cuando consideramos el desarrollo acumulativo de la filosofía como un todo durante un amplio periodo de tiempo, debería parecer que existe cierta mejora.

[36] Para una discusión sobre la individuación en un contexto contemporáneo, véase mi libro *Individuality*; para una discusión del mismo en la filosofía moderna, véase Kenneth Barber y Jorge J.E. Gracia (eds.), *Individuation and Identity in Early Modern Philosophy: Descartes to Kant*, SUNY Press, Albany, Nueva York, 1994. En el artículo que dedico en este libro a Christian Wolff muestro, por ejemplo, que la opinión de Wolff es un paso hacia atrás en el desarrollo de las teorías de la individuación.

Una manera de ilustrar lo que trato de dar a entender es haciendo referencia a la metáfora de la espiral y la línea. Me parece que, tanto los que rechazan cualquier progreso filosófico, como los que lo aceptan, se fijan en él, sin mayor reparo, desde una perspectiva lineal.[37] Perciben el progreso filosófico casi siempre bajo un patrón lineal, como un vector unidireccional, en donde no existen retornos parciales ni rodeos. Aquellos que se oponen al progreso pueden encontrar fácilmente rodeos y retornos que parece que invalidan el progreso, mientras que aquellos que están en favor del progreso se fijan sólo en los logros y descartan los rodeos y los retornos. Ambos confunden el modo como la filosofía, en verdad, se desarrolla. La filosofía no es una disciplina pulcra e inmaculada. Lo que los filósofos piensan tiende a estar estrechamente relacionado con sus vidas, con sus creencias y con lo que hacen. Además, los filósofos no trabajan en el vacío: son parte de una matriz social y cultural que los influye de muy diversas formas. Su obra, por tanto, no es lineal. En términos generales, se mueven, efectivamente, hacia adelante, pero sus avances están acompañados por titubeos, rodeos y retrocesos. Por tanto, y por lo que se refiere a la filosofía, ninguna época en particular tiene que ser necesariamente mejor que todas las épocas que la precedieron, ni tampoco es necesario que el pensamiento de cualquier filósofo sea, claramente, una mejora en relación con las filosofías anteriores. Una de las razones de esto estriba en que el curso de la filosofía no es independiente del curso del resto de la historia: la política, la religión, los desastres naturales, la sociedad, la ciencia, etcétera, influyen en el desarrollo de las ideas filosóficas e introducen cambios en ellas que modifican su historia.

Prefiero concebir el progreso filosófico, por tanto, como una espiral, antes que como un proceso lineal; y, además, no como una espiral perfecta, sino más bien deformada y en desorden. En términos generales, y teniendo en cuenta un amplio recorrido, pienso que la filosofía avanza, incluso aunque, al hacerlo, parezca a menudo como si, realmente, estuviera retrocediendo.

[37] El modelo lineal es común en la mayor parte de las empresas históricas. *Cfr.* Maurice H. Mandelbaum, "Some Forms and Uses of Comparative History", en *Philosophy, History, and the Sciences*, p. 140.

Si nos deshacemos del modelo de progreso lineal, creo que es posible observar un progreso en toda la historia de la filosofía, aunque dicho progreso no sea perfecto y lineal, sino que implica movimientos que, a veces, parecen circulares y regresivos. Y, por supuesto, es esencial que el historiador tenga en cuenta este carácter de la historia de la filosofía. El éxito de la empresa a la que se han entregado los historiadores de la filosofía depende, en gran medida, de cómo entiendan la manera en que se desarrolla la filosofía.

CONCLUSIÓN

El propósito que tenía en mente cuando me puse a escribir este libro era doble. En primer lugar, y sobre todo, el libro pretendía ocuparse de una serie de cuestiones historiográficas relacionadas con la historia de la filosofía, por la que he estado interesado durante varios años. Me parecía que estas cuestiones tenían que discutirse juntas con el fin de lograr una formulación y solución razonables. Sin embargo, también había un segundo propósito, indirecto, al escribir el libro: encontrar algún modo de salvar el abismo que se ha abierto entre las dos tradiciones filosóficas principales que dominan hoy día la filosofía occidental. Las tesis principales que defiendo como respuesta a estos objetivos son también dos. La primera se presenta como una respuesta global a las diversas cuestiones historiográficas que han surgido en este volumen, y propone que la historia de la filosofía debe hacerse filosóficamente. La segunda tesis es una respuesta al otro objetivo del libro, y afirma que la base para el diálogo y la comunicación entre las tradiciones angloamericana y continental ha de buscarse en el estudio de la historia de la filosofía y de las cuestiones historiográficas que dicho estudio conlleva. El propósito de esta Conclusión es ofrecer un breve recuento de cómo he intentado llevar a cabo los propósitos del libro y cómo he defendido sus tesis en los capítulos precedentes.

Voy a comenzar regresando a la tesis que propuse en la Introducción acerca del papel de la historia de la filosofía y su historiografía en el acercamiento entre los filósofos angloamericanos y los continentales. Allí señalé que antes de Kant, la filosofía occidental se había dividido, a grandes rasgos, en tres tradiciones principales. La tradición de la *corriente principal*, co-

452 CONCLUSIÓN

mo su nombre indica, se mantuvo dominante sobre el mundo
filosófico y se caracterizó por lo siguiente: la opinión de que
la función de la filosofía es conocer lo que hay; una confianza
en las facultades humanas de conocimiento; y una metodología
argumentativa. Una segunda tradición, que denominé *poética*,
compartía con la corriente principal la opinión de que la función de la filosofía es conocer lo que hay, pero desconfiaba de
las facultades epistémicas naturales de los seres humanos para
hacer tal cosa, prefiriendo, en cambio, una metodología no argumentativa basada en la intuición. Por último, la tercera, que
llamé *crítica*, se caracterizaba por la creencia de que la filosofía
no puede ofrecer conocimiento de la realidad. Esta última tradición se divide, a su vez, en dos subgrupos: los *escépticos*, que
creen que el conocimiento es imposible en cualquier empresa humana, incluyendo lo que llamamos hoy en día las *ciencias
empíricas*; y los *positivistas*, que limitan su escepticismo a la filosofía, dejando abierta la posibilidad del conocimiento en el
ámbito empírico. Ambos subgrupos comparten con la tradición de la corriente principal el empleo de una metodología
argumentativa.

Afirmé, además, que el ataque de Kant a la razón humana
en la *Crítica de la razón pura* socavó, como resultado, la tradición de la corriente principal, relegándola a un segundo plano
y poniendo en un lugar prominente a las otras dos tradiciones
que, antes de Kant, habían ocupado sólo posiciones marginat-
les. El efecto de Kant sobre la historia de la filosofía consistió
en dividir la situación prevaleciente en filosofía en dos grupos
que mantienen su dominio y permanecen opuestos hasta el día
de hoy: los poetas en la Europa continental y los críticos en el
mundo angloamericano.

La relativa unidad y continuidad de la filosofía antes de Kant
puede explicarse porque la mayor parte de los filósofos compartía algún tipo de base común que hacía posible el diálogo y
la comunicación, aunque algunos filósofos, en particular, discreparan entre sí con respecto a las posturas que adoptaban
e, incluso, con algunos de los problemas que abordaban. Los
miembros de la corriente principal, por supuesto, compartían
una noción común de la función de la filosofía, un objeto de
investigación, y ciertos presupuestos sobre la metodología fi-

losófica. Los poetas, aunque desconfiaban de las facultades humanas, y aunque empleaban una metodología filosófica diferente, compartían con los miembros de la corriente principal una manera de entender la función de la filosofía. Y los críticos rechazaban la concepción de la corriente principal sobre la función de la filosofía, además de su confianza en su capacidad para lograr el conocimiento de la realidad; pero compartían con dicha tradición una metodología argumentativa. Los elementos comunes que tanto los poetas como los críticos compartían con la corriente principal, hacían posible la comunicación y el diálogo entre los tres grupos, aun cuando la comunicación entre los poetas y los críticos no siempre era posible o directa. En este sentido, la tradición de la corriente principal funcionaba no sólo como un preservador de los fundamentos del discurso filosófico entre sus propios miembros, sino también como un mediador entre los poetas y los críticos. Después de Kant, sin embargo, debido al ascenso de los poetas y los críticos y al desplazamiento hacia los márgenes de la corriente principal prekantiana, las bases para la comunicación dentro de la comunidad filosófica han sido eliminadas casi completamente, dando como resultado la escisión que caracteriza a la filosofía contemporánea.

Casi todo el mundo parece estar de acuerdo en que la situación se ha escapado de las manos y exige un remedio. Pero, ¿cuál es? Sería ingenuo esperar que los poetas cambien sus presupuestos filosóficos con el fin de comunicarse con los críticos, y viceversa. Por tanto, la solución debe descansar en algún otro lugar y no tiene por qué suponer el abandono de ninguno de los presupuestos fundamentales sobre la función de la filosofía, el objeto del conocimiento, o la metodología filosófica que los poetas y los críticos sostienen con tanto esmero.

La solución que he sugerido en este libro consiste en un retorno al estudio de la historia de la filosofía y de los problemas historiográficos que plantea. Tanto la historia de la filosofía como la historiografía filosófica deberían ser capaces de ofrecer la base común para los poetas y los críticos que les permita restaurar, en alguna medida, el diálogo y la comunicación. Es fácil observar cómo la historia de la filosofía puede ofrecer un objeto común de estudio, puesto que tanto los poetas como los críticos consideran dicha historia como *su* historia y, como tal, mantienen un interés por ella. Pero, ¿dónde vamos a encontrar el objetivo común y las bases metodológicas comunes que puedan compartir? Es aquí donde pienso que debemos volver a la historiografía filosófica, por dos razones. En primer lugar, la historiografía filosófica identifica ciertas cuestiones fundamentales cuya solución puede convertirse en un objetivo común para ambos, los poetas y los críticos, y, por tanto, este objetivo sustituiría la idea que mantenía la corriente principal prekantiana de que la función de la filosofía consistía en el conocimiento de la realidad; en segundo lugar, la historiografía filosófica nos proporciona ciertos principios metodológicos que ocupan el lugar de los presupuestos metodológicos compartidos por los miembros de la corriente principal prekantiana.

Con el fin de llevar a cabo la tarea de reunir a los poetas y a los críticos, he intentado sentar las bases de dicho acercamiento. Para lograr estas bases, he identificado, en primer lugar, algunas cuestiones fundamentales que, según creo, deberían interesar a cualquiera que se toma interés por la historia de la filosofía. No estoy afirmando que he ofrecido una lista exhaustiva o, incluso, que he identificado lo más importante o fundamental de tales cuestiones. Para mi argumento, necesito solamente aislar algunas cuestiones que, por ser fundamentales, requieren la atención de aquellos que se ocupan en hacer historia de la filosofía. En concreto, he intentado plantear cuestiones metodológicas que ofrecían una oportunidad para mostrar algunas de las reglas de procedimiento que son indispensables para los historiadores de la filosofía. En segundo lugar, he intentado mostrar cómo el estudio de la historia de la filosofía posee un valor intrínseco para los filósofos y, por tanto, que a su estudio debería dársele especial prioridad en la especulación filosófica. Por tales medios, he buscado tender un puente entre los poetas y los críticos, y lo he hecho señalando un objeto de estudio que puedan compartir, descubriendo un objetivo común para sus esfuerzos, y ofreciendo algunos de los principios metodológicos que necesitan para proseguir con su investigación.

Obsérvese que no he intentado o pretendido mostrar que el estudio de la historia de la filosofía y de la historiografía filosófica producen, en efecto, un acercamiento entre las dos

tradiciones filosóficas principales en boga hoy día. Llevar a
cabo dicha tarea supondría, como he advertido en el Prólogo,
mucho más que esto. Requeriría la investigación de las discusiones historiográficas de los filósofos analíticos y los continentales
para poder ilustrar cómo su interés por la historia de la filosofía y la historiografía filosófica establece lazos comunes entre
ambos. Pero este tipo de investigación detallada nos habría supuesto ir más allá de la principal tarea historiográfica de este
libro. En lugar de esto, tengo que contentarme con una defensa
indirecta de mi tesis. Al presentar y tratar una serie de cuestiones historiográficas, me he propuesto atraer a los analíticos y a
los continentales a un terreno común de discusión.

Si he tenido éxito o no, debe decirlo el lector; pero me considero satisfecho si ocurre que las cuestiones planteadas en este
libro sobre la historia de la filosofía y la historiografía filosófica resultan del interés de algún poeta y de algún crítico. No
estoy exigiendo un acuerdo. Los filósofos prekantianos raras
veces se ponían de acuerdo y, con todo, disfrutaban vivamente
del diálogo y la comunicación. Lo que busco es dar algunos
pasos hacia la restauración del tipo de interacción en la comunidad filosófica contemporánea que era común antes de Kant.

Una vez que he pasado revista a mis pretensiones, me gustaría
presentar en este momento un breve resumen de las cuestiones que he planteado en este libro y de las soluciones que he
sugerido, con el fin de ilustrar cómo ellas fundamentan tales
pretensiones. Es decir, intento ofrecer un recuento, de modo
esquemático, de mi filosofía de la historiografía de la filosofía
y de cómo dicha filosofía, y las cuestiones que plantea, sirven
de puente entre los poetas y los críticos.

Voy a comenzar señalando que el peso principal de la discusión que comprende este libro recae en mostrar que la historia
de la filosofía debe hacerse filosóficamente y que, cuando se
hace de este modo, es intrínsecamente beneficiosa para el filósofo. Me fue preciso adoptar y defender esta tesis, pues, de
lo contrario, el intento por reunir a los poetas y a los críticos
estaría condenado al fracaso, desde el mismo principio, ya que
mi empresa supone el intento por convencer a ambas partes
de que existen cuestiones filosóficas fundamentales que tienen
que abordar y que, además, si lo hacen, ha de ser según ciertos

procedimientos determinados. Ahora bien, ciertamente, de nada serviría presentarse ante las partes en cuestión con asuntos que no son filosóficos. De hecho, uno de los puntos en litigio entre los poetas y los críticos es que no pueden ponerse de acuerdo incluso sobre los objetivos más básicos de la filosofía y sus principios metodológicos. Por tanto, si algo puede reunirlos efectivamente, ha de ser no sólo común a ambos, sino que, además, tienen que considerarlo intrínsecamente filosófico. Por este motivo, he intentado mostrar que el estudio de la historia de la filosofía es una empresa filosófica, y he intentado ofrecer algunas pautas sobre cómo debería llevarse a cabo, los peligros a los que está sujeto y los problemas que enfrentan los diversos enfoques del mismo.

He comenzado mi defensa de la naturaleza filosófica de la historia de la filosofía explicando las nociones de historia, filosofía e historia de la filosofía. Se entendió por historia una relación de una serie de acontecimientos del pasado. La filosofía se consideraba una visión del mundo, o de alguna de sus partes, que pretende ser precisa, consistente y comprehensiva. Y se entendió por historia de la filosofía una relación de una serie de ideas filosóficas del pasado.

Una vez que logramos una idea provisional de historia, filosofía e historia de la filosofía, señalé que la historia, cuando se consideraba como un conjunto de proposiciones que expresan una relación de una serie de eventos del pasado, se compone de proposiciones que son descriptivas, interpretativas y valorativas. La principal función de las proposiciones descriptivas consiste en presentar, de un modo preciso, aquellos acontecimientos, y sus conexiones, de los que tenemos evidencia empírica directa. Las proposiciones interpretativas: (1) reconstruyen el entramado de motivos no manifestados, factores intangibles y circunstancias implícitas dentro de las cuales tuvieron lugar los acontecimientos, y de los que no puede haber evidencia empírica directa; (2) contienen amplias generalizaciones basadas en evidencia limitada; (3) e incluyen referencias de los acontecimientos de los que no se tiene evidencia empírica. Por último, las proposiciones valorativas conllevan evaluaciones, tanto de los acontecimientos históricos, como de las opiniones de los historiadores respecto de tales acontecimientos. La filosofía, como la historia, contiene proposiciones interpretativas y valorativas, pero, a diferencia de la historia, no incluye proposiciones puramente descriptivas. Además, la filosofía también contiene algunas proposiciones que hacen explícitas las relaciones lógicas entre las ideas, y que se echan de menos en la historia. Por último, la historia de la filosofía, por ser una disciplina histórica que se ocupa de las ideas filosóficas, conlleva descripciones, interpretaciones y valoraciones. De hecho, el carácter interpretativo y valorativo de la historia de la filosofía la convierte en filosófica, puesto que los criterios que se emplean en tales interpretaciones y valoraciones son filosóficos. Contrario a las opiniones de muchos filósofos, que consideran que la historia de la filosofía es una empresa puramente descriptiva, desprovista de cualquier elemento filosófico, he afirmado que hacer historia de la filosofía de un modo no filosófico no sólo es imposible, sino, además, indeseable. La historia de la filosofía debe contener tanto interpretaciones como valoraciones filosóficas y, por tanto, se halla presente, de un modo indispensable, el factor interés.

Esto no quiere decir, por supuesto, que no pueda distinguirse la historia de la filosofía de la filosofía, ni viceversa. He argumentado, explícitamente, en contra de tal postura historicista. Mi opinión es que la historia de la filosofía debe hacerse filosóficamente, aun cuando hacer historia de la filosofía no sea hacer filosofía. También he señalado que hacer historia de la filosofía no es, ni siquiera, un requisito para hacer filosofía. La historia de la filosofía necesita de la filosofía, pero la filosofía no necesita de su historia. No entender correctamente esta relación es, de hecho, la causa de muchos errores, tanto en filosofía como en las relaciones que se ofrecen de su historia.

Pero, entonces, podríamos preguntarnos: si la filosofía no necesita de su historia, ¿por qué deberían los filósofos tomarse la molestia de estudiarla? En efecto, muchos autores han sostenido que la historia de la filosofía, aunque no sea incompatible con la filosofía, tiene poco que ver con ella y podría, con razón, omitirse.

Si dejara en pie este argumento, entonces habría pocas esperanzas de éxito para mi proyecto de reunir a los poetas y a

los críticos sobre la base del estudio de la historia de la filosofía y su historiografía. Por tanto, me he enfrentado al mismo y
he intentado mostrar que la historia de la filosofía, aunque no
sea necesaria para la filosofía, posee un valor intrínseco para la
misma. Hacer filosofía históricamente, esto es, utilizar la historia de la filosofía y apoyarse en ella, se justifica por la misma
naturaleza de la filosofía y, en especial, por la naturaleza de
los instrumentos que utiliza. No se trata, solamente, de que la
historia de la filosofía pueda servir como una fuente de inspiración para la filosofía, ni que le preste apoyo y respetabilidad,
como algunos han afirmado. Tampoco se trata de que la historia de la filosofía pueda emplearse como un laboratorio para el
razonamiento; como una fuente, rica en información y verdad;
o incluso, como una suerte de instrumento terapéutico para el
historiador, como otros han señalado correctamente. La justificación del estudio de la historia de la filosofía va más allá de
estas razones retóricas y pragmáticas, y se apoya en los estre-
chos lazos que la filosofía posee con la cultura.

Mi argumento, sin embargo, no consiste en que la filosofía
esté determinada culturalmente y que, por tanto, esté atada históricamente. Esto nos conduciría al tipo de historicismo inflexi-
ble según el cual los filósofos son meros portavoces mecánicos
de la época en que vivieron. Mi argumento propone, más bien,
que aunque la filosofía pueda trascender una cultura particular,
siempre se origina en una matriz histórico-cultural específica y
depende de los fenómenos culturales para su funcionamiento.
Si se desea lograr el tipo de liberación de las circunstancias
históricas particulares por la que han luchado los filósofos, debemos conocer la matriz desde donde surgen las ideas, y para
superar nuestros prejuicios y nuestras preferencias debemos
librarnos de ellos. Pero para que ocurra dicha liberación, es
preciso: contrastar las ideas de nuestra época y cultura con
aquéllas de otras culturas; comprender el origen de nuestras
ideas en el pasado; y aprehender el modo como han llegado a
adquirir la forma que tienen para nosotros. Por estas razones,
el estudio de la historia de la filosofía posee un valor inmenso
para los filósofos, y debería convertirse en el centro de discusión y de atención de todos los que se interesan por la filosofía,
ya sean poetas o críticos. De hecho, el estudio de la historia de

la filosofía, como he afirmado en la Introducción, proporciona un lugar de encuentro para los poetas y los críticos.

Esto me lleva a otra cuestión de gran importancia para el historiador de la filosofía, que también puede salvar la distancia entre los poetas y los críticos. Si aceptamos la idea que he defendido aquí —que existe un valor intrínseco en el hecho de que los filósofos estudien el pasado filosófico—, debemos plantear la cuestión de cómo podemos tener acceso al pasado, pues los historiadores de la filosofía no se encuentran directamente con las ideas del pasado: ellos sólo tienen acceso a tales ideas a través de los textos. Por tanto, debemos comprender la naturaleza de los textos y la manera como nos revelan las ideas filosóficas del pasado.

Concibo los textos como un grupo de signos (ya sean escritos, hablados o mentales) seleccionados y organizados, con los que el autor pretende transmitir algún significado específico a una audiencia en un contexto determinado. Por tanto, el sentido de los textos se encuentra estrechamente relacionado con sus autores y sus audiencias. La tarea del historiador de la filosofía consiste, por tanto, en entender el sentido del texto teniendo en cuenta todos los factores que puedan cumplir un papel en el mismo. El resultado de esta tarea histórica es la interpretación textual, que no es otra cosa sino un texto compuesto del texto que se supone que interprete, más otros elementos textuales. Los "otros elementos textuales" son añadidos por los intérpretes al texto original para ayudar a re-crear, en sus propias mentes y en las de sus audiencias contemporáneas, actos de entendimiento semejantes a aquellos creados por el texto original en la audiencia que tuvo acceso al mismo en el momento de su composición. Es decir, una interpretación intenta salvar la distancia histórica entre un texto, por un lado, y los historiadores y sus audiencias contemporáneas, por el otro.

La necesidad de una interpretación para salvar la distancia entre un texto y una audiencia contemporánea pone de manifiesto, una vez más, el carácter esencialmente filosófico de la tarea del historiador de la filosofía, puesto que las interpretaciones textuales requieren de juicios basados en las valoraciones, y tales juicios sólo pueden hacerse sobre la base de criterios filosóficos, en aquellos casos en los que hay de por medio textos filosóficos. También nos ayuda a apreciar cómo el tema que hemos planteado posee una importancia fundamental, no sólo para aquellos que consideran que la historia de la filosofía es su vocación principal, sino también para todos los filósofos, puesto que los filósofos dependen de los textos para la comunicación. Tanto los poetas como los críticos deberían buscar una respuesta a la cuestión historiográfica relacionada con la interpretación de los textos del pasado, aunque sus respuestas sean diferentes.

De la consideración de los textos y su interpretación llegamos, entonces, a la misma conclusión a la que habíamos llegado antes: que la historia de la filosofía ha de hacerse filosóficamente, y esto significa que debe ser interpretativa y valorativa. Pero la historia de la filosofía también debe ser objetiva, ya que su propósito es comprender las ideas filosóficas del pasado tal como las comprendían aquellos que las propusieron y sus audiencias coetáneas, y no como nosotros deseemos, caprichosamente, comprenderlas. Por tanto, podemos preguntarnos: ¿cómo pueden reconciliarse estos dos propósitos, aparentemente conflictivos?

Ya he afirmado que el propósito de la interpretación textual no es, como muchos piensan, la comprensión de un texto como algo separado de su lugar histórico. Más bien, se trata de comprender el significado de un texto tal como lo entendió su autor y su audiencia coetánea. Nuestra tarea es determinar cómo puede lograrse tal cosa y qué tipo de método debería seguir el historiador que le permita encontrar un balance entre la interpretación y la objetividad; y si esto parece difícil, todavía lo parece más reconciliar la objetividad con la valoración. En definitiva, el problema se reduce a la pregunta de cómo hacer historia filosófica de la filosofía sin sacrificar la objetividad y la precisión históricas.

Para intentar llevar a cabo esta tarea, he ofrecido un análisis detallado de lo que considero los principales enfoques metodológicos que emplean los historiadores para estudiar la historia de la filosofía. En consonancia con el interés principal de este trabajo, he rechazado aquellos enfoques que no son filosóficos. Entre éstos, se encuentran el *cultural*, el *psicológico* y el *ideológico*. Todos ellos comparten un intento por dar cuenta de las ideas filosóficas del pasado en términos de factores no filosóficos. Para el culturalista, son los factores culturales; para el psicólogo, los factores relacionados con la constitución mental de las personas en cuestión; y el ideólogo, sencillamente, utiliza la historia de la filosofía para lograr sus propias prioridades, que, por lo general, no tienen nada que ver con la filosofía.

También he rechazado los enfoques que ofrecen relaciones del pasado filosófico, pero que ponen demasiado énfasis en la descripción, en detrimento de la interpretación y la valoración. Éste es el caso de los que he llamado los *nostálgicos de la Edad de Oro*, los *románticos*, los *eruditos*, y diversos enfoques *doxográficos*. Éstos fracasan no sólo porque no reconocen suficientemente los elementos valorativos e interpretativos que cumplen su papel en la producción de las relaciones históricas: los tres primeros fracasan también porque su modo de proceder es, subrepticiamente, valorativo, aunque, aparentemente, sigan procedimientos metodológicos absolutamente objetivos; y el principal problema de los doxógrafos, además de su omisión de la interpretación y la valoración, estriba en la superficialidad de sus análisis, que, a su vez, es resultado de su omisión de la interpretación y la valoración en la historia de las ideas filosóficas.

Incluso aquellos enfoques que he llamado *polémicos*, que adoptan una actitud esencialmente filosófica en el estudio de la historia de la filosofía, son, con frecuencia, inadecuados. Lo son porque, a diferencia de los otros enfoques que he mencionado, ponen demasiado énfasis en la valoración, perdiendo de vista la objetividad histórica. Los *apologistas* parecen interesados sólo en la defensa de un conjunto de creencias con las que están comprometidos; los *críticos literarios* enfatizan demasiado el papel que realizan la forma literaria y la interpretación en la comprensión del pasado; los *diletantes* no tienen ninguna paciencia ni interés por el detalle histórico preciso; los *idealistas* buscan la formulación de sistemas ideales de pensamiento que ellos puedan valorar, y consideran accidental que éstos se ejemplifiquen en la historia; los *problemistas*, al estar interesados, principalmente, por los problemas filosóficos, tienden a omitir las ideas filosóficas que no son el resultado de problemas filosóficos explícitamente formulados; por último, los *escatologistas* andan demasiado preocupados por mostrar cómo la historia de la filosofía verifica sus esquemas de desarrollo como para prestar atención a los datos históricos que no se ajusten a éstos. Como hemos visto, ninguno de estos enfoques, si se adopta por separado, puede ofrecer una metodología historiográfica satisfactoria para el estudio del pasado filosófico. Pero tampoco podemos desarrollar un método adecuado si nos limitamos, simplemente, a combinarlos todos en un enorme procedimiento ecléctico. En primer lugar, dicha combinación no es posible, puesto que existen rasgos incompatibles en muchos de estos enfoques. El énfasis del erudito por la fidelidad al documento histórico entraría en conflicto, sin duda, con las tendencias revisionistas de algunos de los otros métodos, por ejemplo. En segundo lugar, aunque fuera posible, la combinación de todos estos enfoques no es deseable, porque algunos no tienen ninguna característica que pueda salvarlos en absoluto. Es difícil pensar, por ejemplo, en la utilidad que puedan tener los enfoques diletantes e ideológicos. En tercer lugar, aunque fuera posible y deseable una combinación de todos o, por lo menos, algunos, dicha combinación no ofrecería una metodología historiográfica adecuada para el estudio de la historia de la filosofía. El problema con la misma descansaría en dos factores: en primer lugar, en una falta de conciencia metodológica y, en segundo lugar, en una falta de un claro plan detallado del procedimiento a seguir. El primer factor es importante, porque mantiene a los historiadores en alerta, y los hace conscientes de la necesidad de mantener un balance entre la descripción, la interpretación y la valoración. El segundo factor es importante porque sin unas pautas claras sobre cómo proceder, sería difícil, si no imposible, lograr un balance entre todos los elementos que desempeñan un papel en la producción de una relación histórica.

Mi propuesta de una metodología balanceada es lo que llamo el *enfoque desde el marco conceptual*. En consonancia con mi tesis general de que la historia de la filosofía debe hacerse filosóficamente, este enfoque es, fundamentalmente, filosófico, pero está encaminado a la comprensión precisa y objetiva del pasado filosófico. Su espina dorsal la constituye el desarrollo de un marco conceptual basado en un análisis de los problemas y las ideas que se investigan. Los objetivos del marco conceptual consisten en separar: las diferentes cuestiones implicadas en los problemas e ideas correspondientes; las posibles respuestas a tales cuestiones; las diversas ideas que cumplen un papel en las mismas; y, por último, los tipos de argumentos y objeciones que pueden emplearse en apoyo o en contra de las posibles soluciones a las cuestiones que se han distinguido. El marco conceptual y su lenguaje deberían ser tan neutrales como fuera posible, con el fin de no prejuiciar, de manera alguna, la discusión. Además, cualesquiera preferencias y compromisos presentes en el mismo deberían ponerse de manifiesto, tanto como fuera posible, con el fin de no envenenar el procedimiento desde el principio. Por último, debería considerarse el marco conceptual sólo como una ayuda heurística e instrumental y, por tanto, tendría éste que poseer la suficiente flexibilidad y apertura como para permitir el cambio, ya sea superficial o profundo.

Con este marco en mente, entonces, el historiador puede pasar a mirar hacia atrás en la historia de la filosofía, aplicando los procedimientos usuales de los investigadores. El marco conceptual ofrece una base explícita para la interpretación y el juicio, en los casos en donde surgen las dudas, a la vez que hace evidente, en la medida de lo posible, las interpretaciones y valoraciones del historiador, así como los principios que utiliza para lograrlas. Al hacer explícito los presupuestos y compromisos del historiador, el marco conceptual salvaguarda la objetividad histórica, a la vez que mantiene el carácter filosófico de la historia de la filosofía, sin el cual dicha historia no sólo carecería de utilidad alguna para los filósofos, sino que, además, tampoco sería posible.

La razón fundamental para el empleo de un marco conceptual se basa en la misma misión de la historia de la filosofía. El estudio de la historia de la filosofía busca comprender el pasado filosófico, y dicha comprensión no es posible sin un marco conceptual. Por tanto, es inevitable que el historiador de la filosofía tenga dicho marco. La única alternativa que le queda al historiador es hacerlo coherente, claro y explícito, o dejarlo incoherente, oscuro e implícito. Muchos historiadores de la filosofía piensan que hacer lo primero supone viciar el recuento y, por tanto, hacen lo segundo a falta de otra cosa. Mi argumento es que sólo la primera alternativa puede ofrecernos la esperanza de lograr algún tipo de objetividad histórica. La segunda es doblemente perversa, porque no sólo vicia el recuento, sino que, además, lo hace de un modo imperceptible.

A pesar de las ventajas del enfoque desde el marco conceptual, éste no debería quedarse solo: los historiadores de la filosofía necesitan comprender también cómo tiene lugar el desarrollo de las ideas filosóficas, con el fin de evitar una mala lectura de la historia de la filosofía. El desarrollo de dicha comprensión pertenece, sin embargo, a la filosofía de la historia de las ideas filosóficas, no a la historiografía de la filosofía. Ahora bien, aunque este libro posee, principalmente, un carácter historiográfico —hay algunos apartes metafísicos y lógicos—, se hizo preciso decir algo sobre cómo se desarrollan las ideas filosóficas para poder completar, así, el cuadro metodológico que he presentado, amén de llamar la atención en contra de posibles malinterpretaciones que pueden resultar de mis opiniones filosóficas concernientes a la historia de la filosofía.

De los numerosos problemas que surgen de una mala interpretación de cómo se desarrollan las ideas filosóficas, hay dos que sobresalen. El primero, que he llamado el *síndrome del Eclesiastés*, ocurre cuando los historiadores leen en las ideas del pasado algo que no estaba presente, salvo, quizás, de una forma muy rudimentaria y como en germen. El segundo, que he llamado el *síndrome primitivo*, ocurre cuando los historiadores consideran que ciertas ideas son originales y novedosas, cuando, de hecho, ya estaban presentes y bastante desarrolladas en el pasado. Ambos problemas surgen por entender incorrectamente cómo se desarrollan las ideas en la historia y por no tener en cuenta que éstas pasan por diversas etapas, según estén más o menos explícitas y se esté más o menos consciente de ellas. Son, por lo menos, cinco las etapas cruciales en este desarrollo de las ideas filosóficas: preanalítica, definitoria, problemática, textualmente independiente y central.

En la *etapa preanalítica* un filósofo utiliza ideas prestadas del discurso ordinario, sin estar consciente ni preocuparse por su significado conceptual exacto ni por los problemas que plantea. En la *etapa definitoria*, los filósofos se vuelven conscientes de la necesidad de ofrecer una noción clara de la idea y, por tanto, de introducir una definición de la misma, pero todavía no están conscientes de los problemas que dicha definición podría plantear. Es en la *etapa problemática* donde los filósofos se dan cuenta de los posibles problemas presentes en la idea o en su definición, y tratan de resolverlos de diversos modos. Cuando la preocupación por tales problemas alcanza un grado tal, que su discusión se lleva a cabo en partes separadas y distintas de un texto, entonces las ideas han alcanzado la *etapa textualmente independiente*. De todos modos, la idea se sigue discutiendo en el contexto de alguna otra idea o problema que se considera más importante y a cuya solución parece que puede ayudar la idea en cuestión. Sin embargo, ocurre con frecuencia que una idea cuya discusión siempre estaba subordinada a alguna otra idea o problema, adquiere la importancia suficiente como para que sea tratada y discutida por sí misma, subordinando la discusión de otras ideas y problemas. Cuando esto le ocurre a una idea, ésta ha alcanzado lo que llamo la *etapa central* de desarrollo.

Por todo lo dicho, debería quedar claro que es enormemente importante para los historiadores estar conscientes de esas etapas de desarrollo, pues, cuando confunden una etapa de desarrollo con otra y tratan una idea como si estuviera en una etapa diferente de aquélla en la que se encuentra en un momento determinado, distorsionan la historia.

La discusión de las etapas de desarrollo de las ideas plantea, naturalmente, cuestiones concernientes al progreso filosófico. ¿Existe tal cosa? ¿Ha avanzado la filosofía en sus más de 2 500 años de historia? Una vez más, como ocurría con la pregunta por el desarrollo de las ideas filosóficas, ésta pertenece a la filosofía de la historia de la filosofía, una rama de la filosofía de la historia. Me ocupo de ella sólo porque surge, naturalmente, en el contexto del desarrollo histórico.

Mantengo una opinión, en cierto modo optimista, del desarrollo de la filosofía; opinión que se basa en el progreso que ha hecho en su descubrimiento de la verdad, en su rechazo de falsedades, en la clarificación de conceptos y en la conciencia que adquiere de la complejidad de los problemas filosóficos. Hoy día conocemos, por lo menos, algunas verdades filosóficas que Tales no conocía, y sabemos que algunas de las cosas que antes se pensaba que eran verdad, son falsas. De igual modo, hemos logrado hoy día un mayor grado de claridad sobre algunos conceptos que el que tenían nuestros antepasados. Y, por último, hoy día estamos más conscientes que nuestros predecesores filosóficos de algunos problemas filosóficos.

Alguien, sin embargo, podría preguntar cómo es que hay tanto desacuerdo sobre la cuestión del progreso filosófico entre la comunidad filosófica si su solución es tan simple como la he presentado. Mi respuesta es que el tema parece complicado debido, en parte, a dos falsas concepciones ampliamente compartidas por aquellos que se ocupan del mismo. En primer lugar, tanto los que están en favor como los que están en contra del progreso filosófico, siguiendo los pasos de muchos historiadores generales, interpretan el progreso en términos lineales. Pero el progreso filosófico no es así. El progreso filosófico no ocurre siguiendo un patrón derecho, sino que, más bien, avanza, retrocede y da rodeos. Por tanto, lo que sugiero es que el progreso filosófico debería interpretarse más bien como una espiral, y no como una línea.

En segundo lugar, la mayor parte de los que discuten esta cuestión desean tener evidencia de progreso filosófico en un corto espacio del recorrido, cuando lo cierto es que el progreso filosófico sólo puede apreciarse en un amplio espacio de ese recorrido. Si nos fijamos en un breve espacio de tiempo, el cuadro filosófico con el que uno se encuentra en la historia está incompleto, y a veces muestra un progreso, mientras que, otras veces, lo que muestra es un retroceso o estancamiento. Sólo cuando nos fijamos en la historia global y acumulativa de la filosofía, puede detectarse evidencia de progreso.

Los temas relacionados con el desarrollo de las ideas filosóficas y con el progreso filosófico ilustran, una vez más, que es inevitable el carácter filosófico de la historia de la filosofía, pues parece que hacen falta, por lo menos, los rudimentos de una filosofía de la historia de la filosofía para hacer un buen trabajo en la historia de la filosofía. He afirmado que la opinión que sostengo del desarrollo de las ideas filosóficas es importante para evitar errores a la hora de hacer historia de la filosofía. Y aunque uno adopte, o no, mi concepción particular sobre dicho desarrollo, es claro, en primer lugar, que es preciso tener alguna concepción de dicho desarrollo y, en segundo lugar, que dicha concepción, sea la que fuere, influirá en la manera de proceder a la hora de hacer historia de la filosofía. Por lo demás, lo mismo puede decirse sobre la cuestión del progreso o las cuestiones relacionadas con los procedimientos metodológicos y con otros asuntos historiográficos discutidos en este libro. La historia de la filosofía no puede evitar ser filosófica, pero puede, por medio de los métodos que he invocado, lograr un grado razonable de objetividad.

También debería estar claro que tanto los poetas como los críticos se enfrentan, por igual, a las cuestiones filosóficas de la historiografía filosófica surgidas en este libro, en la medida en que comprenden la importancia filosófica del estudio de la historia de la filosofía. Como tales, estas cuestiones deberían convertirse en la base del comienzo de un diálogo entre ellos. Obsérvese que no estoy diciendo que tales cuestiones *tienen* que convertirse en la base de dicho diálogo. La voluntad humana es libre, y parece que no está constreñida ni por la fuerza lógica ni por la fuerza bruta, y a los filósofos en especial les gusta demasiado ejercerla de la forma más inesperada. Por lo demás, tampoco afirmo que la dirección que he señalado aquí sea la única que puede lograr el deseado acercamiento entre las tradiciones angloamericana y continental. De hecho, existen muchas otras. Mi tesis es, simplemente, que la dirección que he indicado constituye un método eficaz para comenzar dicho acercamiento.

Hay, empero, dos objeciones a esta tesis que debo considerar, muy brevemente, antes de terminar. La primera afirma que mi tesis descansa en una concepción de la filosofía que se remonta a la corriente principal prekantiana, en donde la filosofía se entendía como el conocimiento de la realidad o de lo que hay. Pero dicha opinión no es aceptable ni para los filósofos angloamericanos ni para los continentales y, por tanto, no puede utilizarse para acercarlos.

Mi respuesta a esta objeción consiste en que la concepción de la filosofía que he presentado no tiene por qué interpretarse como una vuelta a la concepción de la corriente principal prekantiana sobre la disciplina. Debería advertir, desde ahora mismo, que entender la filosofía como una "visión del mundo" no debería considerarse, necesariamente, como una vuelta a la concepción de la filosofía como "el conocimiento de la realidad". En la descripción de la filosofía he evitado, a propósito, el empleo de términos como "realidad" o "lo que hay", que he utilizado para describir la postura de la corriente principal. El término "mundo" tampoco hay que entenderlo como haciendo referencia a alguna de estas nociones. En este contexto, lo propongo como un tipo de signo neutral, que cada filósofo puede apropiárselo y utilizarlo a su antojo. De esta forma, alguien querrá entenderlo como "conciencia" o "experiencia", y otros pueden pensarlo en términos de "realidad física" o lo que se quiera. Estas diversas interpretaciones de "mundo" no afectan mi tesis: puede entenderse el término de diversas maneras y, con todo, estar de acuerdo con mis opiniones sobre la historia de la filosofía y la historiografía filosófica, y sobre cómo pueden producir el efecto deseado de un acercamiento y diálogo.

Una segunda objeción afirma que es imposible el acercamiento entre los filósofos angloamericanos y los continentales, porque trabajan con presupuestos tan diferentes sobre la naturaleza de la filosofía y de la metodología filosófica, que, indistintamente de cuáles sean los objetos o las cuestiones que traten, sea la historia de la filosofía o la historiografía filosófica, no pueden encontrar una base común para la comunicación. Podría decirse que los filósofos angloamericanos y los continentales pertenecen a culturas filosóficas diferentes y, puesto que he dado por sentado que la filosofía posee una dimensión cultural, no puedo afirmar que puedan trascenderse dichas culturas.

Creo que ya he respondido a esta objeción en el cuerpo del libro, pero permítaseme que resuma, de nuevo, un par de señalamientos importantes en contra de la misma. En primer lugar, aunque he dado por sentado una dimensión cultural en la filosofía, he indicado, en varios lugares, que dicha dimensión no impregna la empresa hasta tal punto, que sea imposible escapar de la misma. He ofrecido, explícitamente, argumentos en contra de la postura culturalista y en favor de una versión modificada del culturalismo que conserve, a la vez, la fuerza intencional cultural y transcultural del discurso. En segundo lugar, ha sido, precisamente, el propósito de este libro mostrar cómo la historia de la filosofía y su historiografía imponen a los historiadores ciertos límites, tanto sobre su objeto de estudio como sobre la metodología con la que lo abordan, que ayudan a acercar a los filósofos, a pesar de los presupuestos que asuman en la práctica de la historia.

Voy a terminar, por tanto, regresando al comienzo de esta Conclusión, en donde he indicado el doble propósito de este libro: en primer lugar, presentar una teoría general sobre la historiografía filosófica; y, en segundo lugar, mostrar que las cuestiones que la teoría pretende resolver pueden constituir la base de un nuevo diálogo entre los filósofos angloamericanos y los continentales. He completado la primera tarea, aunque será el lector el árbitro definitivo que decida cuán exitosamente lo he logrado. Por lo que se refiere al segundo propósito, mis esperanzas son limitadas. Lo más probable es que los poetas consideren este libro analítico, y que los críticos lo consideren como otro exabrupto continental. Por tanto, estoy preparado para lo peor: la indiferencia. Pero es posible que queden todavía algunos filósofos razonables que perciban la necesidad de una comunicación y un diálogo, y que, independientemente de si están de acuerdo con mis opiniones o no, o de qué es lo que piensan de mis esfuerzos, se propongan con esmero continuar lo que he dejado por hacer y que tengan éxito en donde yo haya fracasado.

BIBLIOGRAFÍA ESCOGIDA

Esta bibliografía es, ante todo, una guía de recientes publicaciones que considero especialmente pertinentes para los temas que se han discutido en este estudio. También contiene, sin embargo, algunas obras a las que se ha hecho referencia y que no son de naturaleza historiográfica. Para un lista más completa de fuentes historiográficas hasta 1977, véase Craig Walton, "Bibliography of the Historiography and Philosophy of the History of Philosophy", *International Studies in Philosophy*, no. 19, 1977, pp. 135-166.

Abelardo, Pedro, *Incipiunt Glossae secundum magistrum Petrum Abaelardum super Porphyrium (Logica ingredientibus)*, B. Geyer (comp.), en *Beiträge zur Geschichte der Philosophie des Mittelalters*, vol. 20, cuaderno 1.

Agustín, *The City of God*, trad. G.E. MacCracken y W.C. Greene, Harvard University Press, Cambridge, Mass., 1957-1963. (The Loeb Classical Library.)

——, *On the Teacher*, trad. J.H.S. Burleigh, en John Baillie *et al.* (comps.), *Augustine: Earlier Writings*, vol. VI de *The Library of Christian Classics*, The Westminster Press, Philadelphia, 1953, pp. 69-101.

Alexander, Peter, "History of Philosophy: The Analytical Ideal", *The Aristotelian Society, Supplementary Volume*, no. 62, 1988, pp. 191-208.

Allaire, Edwin B., "Berkeley's Idealism Revisited", en Colin M. Turbayne (comp.), *Berkeley: Critical Interpretative Essays*, University of Minnesota Press, Minneapolis, 1982.

Alquié, Ferdinand, "Structure logiques et structures mentales en histoire de la philosophie", *Societé Française de la Philosophie, Bulletin* 46-47, no. 3, 1952-1953, pp. 89-107. Discusión de Mm. Bachelard, Ullmo, Wahl, Schuhl, Berger, Salzi, Bénichou, Burgelin, Wolff, Mesnage, Bénézé, pp. 107-132.

APA Newsletter on Teaching Philosophy, vol. 2, no. 3, 1981. Véanse los artículos de D. O'Connor, Hubert L. Dreyfus y John Haugeland.

Aquino, Tomás. Véase Tomás de Aquino.

Aristóteles, *Analytica posteriora*, trad. G.R.G. Mure, en W.D. Ross (comp.), *The Works of Aristotle*, vol. I., Oxford University Press, Londres, 1928, pp. 71a 1-100b17.

——, *Metaphysics*, trad. W.D. Ross, en Richard McKeon (comp.), *The Basic Works of Aristotle*, Random House, Nueva York, 1941.

Armstrong, A.M., "Philosophy and Its History", *Philosophy and Phenomenological Research*, no. 19, 1958, pp. 447-465.

Averroes, *On the Harmony of Religion and Philosophy*, trad. G.F. Hourani, Luzac & Company, Londres, 1961.

Ayers, Michael, "Analytical Philosophy and the History of Philosophy", en Jonathan Rée, Michael Ayers y Adam Westoby, *Philosophy and Its Past*, The Harvester Press, Nueva Jersey, 1978, pp. 41-66.

——, "Substance, Reality and the Great, Dead Philosophers", *American Philosophical Quarterly*, vol. 7, no. 1, 1970, pp. 38-49.

Bacon, Francis, *The New Organon*, Fulton H. Anderson (comp.), The Liberal Arts Press, Nueva York, 1960.

——, *"The New Organon" and Related Writings*, Fulton H. Anderson (comp.), The Liberal Arts Press, Nueva York, 1960.

Bacon, Roger. Véase Roger Bacon.

Baillie, John, *The Belief in Progress*, Oxford University Press, Londres, 1950.

Bambrough, Renford, "Universals and Family Resemblances", *Proceedings of the Aristotelian Society*, no. 61, 1960-1961, pp. 207-222. Reimpreso en Michael J. Loux (comp.), *Universals and Particulars: Readings in Ontology*, ed. rev., University of Notre Dame Press, Notre Dame, Ind., y Londres, 1970, pp. 106-124.

Bann, Stephen, "Towards a Critical Historiography: Recent Work in Philosophy", *Philosophy*, no. 56, 1981, pp. 365–386.

Banu, Ion, "A propos de la méthode structurale dans l'historiographie de la philosophie", *Philosophie et Logique*, no. 28, 1984, pp. 337–345.

Barber, Kenneth, y Jorge J.E. Gracia (comps.), *Individuation and Identity in Early Modern Philosophy*, SUNY Press, Albany, Nueva York, 1994.

Bartley, W.W., III. *Wittgenstein*, 2a. ed. rev. y aumentada, Open Court, La Salle, Illinois, 1985.

Barzun, Jacques, "Cultural History: A Synthesis", en Fritz Stern (comp.), *The Varieties of History: From Voltaire to the Present*, World Publishing, Nueva York, 1956, pp. 387–402.

Baumer, Franklin L., "Intellectual History and Its Problems", *The Journal of Modern History*, vol. 21, no. 3, 1949, pp. 191–203.

Baynes, Kenneth, James Bohman y Thomas McCarthy (comps.), *After Philosophy: End or Transformation?*, The MIT Press, Cambridge, Mass. y Londres, 1988.

Beard, Charles, "That Noble Dream", *The American Historical Review*, vol. 41, no. 1, 1935, pp. 74–87. Reimpreso en Fritz Stern (comp.), *The Varieties of History*, Meridian Books, Cleaveland y Nueva York, 1956, pp. 315–328.

——, "Written History as an Act of Faith", *The American Historical Review*, vol. 39, no. 2, 1934, pp. 219–29. Reimpreso en Hans Meyerhoff (comp.), *The Philosophy of History in Our Time*, Doubleday Books, Garden City, 1959, pp. 14–51.

Beardsley, Monroe C., *Aesthetics: Problems in the Philosophy of Criticism*, ed. rev., Macmillan, Nueva York, 1980.

——, "Intentions and Interpretations: A Fallacy Revived", en Michael J. Wreen y Donald M. Callen (comps.), *The Aesthetic Point of View*, Cornell University Press, Ithaca, 1982, pp. 188–207.

——, *The Possibility of Criticism*, Wayne State University Press, Detroit, 1970.

——, "Some Problems of Critical Interpretation: A Commentary", *The Journal of Aesthetics and Art Criticism*, vol. 36, no. 3, 1978, pp. 351–360.

474   BIBLIOGRAFÍA ESCOGIDA

Beck, Lewis White, "Introduction and Bibliography", *Monist*, vol. 53, no. 4, 1969, p. 523.

Bénézé, G., "Valeur philosophique de l'histoire de la philosophie", en *L'homme et l'histoire*, Presses Universitaires de France, París, 1952, pp. 355-358.

Bennett, Jonathan, "Response to Garber and Rée", en Peter H. Hare (comp.), *Doing Philosophy Historically*, Prometheus Books, Buffalo, Nueva York, 1988, pp. 62-69.

Berstein, Richard, "Philosophical Rift: A Tale of Two Approaches", *The New York Times*, dic. 29, 1987, pp. A-1 y A-15.

Beuchot, Mauricio, "Hacia una metodología de la historia de la filosofía en el México colonial", *Memorias del Primer Congreso Mexicano de Historia de la Ciencia y la Tecnología*, Sociedad Mexicana de Historia de la Ciencia y la Tecnología, México, 1989, vol. I, pp. 132-138.

Blake, Christopher, "Can History Be Objective?", en Patrick Gardiner (comp.), *Theories of History*, Free Press, Glencoe, 1959, pp. 329-343.

Blau, J.L., "The Philosopher as Historian of Philosophy: Herbert Wallace Schneider", *Journal of the History of Philosophy*, vol. 10, no. 2, 1972, pp. 212-215.

Boas, George, "A.O. Lovejoy as Historian of Philosophy", *Journal of the History of Ideas*, no. 9, 1948, 404-411.

—, "The History of Philosophy", en Y.H. Krikorian (comp.), *Naturalism and the Human Spirit*, Columbia University Press, Nueva York, 1944, pp. 133-153.

—, Harold Cherniss, *et al.*, *Studies in Intellectual History*, Johns Hopkins University Press, Baltimore, 1953.

Bodéüs, Richard, "Contre-propos sur le theme 'philosophie et histoire de la philosophie' ", *Carrefour*, no. 10, 1988, pp. 43-61.

Boecio, *De Trinitate I*, en *The Theological Tractates*, trad. H.F. Stewart y E.K. Rand, Harvard University Press, Cambridge, Mass., 1968. (The Loeb Classical Library.)

—, *In librum Aristotelis "De interpretatione"*, 2a. ed., J.P. Migne (comp.), en *Patrologiae cursus completus; Series latina*, vol. 64, París, 1891.

Borges, Jorge Luis, "Pierre Menard, autor del *Quijote*", en *Ficciones*, Biblioteca Ayacucho, Caracas, 1986, pp. 17-22.

Boss, Gilbert, "Philosophie et histoire des philosophies", *Carrefour*, no. 10, 1988, pp. 28–42.

Boutroux, E., "Role de l'histoire de la philosophie dans l'etude de la philosophie", en *Deuxième Congrès Internationale de Philosophie*, Ginebra, 1904.

Braun, Lucien, "Exigences théoriques en histoire de la philosophie", en *La storiografia filosofica e la sua storia*, Editrice Antenore, Padua, 1982, pp. 53–66.

—, *Histoire de l'histoire de la philosophie*, Edition Ophrys, París, 1973.

Bréhier, Émile, "Comment je comprends l'histoire de la philosophie", en *Études de philosophie antique*, Presses Universitaires de France, París, 1955, pp. 1–9.

—, "The Formation of Our History of Philosophy", en Raymond Klibansky y Herbert James Paton (comps.), *Philosophy and History*, Harper & Row, Nueva York, Evanston y Londres, 1963, pp. 159–172.

—, *Histoire de la philosophie*, vol. I, F. Alcan, París, 1948–1951, Introducción y pp. 523–787.

—, "Méthodes et problèmes de l'histoire de la philosophie", en *Études de philosophie moderne*, Presses Universitaires de France, París, 1965, pp. 1–45.

—, *La philosophie et son passé*, Presses Universitaires de France, París, 1940.

Brodbeck, May, "Explanation, Prediction and 'Imperfect' Knowledge", en Herbert Feigl y Grover Maxwell (comps.), *Minnesota Studies in the Philosophy of Science*, no. 3, University of Minnesota Press, Minneapolis, 1962, pp. 231–272.

Brunner, M. Fernand, "Histoire de la philosophie et philosophie", en *Études sur l'histoire de la philosophie en hommage à M. Guéroult*, Éditions Fischbacher, París, 1964, pp. 179–204.

—, "Histoire et théorie des philosophies selon Martial Guéroult", *Société Française de la Philosophie, Bulletin*, no. 76, 1982, pp. 3–73.

Brunschvicg, Léon, "History and Philosophy", en Raymond Klibansky y Herbert James Paton (comps.), *Philosophy and History*, Harper & Row, Nueva York, Evanston y Londres, 1963, pp. 27–34.

Brunschwig, Jacques, "Faire de l'histoire de la philosophie, au-jord'hui", *Société Française de la Philosophie, Bulletin*, no. 70, 1976, pp. 125-149.

Buckle, Henry Thomas, *History of Civilization in England*, 3a. ed., Longmans, Green & Co., Londres, 1866.

Buenaventura, *Collationes in Hexaëmeron*, R. Delorme (comp.), Ad Claras Aquas, Florencia, 1934.

——, *Retracing the Arts to Theology*, en Sister Emma Thérèse Healy, St. Bonaventure's De reductione artium ad theologiam, A Commentary with an Introduction and Translation, Saint Bonaventure College, San Buenaventura, Nueva York, 1939.

Bury, H.T., "The Science of History", en H. Temperley (comp.), *Selected Essays of J.B. Bury*, Cambridge University Press, Cambridge, 1930, pp. 3-22.

Bury, J.B., *The Idea of Progress*, Macmillan Co., Nueva York, 1932.

Butler, J.F., "Some Epistemological Problems about the History of Philosophy", *Philosophical Quarterly*, Amalner, India, no. 22, 1949-1950, pp. 125-135.

Cain, William E., "Authors and Authority in Interpretation", *Georgia Review*, no. 34, 1980, pp. 617-634.

Carlyle, Thomas, *On Heroes, Hero-Worship, and the Heroic in History*, Everyman's Library, Londres, 1940.

Carr, Edward Hallet, *What is History?*, Alfred A. Knopf, Nueva York, 1962.

Cascardi, Anthony J. (comp.), *Literature and the Question of Philosophy*, Johns Hopkins University Press, Baltimore y Londres, 1987.

Cassirer, Ernst, *The Problem of Knowledge: Philosophy, Science, and History since Hegel*, trad. William H. Woglom y Charles W. Hendel, Yale University Press, New Haven, 1950.

Castañeda, Héctor-Neri, "Individuation and Non-Identity: A New Look", *American Philosophical Quarterly*, no. 12, 1975, pp. 131-140.

——, "Philosophy as a Science and as a Worldview", en A. Cohen y M. Dascal (comps.), *The Institution of Philosophy: A Discipline in Crisis*, Open Court, La Salle, Illinois, 1989, pp. 35-59.

Castelli, Enrico (comp.), *La philosophie de l'histoire de la philosophie*, J. Vrin, París, 1956, trad. de *La filosofia della storia della filosofia*, Bocca, Milán, 1954.

——, "La philosophie de l'histoire de la philosophie", en Enrico Castelli (comp.), *La philosophie de l'histoire de la philosophie,* J. Vrin, París, 1956, pp. 9-18.

Cerutti Guldberg, Horacio, *Hacia una metodología de la historia de las ideas (filosóficas) en América Latina,* Universidad de Guadalajara, Guadalajara, 1986.

Chartier, Roger, "Intellectual History or Sociocultural History? The French Trajectories", en Dominick LaCapra y Steven L. Kaplan (comps.), *Modern European Intellectual History: Reappraisals and New Perspectives,* Cornell University Press, Ithaca y Londres, 1982, pp. 13-26.

Christian, William A., "Whitehead's Explanation of the Past", en George L. Kline (comp.), *Alfred North Whitehead: Essays on His Philosophy,* Prentice-Hall, Inc., Englewood Cliffs, N.J., 1963, pp. 93-101.

Cohen, Avner y Marcelo Dascal (comps.), *The Institution of Philosophy: A Discipline in Crisis,* Open Court, La Salle, Illinois, 1990.

Cohen, Howard, "Keeping the History of Philosophy", *Journal of the History of Philosophy,* no. 14, 1976, pp. 383-390.

Cohen, Lesley, "Doing Philosophy Is Doing Its History", *Synthese,* vol. 67, no. 1, 1986, pp. 51-55.

Cohen, Sande, "Structuralism and the Writing of Intellectual History", *History and Theory,* no. 17, 1978, pp. 175-206.

Collingwood, Robin George, *An Autobiography,* Oxford University Press, Londres, 1939.

——, *The Idea of History,* Clarendon Press, Oxford, 1946.

Condorcet, Antoine-Nicholas Marie Jean de, *Esquisse d'un tableau historique des progrès de l'esprit humain* [1793], J. Vrin, París, 1970.

Copleston, Frederick, *On the History of Philosophy and Other Essays,* Barnes & Noble, Totowa, Nueva Jersey, 1979.

Corcoran, John, "Future Research on Ancient Theories of Communication and Reasoning", en John Corcoran (comp.), *Ancient Logic and Its Modern Interpretations,* D. Reidel, Dordrecht y Boston, 1974, pp. 185-187.

Croce, Benedetto, "Il concetto filosofico della storia della filosofia", en *Il carattere della filosofia moderna,* G. Laterza, Bari, 1941, pp. 52-71.

478 BIBLIOGRAFÍA ESCOGIDA

—, *The Theory and History of Historiography*, trad. Douglas Ainslie, G.G. Harrap and Co., Ltd., Londres, 1921.

Curley, Edwin, "Dialogues with the Dead", *Synthese*, vol. 67, no. 1, 1986, pp. 33-49.

D'Amico, Robert, *Historicism and Knowledge*, Routledge, Nueva York y Londres, 1989.

Dal Pra, Mario, "Storia della filosofia e storia della storiografia filosofica", en *La storiografia filosofica e la sua storia*, Editrice Antenore, Padua, 1982, pp. 13-38.

Daniel, Stephen H., "Metaphor in the Historiography of Philosophy", *Clio*, vol. 15, no. 2, 1986, pp. 191-210.

Danto, Arthur C., *Analytical Philosophy of History*, Cambridge University Press, Cambridge, 1965.

—, *Narrative and Historical Knowledge*, Columbia University Press, Nueva York, 1985.

—, "Philosophy as/and/of Literature", en Anthony J. Cascardi (comp.), *Literature and the Question of Philosophy*, Johns Hopkins University Press, Baltimore y Londres, 1987, pp. 1-23.

Dauenhauer, Bernard P. (comp.), *At the Nexus of Philosophy and History*, The University of Georgia Press, Atenas y Londres, 1987.

Davidson, Donald, *Inquiries into Truth and Interpretation*, Clarendon Press, Oxford, 1984.

Davis, Walter A., *The Act of Interpretation: A Critique of Literary Reason*, Chicago University Press, Chicago, 1978.

Degl'Innocenti, Umberto, "Il principio d'individuazione dei corpi e Giovanni di S. Tommaso", *Aquinas*, no. 12, 1969, pp. 59-99.

Delbos, Victor, "Les conceptions de l'histoire de la philosophie" (I), *Revue de Métaphysique et de Morale*, vol. 24, no. 2, 1917, pp. 135-147.

Dempf, Alois, "Philosophie de l'histoire de la philosophie", en Enrico Castelli (comp.), *La philosophie de l'histoire de la philosophie*, J. Vrin, París, 1956, pp. 69-80.

Descartes, René, *A Discourse on Method*, trad. John Veitch, Everyman's Library, Nueva York y Londres, 1951.

—, *Philosophical Letters*, Anthony Kenny (comp. y trad.), Clarendon Press, Oxford, 1970.

Devivaise, C., "Réflexions sur le caractère philosophique de l'histoire de la philosophie", en *L'homme et l'histoire*, Presses Universitaires de France, París, 1952, pp. 337-341.

Dewey, John, "Historical Judgments", en Hans Meyerhoff (comp.), *The Philosophy of History in Our Time*, Anchor Books, Garden City, Nueva York, 1959, pp. 163-172.

Dilthey, Wilhelm, "Archive der Literatur in Ihrer Bedeutung für das Studium der Geschichte der Philosophie" [1889], en *Gesammelte Schriften*, no. 4, B.G. Teubner, Leipzig y Berlín, 1921, pp. 555-575.

——, "Der Aufbau der geschichtlichen Welt in den Geisteswissenschaften", en *Gesammelte Schriften*, no. 7, B.G. Teubner, Leipzig y Berlín, 1927, pp. 77-188.

Diógenes Laercio, *The Lives and Opinions of Eminent Philosophers*, trad. R.D. Hicks, 2 vols, W. Heinemann and G.P. Putnam's Sons, Londres y Nueva York, 1925. (The Loeb Classical Library.)

Dray, William H., "The Historian's Problem of Selection", en Ernest Nagel, Partrick Suppes y Alfred Tarski (comps.), *Logic, Methodology and Philosophy of Science: Proceedings of the 1960 International Congress*, Stanford University Press, Stanford, 1962, pp. 595-603.

——, *Laws and Explanation in History*, Oxford University Press, Londres, 1957.

——(comp.), *Philosophical Analysis and History*, Harper & Row, Nueva York y Londres, 1966.

——, *Philosophy of History*, Prentice-Hall Inc., Englewood Cliffs, Nueva Jersey, 1964.

——, "Philosophy of History", en Paul Edwards (comp.), *Encyclopedia of Philosophy*, no. 6, Macmillan, Nueva York, Londres, 1967, pp. 247-254.

——, *On History and Philosophy of History*, E.J. Brill, Leiden, 1989.

Dumont, Fernand, "Une contribution a l'histoire de la philosophie au Québec", *Philosophiques*, no. 10, 1983, pp. 119-126.

Dunn, John, "The Identity of the History of Ideas", *Philosophy*, vol. 43, no. 164, 1968, pp. 85-104. Reimpreso en Peter Laslett *et al.* (comps.), *Philosophy, Politics and Society: Fourth Series*, Basil Blackwell, Oxford, 1972.

Dupré, Louis, "Is the History of Philosophy Philosophy?", *Review of Metaphysics*, vol. 42, no. 3, 1989, pp. 463-482.

Edley, Roy, Prólogo editorial a, en Jonathan Rée, Michael Ayers y Adam Westoby, *Philosophy and Its Past*, The Harvester Press, Nueva Jersey, 1978.

Ehrlich, Walter, "Principles of a Philosophy of the History of Philosophy", *Monist*, vol. 53, no. 4, 1969, pp. 532-562.

Eliot, T.S., "Tradition and the Individual Talent", en *Selected Essays*, Harcourt, Brace & World, Inc., Nueva York, 1960, pp. 3-11.

Ellis, John M., "Critical Interpretation, Stylistic Analysis, and the Logic of Inquiry", *The Journal of Aesthetics and Art Criticism* vol. 36, no. 3, 1978, pp. 253-262.

Enrique de Gante, *Summae quaestionum ordinariarum*, Eligius M. Buytaert (comp.), The Franciscan Institute, O.F.M. St. Bonaventure, Nueva York, 1953.

Eschmann, I.T., "A Catalogue of St. Thomas's Works: Bibliographical Notes", en Étienne Gilson, *The Christian Philosophy of St. Thomas Aquinas*, Random House, Nueva York, 1956, pp. 381-383.

Fain, H. "History as Science", *History and Theory*, no. 9, 1970, pp. 154-173.

Faurot, J.H., "What Is History of Philosophy?", *Monist*, vol. 53, no. 4, 1969, pp. 642-655.

Fazio Allmayer, V., "La storicità della filosofia", en *Annali della Scuola Normale Superiore di Pisa*, no. 21, 1952, pp. 1-12.

Febvre, Lucien, "Doctrines et sociétés. Étienne Gilson et la philosophie du xiv siécle", publicado originalmente en *Annales d'Histoire Economique et Sociale*. Reimpreso en *Combats pour l'histoire*, 2a. ed., Librairie Armand Colin, París, 1965, pp. 284-288.

——, "Leur histoire et la nôtre", publicado originalmente en *Annales d'Histoire Economique et Sociale*. Reimpreso en *Combats pour l'histoire*, 2a. ed., Librairie Armand Colin, París, 1965, pp. 276-283.

Feibleman, James K., "The History of Philosophy as a Philosophy of History", *Southern Journal of Philosophy*, vol. 5, no. 4, 1967, pp. 275-283.

Ferrater Mora, José, "Filosofía, Historia de la", en *Diccionario de la filosofía*, Alianza Editorial, 1980, vol. 2, Madrid, pp. 1216-1223.

Fish, Stanley, *Is There a Text in This Class?*, Harvard University Press, Cambridge, Mass., 1980.

Foucault, Michel, *The Order of Things: An Archaeology of the Human Sciences*, Random House, Nueva York, 1970.

——, "What Is an Author?", en Donald F. Bouchard (comp.), trad. Donald F. Bouchard y Sherry Simon, *Language, Countermemory, Practice: Selected Essays and Interviews*, Cornell University Press, Ithaca, 1977, pp. 113-138.

——, *Language, Countermemory, Practice: Selected Essays and Interviews*, introd. de Donald F. Bouchard (comp.), trad. Donald F. Bouchard y Sherry Simon, Cornell University Press, Ithaca, Nueva York, 1977.

Fraile, G., *Historia de la filosofía*, Biblioteca de Autores Cristianos, Madrid, 1956.

Franchini, Raffaello, "Teoria e storia della storiografia di B. Croce", *Rivista di Studi Crociani*, no. 14, 1977, pp. 288-297.

Frede, Michael, "The History of Philosophy as a Discipline", *Journal of Philosophy*, vol. 85, no. 11, 1988, pp. 666-672.

Gadamer, H.G., *Truth and Method*, trad. G. Barden y J. Cumming, Sheed & Ward, Londres, 1975.

——, E.K. Specht y W. Stegmüller, *Hermeneutics Versus Science? Three German Views*, John M. Connolly y Thomas Keutner (trad. y comp.), University of Notre Dame Press, Notre Dame, Ind., 1988.

Galgan, Gerald J., "What's Special about the History of Philosophy?", *American Philosophical Quarterly*, vol. 24, no. 1, 1987, pp. 91-96.

Gallie, W.B., *Philosophy and the Historical Understanding*, Schocken Books, Nueva York, 1964.

Gante, Enrique de. *Véase* Enrique de Gante.

Gaos, J., *Filosofía de la filosofía e historia de la filosofía*, Stylo, México, 1947.

Garber, Daniel, "Does History Have a Future?: Some Reflections on Bennett and Doing Philosophy Historically", en Peter H. Hare (comp.), *Doing Philosophy Historically*, Prometheus Books, Buffalo, Nueva York, 1988, pp. 27-43.

482 BIBLIOGRAFÍA ESCOGIDA

Gardiner, Patrick, *The Nature of Historical Explanation*, Oxford University Press, Londres, 1952.

Garin, Eugenio, "Filosofia e storia della storiografia filosofica", en *La storiografia filosofica e la sua storia*, Editrice Antenore, Padua, 1982, pp. 39–52.

——, "L'unità nella storiografia filosofica", *Rivista Critica della Storia della Filosofia*, no. 11, 1956, pp. 206–217.

Garver, Newton, "Wittgenstein's Reception in America", *Modern Austrian Literature*, vol. 20, nos. 3/4, 1987, pp. 207–219.

Geldsetzer, Lutz, "Fragen der Hermeneutik der Philosophiegeschichtsschreibung", en *La storiografia filosofica e la sua storia*, Editrice Antenore, Padua, 1982, pp. 67–102.

——, *Die Philosophie der Philosophiegeschichte im 19, Jahrhundert. Zur Wissenschaftstheorie der Philosophiegeschichteschreibung und betrachtung*, A. Hain, Meisenheimam Glan, 1968.

——, *Was Heisst Philosophiegeschichte?*, Philosophia-Verlag, Düsseldorf, 1968.

Gentile, Giovanni, "Il concetto della storia della filosofia", en *La riforma della dialettica hegeliana*, en *Opere*, t. 27, Sansoni, Florencia, 1954, pp. 97–138.

——, "La storicità della filosofia", *Giornale Critico della Filosofia Italiana*, vol. 17, no. 42, 1963, pp. 1–21.

Gentile, Marino, *Se e come é possibile la storia della filosofia*, Liviana, Padua, 1963.

Gerber, William, "Is there Progress in Philosophy?", *Journal of the History of Ideas*, vol. 34, no. 4, 1973, pp. 699–673.

Gilberto de Poitiers, *De Trinitate*, en Nikolaus M. Häring (comp.), *The Commentaries on Boethius by Gilbert of Poitiers*, Pontifical Institute of Mediaeval Studies, Toronto, 1966, pp. 62–180.

Gilson, Étienne, *History of Christian Philosophy in the Middle Ages*, Random House, Nueva York, 1955.

——, *History of Philosophy and Philosophical Education*, Marquette University Press, Milwaukee, 1948.

——, "Introduction to *A History of Philosophy*", en Armand A. Maurer, *Medieval Philosophy*, Random House, Nueva York, 1962, pp. vii–x.

Ginsberg, Morris, "Progress in the Modern Era", en Philip P. Wiener (comp.), *Dictionary of the History of Ideas*, vol. 3, pp. 633-650.

Goodman, Nelson y Catherine Elgin, *Reconceptions on Philosophy and Other Arts and Sciences*, Hackett Publishing Co., Indianápolis y Cambridge, 1988.

Gouhier, Henri Gaston, "Note sur le progrès et la philosophie", en *Études sur l'histoire de la philosophie en hommage à M. Guéroult*, Éditions Fischbacher, París, 1964, pp. 111-114.

——, *La philosophie et son histoire*, 2a. ed., J. Vrin, París, 1947.

Gould, Josiah B., "A Response to Graham's 'Anachronism in the History of Philosophy' ", en Peter H. Hare (comp.), *Doing Philosophy Historically*, Prometheus Books, Buffalo, Nueva York, 1988, pp. 149-152.

Gracia, Jorge J.E., "The Centrality of the Individual in the Philosophy of the Fourteenth Century", *History of Philosophy Quarterly*, no. 8, 1991.

——, "Filosofía e historia de la filosofía", *Crisis*, no. 19, 1972, pp. 63-72.

——, "Filosofía y su historia", *Revista latinoamericana de filosofía*, no. 13, 1987, pp. 259-278.

——, *Individuality: An Essay on the Foundations of Metaphysics*, SUNY Press, Albany, Nueva York, 1988.

——(comp.), *Individuation in Scholasticism: The Later Middle Ages and the Counter-Reformation*, SUNY Press, Albany, Nueva York, 1994.

——, *Introduction to the Problem of Individuation in the Early Middle Ages*, 2a. ed. rev., Philosophia Verlag, Munich y Viena, 1989, trad. al español Benjamín Valdivia; rev. Mauricio Beuchot, *Introducción al problema de la individuación en la alta Edad Media*, Instituto de Investigaciones Filosóficas, México, UNAM, 1987.

——, "Philosophy and Its History: Veatch's *Aristotle*", en Peter H. Hare (comp.), *Doing Philosophy Historically*, Prometheus Books, Buffalo, Nueva York, 1988, pp. 92-116.

——, "Texts and Their Interpretation", *Review of Metaphysics*, no. 43, 1990, pp. 495-542.

——, *Suárez on Individuation*, Marquette University Press, Milwaukee, 1982.

——, e Iván Jaksić (comps.), *Filosofía e identidad cultural en América Latina*, Caracas, Monte Ávila, 1987.

——y John Kronen, "John of St. Thomas", en Jorge J.E. Gracia (comp.), *Individuation in Scholasticism: The Later Middle Ages and The Counter. Reformation*, SUNY PRESS, Albany, Nueva York, 1994.

Graham, Daniel W., "Anachronism in the History of Philosophy", en Peter H. Hare (comp.), *Doing Philosophy Historically*, Prometheus Books, Buffalo, Nueva York, 1988, pp. 137-148.

——, "The Structure of Explanation in the History of Philosophy", *Metaphilosophy*, vol. 19, no. 2, 1988, pp. 158-170.

Graham, Gordon, "Can There Be History of Philosophy?", *History and Theory*, no. 21, 1982, pp. 37-52.

Greenlee, D., *Peirce's Concept of Sign*, Mouton, La Haya y París, 1973.

Groethuysen, Bernard, "Les paradoxes de l'histoire de la philosophie", *Theoria*, no. 5, 1939, pp. 235-264.

Grube, G.M.A., *Plato's Thought*, Beacon Press, Boston, 1958.

Guéroult, Martial, *Histoire et technologie des systémes philosophiques*, Leçon inaugurale du 4 déc., 1951, Collège de France, Leçons inaugurales, París, 1952.

——, "The History of Philosophy as a Philosophical Problem", *Monist*, vol. 53, no. 4, 1969, pp. 563-587.

——, "Méthode en histoire de la philosophie", *Philosophiques*, vol. 1, no. 1, 1974, pp. 7-19.

——, "Le problème de la légitimité de l'histoire de la philosophie", en Enrico Castelli (comp.), *La philosophie de l'histoire de la philosophie*, J. Vrin, París, 1956, pp. 45-68.

Guthrie, H., *Introduction au problème de l'histoire de la philosophie. La métaphysique de l'individualité à priori de la pensée*, Alcan, París, 1937.

Guthrie, W.K.C., "Aristotle as Historian", en David J. Furley y R.E. Allen (comps.), *Studies in Presocratic Philosophy*, no. 1, Routledge & Kegan Paul, Londres, 1970, pp. 239-254.

Hacking, Ian, "Five Parables", en Richard Rorty, J.B. Schneewind y Quentin Skinner (comps.), *Philosophy in History: Essays on the Historiography of Philosophy*, Cambridge University Press, Cambridge, 1984, pp. 103-124.

Haeckel, Ernst, *The Riddle of the Universe*, trad. Joseph MacCabe, Harper & Brothers, Nueva York, 1900.

Hancher, Michael, "The Science of Interpretation and the Art of Interpretation", *MLN*, no. 85, 1970, pp. 791-802.

Harari, Josué V. (comp.), *Textual Strategies: Perspectives in Post-Struc-turalist Criticism*, Cornell University Press, Ithaca, 1979.

Hare, Peter H. (comp.), *Doing Philosophy Historically*, Buffalo, Nueva York, Prometheus Books, 1988.

Hartman, Geoffrey (comp.), *Deconstruction and Criticism*, Seabury Press, Nueva York, 1979.

Hegel, G.W. Fr., *Lectures on the History of Philosophy*, trad. E.S. Haldane y Frances H. Simson, 3 vols., Routledge & Kegan Paul, The Humanities Press, Londres y Nueva York, 1974.

——, *Logic* (Encyclopedia), 2a. ed., trad. William Wallace, University Press, Oxford, 1892.

Heidegger, Martin, *Kant and the Problem of Metaphysics*, trad. J.S. Churchill, Indiana University Press, Bloomington, Ind., 1962.

Hempel, C.G., "The Function of General Laws in History", reimpreso en Patrick Gardiner (comp.), *Theories of History*, Free Press, Glencoe, 1959, pp. 344-356.

Henning, E.M., "Archaeology, Deconstruction, and Intellectual History", en Dominik LaCapra y Steven L. Kaplan (comps.), *Modern European Intellectual History: Reappraisals and New Perspectives*, Cornell University Press, Ithaca y Londres, 1982, pp. 153-196.

Hertzberg, Lars y Juhani Pietarinen, *Philosophy of History and Culture*, E.J. Brill, Leiden, 1990.

Hirsch, Eric Donald, Jr., *The Aims of Interpretation*, Chicago University Press, Chicago, 1976.

——, *Validity in Interpretation*, Yale University Press, New Haven, 1967.

Hoffman, Paul, "Über die Problematik der philosophie-geschichtlichen Methode", *Theoria*, no. 3, Parte 1, 1937, pp. 3-37. Discusión de Julius Kraft, pp. 306-313; de T.T. Segerstedt, pp. 313-320; de Ake Petzäll, pp. 321-330.

Holland, A.J. (comp.), *Philosophy, Its History and Historiography*, D. Reidel, Dordrecht, 1985.

Hook, Sidney (comp.), *Philosophy and History: A Symposium*, Nueva York University Press, Nueva York, 1963.

Horowitz, Maryanne Cline, "Complementary Methodologies in the History of Ideas", *Journal of the History of Philosophy*, vol. 12, no. 4, 1974, pp. 501-509.

Huizinga, Johan, "Die Historische Idee", en *Verzamelde Werken*, vol. 7, H.D. Tjeenk Willink, Haarlem, 1950, pp. 134-150.

Hume, David, *A Treatise of Human Nature*, L.A. Selby-Bigge (comp.), The Clarendon Press, Oxford, 1965.

Hungerland, Isabel Payson, *Poetic Discourse*, University of California Press, Berkeley, 1958.

Husserl, Edmund, "Formale und transzendentale Logik: Versuch einer Kritik der logischen Vernunft", *Jahrbuch*, no. 10, 1929, pp. 1-298. Trad. inglesa Dorion Cairns, *Formal and Transcendental Logic*, Nijhoff, La Haya, 1969.

——, *Ideas: General Introduction to Pure Phenomenology*, trad. W.R. Boyce Gibson, Collier Books, Nueva York, 1962.

Iggers, Georg G., *The German Conception of History: The National Tradition of Historical Thought from Herder to the Present*, ed. rev., Wesleyan University Press, Middletown, Connecticut, 1983.

Ingarden, Roman, *Ontology of the Work of Art: The Musical Work, the Picture, the Architectural Work, the Film*, trad. R. Meyer y J.T. Goldthwait, Ohio University Press, Athens, Ohio University Press, 1989.

——, "Reflections on the Subject Matter of the History of Philosophy", *Diogenes*, no. 29, 1960, pp. 111-121.

Iser, Wolfgang, *Prospecting: From Reader-Response to Literary Anthropology*, Johns Hopkins University Press, Baltimore, 1989.

Janaway, Christopher, "History of Philosophy: The Analytical Ideal", *The Aristotelian Society, Supplementary Volume*, no. 62, 1988, pp. 169-189.

Jay, Martin, "Should Intellectual Hitory Take a Linguistic Turn? Reflections on the Habermas-Gadamer Debate", en Dominik LaCapra y Steven L. Kaplan (comps.), *Modern European Intellectual History: Reappraisals and New Perspectives*, Cornell University Press, Ithaca y Londres, 1982, pp. 86-110.

Jordan, Mark, "History in the Language of Metaphysics", *Review of Metaphysics*, vol. 36, no. 4, 1983, pp. 849-866.

Joynt, Carey B. y Nicholas Rescher, "The Problem of Uniqueness in History", *History and Theory*, no. 1, 1961, pp. 150-162.

Juan Duns Escoto, *Lectura*, en Luca Modrić (comp.), *Opera omnia*, vol. 18, Typis Polyglottis Vaticanis, Ciudad Vaticana, 1982, pp. 229-293.

——, *Opus oxoniense*, en C. Balić *et al.* (comps.), *Opera omnia*, vol. 7., Typis Polyglottis Vaticanis, Ciudad Vaticana, 1973, pp. 391-494.

Juan de Santo Tomás, *Cursus theologicus, Tractatus de approbatione et auctoritate doctrinae d. Thomae*, Disp. II, vol. 1, Desclée, París, 1931.

——, *Cursus philosophicus thomisticus secundum exactam, veram, genuinam Aristotelis et Doctoris Angelici mentem*, 3 vols., B. Reiser (comp.), Marietti, Turín, 1933.

Juárez, Agustín Uña, *Herméneusis: Estudios y textos de historia de la filosofía*, EDES, Madrid, 1987.

Juhl, P.J. "The Appeal to the Text: What Are We Appealing To?", *Journal of Aesthetics and Art Criticism*, vol. 36, no. 3, 1978, pp. 277-287.

Kant, Immanuel, *Critique of Pure Reason*, trad. Norman Kemp Smith, Macmillan, Londres, 1963.

Kaufmann, Fritz, "The Phenomenological Approach to History", *Philosophy and Phenomenological Research*, no. 2, 1941-1942, pp. 159-172.

Kaufman, Walter (comp.), *Existentialism from Dostoevsky to Sartre*, The World Publishing Company, Cleveland y Nueva York, 1956.

Kelley, Donald R., "Horizons of Intellectual History: Retrospect, Circumspect, Prospect", *Journal of the History of Ideas*, vol. 48, no. 1, 1987, pp. 143-169.

——, "What Is Happening to the History of Ideas?", *Journal of the History of Ideas*, vol. 51, no. 1, 1990, pp. 3-25.

Kellner, Hans, "Triangular Anxieties: The Present State of European Intellectual History", en Dominik LaCapra and Steven L. Kaplan (comps.), *Modern European Intellectual History: Reappraisals and New Perspectives*, Cornell University Press, Ithaca y Londres, 1982, pp. 111-136.

King, Preston (comp.), *The History of Ideas: An Introduction to Method*, Barnes & Noble, Totowa, Nueva Jersey, 1983.

Kirk, G.S. y J.E. Raven, *The Presocratic Philosophers*, University Press, Cambridge, 1957.

Klibansky, Raymond y Herbert James Paton (comps.), *Philosophy and History*, The Clarendon Press, Oxford, 1936. Reimpreso en Harper & Row, Nueva York, Evanston y Londres, 1963.

Krämer, Hans, "Funktions-und Reflectionsmöglichkeiten der Philosophiehistorie. Vorschläge zu ihrer wissenschaftstheoretischen Ortsbestimmung", *Zeitschrift für allgemeine Wissenschaftstheorie*, vol. 16, no. 1, 1985, pp. 67-95.

Kristeller, Paul Oskar, "History of Philosophy and History of Ideas", *Journal of the History of Philosophy*, vol. 2, no. 1, 1964, pp. 1-14.

——, "The Philosophical Significance of the History of Thought", *Journal of the History of Ideas*, vol. 7, no. 3, 1946, pp. 360-366.

——, "Philosophy and Its Historiography", *The Journal of Philosophy*, vol. 82, no. 11, 1985, pp. 618-625.

Krüger, Lorenz, "Why Do We Study the History of Philosophy?" en Richard Rorty, J.B. Schneewind y Quentin Skinner (comps.), *Philosophy in History: Essays on the Historiography of Philosophy*, Cambridge University Press, Cambridge, 1984, pp. 77-101.

Kuderowicz, Zbigniew, "Wladyslaw Tatarkiewicz as Historian of Philosophy", *Reports on Philosophy*, no. 5, 1981, pp. 3-8.

Kuhn, Thomas S., "Objectivity, Value Judgment, and Theory Choice", en *Scientific Knowledge*, Jamet Kourany (comp.), Wadsworth Publishing Company, Belmont, California, 1987.

——, *The Structure of Scientific Revolutions*, 2a. ed. ampliada, University of Chicago Press, Chicago, 1970.

Kuklick, Bruce, "Seven Thinkers and How They Grew: Descartes, Spinoza, Leibniz; Locke, Berkeley, Hume; Kant", en Richard Rorty, J.B. Schneewind y Quentin Skinner (comps.), *Philosophy in History: Essays on the Historiography of Philosophy*, Cambridge University Press, Cambridge, 1984, pp. 125-139.

——, "Studying the History of American Philosophy", *Transactions of the Charles S. Peirce Society: A Quarterly Journal in American Philosophy*, vol. 18, no. 1, 1982, pp. 18-33.

Kuntz, Paul G., "The Dialectic of Historicism and Anti-Historicism", *Monist*, vol. 53, no. 4, 1969, pp. 656-669.

Kupperman, Joel J., "Precision in History", *Mind*, no. 84, 1975, pp. 374-389.

LaCapra, Dominick, "Rethinking Intellectual History and Reading Texts", en Dominick LaCapra y Steven L. Kaplan (comps.), *Modern European Intellectual History: Reappraisals and New Perspectives*, Cornell University Press, Ithaca y Londres, 1982, pp. 47-85.

——, y Steven L. Kaplan (comps.), *Modern European Intellectual History: Reappraisals and New Perspectives*, Cornell University Press, Ithaca y Londres, 1982.

Lafrance, Yvon, "La méthode positive en histoire de la philosophie: Résponse à MM. Leroux, Boss et Bodéüs", *Carrefour*, no. 10, 1988, pp. 62-84.

——, *Méthode et exégèse en histoire de la philosophie*, Les Éditions Bellarmin, Montreal, 1983.

Lakatos, Imre, *Proofs and Refutations: The Logic of Mathematical Discovery*, J. Warrall y E. Zahar (comps.), Cambridge University Press, Cambridge, 1976.

Lamprecht, Sterling P., "Historiography of Philosophy", *The Journal of Philosophy*, no. 36, 1939, pp. 449-460.

Lang, Helen S., "Philosophy as Text and Context", *Philosophy and Rhetoric*, no. 18, 1985, pp. 158-170.

Lange, Erchard y F. Lindner, "Tasks and Findings of the Investigation into the History of Philosophy", *Deutsche Zeitschrift für Philosophie*, no. 29, 1981, pp. 944-950.

Lavine, T.Z. y V. Tejera (comps.), *History and Anti-History in Philosophy*, Kluwer Academic Publishers, Dordrecht, 1989.

LePore, Ernest (comp.), *Truth and Interpretation*, Basil Blackwell, Londres, 1986.

Leroux, Georges, "Questions de méthode en histoire de la philosophie", *Carrefour*, no. 10, 1988, pp. 11-27.

Levi, Arthur W., "The Biographical Sources of Wittgenstein's Ethics", *Telos*, no. 38, 1978-1979, pp. 63-76.

Levinson, Jerrold, "What a Musical Work Is", *Journal of Philosophy*, vol. 77, no. 1, 1980, pp. 5-28.

Lewis, C.S., "On the Reading of Old Books", en *First and Second Things: Essays on Theology and Ethics*, Walter Hooper (comp.), Collins, Glasgow, 1985, pp. 25-33.

Leyden, W. von, "Philosophy and Its History", *Proceedings of the Aristotelian Society*, no. 54, 1953-1954, pp. 187-208.

Ligoto, C.R. y Robert Strassfeld, "Bibliography of Works in the Philosophy of History 1973-1977", *History and Theory*, suplemento no. 18, 1979, pp. 1-111.

Lovejoy, Arthur O., *Essays in the History of Ideas*, Johns Hopkins University Press, Baltimore, 1948.

——, "The Historiography of Ideas", *Proceedings of the American Philosophical Society*, no. 78, 1938, pp. 529-543. Reimpreso en Arthur O. Lovejoy, *Essays in the History of Ideas*, Johns Hopkins University Press, Baltimore, 1948, pp. 1-13.

——, "Introduction: The Study of the History of Ideas", en *The Great Chain of Being*, Harvard University Press, Cambridge, Mass., 1936, pp. 3-23.

——, "Present Standpoints and Past History", reimpreso en Hans Meyerhoff (comp.), *The Philosophy of History in Our Time*, Anchor Books, Garden City, Nueva York, 1959, pp. 173-187.

——, "On Some Conditions of Progress in Philosophical Inquiry", *Philosophical Review*, no. 26, 1917, pp. 123-163.

——, "Reflections on the History of Ideas", *Journal of the History of Ideas*, vol. 1, no. 1, 1940, pp. 3-23. Reimpreso en Philip P. Wiener y Aaron Noland (comps.), *Ideas in Cultural Perspective*, Rutgers University Press, New Brunswick, Nueva Jersey, 1962, pp. 3-23.

——, y George Boas, *Primitivism and Related Ideas in Antiquity*, Johns Hopkins Unitversity Press, Baltimore, 1935.

McCormick, Peter, "Philosophical Discourses and Fictional Texts", en Anthony J. Cascardi (comp.), *Literature and the Question of Philosophy*, Johns Hopkins University Press, Baltimore y Londres, 1987, pp. 52-73.

MacIntyre, Alasdair, "The Relationship of Philosophy to Its Past", en Richard Rorty, J.B. Schneewind y Quentin Skinner (comps.), *Philosophy in History: Essays on the Historiography of Philosophy*, Cambridge University Press, Cambridge, 1984, pp. 31-48.

Madden, Edward H., "Myers and James: A Philosophical Dialogue", en Peter H. Hare (comp.), *Doing Philosophy Historically*, Prometheus Books, Nueva York, Buffalo, 1988, pp. 299-319.

Major, John S., "Myth, Cosmology, and the Origins of Chinese Science", *Journal of Chinese Philosophy*, vol. 5, no. 1, 1978, pp. 1-20.

Makin, Stephen, "How Can We Find Out What Ancient Philosophers Said?", *Phronesis*, vol. 33, no. 2, 1988, pp. 121-132.

Malusa, Luciano, "Le ricerche di storia della storiografia filosofica nel momento presente", *Rivista di Filosofia Neo-Scolastica*, no. 71, 1979, pp. 213-220.

Mandelbaum, Maurice H., "Causal Analysis in History", *Journal of the History of Ideas*, vol. 3, no. 1, 1942, pp. 30-50.

——, "Historical Explanation: The Problem of 'Covering Laws' ", *History and Theory*, no. 1, 1961, pp. 229-242.

——, "The History of Ideas, Intellectual History, and the History of Philosophy", *History and Theory*, suplemento no. 5, 1965, no. 33-66.

——, "On the Historiography of Philosophy", *Philosophy Research Archives*, no. 2, Philosophy Documentation Center, Bowling Green State University Press, Bowling Green, Ohio, 1976, pp. 708-744.

——, "The History of Philosophy: Some Methodological Issues", en *Philosophy, History, and the Sciences: Selected Critical Essays*, Johns Hopkins University Press, Baltimore, 1984, pp. 120-130.

——, *Philosophy, History, and the Sciences: Selected Critical Essays*, Johns Hopkins University Press, Baltimore, 1984.

——, "The Presuppositions of Hayden White's *Metahistory*", en *Philosophy, History, and the Sciences: Selected Critical Essays*, Johns Hopkins University Press, Baltimore, 1984, pp. 97-111.

——, "Some Forms and Uses of Comparative History", en *Philosophy, History, and the Sciences: Selected Critical Essays*, Johns Hopkins University Press, 1984, pp. 131-144.

——, *The Problem of Historical Knowledge*, Harper & Row, Nueva York, Evanston y Londres, 1967.

Mandt, A.J., "The Inevitability of Pluralism: Philosophical Practice and Philosophical Excellence", en A. Cohen y M. Dascal (comps.), *The Institution of Philosophy: A Discipline in Crisis*, Open Court, La Salle, Illinois, 1989, pp. 77-101.

Marenbon, John, *Later Medieval Philosophy (1150-1350): An In-troduction*, Routledge & Kegan Paul, Londres y Nueva York, 1987.

Margolis, Joseph, *The Language of Art and Art Criticism*, Wayne State University Press, Detroit, 1965.

——, "The Ontological Peculiarity of Works of Art", *Journal of Aesthetics and Art Criticism*, vol. 36, no. 1, 1977, pp. 45-50.

——, "Reinterpreting Interpretation,", *Journal of Aesthetics and Art Criticism*, vol. 47, no. 3, 1989, pp. 237-251.

——, "Works of Art as Physically Embodied and Culturally Emer-gent Entities", *British Journal of Aesthetics*, vol. 14, no. 3, 1974, pp. 187-196.

Marías, J. "Introducción", en *Historia de la Filosofía*, Revista de Occidente, Madrid, 1941. Reimpreso en *Obras*, vol. I, Revista de Occidente, Madrid, 1958.

——, *Introducción a la filosofía*, Revista de Occidente, Madrid, 1947. Reimpreso en *Obras*, vol. II, Revista de Occidente, Ma-drid, 1958.

Mash, Roy, "How Important for Philosophers Is the History of Philosophy?", *History and Theory*, vol. 26, no. 3, 1987, pp. 287-299.

Matthews, Robert J., "Describing and Interpreting a Work of Art", *Journal of Aesthetics and Art Criticism*, vol. 36, no. 1, 1977, pp. 5-14.

McKeon, Richard, *Selections from Medieval Philosophers*, vol. I, Charles Scribner's Sons, Nueva York, 1957.

——, "Plato and Aristotle as Historians: A Study of Method in the History of Ideas", *Ethics*, no. 51, 1940, pp. 66-101. Rev. y publicado de nuevo como cap. II, "Truth and the History of Ideas", en *Thought, Action and Passion*, University of Chicago Press, Chicago, 1954, pp. 54-88.

Mehta, J.L., *Martin Heidegger: The Way and the Vision*, University Press of Hawaii, Honolulu, 1976.

Meiland, Jack W., "Interpretation as a Cognitive Discipline", *Philosophy and Literature*, vol. 2, no. 1, 1978, pp. 23-45.

——, *Scepticism and Historical Knowledge*, Random House, Nueva York, 1965.

Michelfelder, Diane P. y Richard E. Palmer (comps.), *Dialogue and Deconstruction: The Gadamer-Derrida Encounter*, SUNY Press, Albany, 1989.

Mill, John Stuart, *Dissertations and Discussions*, Henry Holt, Nueva York, 1882.

Milligan, John D., "The Treatment of an Historical Source", *History and Theory*, no. 18, 1979, pp. 177-196.

Minnis, A.J., *Medieval Theory of Authorship: Scholastic Literary Attitudes in the Later Middle Ages*, Scholar Press, Londres, 1984.

——, y A.B. Scott (comps.), con la contribución de David Wallace. *Medieval Literary Theory and Criticism c. 1100-c. 1375: The Commentary-Tradition*, Clarendon Press, Oxford, 1988.

Mittelstrass, Jürgen, "Das Interesse der Philosophie an Ihrer Geschichte", *Studia Philosophica*, no. 36, 1976, pp. 3-15.

Mondolfo, Rodolfo, *Problemas y métodos de la investigación en historia de la filosofía*, Universidad de Tucumán, Tucumán, 1949.

Moreau, J., "L'histoire de la philosophie, l'historien et le philosophe", en *L'homme et l'histoire*, Presses Universitaires de France, París, 1952, pp. 373-379.

Morgan, Michael L., "Authorship and the History of Philosophy", *Review of Metaphysics*, vol. 42, no. 2, 1988, pp. 327-355.

——, "The Goals and Methods of the History of Philosophy", *Review of Metaphysics*, no. 40, 1987, pp. 717-732.

Morton, Bruce N., "Beardsley's Conception of the Aesthetic Object", *Journal of Aesthetics and Art Criticism*, vol. 32, no. 3, 1974, pp. 385-396.

Mulhern, J.J., "Treatises, Dialogues, and Interpretation", *Monist*, vol. 53, no. 4, 1969, pp. 631-641.

Murphey, Murray G., "Toward an Historicist History of American Philosophy", *Transactions of the Charles S. Peirce Society: A Quarterly Journal in American Philosophy*, vol. 15, no. 1, 1979, pp. 3-18.

Nadel, S.F., *The Foundations of Social Anthropology*, Cohen & West Ltd., Londres, 1951.

Nagel, Ernest, *The Structure of Science: Problems in the Logic of Scientific Explanation*, Harcourt, Brace and World, Nueva York, 1961.

Nehamas, Alexander, "The Postulated Author: Critical Monism as a Regulative Ideal", *Critical Inquiry*, vol. 8, no. 1, 1981, pp. 133-149.

——, "What an Author Is", *Journal of Philosophy*, vol. 83, no. 11, 1986, pp. 685-691.

——, "Writer, Text, Work, Author", en Anthony J. Cascardi (comp.), *Literature and the Question of Philosophy*, Johns Hopkins Press, Baltimore, 1987, pp. 267-291.

Nelson, Leonard, "What Is the History of Philosophy?" *Ratio*, vol. 4, no. 1, 1962, pp. 22-35.

Nietzsche, Friedrich, *The Use and Abuse of History*, trad. Adrian Collins, en Oscar Levy (comp.), *The Complete Works of Friedrich Nietzsche*, vol. V, parte 2, Russell and Russell, Inc., Nueva York, 1964, pp. 1-100.

Nordin, Svante, *Interpretation and Method: Studies in the Explication of Literature*, Akademisk Avhandling, Lund, 1978.

Oehler, Klaus, "Der Entwicklungsgedanke als heuristisches Prinzip der Philosophiegeschichte", *Zeitschrift für philosophische Forschung*, no. 17, 1963, pp. 604-613.

O'Hear, Anthony, "The History that Is in Philosophy", *Inquiry*, vol. 28, no. 4, 1985, pp. 455-466.

Oja, Matt F., "Fictional History and Historical Fiction: Solzhenitsyn and Kis as Exemplars", *History and Theory*, vol. 27, no. 2, 1988, pp. 111-124.

Olafson, Frederick A., *The Dialectic of Action: A Philosophical Interpretation of History and the Humanities*, University of Chicago Press, Chicago, 1979.

Olsen, Stein Haugom, "Interpretation and Intention", *British Journal of Aesthetics*, vol. 17, no. 3, 1977, pp. 210-218.

Ortega y Gasset, José, "History as a System", trad. William C. Atkinson, en Raymond Klibansky y Herbert James Paton (comps.), *Philosophy and History*, Harper & Row, Nueva York, Evanston y Londres, 1963, pp. 283-322.

——, *El hombre y la gente*, en *Obras completas*, vol. VII, Revista de Occidente, Madrid, 1964.

——, "A dos ensayos de historiografía", en *Obras completas*, vol. VI, Revista de Occidente, Madrid, 1947, pp. 357-359.

——, "Ideas para una historia de la filosofía", Prólogo a *Historia de la filosofía*, de Émile Bréhier, Sudamericana, Buenos Aires,

1942. Reimpreso en *Obras completas*, vol. VI, Revista de Occidente, Madrid, 1947, pp. 379-419.

——, "A 'Historia de la filosofía', de Karl Vorländer", en *Obras completas*, vol. VI, Revista de Occidente, Madrid, 1947, pp. 292-300.

Parkinson, George Henry Radcliffe, *Logic and Reality in Leibniz's Metaphysics*, Clarendon Press, Oxford, 1965.

Passmore, John Arthur, "The Idea of a History of Philosophy", *History and Theory*, suplemento no. 5, 1965, pp. 1-32.

——, "Philosophy, Historiography of", en P. Edwards (comp.), *Encyclopedia of Philosophy*, vol. 6, Macmillan, Nueva York, Londres, 1967, pp. 226-230.

Peperzak, A., "On the Unity of Systematic Philosophy and History of Philosophy", en T.Z. Lavine y V. Tejera (comps.), *History and Anti-History in Philosophy*, Kluwer Academic Pubs., Dordrecht, 1989, pp. 19-31.

Pereyra, Carlos, "Objeto teórico de la historia de la filosofía", *Diánoia*, vol. 31, 1985, pp. 143-153.

Plantinga, Alvin, "The Boethian Compromise", *American Philosophical Quarterly*, no. 15, 1978, pp. 129-138.

Plotino, *The Essential Plotinus: Representative Treatises from the Enneads*, Elmer O'Brien (comp. y trad.), Hackett Publishing Co., Indianápolis, 1975.

Poincaré, H., *Science et Méthode*, Flammarion, París, 1908.

Pólya, G., "The Teaching of Mathematics and the Biogenetic Law", en I. J. Good (comp.), *The Scientist Speculates*, Heinemann, Londres, 1962.

Popkin, Richard H., "Philosophy and the History of Philosophy", *Journal of Philosophy*, vol. 82, no. 11, 1985, pp. 625-632.

Popper, Karl Raimund, *The Poverty of Historicism*, Routledge & Kegan Paul, 1957.

Porter, Dale H., *The Emergence of the Past: A Theory of Historical Explanation*, The University of Chicago Press, Chicago, 1981.

Poster, Mark, "The Future According to Foucault: *The Archaeology of Knowledge* and Intellectual History", en Dominick LaCapra y Steven L. Kaplan (comps.), *Modern European Intellectual History: Reappraisals and New Perspectives*, Cornell University Press, Ithaca y Londres, 1982, pp. 137-152.

Power, Lawrence H., "On Philosophy and Its History", *Philosophical Studies*, vol. 50, no. 1, 1986, pp. 1-38.

Putnam, Hilary, "Why is a Philosopher?" en A. Cohen y M. Dascal (comps.), *The Institution of Philosophy: A Discipline in Crisis*, Open Court, La Salle, Illinois, 1989, pp. 61-75.

Randall, John Herman, Jr., *How Philosophy Uses Its Past*, Columbia University Press, Nueva York, 1963.

——, *Nature and Historical Experience*, Columbia University Press, Nueva York, 1958.

——, "On Understanding the History of Philosophy", *Journal of Philosophy*, no. 36, 1939, pp. 460-474.

Ranke, Leopold von, *Geschichten der romanischen und germanischen Völker von 1494 bis 1514*, 3a. ed., Duncker & Humblot, Leipzig, 1885.

Rauche, G.A., "Systematic Aspects of the History of Philosophy", *Man & World*, no. 6, 1973, pp. 63-78.

Rée, Jonathan, "History, Philosophy, and Interpretation: Some Reactions to Jonathan Bennett's *Study of Spinoza's 'Ethics'*", en Peter H. Hare (comp.), *Doing Philosophy Historically*, Prometheus Books, Buffalo, Nueva York, 1988, pp. 44-61.

——, "Philosophy and the History of Philosophy", en Jonathan Rée, Michael Ayers y Adam Westoby, *Philosophy and Its Past*, The Harvester Press, Nueva Jersey, 1978, pp. 1-39.

——, Michael Ayers y Adam Westoby, *Philosophy and Its Past*, The Harvester Press, Nueva Jersey, 1978.

Ricoeur, Paul, "Explanation and Understanding: On Some Remarkable Connections among the Theory of the Text, Theory of Action, and Theory of History", en Charles E. Reagan y David Stewart (comps.), *The Philosophy of Paul Ricoeur: An Anthology of His Work*, Beacon Press, Boston, 1978, pp. 149-166.

——, "L'histoire de la philosophie et l'unité du vrai", en *Histoire et vérité*, 2a. ed., Éditions du Seuil, París, 1964, pp. 581-613.

——, *Interpretation Theory: Discourse and the Surplus of Meaning*, The University of Texas Press, Austin, 1976.

——, "On Interpretation", en Kenneth Baynes *et al.* (comps.), *After Philosophy: End or Transformation?*, The MIT Press, Cambridge, Mass. y Londres, 1988, pp. 357-380.

——, "The Model of the Text: Meaningful Action Considered as a Text", en Paul Rabinow y William M. Sullivan (comps.),

Interpretive Social Science: A Reader, University of California Press, Berkeley, 1979, pp. 73-101.

——, "Narrative Time", *Critical Inquiry*, vol. 7, no. 1, 1980, pp. 169-190.

——, "Structure, Word, Event", en Charles E. Reagan y David Stewart (comps.), *The Philosophy of Paul Ricoeur: An Anthology of His Work*, Beacon Press, Boston, 1978, pp. 109-133.

——, *Time and Narrative*, trad. Kathleen McLaughlin y David Pellauer, University of Chicago Press, Chicago, 1984-1988.

——, "What Is a Text? Explanation and Interpretation", en *Mythic-Symbolic Language and Philosophical Anthropology*, trad. D.M. Rasmussen, Martinus Nijhoff, Dordrecht, 1971.

Ritchie, Robert W. (comp.), *New Directions in Mathematics*, Englewood Cliffs, Prentice Hall, Nueva Jersey, 1964. Véase el panel de discusión en "New Directions in College Mathematics".

Robin, Leon, "L'histoire et la légende de la philosophie", *Revue Philosophique de la France et de l'Étranger*, no. 120, 1935, pp. 161-175.

——, "Sur la notion d'histoire de la philosophie", *Société Française de la Philosophie, Bulletin*, no. 36, 1936, pp. 103-106. Discusión de M.M. Baruzi, Brunschvieg, Berre, Ducassé, Etard, Koyré, Levy, Parodi, Schrecker y Wahl, pp. 106-140.

Robinet, André, "De l'histoire comme technique presupposée a toute activité créatrice en philosophie", *Études philosophiques*, vol. 12, no. 3, 1957, pp. 405-409.

Robinson, John Mansley, *An Introduction to Early Greek Philosophy*, Houghton Mifflin Co., Boston, 1968.

Robinson, Richard, *Plato's Earlier Dialectic*, 2a. ed., Oxford University Press, Oxford, 1962.

Roger Bacon, *Communia*, en *Opera hactenus inedita Rogeri Baconi*, fasc. 2, *Liber primus Communium naturalium fratris Rogeri*, Robert Steele (comp.), Clarendon Press, Oxford, 1905?

Romero, Francisco, *La estructura de la historia de la filosofía*, Losada, Buenos Aires, 1967.

——, *Sobre la historia de la filosofía*, Universidad de Tucumán, Tucumán, Argentina, 1943.

Rorty, Richard, "The Historiography of Philosophy: Four Genres", en Richard Rorty, J.B. Schneewind y Quentin Skinner (comps.), *Philosophy in History: Essays on the Historiography of Philosophy*, Cambridge University Press, Cambridge, 1984, pp. 49-75.

——, *Philosophy and the Mirror of Nature*, 2a. impresión, Princeton University Press, Princeton, 1980.

——, "Philosophy as Science, as Metaphor, and as Politics", en A. Cohen y M. Dascal (comps.), *The Institution of Philosophy: A Discipline in Crisis*, Open Court, La Salle, Illinois, 1989, pp. 13-33.

——, J.B. Schneewind y Quentin Skinner (comps.), *Philosophy in History: Essays on the Historiography of Philosophy*, Cambridge University Press, Cambridge, 1984.

Rosen, Stanley, *Plato's "Symposium"*, 2a. ed., Yale University Press, New Haven y Londres, 1987.

——, "The Limits of Interpretation", en Anthony J. Cascardi (comp.), *Literature and the Question of Philosophy*, Johns Hopkins University Press, Baltimore y Londres, 1987, pp. 210-410.

Rosenblatt, Louise M., *The Reader, the Text, the Poem: The Transactional Theory of the Literary Work*, Southern Illinois University Press, Carbondale y Edwardsville, 1978.

Russell, Bertrand, "Preface to the First Edition", *The Philosophy of Leibniz*, 2a. ed., George Allen and Unwin, Ltd., Londres, 1937, pp. xi-xv.

Saksena, S.K., "Is there a History of Philosophy?", *Philosophical Quarterly*, Amalner, India, no. 22, 1949-1950, pp. 1-13.

Santinello, Giovanni, "Note sulla storiografia filosofica nell'età moderna", en *La storiografia filosofica e la sua storia*, Editrice Antenore, Padua, 1982, pp. 103-128.

Sass, Hans-Martin, "Philosophische Positionen in der Philosophiegeschichtsschreibung. Ein Forschungsbericht", *Deutsche Vierteljahresschrift für Literaturwissenschaft und Geistesgeschichte*, vol. 46, no. 3, 1972, pp. 539-567.

Schmidt, Alfred, *History and Structure. An Essay on Hegelian-Marxist and Structuralist Theories of History*, MIT Press, Cambridge, 1981.

Schmitz, Kenneth L., "The History of Philosophy as Actual Philosophy", *Journal of Philosophy*, vol. 85, no. 11, 1988, pp. 673-674.

Schneewind, J.B., "The Divine Corporation and the History of Ethics", en Richard Rorty, J.B. Schneewind y Quentin Skinner (comps.), *Philosophy in History: Essays on the Historiography of Philosophy*, Cambridge University Press, Cambridge, 1984, pp. 173-191.

Sclafani, Richard J., "The Logical Primitiveness of the Concept of a Work of Art", *British Journal of Aesthetics*, vol. 15, no. 1, 1975, pp. 14-28.

Scriven, Michael, "Increasing Philosophy Enrollments and Appointments through Better Philosophy Teaching", *Proceedings and Addresses of the American Philosophical Association*, vol. 50, no. 3, 1977, pp. 232-234, y continúa en vol. 50, no. 4, 1977, pp. 326-328.

——, "Truisms as the Grounds for Historical Explanations", en Patrick Gardiner (comp.), *Theories of History*, Free Press, Glencoe, 1959, pp. 443-475.

Sebba, G., "What Is 'History of Philosophy'? I. Doctrinal and Historical Analysis", *Journal of the History of Philosophy*, vol. 8, no. 3, 1970, pp. 251-262.

Sellars, Wilfrid, "Abstract Entities", en *Philosophical Perspectives*, Charles C. Thomas, Springfield, Illinois, 1967.

Shapiro, Gary, "Canons, Careers, and Campfollowers: Randall and the Historiography of Philosophy", *Transactions of the Charles S. Peirce Society: A Quarterly Journal in American Philosophy*, vol. 23, no. 1, 1987, pp. 31-43.

Sherburne, Donald W. (comp.), *A Key to Whitehead's "Process and Reality"*, University of Chicago Press, Chicago, 1966.

Shorey, Paul, *What Plato Said*, The University of Chicago Press, Chicago, 1933.

Sindoni, Paola Ricci, "Teleology and Philosophical Historiography: Husserl and Jaspers", en Anna-Teresa Tymieniecka (comp.), *Analecta Husserliana*, no. 9, Reidel, Dordrecht, 1979, pp. 281-300.

Skinner, Quentin, "Conventions and the Understanding of Speech Acts", *Philosophical Quarterly*, vol. 20, no. 79, 1970, pp. 118-138.

——, "Hermeneutics and the Role of History", *New Literary History*, vol. 7, no. 1, 1975, pp. 209-232.

——, "Meaning and Understanding in the History of Ideas", *History and Theory*, vol. 8, no. 1, 1969, pp. 3-53.

——, "Motives, Intentions and the Interpretation of Texts", *New Literary History*, vol. 3, no. 2, 1972, pp. 393-408.

——, "On Performing and Explaining Linguistic Actions", *Philosophical Quarterly*, vol. 21, no. 82, 1971, pp. 1-21.

Slinn, E. Warwick, "Deconstruction and Meaning: The Textuality Game", *Philosophy and Literature*, no. 12, 1988, pp. 80-87.

Smart, Harold Robert, *Philosophy and Its History*, Open Court Publishing Co., La Salle, Illinois, 1962.

Smith, Barry, "Austrian Origins of Logical Positivism", en B. Gower (comp.), *Logical Positivism in Perspective*, Croom, Londres y Sydney, 1987; y Barnes and Noble, Totowa, 1988, pp. 35-68.

——, "On the Origins of Analytic Philosophy", *Grazer Philosophische Studien*, no. 35, 1989, 153-173.

Spengler, Oswald, *The Decline of the West*, ed. especial, Alfred A. Knopf, Nueva York, 1939.

Stambovsky, Phillip, "Metaphor and Historical Understanding", *History and Theory*, vol. 27, no. 2, 1988, pp. 125-134.

Stecker, Robert, "Apparent, Implied, and Postulated Authors", *Philosophy and Literature*, vol. 11, no. 2, 1987, pp. 258-271.

Steig, Michael, "The Intentional Phallus: Determining Verbal Meaning in Literature", *Journal of Aesthetics and Art Criticism*, vol. 6, no. 1, 1977, pp. 51-61.

Stern, Fritz, *The Varieties of History: From Voltaire to the Present*, World Publishing, Nueva York, 1956.

Stevenson, Charles L., "On the Reasons that Can Be Given for the Interpretation of a Poem", en Joseph Zalman Margolis (comp.), *Philosophy Looks at the Arts*, Charles Scribner's Sons, Nueva York, 1962, pp. 121-139.

Stone, I.F., *The Trial of Socrates*, Little, Brow & Co., Boston, 1988.

Strawson, P.F., *Individuals*, Doubleday & Company, Garden City, Nueva York, 1963.

Suárez, Francisco, *Disputationes metaphysicae*, en *Opera omnia*, Carolo Berton (comp.), vols. 25 y 26, Vivès, París, 1861.

Tanselle, Thomas, "Greg's Theory of the Copy-Text and the Editing of American Literature", *Studies in Bibliography*, no. 28, 1975, pp. 167-229.

Tatarkiewicz, Ladislas, "The History of Philosophy and the Art of Writing It", *Diogenes*, no. 20, 1957, pp. 52-67.

Taylor, Charles, "Philosophy and Its History", en Richard Rorty, J.B. Schneewind y Quentin Skinner (comps.), *Philosophy in History: Essays on the Historiography of Philosophy*, Cambridge University Press, Cambridge, 1984, pp. 17-30.

Teggart, F.J. (comp.), *The Idea of Progress*, ed. rev., University of California Press, Berkeley, 1949.

Tejera, Víctor, "Introduction: On the Nature of Philosophic Historiography", en T.Z. Lavine y V. Tejera (comps.), *History and Anti-History in Philosophy*, Kluwer Academic Pubs., Dordrecht, 1989, pp. 1-18.

Tennessen, Herman, "History Is Science: Preliminary Remarks toward an Empirical, Experimentally Oriented, Behavioural Science of History", *Monist*, vol. 53, no. 1, 1969, pp. 116-133.

Thayer, H.S., "The Philosophy of History and the History of Philosophy: Some Reflections on the Thought of John Herman Randall, Jr.", *Transactions of the Charles S. Peirce Society: A Quarterly Journal in American Philosophy*, vol. 23, no. 1, 1987, pp. 1-15.

Thierry de Chartres, *Commentum super Boethii librum de Trinitate*, en Nikolaus M. Häring, S.A.C. (comp.), *Commentaries on Boethius by Thierry of Chartres and His School*, Pontifical Institute of Mediaeval Studies, Toronto, 1971, pp. 55-116.

—, *Lectiones in Boethii librum de Trinitate*, en N.M. Häring (comp.), *Commentaries on Boethius by Thierry of Chartres and His School*, Pontifical Institute of Mediaeval Studies, Toronto, 1971, pp. 123-230.

Tolhurst, William E., "On What a Text Is and How It Means", *British Journal of Aesthetics*, vol. 19, no. 1, 1979, pp. 3-14.

Tomás de Aquino, *On Being and Essence*, 2a. ed. rev., trad. Armand Maurer, Pontifical Institute of Mediaeval Studies, Toronto, 1968.

—, *De ente et essentia*, M.D. Roland-Gosselin (comp.), J. Vrin, París, 1948.

——, *Expositio super librum Boethii de Trinitate*, B. Decker (comp.), Brill, Leiden, 1959.

——, *Faith, Reason and Theology: Questions I–IV of his "Commentary on the 'de Trinitate' of Boethius"*, q. 4, art. 2, trad. Armand Maurer, Pontifical Institute of Mediaeval Studies, Toronto, 1987.

——, *De principio individuationis*, en R. Spiazzi (comp.), *Opuscula philosophica*, Marietti, Roma, 1954, pp. 147–151.

——, *Summa theologiae*, De Rubeis (comp.), *et al.*, Marietti, Turín, 1932.

Tompfins, Jane P., *Reader-Response Criticism: From Formalism to Post- Structuralism*, Johns Hopkins University Press, Baltimore, 1980.

Tonelli, Giorgio, "A Contribution towards a Bibliography on the Methodology of the History of Philosophy", *Journal of the History of Philosophy*, vol. 10, no. 4, 1972, pp. 456–458.

——, "Qu'est-ce que l'histoire de la philosophie?", *Revue Philosophique de la France et de l'Étranger*, no. 152, 1962, pp. 290–306.

Toynbee, Arnold Joseph, *A Study of History*, Oxford University Press, Londres, 1935–1961.

Veatch, Henry B., *Aristotle: A Contemporary Appreciation*, Indiana University Press, Bloomington y Londres, 1974.

——, "Response to Commentators", en Peter H. Hare (comp.), *Doing Philosophy Historically*, Prometheus Books, Buffalo, Nueva York, 1988, pp. 127–136.

——, "Introduction: On Trying to Be an Aristotelian or a Thomistin Today's World", en *Swimming Against the Current in Contemporary Philosophy: Occasional Essays and Papers*, The Catholic University of America Press, Washington, D.C., 1990, pp. 1–20.

Vegas González, Serafín, "Un papel para la historia de la filosofía", *Pensamiento*, no. 37, 1981, pp. 257–286.

Vico, Giovanni Battista, *The New Science*, trad. de la 3a. ed. (1744) Thomas Goddard Bergin y Max Harold Fisch, Anchor Books, Garden City, 1961.

Voltaire, "Conseils à un journaliste", en M. Adrien Jean Quentin Beuchot (comp.), *Ouvres de Voltaire*, vol. 37, Lefèvre, París, 1829–1840, pp. 362–367.

——, "Da l'utilité de l'histoire", en *Dictionnaire philosophique*, en M. Adrien Jean Quentin Beuchot (comp.), *Ouvres de Voltaire*, vol. 30, Lefèvre, París, 1829-1840, pp. 207-209.

Wachterhauser, Brice R., "Interpreting Texts: Objectivity or Participation?", *Man and World*, no. 19, 1986, pp. 439-457.

Walsh, W.H., *An Introduction to Philosophy of History*, Hutchinson's University Library, Londres, 1951.

Walton, Craig, "Bibliography of the Historiography and Philosophy of the History of Philosophy", en *International Studies in Philosophy*, no. 19, 1977, pp. 135-166.

Warnke, Georgia, *Gadamer: Hermeneutics, Tradition and Reason*, Stanford University Press, Stanford, 1987.

Watson, Richard A., "Method in the History of Philosophy", cap. I de *The Breakdown of Cartesian Metaphysics*, Atlantic Highlands, Humanities Press International, Inc., Nueva Jersey, 1987, pp. 3-17.

——, "A Short Discourse on Method in the History of Philosophy", *Southwestern Journal of Philosophy*, vol. 11, no. 2, 1980, pp. 7-24.

Weisheipl, James A., *Friar Thomas D'Aquino: His Life, Thought and Work*, Doubleday & Co., Garden City, Nueva York, 1974.

Weitz, Morris D., *Hamlet and the Philosophy of Literary Criticism*, University of Chicago Press, Chicago, 1964.

——, *Philosophy of the Arts*, Harvard University Press, Cambridge, Mass., 1950.

White, Hayden V., *Metahistory: The Historical Imagination in Nineteenth-Century Europe*, Johns Hopkins University Press, Baltimore, 1973.

——, "Method and Ideology in Intellectual History: The Case of Henry Adams", en Dominik LaCapra y Steven L. Kaplan (comps.), *Modern European Intellectual History: Reappraisals and New Perspectives*, Cornell University Press, Ithaca y Londres, 1982, pp. 280-310.

——, "The Question of Narrativity in Contemporary Historical Theory", *History and Theory*, vol. 23, no. 1, 1984, pp. 1-33.

——, "Rhetoric and History", en Hayden V. White y Frank E. Manuel, *Theories of History*, William Andrews Clark Memorial Library, Los Ángeles, 1978, pp. 3-25.

—, "The Tasks of Intellectual History", *Monist*, vol. 53, no. 4, 1969, pp. 606–630.

—, *Tropics of Discourse; Essays in Cultural Criticism*, Johns Hopkins University Press, Baltimore, 1978.

White, M.G., *Foundations of Historical Knowledge*, Harper & Row, Nueva York, 1965.

Whitehead, Alfred North, *Process and Reality*, D.R. Griffin y D.W. Sherburne (comps.), The Free Press, Nueva York, 1979.

Wiener, Philip P. (comp.), *Dictionary of the History of Ideas*, Charles Scribner's Sons, Nueva York, 1973.

—, "Logical Significance of the History of Thought", *Journal of the History of Ideas*, vol. 7, no. 3, 1946, pp. 366–373.

—, "Some Problems and Methods in the History of Ideas", *Journal of the History of Ideas*, vol. 22, no. 4, 1961, pp. 531–548. Reimpreso en Philip P. Wiener y Aaron Noland (comps.), *Ideas in Cultural Perspective*, Rutgers University Press, New Brunswick, Nueva Jersey, 1962, pp. 24–41.

Williams, W.H., "Comment on John Yolton's 'Is There a History of Philosophy? Some Difficulties and Suggestions' ", *Synthese*, vol. 67, no. 1, 1986, pp. 23–32.

Wilsmore, Susan, "The Literary Work Is not Its Text", *Philosophy and Literature*, no. 11, 1987, pp. 307–316.

Wimsatt, William K., Jr. y Monroe C. Beardsley, "The Intentional Fallacy", en Joseph Zalman Margolis (comp.), *Philosophy Looks at the Arts*, Charles Scribner's Sons, Nueva York, 1962, pp. 91–105.

Winch, Peter, *The Idea of a Social Science and Its Relation to Philosophy*, Routledge & Kegan Paul, Londres, 1958.

—, "Understanding a Primitive Society", *American Philosophical Quarterly*, no. 1, 1964, pp. 307–324.

Windelband, Wilhelm, *A History of Philosophy*, trad. James H. Tufts, Harper and Brothers, Nueva York, 1958.

Wittgenstein, Ludwig, *Notebooks, 1914–1916*, G.H. von Wright y G.E.M. Anscombe (comps.), trad. G.E.M. Anscombe, Basil Blackwell, Oxford, 1961.

Wolff, Christian, *Preliminary Discourse on Philosophy in General*, trad. Richard J. Blackwell, Bobbs-Merrill Co., Inc., Indianápolis y Nueva York, 1963.

Wollheim, Richard, *Art and Its Objects*, Harper & Row, Nueva York, 1968.

Wolterstorff, Nicholas, "Toward an Ontology of Art Works", *Nous*, vol. 9, no. 2, 1975, pp. 115-142.

Wood, Alan, "Russell's Philosophy: A Study of Its Development", en Bertrand Russell, *My Philosophical Development*, George Allen & Unwin Ltd., Londres, 1959, pp. 190-205.

Wood, Robert E. (comp.), *The Future of Metaphysics*, Quadrangle Books, Chicago, 1970.

Yolton, John W., "Is There a History of Philosophy? Some Difficulties and Suggestions", *Synthese*, vol. 67, no. 1, 1986, pp. 3-21.

——, "Some Remarks on the Historiography of Philosophy", *Journal of the History of Philosophy*, vol. 23, no. 4, 1985, pp. 571-578.

Zea, Leopoldo, *Positivismo en México*, Fondo de Cultura Económica, México, 1968.

Zubiri, Xavier, "El saber filosófico y su historia", *Cruz y Raya*, Madrid. Reimpreso en *Naturaleza, historia, Dios*, Revista de Occidente, Madrid, 1944.

ÍNDICE DE AUTORES

Se incluyen los nombres de los autores que aparecen en el cuerpo del libro y en las notas al calce (aun cuando éstos formen parte de algún título). También aparecen los autores, editores y traductores de los textos que se citan en las referencias bibliográficas en notas al calce.

No se registran, sin embargo, los autores que aparecen en la bibliografía, al final del libro. Tampoco se citan los autores de obras de arte.

ÍNDICE DE MATERIAS

S

T

ÍNDICE GENERAL

La filosofía y su historia. Cuestiones de historiografía filosófica se terminó de imprimir el 3 de abril de 1998 en los talleres de Regina de los Ángeles, S.A., ubicados en Avenida Trece no. 101-L, Col. Independencia, Deleg. Benito Juárez, C.P. 03660, México, D.F., en papel cultural de 90 gr. En su composición y formación, realizadas por computadora en el Instituto de Investigaciones Filosóficas, se utilizaron el programa TEX y tipos Newbaskerville. La edición estuvo al cuidado de Martha Díaz Cañas. El tiraje consta de 1 000 ejemplares.